TRAITÉ

DE
DROIT CRIMINEL

TOME SECOND

La culpabilité (*actus reus* et *mens rea*)

HUGUES PARENT

TRAITÉ
DE
DROIT CRIMINEL

TOME SECOND

La culpabilité (*actus reus* et *mens rea*)

2e édition 2007

Les Éditions Thémis

Catalogage avant publication de Bibliothèque et Archives nationales du Québec et Bibliothèque et Archives Canada

Parent, Hugues, 1970-

    Traité de droit criminel

    2e édition

    Comprend des réf. bibliogr. et un index
    Sommaire : t. 1. L'imputabilité – t. 2 La culpabilité (actus reus et mens rea).

    ISBN 2-89400-210-6 (v. 1)
    ISBN 978-2-89400-235-3 (v. 2)

    1. Droit pénal – Canada. 2. Responsabilité pénale – Canada. 3. Intention criminelle – Canada. 4. Légitime défense – Canada. 5. Culpabilité (Droit) – Canada. 6. Justice pénale – Administration – Canada. I. Titre. II. Titre : L'imputabilité. III. Titre : La culpabilité (actus reus et mens rea).

KE8809.P35 2005   345.71   C2005-941358-1

Composition : Claude Bergeron
Graphisme : Vincent Blanchard

Ouvrage publié grâce à l'aide financière du gouvernement du Canada par l'entremise du Programme d'aide au développement de l'industrie de l'édition.

On peut se procurer le présent ouvrages aux

Éditions Thémis
Faculté de droit
Université de Montréal
C.P. 6128, succursale Centre-ville
Montréal (Québec)
H3C 3J7

Courriel : themis@droit.umontreal.ca
Site Internet : http://www.themis.umontreal.ca
Téléphone : (514) 343-6627
Télécopieur : (514) 343-6779

À Guillaume.

Remerciements

À ma famille, pour son soutien et l'intérêt qu'elle porte à mes travaux.

À mes collègues, les professeur(e)s Diane Labrèche, Louise Viau et François Chevrette pour les nombreux conseils et encouragements.

Aux Éditions Thémis, et plus particulièrement à MM. Christian Saint-Georges, Daniel Blondin-Stewart et Vincent Blanchard, de même qu'à Mme Katrine Petroff pour le travail d'édition.

Enfin à Mme Guylaine Michel, du groupe Claude Bergeron, pour son excellent travail de mise en pages.

Table des matières

Chapitre deuxième
L'intention 155

Introduction

If the act, that is committed, be simply casual, and per infortunium,
regularly that act, which is done ex animi intentione, were punishable
with death, is not by the Laws of England to undergo that punishment;
for it is the will and intention, that regularly is required,
as well as the act, and event to make the offence capital.

Sir Matthew HALE[1]

1. Si un jour, par malheur, du fond des nuits esseulées, l'homme se retire derrière la matérialité de ses actes, qu'il quitte, sans le savoir, le royaume de la responsabilité pour celui de l'irresponsabilité, c'est qu'il aura, à travers cet exil, perdu son âme, clarté éternelle, dans l'évanouissement de sa raison et de sa volonté. Dépourvu des nobles facultés qui le rattachent à Dieu, l'homme erre, telle une ombre dans la nuit, « du côté noir de l'obscure barrière »[2]. « Le jour qui le voit alors à peine lui demande : "Qui es-tu?" Et la nuit dit : "Quel est ce mort?" "Je l'ignore", répond l'homme. »[3] Comme si au moment de basculer dans ce vide funèbre, il ne pouvait plus se rappeler de sa propre nature. Cette nature sur laquelle il avait jadis fondé son royaume et bâti son empire. Sans raison, sans volonté, l'homme disparaît de la surface des choses, il quitte la quiétude de ses terres immenses pour sombrer dans l'abîme de l'irresponsabilité, dans la noirceur d'une humanité qui, en s'abandonnant aux puissances sourdes et obscures du

---

1   Matthew HALE, *Historia Placitorum Coronæ, The History of the Pleas of the Crown*, vol. 1, Philadelphia, H.P. & R.H. Small, 1847, p. 29-37. Voir également Edward COKE, *The Third Part of the Institutes of the Laws of England* VIII [Of Homicide], New York & London, Garland Publishing, 1979, p. 56: "[I]f one shoot at any wild fowl upon a tree, and the arrow killeth any reasonable creature afar off, without any evil intent in him, this is *per infortunium.*"

2   Victor HUGO, *Les contemplations*, Paris, Gallimard, 1965, p. 406.

3   *Id.*, p. 420.

destin, s'exprime sans jamais véritablement être reconnue. « Un fait, quelque préjudiciable qu'il soit n'est qu'un malheur, écrit le juriste français Joseph Ortolan, si vous faites abstraction de toute intervention de personne. [...] Pour qu'un fait soit reconnu délit, il faut donc le considérer avant tout dans la personne de laquelle ce fait provient, ou en d'autres termes dans la personne de l'agent. C'est dans l'agent que résident avant tout les conditions essentielles de la responsabilité. »[4] Ces conditions, l'homme en est conscient, puisque depuis le premier jour, depuis le premier moment, il s'est efforcé d'en déterminer les limites et d'en conjurer les périls. En traçant le seuil au-delà duquel se déploient les régions de la responsabilité, le droit pénal désigne à la fois l'Intérieur et l'Extérieur d'une culture; l'Intérieur dans la mesure où l'imputabilité ouvre l'individu sur le monde de la responsabilité; l'Extérieur en ce qu'elle rejette à l'autre extrémité de l'espace pénal, dans les confins de l'univers juridique, ceux qui à travers l'obscurcissement de la volonté ne sont plus aptes à orienter intelligemment ou librement leurs actions.

2. S'il est vrai que la capacité d'obéir aux enseignements de la loi pénale (*imputabilité*), de choisir sa conduite à travers l'écheveau de la contingence, est un élément essentiel d'un système de justice fondé sur le respect de l'autonomie et de la volonté de la personne, encore faut-il que cette capacité s'ouvre sur le monde et s'épanouisse dans la commission d'un acte illégal (*actus reus*) auquel se rattache un élément de faute en particulier (*culpabilité*)[5]. D'une responsabilité en puissance, nous passons alors à une responsabilité en acte. Ainsi se dessine l'étrange complicité dans laquelle se

---

4   Joseph ORTOLAN, *Éléments de droit pénal, pénalité, juridictions, procédure*, 5ᵉ éd., Paris, Librairie Plon, 1886, p. 101.

5   Adrien-Charles DANA, *Essai sur la notion d'infraction pénale*, Paris, L.G.D.J., 1982, p. 279 et 280 :

> Rattachée à la société, l'infraction traduit nécessairement un trouble qu'une action humaine imputable lui a occasionné. Envisager l'infraction en tant qu'action humaine coupable revient alors à se demander quel reproche la société doit ou peut faire à l'auteur du trouble pour qu'elle puisse le punir. La culpabilité traduit le reproche qui fonde la réaction sociale, la faute qui explique l'incrimination.

nouent « les vieux partenaires du faste punitif »[6] que sont l'imputabilité, l'acte matériel et la culpabilité. Il est donc faux de penser
que l'imputabilité règne seule sur le domaine de la justice pénale,
puisque au-delà de l'acte matériel, tout juste derrière la constatation de la capacité d'obéir à la loi pénale, apparaît, comme un point
scintillant à l'horizon, la culpabilité; ce complément nécessaire qui,
en s'arrimant à l'*actus reus* de l'infraction, permet à l'imputabilité
de mordre dans l'action ou dans l'omission afin d'assurer la perfection du crime. Par un étrange mouvement de subtile relève, la
volonté de l'individu se dégage puis se met en branle afin d'imprimer
à l'acte matériel sa trajectoire finale. C'est la naissance du célèbre
couple imputabilité/culpabilité. Bien plus qu'un simple face-à-face,
où se côtoient deux réalités à la fois étrangères mais nécessaires,
l'imputabilité et la culpabilité s'entrecroisent à l'intérieur d'un fais-
ceau unique dont l'action confère à l'acte criminel son impulsion
dynamique. Résultat : « [n]i l'un ni l'autre de ces réquisits ne peut
[...] se dispenser de celui qui le complète et lui fait face sans entraîner un déséquilibre »[7] dans les rapports qui sous-tendent la responsabilité pénale. En somme, la culpabilité est le principe qui, en
obligeant la volonté à se manifester dans la commission d'un acte
illégal (ou dans la présence d'une omission), permet aux tribunaux
de porter un jugement pénal sur l'auteur de l'acte en question
(*vicious will*). Comme l'affirme Sir William Blackstone dans ses
Commentaries on the Laws of England :

> An open evidence of an intended crime, is necessary, in order to
> demonstrate the depravity of the will, before the man is liable to
> punishment. [...] So that to constitute a crime against human
> laws; there must be first a vicious will; and secondly, an unlawful
> act consequent upon such a vicious will.[8]

---

6   Michel FOUCAULT, *Surveiller et punir : Naissance de la prison*, Paris,
     Gallimard, 1975, p. 24.

7   Michel FOUCAULT, *Les mots et les choses – Une archéologie des
     sciences humaines*, Paris, Gallimard, 1966, p. 83.

8   William BLACKSTONE, *Commentaries on the Laws of England*,
     vol. IV, New York & London, Garland Publishing, 1978, p. 21.

3. La culpabilité étant, après l'imputabilité et l'acte matériel, le troisième élément essentiel à la perfection du crime, il est à propos de s'interroger sur sa signification au point de vue juridique. Tout d'abord, regardons ce que l'étymologie, avec son opération millénaire de décantation du sens, nous apprend. Le mot « culpabilité » vient du mot latin *culpa*, qui signifie « faute ». La faute étant dérivée du latin *fallita* (de *fallere* : faillir) et du germain *fallen* (tomber, *fall* : chute), la culpabilité évoque, au sens figuré, l'idée de chute morale, de sorte que punir quelqu'un c'est exprimer son aversion pour la faute qu'il a commise, c'est dire qu'il est le seul et unique responsable de son malheur. En common law, la culpabilité n'est pas un terme fréquemment utilisé. Sa présence, qui ne fait aucun doute, est plutôt régie par la notion de *mens rea*, notion dont l'importance s'exprime à travers le célèbre adage : *Actus non facit reum nisi mens sit rea*. D'après le juge Wills dans l'arrêt *The Queen* c. *Tolson*[9] :

> It is [...] undoubtedly a principle of English criminal law, that ordinarily speaking a crime is not committed if the mind of the person doing the act in question be innocent. "It is a principle of natural justice and of our law", says Lord Kenyon, C.J., "that *actus non facit reum nisi mens sit rea*. The intent and the act must both concur to constitute a crime".[10]

4. Connue sous différentes expressions, mais qui recouvrent sensiblement le même domaine, « *wickedness* », « *wicked will* »,

---

9   (1889) 23 B.R. 168.

10   *Id.*, 171 et 172. Voir également les commentaires du juge Dickson dans l'arrêt *R.* c. *Bernard*, [1988] 2 R.C.S. 833, 843 :
> Tout d'abord, il faut reconnaître la nature fondamentale de l'exigence d'une *mens rea*. La personne qui a causé un préjudice doit l'avoir fait dans un état d'esprit blâmable, sans quoi on ne saurait justifier une déclaration de culpabilité et l'imposition d'une peine avec tout ce que cela peut avoir d'infamant. C'est toujours au ministère public qu'il incombe de prouver hors de tout doute raisonnable l'existence d'un état d'esprit coupable.

« *evil mind* »[11], « *guilty mind* »[12], « *blameworthy condition of the mind* »[13], la *mens rea* est un terme générique dont l'évolution chaotique a donné lieu à la formation de deux approches différentes de la culpabilité en droit pénal.

5. D'un côté, la théorie normative de la *mens rea*. D'après cette approche moraliste de la faute, la culpabilité (*mens rea*) est synonyme de responsabilité morale. Elle évoque, conformément à ses origines étymologiques (*mens* : esprit et *rea* de *reus* : coupable), l'idée d'un « état d'esprit blâmable ». Malgré sa forte coloration morale, il serait tout à fait erroné de réduire la *mens rea* normative à la présence d'un mobile immoral. En effet, la *mens rea* normative n'est pas, contrairement à ce que l'on croit généralement, associée à la turpitude morale (mobile immoral), mais à la responsabilité morale proprement dite. Si la *mens rea* normative ne peut être jugée en fonction de la nocivité de son auteur, alors sur quoi peut-elle établir ses prises ? Sur l'union de l'imputabilité et de la culpabilité, répondons-nous, sur la conjonction de la capacité et de l'élément de faute. Dans cette perspective, « l'expression connote simplement l'idée qu'il n'y a pas de responsabilité pénale sans faute »[14]. En effet, d'après les auteurs Fortin et Viau, la *mens rea* normative :

---

11   BISHOP, *Criminal Law*, 9ᵉ éd., 1930, p. 287, cité dans Francis B. SAYRE, « Mens rea », (1931-32) 45 *Harv. L. Rev.* 974 : "There can be no crime, large or small, without an evil mind. It is therefore a principle of our legal system, as probably it is of every other, that the essence of an offence is the wrongful intent, without which it cannot exist."

12   *Harding* c. *Price*, [1948] 1 B.R. 697, 700 :
      The general rule applicable to criminal cases is *actus non facit reum nisi mens sit rea*, and I venture to repeat what I said in *Brent* v. *Wood*, (1946) 62 T.L.R. 462, 463 : It is of the utmost importance for the protection of the liberty of the subject that a court should always bear in mind that, unless statute either clearly or by necessary implication rules out *mens rea* as a constituent part of a crime, the court should not find a man guilty of an offence against the criminal law unless he has a guilty mind.

13   *Watts and Gaunt* c. *The Queen*, [1953] 1 R.C.S. 505, 511.

14   Jacques FORTIN et Louise VIAU, *Traité de droit pénal général*, Montréal, Éditions Thémis, 1982, p. 70.

[T]raduit un jugement de valeur, une appréciation morale de la conduite de l'accusé. Ce jugement de valeur tient compte non seulement de la conduite de l'accusé et de l'état d'esprit que celle-ci révèle, mais également des circonstances pouvant justifier ou excuser cette conduite. Entendu dans son sens normatif, la *mens rea* réfère [...] non seulement à la conduite contraire à la loi [...], mais aussi au fait que A est, par exemple, sain d'esprit et qu'il ne bénéficie pas, dans les circonstances, d'une justification (*v.g.* légitime défense) ou d'une excuse (*v.g.* ignorance de fait, automatisme).[15]

6. Tout en ayant le mérite de souligner les fondements philosophiques à la base de la responsabilité pénale, la *mens rea* normative propose une approche beaucoup trop large de la culpabilité, dans la mesure où elle subvertit les limites traditionnelles de l'imputabilité et de la culpabilité en fusionnant des concepts dont l'altérité ne peut plus être ignorée. Issue de l'incertitude entourant la notion d'imputabilité, la *mens rea* normative n'a plus de véritable signification depuis la reconnaissance récente de la constitutionnalité de l'acte volontaire (au sens normatif) comme fondement de l'imputabilité en droit pénal[16].

7. De l'autre côté, la théorie descriptive de la *mens rea*, une ligne de pensée selon laquelle la faute morale n'est plus la vérité ni le fondement ontologique de la responsabilité, mais le vestige d'une époque révolue. Désormais, la mécanique judiciaire change de rouages. Sous des mots techniques et obscurément magiques d'«intention», d'«insouciance» et de «connaissance», le droit pénal emprisonne la faute dans un langage empirique dont les accents juridiques se définissent en termes positifs. Là où les normativistes décelaient la présence d'une *mens rea* générale, commune à l'ensemble des infractions, les positivistes y perçoivent plutôt l'indice d'un concept spécifique, particulier à chaque infraction. Il n'y a donc pas de *mens rea* proprement dite, mais un ensemble

---

15   *Id.*, p. 73.
16   *R. c. Ruzic*, [2001] 1 R.C.S. 687.

de *mentes rea* dont le contenu varie en fonction de chaque infraction[17]. En effet, d'après le juge Stephen :

> Bien que cet adage (*non est reus, nisi mens sit rea*) soit d'usage
> courant, je l'estime malencontreux, voire non seulement suscep-
> tible d'induire en erreur mais en fait fallacieux pour les raisons
> suivantes : il est de nature à faire croire qu'il existe, indépendam-
> ment des définitions particulières des crimes, une telle chose
> qu'un[e] *mens rea*, ou « état d'esprit blâmable », qui est toujours
> explicitement ou implicitement partie intégrante de chacune des
> définitions. Cela n'est évidemment pas le cas car les éléments
> moraux des différents crimes varient considérablement. L[a] *mens
> rea* signifie dans le cas du meurtre l'intention de tuer; dans le cas
> du vol, l'intention de voler; dans le cas du viol, l'intention d'avoir
> par la force des relations sexuelles avec une femme sans son con-
> sentement et, dans le cas du recel, la connaissance que les biens
> ont été volés. Dans certains cas, il connote une simple inadver-
> tance. Par exemple, dans le cas de l'homicide involontaire par
> négligence, il peut signifier l'omission d'obtempérer à un signal.
> Donner le même nom à des états d'esprit aussi différents crée la
> confusion. Il semble contradictoire, en effet, de décrire une simple
> distraction comme un[e] *mens rea* ou un état d'esprit coupable.
> L'expression, je le répète, est susceptible d'induire en erreur et il
> est fréquent qu'elle le fasse effectivement [...]. Le principe dont
> il s'agit, une fois bien analysé, se résume, me semble-t-il, à ceci :
> la définition complète de chaque crime contient, d'une manière
> explicite ou implicite, une proposition relative à un état d'esprit.[18]

8. Si l'élément de faute varie en fonction de chaque infraction, sa contribution à la définition du crime demeure toujours la

---

17 Francis B. SAYRE, (1934) *Harvard Legal Essays* 399, 404, cité dans
    Jerome HALL, *General Principles of Criminal Law*, Indianapolis,
    Bobbs-Merrill, 1947, p. 139 : "The truth is that there is no single precise
    state of mind common to all crime... The old conception of *mens rea*
    must be discarded, and in its place must be substituted the new concep-
    tion of *mentes reae*." Voir également F. B. SAYRE, *loc. cit.*, note 11,
    1026.

18 *The Queen* c. *Tolson*, précité, note 9, 185-187, cité en français dans
    J. FORTIN et L. VIAU, *op. cit.*, note 14, p. 73 et 74.

même. En effet, la *mens rea* est le complément de l'*actus reus*, le souffle qui apporte à l'infraction le supplément d'âme nécessaire à sa perfection. Une fois pour toutes, Francis B. Sayre a formulé le principe : « *Mens rea*, chameleon like, takes on different colors in different surrounding. »[19] En effet, d'après le célèbre auteur américain Sanford Kadish : « *Mens rea*, is crucial to the description of the conduct we want to make criminal. And description is crucial in so far as it is regarded as important to exclude from the definition of criminality what we do not want to punish as criminal. »[20] Impossible donc de punir quelqu'un sans relever au préalable ce qui le rattache au crime, car l'infraction, au-delà du comportement qu'elle sanctionne, exige généralement la présence d'un élément de faute. C'est pourquoi il importe de bien connaître « les configurations qui ont donné lieu aux formes diverses »[21] qu'emprunte la culpabilité en droit pénal canadien. Afin de mieux saisir la dénivellation existant entre les différents états d'esprit coupable, le droit a mis de l'avant un système de classification dans lequel est identifié, puis répertorié chaque élément de faute. De l'intention à la négligence, en passant par la connaissance et l'insouciance, chaque composante a sa propre valeur, sa propre signification. Ainsi, pour être efficace, ce système « doit permettre l'analyse des choses dans leurs éléments les plus simples; il doit décomposer jusqu'à l'origine; mais il doit aussi montrer comment sont possibles les combinaisons de ces éléments »[22] de manière à cerner adéquatement la culpabilité requise aux termes de l'infraction. C'est sur ce fond de connaissance empirique, tenu pour sol positif, que se déploient les vertus de la *mens rea* descriptive et les étranges pouvoirs qu'elle recèle.

---

19   F. B. SAYRE, *loc. cit.*, note 17, 402.

20   Sanford H. KADISH, « The Decline of Innocence », (1968) *Camb. L. J.* 273, 274 :

> To revert to the examples just given, it would not be regarded as appropriate to make criminal the taking of another's property where the taker believed honestly that he was taking his own property. Neither would it make sense to make a person guilty of receiving stolen goods where he neither knew nor had occasion to know that the goods were stolen. And surely we should see nothing criminal in joining a group in a public place, apart from the intent to commit unlawful acts.

21   M. FOUCAULT, *op. cit.*, note 7, p. 13.

22   *Id.*, p. 76.

9. On voit quel fossé existe entre les deux approches. Malgré leurs distinctions, chaque théorie apporte un éclairage unique sur le phénomène de la culpabilité en droit pénal. Ceci dit, quelle théorie doit prédominer? Compte tenu de notre vision dualiste de la responsabilité, vision qui repose sur une fragmentation de l'imputabilité et de la culpabilité, nous sommes amenés naturellement à privilégier la *mens rea* dans son sens descriptif. Pour nous, la *mens rea* correspond donc à l'*élément de faute se rattachant à la définition du crime*. Cet élément de faute, précise la Cour suprême du Canada dans l'arrêt *R. c. Hundal*[23], peut être évalué en fonction d'une norme subjective ou objective, le cas échéant. En effet, selon la juge McLachlin, aujourd'hui juge en chef :

> Une infraction peut exiger la preuve d'un état d'esprit positif, tel que l'intention, l'insouciance ou l'aveuglement volontaire. Si c'est le cas, le ministère public doit prouver hors de tout doute raisonnable que l'accusé avait l'état d'esprit requis. Il s'agit d'un critère subjectif, fondé sur ce qui s'est vraiment passé dans l'esprit de l'accusé. Par ailleurs, la faute peut résider dans la négligence ou l'inconscience de l'accusé. Dans ce cas, c'est un critère objectif qui s'applique; la question ne porte pas sur ce qui s'est passé dans l'esprit de l'accusé mais sur l'absence d'un état mental de diligence.[24]

10. C'est de cet élément de faute, et de ses principales figures, qu'il faut maintenant parler. Alors que dans le premier tome, on s'interrogeait sur la manière avec laquelle une culture pouvait tracer son seuil d'intervention au point de vue pénal, il s'agit ici d'examiner les principales composantes de l'élément de faute en droit criminel. À la question : « Cette personne est-elle capable de répondre pénalement de ses actes? » s'ajoute désormais l'interrogation suivante : « Est-ce que l'individu a rencontré l'élément de faute explicitement ou implicitement exigé aux termes de l'infraction? » L'antinomie n'est qu'apparente, car s'il faut absolument

---

23   [1993] 1 R.C.S. 867.

24   *Id.*, 871 et 872.

distinguer les deux concepts du point de vue des idées (imputabilité/ culpabilité), ce n'est que pour mieux les unir par la suite.

11. Comme une action imputable n'est coupable que dans la mesure où elle comporte la constatation préalable d'un élément matériel, c'est de ce côté qu'il faut commencer notre analyse de la culpabilité en droit pénal canadien (*chapitre préliminaire*). Une fois l'*actus reus* établi, une fois ses principales composantes démystifiées, on devra ensuite se demander si l'action comporte l'élément de faute nécessaire à l'intervention de la justice pénale, car pour être criminel, l'acte doit non seulement être rattaché à l'accusé (*action humaine imputable*) mais aussi et surtout traduire une certaine forme de culpabilité (*action humaine coupable*). L'étude générale de la *mens rea* ou culpabilité comprend deux considérations, selon que la faute est reliée à l'individu (*Partie I – La faute subjective*) ou à la collectivité (*Partie II – La faute objective*).

Chapitre préliminaire

L'élément matériel de l'infraction (*actus reus*)

12. Depuis des siècles, la responsabilité pénale repose sur la conjonction de l'*actus reus* et de la *mens rea*, sur l'union de l'élément matériel et de l'élément de faute. D'après Edward Coke, *actus non facit reum nisi mens sit rea*[25]. Il n'y a pas de crime sans un acte coupable et un état d'esprit blâmable. Dans ce rapprochement réciproque de l'âme et du corps, de l'esprit et de la matière, deux vérités se sont mêlées. Elles n'ont pas la même fonction ni la même raison d'être. D'un côté, la *mens rea* ou l'élément de faute. Selon saint Augustin : « C'est par la volonté que l'on pèche et que l'on vit honnêtement. »[26] « Donc le bien et le mal moral consistent avant tout dans l'acte de volonté »[27], conclut le Dominicain.

---

25   E. COKE, *op. cit.*, note 1, p. 107. F.B. SAYRE, *loc. cit.*, note 11, 988 : "The formula found in the *Leges* of Henry I that '*reum non facit nisi mens rea*' was seized upon and used as a convenient label for new ideas, finally to evolve in Coke's *Third Institute* as '*actus non facit reum nisi mens sit rea*'". J. HALL, *op. cit.*, note 17, p. 144 et 145 :

   The *mens rea* formula had been recited in the *Leges Henrici*, and we have been taught by Pollock and Maitland that "the original source is S. Augustinus..." who, in a discussion of perjury, said that one who believed he was telling an untruth perjured himself even though in fact he was mistaken and his statement was true. In that context he said : "*ream linguam non facit, nisi mens rea*". There were, of course, many Biblical expressions that might have suggested the formula and it is certain that such influence on medieval law was not inconsiderable. But there is a direct source of the formula in the letters of Seneca, who wrote : "*Actio recta non erit, nisi recta fuerit voluntas*". St. Augustine seems to have done no more than to restate a particular application of this in terms of wrong rather than right; and he omitted the important *actio*. It would thus seem that Seneca could lay the better claim to the famous formula. Although it is no doubt true that St. Augustine was the likely point of dissemination in the middle ages.

26   SAINT AUGUSTIN, *Retract.* I, 9. PL 32, 596. BA 12, 319, cité dans Thomas D'AQUIN, *Somme théologique*, t. 2, Paris, Éditions du Cerf, 1997, quest. 20, art. 1, p. 158.

27   T. D'AQUIN, *id.*

Malgré son importance, l'intention est-elle génératrice de péché? Difficile à dire. D'après le Christ : « Tu ne commettras point d'adultère. Et moi, je vous le dis quiconque regarde une femme avec convoitise, a déjà commis l'adultère dans son coeur. »[28] En sens contraire, nous trouvons dans Isaïe (3 : 10, 11) le commentaire suivant : « Bénissez le juste, car il se nourrira du fruit de ses oeuvres; maudissez l'impie, car il sera traité selon l'oeuvre de ses mains. »[29] Si la place de la volonté semble prédominante en théologie[30], sa présence n'est pas suffisante en droit[31], car l'infraction, au-delà de la faute qu'elle sanctionne, s'attaque à la société tout entière[32]. L'intention seule ne peut donc être à l'origine de la responsabilité

---

28   MATTHIEU, 5 : 27, 28.

29   ISAÏE, 3 : 10, 11.

30   T. D'AQUIN, *op. cit.*, note 26, quest. 72, art. 7, p. 459 :

   Tous les péchés gardés dans le cœur ont pour trait commun de rester secrets. C'est en cela qu'ils constituent un premier degré dans la faute. Degré qui pourtant se subdivise en trois : pensée, complaisance et consentement.

31   Voir sur ce point Glanville WILLIAMS, *Criminal Law – The General Part*, 2e éd., London, Stevens, 1961, p. 1 :

   That crime requires an act is invariably true if the proposition be read as meaning that a private thought is not sufficient to found responsibility. Shakespeare's lines express sound legal doctrine:

   His acts did not o'ertake his bad intent;
   And must be buried but as an intent
   That perish'd by the way: thoughts are no subjects,
   Intents but merely thoughts.

   So long as an act rests in bare intention, said Lord Mansfield, it is not punishable by our laws; and this is so even though the intention be abundantly proved by the confession of the accused.

   Voir également *Hales* v. *Petit*, Plowd. 253, 259a (1563) :

   The imagination of the mind to do wrong, without an act done, is not punishable in our law, neither is the resolution to do that wrong, which he does not, punishable, but the doing of the act is the only point which the law regards; for until the act is done it cannot be an offence to the world, and when the act is done it is punishable.

   Voir enfin F.B. SAYRE, *loc. cit.*, note 11, 991 et 992.

32   M. FOUCAULT, *op. cit.*, note 6, p. 110 :

   Or si on met à part le dommage proprement matériel – qui même irréparable comme dans un assassinat, est de peu d'étendue à l'échelle d'une société entière – le tort qu'un crime fait au corps social, c'est le désordre qu'il y introduit : le scandale qu'il suscite, l'exemple qu'il donne, l'incitation à recommencer s'il n'est pas puni, la possibilité de généralisation qu'il porte en lui.

pénale. Encore faut-il qu'elle se dégage des ancrages qui l'abritent, qu'elle quitte « l'obscur, l'inconnu, l'invisible »[33] pour éclater à la lumière du jour dans la commission d'un acte matériel ou dans la présence d'une omission. De là les paroles de Blackstone :

> To make a complete crime, cognizable by human laws, there must be both a will and an act. For though, in *foro conscientiae*, a fixed design or will to do an unlawful act is almost as heinous as the commission of it, yet, as no temporal tribunal can search the heart, or fathom the intentions of the mind, otherwise than as they are demonstrated by outward actions, it therefore cannot punish for what it cannot know.[34]

13.   Comme l'indique cet extrait emprunté au célèbre magistrat, l'*actus reus* et la *mens rea* forment les deux rouages sur lesquels s'articule la notion d'infraction. L'*actus reus* et la *mens rea* « doivent [donc] marcher ensemble comme les deux actions complémentaires d'un même processus »[35] – l'*actus reus* désignant le comportement prohibé par la loi – la *mens rea* l'élément mental nécessaire à la perfection du crime. Le principe étant admis, regardons en quoi consiste l'*actus reus*.

---

33   V. HUGO, *op. cit.*, note 2, p. 414.

34   W. BLACKSTONE, *op. cit.*, note 8, p. 21. Voir en France MUYART DE VOUGLANS, *Les lois criminelles de France dans leur ordre naturel*, Paris, Merigot, Crapart et Benoît Morin, 1780, p. 2 :
> Nous avons dit en troisième lieu, que le crime étoit défendu par la loi, comme troublant l'ordre extérieur de la société, parce qu'en effet, ce n'est qu'autant que le crime se manifeste par quelque acte extérieur, qu'il devient du ressort de la justice humaine : car s'il n'est réduit qu'aux simples termes de la pensée, comme en fait de mauvais désirs & autres mouvements désordonnés qui se passent dans l'intérieur, l'on fait que la connoissance n'en appartient, & n'en peut appartenir qu'à la justice divine, qui s'exerce sur la terre par les ministres de l'église dans les tribunaux de la pénitence; et c'est proprement dans ce dernier cas qu'il est connu sous le nom de péché. [*Cogitationis poenam nemo patitur. L. 18. ff. de poenis... Cogitation non meretur poenam lege civili, cum suis terminis contenta est; discernuntur tanem a maleficviis ea quae de jure effectum desiderant; in his enim non nisi animi judicium consideratur. Can. 20, de Poenis. Dist. I.*]

35   Expression empruntée à M. FOUCAULT, *op. cit.*, note 6, p. 114.

Première section : La définition de l'*actus reus*

14. Dérivé du mot latin *actus* (acte) et de l'adjectif *reus* (coupable), l'*actus reus* occupe depuis toujours une place prépondérante en droit criminel. Discutant des fondements régissant le système de compensation monétaire à l'époque médiévale, Raymond Saleilles souligne l'importance de l'acte matériel dans l'apparition et la formation des premières formes de justice pénale. D'après l'auteur : «c'est le dommage subi qui est pris en considération. [...] [L]a personnalité de l'offenseur est indifférente, on l'ignore. [...] Un dommage individuel ou social a été réalisé, il faut une réparation, il faut une sanction, que l'agent moralement soit ou non coupable peu importe. Il y a un mal matériel, il faut une victime».[36]

15. Cette interprétation, qui ne fait plus aujourd'hui l'unanimité, fut reprise et développée par la Cour suprême du Canada dans l'arrêt *R. c. Daviault*[37]. «À l'origine, écrit le juge Cory, on considérait le crime comme la perpétration d'un acte matériel expressément prohibé par la loi. C'est l'acte en lui-même qui était le seul élément constitutif du crime. Dès lors qu'on établissait que l'accusé avait commis l'acte, ce dernier était déclaré coupable.»[38] Sans partager cette formule un peu excessive, il faut reconnaître que l'acte matériel occupait à l'origine une fonction prédominante en droit criminel, fonction dont le rôle était de cibler l'auteur du fait dommageable. En effet, d'après les Lois d'Henry 1er : *Qui peccat inscienter, scienter emendet*[39], un homme agit à ses risques et périls.

---

36   Raymond SALEILLES, *L'individualisation de la peine*, 3e éd., Paris, Librairie Félix Alcan, 1927, p. 31-33.

37   [1994] 3 R.C.S. 63.

38   *Id.*, 73.

39   L.J. DOWNER, *Leges Henrici Primi*, Oxford, Clarendon Press, 1972, c. 88, n. 6.

16. Si la notion de faute en droit criminel s'est précisée graduellement au cours des siècles suivants, l'acte matériel n'est pourtant pas entré dans l'ombre. Au contraire, sa place est toujours aussi importante, car en définissant le comportement interdit, l'*actus reus* opère une sélection stratégique parmi les conduites socialement répréhensibles. D'un acte moralement mauvais ou moralement neutre, nous passons alors à un acte criminel. Résultat : l'individu qui tue quelqu'un commet un crime, non pas parce qu'il s'agit en soi d'un acte moralement répréhensible (*acte peccamineux*), mais bien parce qu'il s'agit d'une conséquence interdite par la loi (*acte illégal*). Sur ce point, nous sommes d'accord avec les auteurs Côté-Harper, Rainville et Turgeon pour dire que l'*actus reus* est « le comportement extériorisé d'un individu [...] qui a le contrôle physique [de ses actes] et dont le comportement est prévu et sanctionné par la loi pénale »[40]. Élément commun à chaque infraction – qu'elle soit de responsabilité subjective, objective ou sans faute –, l'*actus reus* varie au gré des infractions. C'est pourquoi, il importe de bien connaître la structure matérielle qui supporte chaque comportement criminel. Au Canada, l'*actus reus* d'une infraction se rapporte habituellement (1) à un comportement, (2) à une ou des circonstances ou (3) à un résultat prohibé par la loi (conséquence interdite).

Deuxième section : Les composantes de l'*actus reus*

Première sous-section : Un comportement

17. L'infraction criminelle, en tant que mode de sanction institutionnalisée, vise normalement à interdire un comportement qui se présente sous la forme d'un acte positif, d'un état ou d'une omission. « Lorsque l'action doit se manifester positivement, on

---

40   Gisèle CÔTÉ-HARPER, Pierre RAINVILLE et Jean TURGEON, *Traité de droit pénal canadien*, 4e éd., Cowansville, Éditions Yvon Blais, 1998, p. 268 et 269.

parle alors d'infraction de commission [ou de perpétration]. En revanche, si cette action peut consister en [un état ou] une abstention, l'infraction ainsi caractérisée est dite [d'état ou] d'omission. »[41]

A. Un acte positif

18. En droit, un acte positif désigne une action physique dont le principe est intérieur à l'agent. Au Canada, la plupart des infractions reposent sur la commission d'un acte physique prohibé par la loi. L'emploi de verbes tels que « toucher »[42], « inviter », « engager », « inciter »[43], « commettre »[44], « produire », « imprimer », « publier », « distribuer »[45], etc. indique généralement la présence d'une action physique préalable à l'examen des autres éléments constitutifs du crime. Sera coupable d'exhibitionnisme[46], par exemple, l'individu qui, en quelque lieu que ce soit, à des fins d'ordre sexuel, « exhibe » ses organes génitaux devant un enfant âgé de moins de quatorze ans; ou encore de destruction de titres[47] la personne qui, à des fins frauduleuses, « détruit », « efface », « cache » ou « oblitère » un titre de marchandises ou de bien-fonds, etc. À l'image de toutes les infractions reposant sur la présence d'un comportement prohibé, l'acte positif présuppose la présence d'un acte volontaire au point de vue physique. Comme l'indique la juge McLachlin dans l'arrêt *R. c. Théroux*[48], « le terme *mens rea*, interprété correctement, n'inclut pas tous les éléments moraux d'un crime. L'*actus reus* comporte son propre élément moral; pour qu'il y ait *actus reus*, l'acte de l'accusé doit être volontaire »[49]. En quoi con-

---

41   A.-C. DANA, *op. cit.*, note 5, p. 29.
42   C.cr., art. 151 [Contacts sexuels].
43   C.cr., art. 152 [Incitation à des contacts sexuels].
44   C.cr., art. 160(1) [Bestialité].
45   C.cr., art. 163(1) [Corruption des moeurs].
46   C.cr., art. 173(2).
47   C.cr., art. 340.
48   [1993] 2 R.C.S. 5.
49   *Id.*, 17.

siste l'acte volontaire? Voilà la question! Sur ce point, les tribunaux distinguent entre l'acte volontaire au point de vue moral ou normatif et l'acte volontaire au point de vue physique. La première acception renvoie à la capacité de l'individu d'orienter intelligemment et librement son action, alors que la seconde s'intéresse à sa capacité de contrôler physiquement sa conduite. Comme nous l'avons déjà indiqué dans notre volume consacré à l'imputabilité :

> Il existe en droit criminel deux approches distinctes mais réciproques de l'acte volontaire : la première qui est générale, et qui s'applique à l'ensemble des causes de non responsabilité, associe la commission d'un acte volontaire à la réalisation d'un acte libre et réfléchi; c'est l'approche morale ou normative de l'acte volontaire. Conformément à la nature de cette approche, la responsabilité pénale ne peut exister chez l'auteur d'une infraction « qu'à la double condition : 1° qu'il ait l'intelligence et le discernement de ses actes, 2° qu'il jouisse de la volonté, de son libre arbitre, c'est-à-dire de la faculté de choisir entre les différents motifs de conduite qui se présentent à son esprit et de se déterminer par la puissance de sa volonté ». La seconde approche, qui est plus limitée mais tout aussi essentielle, désigne le comportement qui résulte de la volonté d'une personne qui a la maîtrise de son corps et qui ne souffre d'aucune maladie pouvant altérer ou diminuer ce contrôle; c'est l'acte volontaire au sens physique. Sera cause d'involontaire, par conséquent, tout ce qui empêche ou contrevient à l'exécution normale des fonctions motrices, comme c'est le cas lorsque la personne est contrainte physiquement par une force à laquelle elle ne peut résister, ou lorsqu'elle n'est pas en mesure, pour des raisons d'ordre psychique ou neuropsychique de contrôler sa conduite ou de concrétiser sa volonté.[50]

19. L'acte volontaire au point de vue physique désigne donc l'acte psychophysiologique à l'origine des mouvements du corps. Ce sont des actes que la volonté commande et qui sont exécutés par l'intermédiaire des puissances motrices comme, par exemple,

---

50   Hugues PARENT, *Responsabilité pénale et troubles mentaux – Histoire de la folie en droit pénal français, anglais et canadien*, Cowansville, Éditions Yvon Blais, 1999, p. 20 et 21.

marcher, parler, se lever, briser, etc. « Ainsi dans le fait de tirer d'une arme à feu, le mot acte désigne uniquement les mouvements musculaires par lesquels l'agent soulève l'arme, la pointe sur la cible et actionne la gâchette. »[51] Seront relaxés, par conséquent, l'individu qui commet un crime sous l'emprise d'une contrainte physique ou encore celui qui pose un acte illégal alors qu'il est dans un état d'automatisme. Dans tous ces cas, l'individu n'a pas le contrôle de ses actes. Interdit donc de lui imputer la matérialité du crime, car à moins d'être volontaire [au point de vue physique], l'acte ne peut être porté au compte de son auteur.

20. À l'image de son pendant psychologique, avec lequel il entretient des liens étroits puisqu'il figure parmi ses principaux segments[52], l'acte volontaire au sens physique bénéficie d'une protection constitutionnelle. Dans l'arrêt *R.* c. *Penno*[53], le juge en chef Lamer s'exprime ainsi :

> La qualification d'une infraction d'intention générale, jointe au retrait du moyen de défense fondé sur l'intoxication quand cette intoxication est volontaire, aura comme conséquence juridique que, dans certaines circonstances, le juge des faits n'aura pas d'autre choix que celui de déclarer l'accusé coupable même s'il a un doute raisonnable quant à savoir si, vu l'intoxication, l'acte de l'accusé a été volontaire. De même, le ministère public n'aurait plus l'obligation de prouver hors de tout doute raisonnable l'*actus reus* d'une infraction d'intention générale puisqu'un doute raisonnable quant au caractère volontaire de l'acte en raison de l'intoxication échapperait dès le départ à tout examen. Je suis d'avis que le fait qu'il puisse y avoir déclaration de culpabilité en dépit de l'existence d'un doute raisonnable quant au caractère volontaire, qui est un élément essentiel de la perpétration de l'*actus reus*, est une restric-

---

51   J. FORTIN et L. VIAU, *op. cit.*, note 14, p. 88.
52   Hugues PARENT, *Traité de droit criminel*, t. 1, 2ᵉ éd., « L'imputabilité », Montréal, Éditions Thémis, 2005, p. 47.
53   [1990] 2 R.C.S. 865.

tion aux droits garantis à l'accusé par l'art. 7 et l'al. 11 *d*) de la *Charte*.[54]

21. Cette manière d'envisager l'acte volontaire au point de vue physique fut confirmée récemment par la Cour suprême du Canada dans l'arrêt *R. c. Daviault*[55]. D'après le juge Cory, il serait contraire à l'article 7 de la Charte de punir une personne pour un acte qui n'est pas volontaire au point de vue physique[56]. L'*actus reus* étant absent, l'accusé doit être acquitté des charges qui pèsent contre lui.

B. Un état ou une situation

22. Contrairement aux infractions exigeant la commission d'un acte positif, les infractions d'état visent à sanctionner la situation d'une personne au regard de la loi. Il ne s'agit plus ici de s'interroger sur ce que la personne a fait, mais plutôt sur sa manière d'être, sa condition physique ou son état psychologique. Au Canada, il n'existe pas d'infraction d'état proprement dite (p. ex. : infractions sanctionnant l'homosexualité, l'alcoolisme, la présence de troubles mentaux, etc.). Cela n'empêche toutefois pas le législateur d'incriminer certaines situations dont la gravité justifie l'intervention de l'autorité publique. Ces infractions, il convient de le souligner, exigent, au même titre que n'importe quels autres

---

54   *Id.*, 878 et 879.

55   Précité, note 37.

56   *Id.*, 102 et 103 :

> Pour ce qui est de l'*actus reus*, l'acte criminel prohibé doit avoir été accompli volontairement comme un acte voulu. Une personne dans un état d'automatisme ne peut pas accomplir un acte voulu et volontaire puisque l'automatisme l'a privée de la capacité d'accomplir un tel acte. Il s'ensuit qu'une personne dans un état d'intoxication extrême voisin de l'automatisme est également privée de cette capacité. Par conséquent, un aspect fondamental de *l'actus reus* de l'acte criminel est absent. Il y aurait également violation de l'art. 7 de la Charte si un accusé qui n'agit pas volontairement pouvait être déclaré coupable d'une infraction criminelle.

Voir également *R. c. Stone*, [1999] 2 R.C.S. 290.

crimes, la commission préalable d'un acte volontaire au point de vue physique. Sera donc acquittée de nudité la personne qui se trouve nue dans un endroit public après avoir été dévêtue par une bande de voyous[57]. La volonté étant absente, l'*actus reus* l'est également. L'accusé n'a donc pas à en supporter la responsabilité pénale. Regardons brièvement en quoi consistent quelques-unes de ces infractions.

23. *Garde ou contrôle d'un véhicule à moteur avec les facultés affaiblies* : Aux termes de l'article 253 du *Code criminel* :

253. [Capacité de conduite affaiblie] Commet une infraction quiconque conduit un véhicule à moteur, un bateau, un aéronef ou du matériel ferroviaire, ou aide à conduire un aéronef ou du matériel ferroviaire, ou a la garde ou le contrôle d'un véhicule à moteur, d'un bateau, d'un aéronef ou de matériel ferroviaire, que ceux-ci soient en mouvement ou non, dans les cas suivants :

a) lorsque sa capacité de conduire ce véhicule, ce bateau, cet aéronef ou ce matériel ferroviaire est affaiblie par l'effet de l'alcool ou d'une drogue;

b) lorsqu'il a consommé une quantité d'alcool telle que son alcoolémie dépasse quatre-vingts milligrammes d'alcool par cent millilitres de sang.

24. D'après la Cour suprême du Canada dans *La Reine* c. *Toews*[58], l'*actus reus* de l'infraction de garde ou contrôle prévue à l'article 253 du *Code criminel* est « l'acte qui consiste à assumer la garde ou le contrôle du véhicule alors que la consommation volontaire d'alcool ou d'une drogue a affaibli la capacité de conduire »[59]. L'infraction étant d'avoir la garde ou le contrôle du véhi-

---

57   C.cr., art. 174(1).

58   [1985] 2 R.C.S. 119.

59   *Id.*, 124. Sur la possibilité d'une condamnation malgré la présence d'une intoxication volontaire, voir *R.* c. *Geoffroy*, REJB 2004-66480 (C.A.); *R.* c. *Savard*, [2004] A.Q. (Quicklaw) n° 11018 (C.S.).

cule avec les facultés affaiblies, l'intoxication devra être volontaire pour engager la responsabilité de l'agent. En ce qui concerne, par ailleurs, l'élément de garde ou de contrôle, celui-ci pourra être prouvé soit par l'intermédiaire de la présomption prévue à l'alinéa 258(1)*a*) C.cr., ou par la preuve, hors de tout doute raisonnable, que l'individu avait effectivement la garde ou le contrôle de l'automobile au moment de son arrestation[60]. Qu'entend-on par garde ou contrôle d'un véhicule à moteur? Voilà la question. Sur ce point, les opinions divergent. D'après le juge Limerick dans l'arrêt *R. c. Prince*[61] :

> The Oxford English Dictionary définit le mot « care » comme « avoir sous sa charge ou sa protection ». D'autre part, « control » y est défini comme le fait de contrôler ou de vérifier et de diriger les actes et également comme la fonction ou le pouvoir de diriger et réglementer; domination, commandement, empire.... L'article vise à empêcher, d'après son texte, qu'une personne en état d'ébriété qui est en présence immédiate d'un véhicule à moteur et a le moyen de le contrôler ou de le mettre en mouvement ne soit ou ne devienne un danger pour le public. Même si la personne n'a pas l'intention immédiate de le mettre en mouvement, elle peut à tout instant décider de le faire parce que son jugement peut être si affaibli qu'elle ne peut prévoir les conséquences possibles de ses actes.[62]

25. Il n'est pas question ici de punir une personne uniquement parce qu'elle se trouve à l'intérieur d'un véhicule à moteur alors que ses facultés sont affaiblies[63]. L'infraction exige « quelque chose de plus » que l'action combinée de l'intoxication et de la présence dans le véhicule. En effet, l'accusé doit avoir la garde ou le

---

60 *Id.*

61 (1978) 40 C.C.C. (2d) 378 (C.A. N.-B.).

62 *Id.*, 383 et 384.

63 L'individu complètement ivre que l'on place dans le véhicule afin qu'il se repose ne pourra donc être condamné en vertu de l'article 253 du *Code criminel*, car sa présence dans le véhicule étant le résultat d'une volonté extérieure, son action ne peut lui être physiquement imputée.

contrôle de l'automobile. En droit, les actes de garde ou de contrôle
« sont des actes qui comportent une certaine utilisation du véhicule ou de ses accessoires, ou une conduite quelconque à l'égard
du véhicule qui comporterait le risque de le mettre en mouvement
de sorte qu'il puisse devenir dangereux »[64]. Discutant de la res-

---

64   *La Reine* c. *Toews*, précité, note 58, 126; *R.* c. *Pillon*, (1998) 131 C.C.C.
      (3d) 236, 241 (C.A. Ont.). En somme, il s'agit de déterminer si la pré-
      sence de l'accusé dans la voiture constitue un risque de danger pour les
      personnes ou la propriété. Voir sur ce point : *R.* c. *Wren*, (2000) 144
      C.C.C. (3d) 374, 382-384 (C.A. Ont.) :

      > In his reasons the trial judge first referred to the presumption of care or
      > control which arises by virtue of s. 258(1)(a) of the *Criminal Code* where
      > the accused is found in the driver's seat of the vehicle, and the fact that that
      > presumption can be rebutted where the accused establishes that he was not
      > there for the purpose of setting the vehicle in motion. He found that the
      > accused had rebutted the presumption because he occupied the vehicle at
      > the relevant point in time only to wait for the tow truck. The trial judge cor-
      > rectly observed that when the accused has rebutted the presumption, he
      > may still be convicted where the Crown proves beyond a reasonable doubt
      > that he otherwise had care and control. The trial judge then considered
      > *Saunders* and concluded that the mechanical disability of the vehicle "is
      > not *per se* conclusive of the result", and that "the entirety of the circum-
      > stances must be reviewed". In other words, the mechanical disability of the
      > vehicle does not necessarily result either in a conviction as in *Saunders*, or
      > in an acquittal because the vehicle cannot be put in motion, as suggested in
      > *Ford* and *Toews*. An accused has care and control of an inoperable vehicle
      > if that vehicle, in the hands of an impaired person, has the potential to cre-
      > ate some danger. [...] In my view, the cases from the Supreme Court of
      > Canada and from this court can be reconciled on the issue of the *actus reus*
      > of care or control. The issue to be determined on the facts of each case is
      > whether any acts by the accused could cause the vehicle to become a dan-
      > ger whether by putting it in motion or in some other way.

      Voir également *R.* c. *Vansickle*, [1990] O.J. (Quicklaw) n° 3235 (C.A.);
      R. c. *Decker*, (2002) 162 C.C.C. (3d) 503, 512 (C.A. Ont.) :

      > If one adopts a purposive approach and returns to the reason for the care or
      > control offences – to protect persons and property from danger – that becomes
      > the guide to be used in determining what care or control means. The weight
      > of the authorities is that the risk of danger is the method chosen to ensure
      > that activity which is viewed as criminal will not be treated as such. [...]
      > Accepting that to establish care or control requires proof of a risk of dan-
      > ger, there is a difference of view regarding what is a risk of danger. In *Ford*,
      > Ritchie J. referred to "unintentionally" setting the vehicle in motion "cre-
      > ating the danger that the section is designed to prevent". Other cases have
      > pointed out, and I believe it is now generally accepted, that the danger the
      > section is designed to prevent may arise in ways other than putting the car
      > in motion.

ponsabilité d'un conducteur ivre qui dormait dans sa voiture le moteur en marche et la fenêtre baissée pour ne pas s'intoxiquer au monoxyde de carbone, la Cour d'appel du Québec arrive à la conclusion que l'accusé a exercé la garde ou le contrôle de son véhicule avec les facultés affaiblies :

> When the appellant refused to give his keys to Ms. Tremblay, he knew that he was not in a condition to drive, but decided nonetheless to take refuge there. He then posed acts of care and control; he unlocked the car door, sat in the driver's seat, closed the door, lowered the side windows out of fear of carbon monoxide, made sure that the gear shift was in the park position, engaged the emergency brake and started the motor and the heating system. All conscious operations and acts on his part which were done for certain logical reasons and which demonstrate that, not only did he have the care of the vehicle, but that he also exercised control over certain operations. The fact that he fell asleep, hoping to eliminate the alcohol in the following hours, does not mean

---

Ce risque peut découler de la possibilité de mettre l'automobile en mouvement, *p. ex. : en manipulant les instruments impliqués dans l'opération et la mise en marche du véhicule* (R. c. *Loubier*, [1994] A.Q. (Quicklaw) n° 343 (C.A.)). ou autrement, *p. ex. : en fermant accidentellement les lumières du véhicule alors que celui-ci est en panne au milieu de la route* (Voir R. c. *Vansickle, id.*, tel que résumé dans R. c. *Wren, id.*, 381 et 382) :

> The scope of the concept of the way in which a vehicle could become dangerous was specifically considered by this court in R. v. Vansickle, *supra*. In that case, after the accused had driven his vehicle off the road, he and his friend pushed it back onto the road, but in so doing burned out the clutch. As a result the vehicle was inoperable and stuck in the middle of the road during white-out storm conditions. The accused and his companion were found drinking and listening to music in the vehicle while waiting out the storm. The accused had neither the intention nor the ability to operate the vehicle. This court agreed with the analysis of the summary conviction appeal judge that the potential to unintentionally put the vehicle in motion was only intended by the Supreme Court in *Toews* as an example of how a danger could be created, rather than a necessary requirement of a potentially dangerous situation. In *Vansickle* the court below had suggested that the danger there was the potential for the accused to accidentally turn off the headlights, leaving the car completely unobservable to other drivers while in the middle of the road.

that he did not have care and control of the vehicle while he was impaired.[65]

26. Malgré le bien-fondé de cette décision, il convient de rappeler que la détermination de ce qui constitue « la garde ou le contrôle d'un véhicule à moteur » aux fins de l'article 253 du *Code criminel* est une question de droit dont la qualification varie selon les circonstances. La présence des clés dans le contact alors que l'individu se trouve sur la banquette avant de la voiture n'établit donc pas nécessairement que le conducteur avait le contrôle du véhicule[66]. D'après la Cour suprême du Canada dans l'arrêt *Toews*[67] :

Chaque affaire sera décidée en fonction de ses propres faits et les circonstances où l'on pourra conclure qu'il y a des actes de garde ou de contrôle varieront beaucoup. Dans l'affaire *Ford*, le véhicule de l'appelant se trouvait avec d'autres véhicules dans un champ accessible au public. Une beuverie était en cours dans la voiture; l'appelant occupait le siège du conducteur et avait fait tourner le moteur à diverses reprises pour faire fonctionner l'appareil de chauffage. Ces faits ont été considérés suffisants pour prouver la garde ou le contrôle. En l'espèce, le véhicule se trouvait sur un terrain privé et l'intimé n'occupait pas le siège du conducteur. Il était inconscient et n'avait clairement pas le contrôle réel du véhicule. L'utilisation d'un sac de couchage vient appuyer son affirmation qu'il utilisait le véhicule simplement comme un endroit pour dormir. Reste que la clef était dans le contact et que le stéréo fonctionnait. Assez curieusement cependant, il n'y a pas de preuve directe que l'intimé ait mis la clef dans le contact ou mis le stéréo en marche mais, selon la preuve, c'est son ami qui a été le dernier conducteur du véhicule et qui l'a conduit à la réception

---

65   *R. c. Rousseau*, (1997) 121 C.C.C. (3d) 571, 576 (C.A. Qué.) :
         The element of risk or public danger which is inferred from the relevant
         sections of the *Criminal Code* results from the co-existence of two factors :
         impairment by alcohol or drugs and the fact that the accused consciously
         puts himself in a position which may become dangerous.

66   *R. c. Olivier*, [1998] A.Q. (Quicklaw) n° 1954 (C.A.).

67   *La Reine c. Toews*, précité, note 58. Dans cette affaire, la personne avait
         été trouvée endormie dans un sac de couchage, couchée sur le siège avant
         la tête près de la portière, la clé dans le contact mais le moteur fermé.

et devait le ramener chez lui. À partir de tous ces faits, je considère qu'on ne peut tirer de conclusion défavorable en l'espèce uniquement à cause de la preuve relative à la clef de contact. Il n'a donc pas été démontré que l'intimé a accompli des actes de garde ou de contrôle et il n'a donc pas accompli l'*actus reus*.[68]

27. Comme l'indiquent ces quelques développements consacrés à l'infraction de garde ou contrôle d'un véhicule à moteur avec les facultés affaiblies, l'article 253 du *Code criminel* vise à interdire un état associé à un comportement à l'égard d'un objet dangereux.

28. *Nudité* : Aux termes de l'article 174(1) du *Code criminel* :

174. (1) [**Nudité**] Est coupable d'une infraction punissable sur déclaration de culpabilité par procédure sommaire quiconque, sans excuse légitime, selon le cas :

a) est nu dans un endroit public;

b) est nu et exposé à la vue du public sur une propriété privée, que la propriété soit la sienne ou non.

(2) [**Nu**] Est nu, pour l'application du présent article, quiconque est vêtu de façon à offenser la décence ou l'ordre public.

[...]

29. Ici, l'état visé par la disposition est le fait d'être nu dans un endroit public, ou dans un endroit privé à la vue du public. Il est donc important, avant toute chose, de bien définir le concept de nudité. Selon le paragraphe 2 de l'article 174 du *Code criminel*, « est nu pour l'application du présent article, quiconque est

---

68   *Id.*, 126 et 127.

vêtu de façon à offenser la décence ou l'ordre public ». Or, d'après
la Cour suprême du Canada dans l'arrêt *R.* c. *Verrette*[69], la nudité
recouvre deux situations différentes. La première, qui est la plus
manifeste et la plus générale, vise la nudité dans son acception
usuelle. Selon le juge Beetz, « nu ne signifie pas trop dévêtu ou
dévêtu d'une manière choquante, il signifie simplement complètement dévêtu, sans référence à la décence ou à l'ordre public »[70].
Dans ce cas, l'accusé « ne peut invoquer en défense que la nudité
est compatible avec la décence ou l'ordre public, pas plus que la
poursuite n'est obligée d'établir que la nudité offense la décence
ou l'ordre public »[71]. En ce qui concerne, par ailleurs, la seconde
acception, elle vise, à travers le jeu d'une fiction juridique qui a
pour effet d'élargir artificiellement son rayon d'action, les situations où la personne est vêtue ou partiellement vêtue de manière
à offenser la décence ou l'ordre public[72]. « Loin de limiter le sens
habituel du mot "nu", la disposition déterminative [conserve donc]
ce sens et en même temps [l'étend] de façon [à ce que] l'insuffi-
sance de vêtement tombe [également] sous cet article. »[73]

30. *La possession* : Au Canada, la possession est un état[74]
à l'origine de plusieurs infractions criminelles, telles que la possession de stupéfiants[75], d'explosifs[76], de matière obscène[77], de biens
volés[78] ou de fausse monnaie[79]. Son traitement, qui a donné lieu à

---

69   [1978] 2 R.C.S. 838.

70   *Id.*, 847.

71   *Id.*, 849.

72   *Id.*, 846.

73   *Id.*, 846.

74   Sur ce point, nous retenons la classification des auteurs G. CÔTÉ-
HARPER, P. RAINVILLE et J. TURGEON, *op. cit.*, note 40, p. 299 :
« Les infractions de possession s'assimilent aux infractions d'état. Il
s'agit d'un état relié au fait d'être en possession de quelque chose. »

75   Art. 4(1) de la *Loi réglementant certaines drogues et autres substances*.

76   C.cr., art. 82(1).

77   C.cr., art. 163(1)*a*).

78   C.cr., art. 354.

79   C.cr., art. 450.

l'élaboration d'un régime particulier en vertu de l'article 4(3) du *Code criminel*, s'organise autour des notions de possession «personnelle», «putative» et «conjointe»[80]. La possession est-elle personnelle? Alors, le ministère public devra prouver la connaissance subjective de la nature de l'objet en cause ainsi qu'un minimum de contrôle sur cet objet. Citant un extrait de l'opinion exprimée par le juge O'Halloran dans l'arrêt *R. c. Hess*[81], le juge Cartwright écrit dans *Beaver c. La Reine*[82] :

> To constitute possession within the meaning of the criminal law it is my judgment, that where as here there is a manual handling of a thing, it must be co-existent with knowledge of what the thing is, and both these elements must be coexistent with some act of control. When those three elements exist together, I think it must be conceded that under s. 4(1) (d) it does not then matter if the thing is retained for an innocent purpose.[83]

31. La possession est donc le résultat du croisement entre la connaissance de la nature de l'objet possédé et le contrôle qu'exerce l'accusé sur cet objet[84]. Sera acquitté, par conséquent, de possession de stupéfiants, l'individu qui croyait être en possession de sucre

---

80　C.cr., art. **4.** (3) **[Possession]** Pour l'application de la présente loi :

　　a) une personne est en possession d'une chose lorsqu'elle l'a en sa possession personnelle ou que, sciemment :

　　(i) ou bien elle l'a en la possession ou garde réelle d'une autre personne;

　　(ii) ou bien elle l'a en un lieu qui lui appartient ou non ou qu'elle occupe ou non, pour son propre usage ou avantage ou celui d'une autre personne;

　　b) lorsqu'une de deux ou plusieurs personnes, au su et avec le consentement de l'autre ou des autres, a une chose en sa garde ou possession, cette chose est censée en la garde et possession de toutes ces personnes et de chacune d'elles.

81　(1948) 94 C.C.C. 48, 50 et 51 (C.A. C.-B.).

82　(1957) 118 C.C.C. 129 (C.S.C.); [1957] R.C.S. 531.

83　*Id.*, 140.

84　*Id.*; *R. c. Roan*, (1985) 17 C.C.C. (3d) 534 (C.A. Alta.); *R. c. Peterson*, (1971) 1 C.C.C. (2d) 197 (C.A. Alta.).

en poudre alors qu'il s'agissait, en fait, de cocaïne. La connaissance étant absente, l'individu ne pourra être condamné pour cette infraction. En ce qui concerne, par ailleurs, la notion de contrôle, celle-ci n'a pas nécessairement à être de longue durée. Un simple contrôle momentané est donc suffisant aux fins de l'article 4(3) du *Code criminel*[85].

32. Loin d'être limité à la « manipulation ou à la garde physique d'une chose »[86], l'article 4(3) C.cr. reconnaît également la possession putative. Une personne peut donc être accusée de possession de cocaïne, si elle en confie la garde à un tiers ou la dissimule ailleurs que sur elle (p. ex. : l'accusé demande à sa petite amie de cacher la drogue sur elle ou dissimule les stupéfiants dans

---

85   *R*. c. *Guiney*, (1961) 35 C.R. 316, (1961) 130 C.C.C. 407 (C.A. C.-B.). Pour ce qui est de la « manipulation accidentelle ou involontaire d'une chose [celle-ci] n'équivaut pas à possession. Par exemple, A n'est pas en possession de stupéfiants si B, qui lui est tout à fait étranger, pour éviter d'être pris lors d'une fouille policière, lance un sachet de marijuana qui lui tombe sur les genoux. [Dans ce cas,] "A n'a pas la volonté de posséder, il n'exerce pas un contrôle sur la chose et, partant, il n'y a pas de possession." » [J. FORTIN et L. VIAU, *op. cit.*, note 14, p. 79 et 80]. Voir également *R*. c. *Christie*, (1978) 41 C.C.C. (2d) 282, 287 (C.S. N.-B.) :

> In my opinion, there can be circumstances which do not constitute possession even where there is a right of control with knowledge of the presence and character of the thing alleged to be possessed, where guilt should not be inferred, as where it appears there is no intent to exercise control over it. An example of this situation is where a person finds a package on his doorstep and upon opening it discovers it contains narcotics. Assuming he does nothing further to indicate an intention to exercise control over it, he had not, in my opinion, the possession contemplated by the *Criminal Code*. Nor do I think such a person who manually handles it for the sole purpose of destroying or reporting it to the police has committed the offence of possession.

Voir plus récemment *R*. c. *York*, (2005) 193 C.C.C. (3d) 331, 338 (C.A. C.-B.) :

> I think the law can be summarized as follows. Personal possession is established where an accused person exercises physical control over a prohibited object with full knowledge of its character, however brief the physical contact may be, and where there is some evidence to show the accused person took custody of the object willingly with intent to deal with it in some prohibited manner.

86   J. FORTIN et L. VIAU, *id.*, p. 79.

le grenier d'une maison qui lui appartient mais qui est habitée par d'autres personnes[87]). Dans ces cas, on parlera de possession *putative* ou *attribuée*, car l'individu n'est pas en possession *actuelle* ou *réelle* des objets interdits. « À l'instar de la possession personnelle, la possession *putative* exige de la part du possesseur la connaissance de la nature de la chose possédée et l'exercice d'un contrôle sur la chose. »[88]

---

87   *R.* c. *Kumar*, [1984] 6 W.W.R. 762 (C.A. Sask.).

88   J. FORTIN et L. VIAU, *op. cit.*, note 14, p. 80. Voir sur ce point *R.* c. *Fischer*, (2005) 200 C.C.C. (3d) 338, 347 (C.A. C.-B.) :

> As is evident from my summary of the law, neither constructive possession nor joint possession requires proof of manual handling. To establish constructive possession, it was incumbent upon the Crown to prove beyond a reasonable doubt that the appellant knew of the presence of the cocaine and that he had some measure of control over its location. To establish joint possession, the Crown was required to show that someone other than the appellant had possession of the cocaine with his knowledge and consent and that he had some measure of control over it.

R. c. *Pham*, (2005) 203 C.C.C. (3d) 326, 332-334 (C.A. Ont.) :

> In order to constitute constructive possession, which is sometimes referred to as attributed possession, there must be knowledge which extends beyond mere quiescent knowledge and discloses some measure of control over the item to be possessed. See *R.* v. *Caldwell* (1972), 7 C.C.C. (2d) 285 (Alta. S.C.A.D.); *R.* v. *Grey* (1996), 28 O.R. (3d) 417 (Ont. C.A.).
>
> In order to constitute joint possession pursuant to section 4(3)(b) of the *Code* there must be knowledge, consent, and a measure of control on the part of the person deemed to be in possession. See *R.* v. *Terrence*, [1983] 1 S.C.R. 357, 4 C.C.C. (3d) 193; *R.* v. *Williams* (1998), 40 O.R. (3d) 301, 125 C.C.C. (3d) 552 (Ont. C.A.); *R.* v. *Barreau* (1991), 19 W.A.C. 290 (B.C.C.A.), and *Re Chambers and the Queen* (1985), 20 C.C.C. (3d) 440 (Ont. C.A.). [...]
>
> The following findings and evidence regarding both knowledge and control of the 9.8 grams of crack cocaine by the accused support that conclusion :
>
> (a) the accused elected to use her home as a drug trafficking center, and was a key figure in the trafficking scheme carried on out of that center; she continued to be the occupant of unit #4 and retained control of the apartment while she was away;
>
> (b) both the black cloth purse containing the drugs and the pink make-up bag containing the money were found in full view in the bathroom, a common area of the apartment;
>
> (c) the cloth purse and the make-up bag are consistent with the personal toiletries of the appellant and were found amidst her personal toiletries and make-up;

33. L'importance de la connaissance de la nature de l'objet possédé et du contrôle qu'exerce l'accusé sur celui-ci rejaillit, bien entendu, sur la notion de possession conjointe, troisième forme de

---

(d) there was no evidence of any men's toiletries in the bathroom;

(e) the main bedroom was littered with woman's clothing, contained documents (including a passport) in Ms. Pham's name, and was the source of drug-related "dime bags" and cut up newspapers and grocery bags of the type used to wrap a 40 piece of crack cocaine;

(f) the circumstantial evidence supported as the only logical inference a consistent awareness of, and participation in, all that occurred in her home on the part of Ms. Pham, and demonstrated much more than a quiescent or passive knowledge of the drugs, as well as an element of control over them;

(g) the role of the accused in the trafficking scheme strongly suggested power and authority over the disposal of the cocaine found, and an ability to withhold consent to the keeping of any drugs in her home; and

(h) Mr. Nguyen either filled Ms. Pham's shoes as the primary distributor during her absence or she and Mr. Nguyen jointly operated the trafficking scheme.

In my view the foregoing provided ample basis to found an inference of the requisite knowledge and supported the trial judge's finding that the appellant had sufficient knowledge and control to constitute constructive possession of the cocaine either personally or jointly with Nguyen.

Sur la notion de contrôle, voir *R. c. Fischer, id.*, 350 et 351 :

The key to the apartment gave the appellant control over its contents, including the cocaine, in the sense that he could grant or refuse to grant his consent to entry by everyone except Ms. Chau and Mr. Nilsson. Moreover, the cocaine was not found in an area of the apartment in which it could be said that one or more of the occupants had any expectation of privacy. Rather, it was located in an unlocked drawer in the kitchen, an area of the apartment which was in common use, and therefore readily accessible to the appellant and the others. The appellant had been alone in the apartment for several hours before the police arrived. There was white powder on the scale, the measuring cup, the calculator, and the counter, suggesting that cocaine had been recently weighed on the counter immediately above the drawer containing the bag of cocaine. When the police arrived, he quickly hid the scale in the very drawer in which the cocaine was sitting in plain view. His closing of the drawer in order to hide its contents from the police manifests a measure of control over the contents of the drawer sufficient in itself to support an inference of possession. Moreover, there was the evidence of his unexplained possession of a large amount of cash, which tends to link him to the cocaine in the manner I have explained. [...]

While the circumstantial evidence in this case does not present the strongest case of control, I do not think it can be said that the inference drawn by the trial judge was unreasonable or unsupported by the evidence. In my view, the evidence in its totality is capable of founding a rational inference that the appellant exerted the requisite measure of control over the cocaine in question to support a finding of constructive possession.

possession actuellement reconnue par le *Code criminel*. En effet, d'après le juge O'Halloran dans l'arrêt *R. c. Colvin and Gladue*[89] :

> La connaissance et le consentement qui font partie intégrante de la possession conjointe visée au par. 5(2), doivent être rapprochés de la définition du mot « possession » qui figure à l'al. 5(1) *b*) et lus avec cette définition. Il s'ensuit que « la connaissance et le consentement » ne peuvent exister sans qu'il y ait en même temps un certain contrôle du bien en cause. S'il y a pouvoir d'acquiescer, il y a également pouvoir de refuser et *vice versa*. Dans l'un ou l'autre cas il existe un pouvoir ou une autorité appelé ici contrôle, sans quoi la nécessité d'exercer ces pouvoirs ne pourrait ni se présenter ni être invoquée.[90]

34. Là où on peut dire oui, on peut également dire non. Le contrôle étant nécessaire au « consentement[91] », une personne pourra être accusée de possession de stupéfiant si elle permet à son ami d'utiliser sa chambre afin de cacher la substance interdite. C'est d'ailleurs ce que reconnaît le juge Martin, au nom de la Cour d'appel de l'Ontario, dans l'arrêt *Re Chambers and The Queen*[92] :

> There was evidence that the room in which the drug was found was the respondent's room and, consequently, she could give or withold her consent to the drug being in her room. Mr. Code contended, however, that the respondent's control over the room where the cocaine was found cannot be equated with a measure of control over the drug itself which he said imports the right to the benefit of the drug or its proceeds. We disagree. In our view,

---

89   [1943] 1 D.L.R. 20.

90   *Id.*, 25. [traduction dans *R. c. Terrence*, [1983] 1 R.C.S. 357, 363].

91   *R. c. Chualna*, (2003) 181 C.C.C. (3d) 192, 202 et 203 (C.A. C.-B.) :
      However, in any event, consent requires more than indifference or passive acquiescence : see *R. v. Williams* (1998), 125 C.C.C. (3d) 552 (Ont. C.A.); *R. v. Piaskoski* (1979), 52 C.C.C. (2d) 316 (Ont. C.A.). There is no evidence of any acts or words on the appellant's part to indicate that he consented to McLellan's possession of the stolen van or of the prohibited weapons.

92   (1985) 20 C.C.C. (3d) 440 (C.A. Ont.).

the respondent's right to grant or withold her consent to the drug
being stored in her room gave her the necessary measure of control over the drug essential to constitute consent within s. 3(4)b)
of the Code.[93]

35. De ce qui précède, nous concluons que s'il n'existe pas
actuellement au Canada d'infraction d'état proprement dite, le législateur peut incriminer certaines situations (p. ex. : facultés affaiblies, taux d'alcool supérieur à la limite permise, nudité) qui, une
fois combinées à un comportement spécifique (p. ex. : garde ou contrôle d'un véhicule automobile) ou à une circonstance particulière
(p. ex. : endroit public), entraîneront l'intervention de la justice pénale.

C. Une omission

36. À l'image d'un acte positif, d'un état ou d'une situation,
l'omission est génératrice de responsabilité morale[94] et pénale.

---

93   *Id.*, 446. « Pour que cette possession existe, il faut donc trois éléments :
      1) la possession de la part d'un tiers (*v.g.* B conduit une auto volée), 2) la
      connaissance de cette possession (*v.g.* A sait que l'auto a été volée) et 3)
      le consentement à cette possession ». [J. FORTIN et L. VIAU, *op. cit.*,
      note 14, p. 80].

94   Sur les rapports entre le péché d'omission et de commission, voir
      T. D'AQUIN, *op. cit.*, note 26, quest. 72, art. 6, p. 457 et 458 :
          Il y a entre les péchés une double différence, l'une matérielle, et l'autre for-
          melle. La différence matérielle est envisagée selon l'espèce naturelle des
          actes; la différence formelle selon leur ordre à une fin propre, qui est leur
          objet propre. Cela fait que des actes qui sont matériellement d'espèces dif-
          férentes appartiennent pourtant formellement à la même espèce de péché
          parce qu'ils sont ordonnés au même but. Ainsi, égorger, lapider, poignarder
          ressortissent à la même espèce, l'homicide, bien que ces actes par leur nature
          soient spécifiquement différents. Donc, si nous prenons le péché d'omission
          et le péché de commission matériellement, ils diffèrent d'espèce, en pre-
          nant toutefois l'espèce dans une large acception où la négation, comme la
          privation, peut avoir une espèce. Mais si nous considérons ces deux sortes
          de péchés formellement, alors ils ne diffèrent pas d'espèce, parce qu'ils
          sont ordonnés au même but et procèdent du même motif. Ainsi, c'est tou-
          jours pour amasser de l'argent que l'avare pille les autres et ne donne pas

Morale, tout d'abord, puisque selon l'Épître aux Éphésiens : « Vous étiez morts par vos délits et vos péchés[95]. » Par vos délits, «en ne faisant pas ce qui est prescrit »; par vos péchés «en faisant ce qui est interdit »[96]. Pénale, enfin, parce que les crimes d'omission et de commission constituent deux versions de la même approche visant à sanctionner les manifestations à la fois positives et négatives de la volonté humaine. C'est pourquoi saint Thomas d'Aquin, dans son analyse des actes humains, classe ces deux formes de conduite au sein de la même espèce : « [o]n appelle volontaire ce dont nous sommes maître. Mais nous sommes maîtres d'agir et de ne pas agir, de vouloir et de ne pas vouloir. Donc, de même qu'agir et vouloir sont volontaires, ainsi en est-il de l'abstention de ces actes »[97]. Bien que l'omission soit une forme contributive de responsabilité morale, la culpabilité de l'agent ne sera retenue que lorsque ce dernier *pouvait* et *devait* agir. En effet, selon le Dominicain :

> On appelle volontaire ce qui procède de la volonté. Mais il y a deux façons pour une chose de procéder d'une autre : directement, c'est-à-dire comme un être procède d'un agent, comme l'échauffement procède de la chaleur. Ou bien indirectement, du fait même qu'il n'y a pas d'action, comme le naufrage du navire est attribué au pilote parce qu'il a cessé de gouverner. Toutefois, il est à remarquer que les conséquences d'une absence d'acte ne doivent pas toujours être attribuées, comme à leur cause, à l'agent du seul fait qu'il n'agit pas, mais seulement lorsqu'il peut et doit agir. Ainsi le pilote qui n'aurait pas eu les moyens de diriger le navire auquel sa direction n'aurait pas été confiée, ne serait-il pas rendu responsable d'un naufrage qui résulterait de l'absence de pilote. [...] De cette façon, le volontaire peut exister sans acte; tantôt sans acte extérieur mais avec un acte intérieur, comme lorsqu'on veut ne

---

ce qu'il doit donner. De même, c'est pour satisfaire sa gloutonnerie que le gourmand mange trop et qu'il omet les jeûnes prescrits. Et ainsi en tout; car en fait, une négation est toujours fondée sur une affirmation qui est en quelque façon sa cause; aussi dans la nature est-ce pour le même motif que le feu produit la chaleur et non du froid.

95   Épître aux Éphésiens : 2, 1.

96   Empruntée à T. D'AQUIN, *op. cit.*, note 26, quest. 72, art. 6, p. 457.

97   *Id.*, quest 6, art. 3, p. 68.

pas agir, tantôt même sans acte intérieur comme lorsqu'on ne veut pas.[98]

37. Comme l'acte physique (comportement positif), l'omission (comportement négatif) trahit la manifestation d'un comportement volontaire au sens moral du terme. Or la présence d'un comportement volontaire au sens moral du terme implique la présence d'un acte volontaire au point de vue physique, lequel suppose, à son tour, un minimum de contrôle sur les fonctions motrices. Résultat : l'accusé sera acquitté de l'infraction reprochée si l'on démontre qu'il n'a pas rempli son obligation en raison d'une contrainte physique ou d'un état d'automatisme. L'exigence d'un acte volontaire au point de vue physique ne s'applique donc pas uniquement à « la volonté en tant qu'elle est agissante, mais encore à ce qui résulte indirectement d'elle en tant qu'elle n'agit pas »[99]. Là où l'individu décide d'agir (*vouloir agir*), il peut également décider de ne pas agir (*vouloir ne pas agir*). Dans les deux cas, il s'agit d'un comportement qui peut être attribué à son auteur, car celui-ci agit ou s'abstient d'agir de façon volontaire.

38. Contrairement aux actes de commission, l'omission d'agir n'est pas fréquemment sanctionnée en droit pénal, la common law préférant ainsi se limiter à la poursuite des actes positifs, actes qui trahissent de façon plus visible la nocivité de leur auteur. Malgré l'indulgence qu'affiche la common law à l'égard de l'omission d'agir, celle-ci n'est pas absolue. En effet, le droit pénal canadien incrimine l'omission lorsqu'il existe un devoir d'agir en vertu de la loi ou de la common law. Regardons brièvement en quoi consistent ces infractions.

39. Au Canada, plusieurs infractions incriminent l'omission d'agir lorsque celle-ci est à l'origine de la création d'un risque de préjudice corporel. L'obligation de protéger les ouvertures

---

98   *Id.*, p. 68 et 69.

99   *Id.*, p. 69.

dans la glace[100] ou les excavations[101] sont des exemples de situations où l'individu est tenu légalement d'entreprendre certaines actions afin d'enrayer les risques qui s'y rattachent. Le défaut d'agir en ce sens entraînera la responsabilité de l'agent dans les cas où la poursuite est en mesure d'établir qu'il « n'a pas pris les précautions nécessaires afin d'empêcher que des personnes n'y tombent par accident et pour les avertir que cette excavation existe »[102]. C'est ce que reconnaît d'ailleurs la Cour d'appel de la Colombie-Britannique, dans l'arrêt *R. c. Aldergrove*[103], en confirmant la déclaration de culpabilité prononcée à l'encontre d'une association de courses pour motocyclettes. D'après le juge McFarlane, l'appelante n'avait pas pris les précautions nécessaires afin d'éviter le décès par noyade de trois jeunes garçons qui s'étaient aventurés dans les eaux qui bordaient l'excavation. Examinant le contenu de l'obligation prévue au paragraphe 263(2) du *Code criminel*, le juge McFarlane déclara :

I emphasize in passing, as I understand this subsection, that it is the fact of leaving an excavation on the land which results in the creation of a legal duty. That legal duty is to guard the excavation in a certain manner and that manner is divided into two parts :

First, adequate to prevent persons from falling in by accident and, secondly, adequate to warn them that the excavation exists. It seems to me clear from that that Parliament's intention was

---

100   C.cr., art. **263.** (1) [**Obligation de protéger les ouvertures dans la glace**] Quiconque pratique ou fait pratiquer une ouverture dans une étendue de glace accessible au public ou fréquentée par le public, est légalement tenu de la protéger d'une manière suffisante pour empêcher que des personnes n'y tombent par accident et pour les avertir que cette ouverture existe.

101   C.cr., art. **263.** (2) [**Excavations**] Quiconque laisse une excavation sur un terrain qui lui appartient, ou dont il a la garde ou la surveillance, est légalement tenu de la protéger d'une manière suffisante pour empêcher que des personnes n'y tombent par accident et pour les avertir que cette excavation existe.

102   C.cr., art. 263(3).

103   *R. c. Aldergrove competition motorcycle association and Levy*, (1983) 5 C.C.C. (3d) 114 (C.A. Ont.).

that in order to avoid a conviction under this section it is not sufficient for the person on whom the duty fails to guard in a manner which is adequate to warn, it is also necessary to prevent
persons falling in by accident. It seems to me that if there be any
need to look for reasons for Parliament's expressed intention it is
found in the thought that while warning may be sufficient protection to many people, a warning is of itself not sufficient protection for young children, and that is particularly apt in this case by
reason of the extract I took from the findings of fact relating to
the existence of the pit or of the excavation being obvious, but
the nature of the soft sides and the depth of the water not so.[104]

40. Il n'est donc pas suffisant d'avertir les tiers de l'existence
de l'excavation, encore faut-il prendre les précautions nécessaires
pour empêcher que des personnes n'y tombent par accident[105]. Cette
obligation, qui est formellement exigée par la loi, est particulièrement importante dans les cas impliquant de jeunes enfants. Le
danger étant réel, il convient d'indiquer les risques qui s'y rattachent afin d'éviter les accidents (p. ex. : pentes glissantes, rebords
friables, danger d'éboulement, présence d'eau profonde, etc.).

41. L'usage négligent d'une arme à feu contenu au paragraphe 86(1) du *Code criminel* est une autre infraction qui repose
sur la présence d'une obligation légale[106]. Comme la plupart des

---

104   *Id.*, 115 et 116.

105   *Id.*, 117 :

   In the present case, on the findings of fact which I have read only in part, it
   is clear, in my opinion, that the finding, fully justified, is that the guarding
   was not adequate to prevent persons from falling in by accident, even if
   there be any doubt, and I do not find there is any, of the adequacy of the
   warning. If it be assumed that the excavation here was something obvious
   to be seen, subject, of course, to the finding that I read, it is otherwise
   clearly established on the finding of fact that there was a breach of the legal
   duty to guard in a manner adequate to prevent persons from falling into the
   excavation.

106   C.cr., art. **86.** (1) **[Usage négligent]** Commet une infraction quiconque,
   sans excuse légitime, utilise, porte, manipule, expédie, transporte ou entre-
   pose une arme à feu, une arme prohibée, une arme à autorisation restreinte, un dispositif prohibé, des munitions ou des munitions prohibées

activités comportant un danger pour la vie ou la sécurité d'autrui, l'obligation prévue au paragraphe 86(1) C.cr. est également reconnue par la common law. D'après le juge Ritchie dans l'arrêt *Regina* c. *Coyne*[107] :

> The duty imposed by law may be a duty arising by virtue of either the common law or by statute. Use of a firearm, in the absence of proper caution, may readily endanger the lives or safety of others. Under the common law anyone carrying such a dangerous weapon as a rifle is under the duty to take such precaution in its use as, in the circumstances, would be observed by a reasonably careful man. If he fails in that duty and his behaviour is of such a character as to show or display a wanton or reckless disregard for the lives or safety of other persons, then by virtue of s. 191, his conduct amounts to criminal negligence.[108]

42. Admise à la fois par le *Code criminel* et la common law, l'obligation de diligence applicable en matière d'armes à feu est à l'origine de plusieurs condamnations pour usage négligent d'une arme à feu[109] (par. 86(3) C.cr.) et négligence criminelle causant la mort (220 C.cr.) ou des lésions corporelles[110] (221 C.cr.). Sur ce point, citons, encore une fois, l'arrêt *Regina* c. *Coyne* dans lequel un individu fut déclaré coupable d'avoir tiré sur des garçons alors qu'il croyait qu'il s'agissait, en fait, d'un chevreuil. L'événement s'étant produit pendant la saison de la chasse, à une distance raisonnable, dans des conditions de visibilité plutôt favorables (les victimes portaient des vêtements de couleurs vives mais se trouvaient malheureusement derrière un bosquet qui a probablement obstrué la vue de l'accusé), la Cour arriva à la conclusion que

---

d'une manière négligente ou sans prendre suffisamment de précautions pour la sécurité d'autrui.

107 (1958) 124 C.C.C. 176 (C.A. N.-B.).

108 *Id.*, 179.

109 Voir sur ce point *R.* c. *Boucher*, [1994] R.J.Q. 2173 (C.A.); *R. c Larouche*, [2002] J.Q. (Quicklaw) n° 5272 (C.Q.). Voir également l'article 269 du *Code criminel* [lésions corporelles].

110 Sur le concept de la négligence criminelle, voir le chapitre quatrième.

l'accusé avait démontré « une insouciance déréglée ou téméraire
à l'égard de la vie ou de la sécurité d'autrui » en omettant de satisfaire à l'obligation de diligence qui s'appliquait en matière d'armes
à feu[111]. Cette affaire n'est pas sans analogie avec l'arrêt *R.* c.
Doubrough[112] dans lequel un individu fut condamné pour avoir
laissé des armes à feu, dans sa chambre, sans surveillance. Celles-
ci étant facilement accessibles (la porte était entrouverte et ne pouvait plus être verrouillée), un jeune homme entra dans la pièce
pour s'emparer d'une carabine Winchester de calibre 30-30 qu'il
déchargea par accident en direction de son ami. Accusé de négligence criminelle ayant causé la mort, le propriétaire des armes à
feu fut reconnu coupable de cette infraction puisque son omission
démontrait, dans les circonstances, « une insouciance déréglée ou
téméraire à l'égard de la vie ou de la sécurité d'autrui ». Examinant l'argument de la Couronne voulant que l'accident résultait d'un
acte positif et non d'une omission exigeant la preuve d'une obligation légale ou de droit commun, le juge Kovacs affirma :

> The Crown's position is that the accused did something under
> s. 202(1)(a) – that is, he left a loaded gun in the conditions
> described in the room which showed "wanton or reckless disre-
> gard for the lives or safety of other persons". Accordingly, the
> Crown counsel argues he need not prove any duty imposed by
> law on the accused.
>
> I disagree with the Crown's contention on the facts. In my view,
> it was not the leaving of a 30-30 Winchester with ammunition in
> its magazine which was a criminally negligent act. That action
> was the proximate cause of the death of David May. If anything,
> it was the failure to unload the gun, the failure to secure the guns

---

111   *Regina* c. *Coyne*, précité, note 107, 180 et 181 :
        The danger inherent in the use of a firearm in the woods during the hunting
        season should be obvious to any man of ordinary intelligence. In this case
        the appellant actually was aware others were hunting in the area. There were
        no abnormal circumstances surrounding the boys at the time of the shoot-
        ing. The evidence contains nothing to suggest their dress, position or move-
        ments would have misled any person, exercising reasonable care and
        circumspection, to mistake them for a deer.

112   (1977) 35 C.C.C. (2d) 46 (C. cté Ont.).

from access by Michael and the deceased, and the failure to take precautions generally to secure the room which caused the tragedy of events.[113]

43. Comme l'indique ce passage emprunté à l'arrêt *R.* c. *Doubrough*, il n'est pas toujours facile de distinguer une action d'une omission. Ainsi, lorsqu'une personne tire à l'aide d'une arme à feu sur une cible près d'un bâtiment, elle pose non seulement un acte positif, mais elle omet également de se conformer à son devoir de diligence applicable en matière d'armes à feu. Envisagée dans cette perspective, l'omission englobe donc autant *l'absence de précautions suffisantes vis-à-vis un devoir de diligence* que *l'absence d'acte par rapport à un devoir d'agir.*[114] Cette interprétation, qui est plutôt large, est intéressante dans la mesure où elle permet d'expliquer l'assimilation de certaines conduites négligentes en matière d'armes à feu et de conduite automobile à l'« omission de [l'accusé] de faire quelque chose qu'il est en son devoir d'accomplir » prévue à l'article 219 du *Code criminel.*[115]

---

113   *Id.*, 57 et 58.

114   L'omission peut donc avoir différentes définitions selon qu'elle est envisagée d'un point de vue étroit, *il s'agira alors d'une abstention ou d'une absence d'acte*, ou large, *on parlera alors de « quelque chose qu'une personne aurait pu faire si elle l'avait voulu ou s'y était préparée [chose qu'il était en son devoir d'accomplir] »*. [G. CÔTÉ-HARPER, P. RAINVILLE et J. TURGEON, *op. cit.*, note 40, p. 281].

115   Pour un exemple en matière de conduite automobile, voir *R.* c. *Fortin*, (1957) 121 C.C.C. 345, 347 et 348 (S.C.) :

A duty imposed by law referred to in s-s. (2) clearly includes a duty arising by virtue of either the common law or statutory enactment. In New Brunswick, alike under the common law and the *Motor Vehicle Act*, 1955 (N.B.), c. 13, the driver of a motor vehicle upon a public highway is under a duty to take care in its operation so as to avoid injury to the person or property of others. If he fails in that duty and his acts or omissions are of such a character as to show wanton or reckless disregard for the lives or safety of other persons then, by virtue of s. 191, his conduct amounts to criminal negligence.

44. Le devoir de fournir les choses nécessaires à l'existence, contenu à l'article 215 du *Code criminel*[116], est un autre exemple d'infractions d'omission. Cette disposition, qui impose aux parents le devoir de fournir les choses nécessaires à l'existence d'un enfant de moins de seize ans, s'étend également aux conjoints entre eux ainsi qu'aux individus en charge d'une personne incapable, en raison de sa condition particulière, de se soustraire à cette charge et de pourvoir aux choses nécessaires à sa propre existence. Examinant le contenu du devoir prévu à l'alinéa 215(1)*a*) C.cr., le juge Martin reconnaît, dans l'arrêt *R.* c. *Popen*[117], que l'expression « choses nécessaires à l'existence » est suffisamment large pour englober non seulement la nourriture, le logement, les soins et les traitements médicaux nécessaires à la conservation de la vie, mais également la protection contre toutes formes de sévices infligés par l'un des conjoints ou un tiers[118]. Bien que l'inclusion

---

116   C.cr., art. **215.** (1) [**Devoir de fournir les choses nécessaires à l'existence**] Toute personne est légalement tenue :

   a) en qualité de père ou mère, de parent nourricier, de tuteur ou de chef de famille, de fournir les choses nécessaires à l'existence d'un enfant de moins de seize ans;

   b) de fournir les choses nécessaires à l'existence de son époux ou conjoint de fait;

   c) de fournir les choses nécessaires à l'existence d'une personne à sa charge, si cette personne est incapable, à la fois :

   (i) par suite de détention, d'âge, de maladie, de troubles mentaux, ou pour une autre cause, de se soustraire à cette charge,

   (ii) de pourvoir aux choses nécessaires à sa propre existence.

117   (1981) 60 C.C.C. (2d) 232 (C.A. Ont.).

118   *Id.*, 240. Voir sur ce point l'arrêt récent *R.* c. *Peterson*, (2005) 201 C.C.C. (3d) 220, 230 et 231 (C.A. Ont.) :

   Section 215(1)(c) differs from section s. 215(1)(a), which imposes a duty on a "parent, foster parent, guardian or head of a family" to provide necessaries "for a child under the age of sixteen years", and from s. 215(1)(b), which imposes a duty on spouses and common-law partners to provide necessaries of life to their spouses and partners. Section 215(1)(c) makes it clear that the duty to provide necessaries is not limited to these relationships but can arise in other circumstances. The duty arises when one person is under the other's charge, is unable to withdraw from that charge, and is unable to provide himself or herself with necessaries of life. The phrase "necessaries of life" includes not only food, shelter, care, and medical attention necessary to sustain life but also appears to include protection of the person from harm : *R.* v. *Popen* (1981), 60 C.C.C. (2d) 232 (Ont.

de ce dernier facteur dans la liste des devoirs fondés sur le lien de parenté ne soit pas encore formellement reconnu par les tribunaux – il s'agissait alors uniquement d'un *obiter* –, sa présence en common law ne fait plus aucun doute. En effet, selon le juge Martin, « a parent is under a legal duty at common law to take reasonable steps to protect his or her child from illegal violence used by the other parent or by a third person towards the child which the parent foresees or ought to foresee »[119]. Résultat : le parent (père, mère, parent nourricier, tuteur ou chef de famille) qui ne respecte pas cette obligation peut être condamné pour négligence criminelle (art. 220 ou 221 C.cr.) si en se faisant il « montre une insouciance déréglée ou téméraire à l'égard de la vie ou de la sécurité d'autrui ». Toujours selon le juge Martin :

> A parent may be criminally negligent in permitting a child to remain in an environment where, to the knowledge of the parent, it is subject to brutal treatment by the other parent or third person with whom the parent is living, and may be convicted of manslaughter where the death of the child has been caused by such brutal treatment.[120]

45. En ce qui concerne maintenant le devoir de fournir les choses nécessaires à l'existence d'une personne à charge, celui-ci s'applique lorsque la personne vulnérable n'est pas en mesure en raison d'une incapacité reliée à la détention, l'âge, la maladie, les troubles mentaux ou autres causes, de se soustraire à cette charge et de pourvoir aux choses nécessaires à sa propre existence[121].

C.A.) at 240. Thus, s. 215(1) (c) obligations are driven by the facts and the context of each case.

119   *R.* c. *Popen, id.*

120   *Id.*, 241.

121   Voir sur ce point *Hôpital Notre-Dame* c. *Patry*, [1972] C.A. 579; *R.* c. *Peterson*, précité, note 118, 228 :
> The trial judge correctly stated the three essential ingredients that the Crown had to prove beyond a reasonable doubt to show that Dennis was under lawful duty to provide the necessaries of life to his father. The duty arose only if "his father was (a) a person under his charge (b)...unable by reason of age, illness, mental disorder or other cause to withdraw himself from that charge, and (c)...unable to provide himself with the necessaries of life".

Cette obligation, qui est indépendante de la nature pécuniaire ou non de la fonction de soutien, fut reconnue par la common law en 1893 dans l'arrêt *R. c. Instan*[122]. Dans cette affaire, l'accusée, une femme de 45 ans qui vivait de l'hospitalité de sa vielle tante âgée de 73 ans, fut condamnée pour avoir négligé de prendre soin de cette dernière à la suite de l'apparition d'une maladie soudaine[123]. Le défaut de l'accusée ayant accéléré considérablement la mort de la victime, la Cour confirma le verdict de culpabilité :

> We are all of opinion that this conviction must be affirmed. It would not be correct to say that every moral obligation involves a legal duty; but every legal duty is founded on a moral obligation. A legal common law duty is nothing else than the enforcing by law of that which is a moral obligation without legal enforcement. There can be no question in this case that it was the clear duty of the prisoner to impart to the deceased so much as was necessary to sustain life of the food which she from time to time took in, and which was paid by the deceased's own money for the purpose of the maintenance of herself and the prisoner; it was only through the instrumentality of the prisoner that the deceased could get the food. There was, therefore, a common law duty imposed upon the prisoner which she did not discharge. [...] The prisoner was under a moral obligation to the deceased from which arose a legal duty towards her; that legal duty the prisoner has wilfully and deliberately left unperformed, with the consequence that there has been an acceleration of the death of the deceased owing to the non-performance of that legal duty. It is unnecessary to say more than that upon the evidence this conviction was most properly arrived at.[124]

46. L'article 252 du *Code criminel* est une autre infraction dont la trame repose sur la présence d'un devoir d'agir. D'après cette disposition :

---

122   (1893) 1 B.R. 450.
123   Obligation de fournir les choses nécessaires à l'existence de sa tante, par exemple, la nourrir.
124   *R. c. Instan*, précité, note 122, 453 et 454.

252. (1) **[Défaut d'arrêter lors d'un accident]** Commet une infraction quiconque ayant la garde, la charge ou le contrôle d'un véhicule [...] omet dans l'intention d'échapper à toute responsabilité civile ou criminelle d'arrêter son véhicule [...], de donner ses nom et adresse, et lorsqu'une personne a été blessée ou semble avoir besoin d'aide, d'offrir de l'aide dans le cas où ce véhicule [...] est impliqué dans un accident soit avec une personne ou un autre véhicule.

[...]

(2) **[Preuve *prima facie*]** Dans les poursuites prévues au paragraphe (1), la preuve qu'un accusé a omis d'arrêter son véhicule, d'offrir de l'aide, lorsqu'une personne est blessée ou semble avoir besoin d'aide et de donner ses noms et adresse constitue, en l'absence de toute preuve contraire, une preuve de l'intention d'échapper à toute responsabilité civile ou criminelle.

47. L'*actus reus* du délit de fuite est établi par la preuve des trois éléments suivants. Tout d'abord, la garde, la charge ou le contrôle d'un véhicule. Contrairement à l'ancien article 285(2) du *Code criminel*, qui s'appliquait uniquement au conducteur du véhicule automobile, l'article 252 vise également le propriétaire d'un véhicule qui ne conduisait pas au moment de l'accident[125]. Il est donc possible d'engager sa responsabilité sans avoir matériellement causé l'accident. La seconde condition prévue à l'article 252

---

125   *Saletes* c. *La Reine*, (1986) 39 M.V.R. 41, 43-46(C.S.) :
> Having changed the wording of the old section from "driver" to "someone having the care, charge or control" means, I believe, only one thing, it is no longer a driver who automatically is liable; it is the one who has care, charge or control. [...] Consequently it seems to me that once the evidence shows beyond a reasonable doubt that someone had care, or charge or control of a motor vehicle, that person may be liable to the sanctions provided for in s. 233 if the other ingredients are also proven. In most instances the driver will be that person, but I hasten to add, it is not necessarily the driver. If, for instance, an automobile is driven by a friend or a child and the owner is present, it seems to me that the person who has the care or the charge, and in some instances the control of the vehicle, may be the passenger. Although my elder son may drive my automobile, if I am occupying the passenger seat of the car, I am still in charge of my vehicle in spite of the fact that the steering is physically done by my son.

C.cr. exige un accident avec une personne[126], un véhicule ou du bétail sous la responsabilité d'une autre personne (dans le cas d'un véhicule impliqué dans un accident). Quant à la troisième condition, elle suppose de la part de l'accusé une omission d'arrêter son véhicule, de donner ses nom et adresse, et lorsqu'une personne a été blessée ou semble avoir besoin d'aide, d'offrir de l'aide[127]. L'énumération des facteurs prévus au paragraphe 252(2) C.cr. étant disjonctive[128], la présomption d'intention pourra s'appliquer si la poursuite démontre que l'accusé a omis d'accomplir une des actions mentionnées. Une fois déclenchée, la présomption énoncée au paragraphe 252(2) C.cr. pourra être repoussée par une explication plausible de nature à soulever un doute raisonnable dans l'esprit du juge (p. ex. : consommation importante d'alcool[129], accès de panique ne constituant pas une cause d'automatisme[130]). Enfin, mentionnons que l'intention d'échapper à toute responsabilité civile ou criminelle doit se rattacher à l'accident en question et non pas à d'autres facteurs comme la volonté d'échapper à l'exé-

---

126   Voir *R. c. Shea*, (1982) 17 M.V.R. 40 (S.C. (C.A.))

127   *R. c. Nolet*, (1980) 4 M.V.R. 265 (C.A. Ont.); *R. c. Guay*, (1978) C.C.C. (2d) 116 (C.A. Qué.).

128   *R. c. Roche*, [1983] 1 R.C.S. 491.

129   *R. c. Adler*, (1981) 59 C.C.C. (2d) 517, 520 et 521 (C.A. Sask.) :

      Section 233(3) provides that the failure to do one of the acts required by s. 233(2), in the absence of evidence to the contrary, is proof of an intent to escape civil and criminal liability. In my respectful view, while s. 233(3) places an onus on the accused, that onus may be discharged upon a review of all relevant evidence. The learned trial Judge found that the appellant was under the influence of liquor at the time of the accident and immediately after the accident; that when asked if he was alright did not answer; when asked for a kleenex for the injured person, he provided a rag; that he got out of the vehicle, walked to the Zweifel vehicle, stopped and said, "What do you figure?" He then left the vehicle and walked to his residence a few blocks away where he was shortly thereafter apprehended. I have already quoted what the learned trial Judge said in finding the appellant had not the necessary intent. In my opinion, there was evidence to the contrary, sufficient to discharge the onus on the appellant and the learned trial Judge rightly found the appellant did not, in leaving the scene of the accident, have the intent to escape civil and criminal liability.

      Voir également *R. c. Colby*, (1989) 52 C.C.C. (3d) 321, 327 (C.A. Alta.).

130   *R. c. Ouimet*, [2004] J.Q. (Quicklaw) n° 1816 (C.Q.).

cution d'un mandat d'arrestation pour amendes impayées[131] ou la crainte d'être arrêté pour la commission d'un vol qualifié[132].

48. La négligence criminelle causant la mort (art. 220 C.cr.) et la négligence criminelle causant des lésions corporelles (art. 221 C.cr.) sont deux infractions qui, en raison de leur rattachement à l'article 219 C.cr., peuvent découler d'une omission. D'après l'article 219 du *Code criminel* :

219. (1) [**Négligence criminelle**] Est coupable de négligence criminelle quiconque :

a) soit en faisant quelque chose ;

b) soit en omettant de faire quelque chose qu'il est en son devoir d'accomplir, montre une insouciance déréglée ou téméraire à l'égard de la vie ou de la sécurité d'autrui.

(2) [**Définition de « devoir »**] Pour l'application du présent article, « devoir » désigne une obligation imposée par la loi.

49. Bien que la négligence criminelle puisse découler d'une action ou d'une omission, celle-ci (l'omission) est réprimée uniquement lorsqu'il existe une obligation imposée par la loi. Or la

---

131   *R. c. Hofer*, (1982) 2 C.C.C. (3d) 236, 238 (C.A. Sask.) :
I held that the intent to escape the execution of outstanding warrants does not constitute "intent to escape civil or criminal liability" within the meaning of Section 233(2) of the *Criminal Code*. I further held "intent to escape civil or criminal liability" within the meaning of Section 233(2) of the *Criminal Code* includes only intent to escape civil or criminal liability arising from the accident itself.

132   *Fournier c. La Reine*, (1978) 8 C.R. (3d) 248, 254 (C.A. Qué.) :
J'ajoute qu'à mon avis la responsabilité civile ou criminelle à laquelle on doit avoir l'intention d'échapper en quittant les lieux d'un accident doit être celle en rapport avec l'accident, non pas toute responsabilité civile ou criminelle auparavant ou autrement encourue, v.g. danger d'arrestation : pour vol à main armée.

loi étant définie à l'article 2 C.cr. comme incluant aussi bien les lois provinciales que fédérales, une personne pourra être accusée de négligence criminelle à la suite d'une omission d'accomplir une obligation imposée par une disposition provinciale, qu'elle soit de nature législative ou réglementaire. Il serait donc tout à fait erroné de limiter la signification du mot « loi » contenu à l'article 219 C.cr. à l'existence d'un devoir prévu dans le *Code criminel*. Cette interprétation, qui fut retenue par la Cour d'appel du Québec dans l'arrêt *St-Germain* c. *La Reine*[133], est extrêmement importante dans la mesure où le *Code criminel*, à l'image de la common law, ne reconnaît pas d'obligation générale de porter secours à une personne en difficulté, alors que la *Charte québécoise des droits et libertés de la personne*, à l'article 2, admet, pour sa part, une telle obligation. En effet, d'après l'article 2 de la *Charte québécoise des droits et libertés de la personne* :

> **2. [Droit au secours]** Tout être humain dont la vie est en péril a droit au secours.
>
> **[Secours à une personne dont la vie est en péril]** Toute personne doit porter secours à celui dont la vie est en péril, personnellement ou en obtenant du secours, en lui apportant l'aide physique nécessaire et immédiate, à moins d'un risque pour elle ou pour les tiers ou d'un autre motif raisonnable.

50. Formellement reconnu par le législateur québécois, le droit au secours prévu à l'article 2 de la Charte québécoise suppose la réunion des trois conditions impératives que sont : (1) une personne dont la vie est en péril, (2) une intervention personnelle ou interposée par la recherche de secours et (3) une absence de risque pour la personne interpellée ou pour les tiers ou la présence d'un autre motif raisonnable. Voyons brièvement en quoi consistent ces conditions.

---

133   [1976] C.A. 185.

51. *(i) Une personne dont la vie est en péril* : Le droit au secours prévu à l'article 2 de la *Charte québécoise des droits et libertés de la personne* est le corollaire du droit à la vie énoncé à l'article 1 de la même loi[134]. Or le droit à la vie ne s'étend pas à la protection des biens. Il en va donc également du droit au secours[135]. Le texte étant clair, il n'y a pas lieu de l'interpréter autrement. Une fois l'objet de la protection défini, il importe de bien cerner les circonstances menant à son application. Sur ce point, l'article 2 est catégorique : la vie de la personne visée doit être en péril. Or toute situation périlleuse implique un état d'urgence qui suppose, lui-même, la présence d'un danger réel et imminent. Donc l'individu doit agir lorsqu'il existe une situation urgente de danger réel et imminent[136]. D'après la Cour d'appel du Québec dans l'arrêt *Carignan* c. *Boudreau*[137], c'est l'existence d'un « état d'urgence » qui créé à l'égard de la victime « une obligation impérieuse de secours immédiat »[138].

52. *(ii) Une intervention directe ou indirecte de l'agent* : Si les circonstances à la source de l'obligation de porter secours ne posent pas trop de difficultés aux tribunaux, il en va autrement de la réponse du citoyen, car une fois constaté, l'état d'urgence entraîne un déplacement de l'examen de la personne en difficulté à celle appelée à intervenir. D'après l'article 2 de la Charte québécoise, l'individu doit agir personnellement ou indirectement en cherchant à obtenir de l'aide. Cette exigence, il va sans dire, ne peut être dissociée de la troisième et dernière condition qui est celle de l'absence de risque pour le citoyen ou pour les tiers ou la présence d'un autre motif raisonnable.

53. *(iii) La présence ou l'absence de risques reliés à l'intervention de l'agent* : L'obligation prévue à l'article 2 de la Charte

---

134　*Droit de la famille* – 140, (1984) T.J. 2049; *Re Goyette*, (1983) C.S. 429.

135　*Beauport (Ville de)* c. *Laurentide Motels Ltd.*, (1986) R.J.Q. 981 (C.A.).

136　*Carignan* c. *Boudreau*, (1987) D.L.Q. 378 (C.A.).

137　*Id.*

138　*Id.*, 380.

québécoise n'est pas absolue, son intensité fluctue en fonction des dangers qui surplombent l'intervention de l'agent[139]. Résultat : l'individu qui ne sait pas nager et qui aperçoit un tiers en train de se noyer, n'est pas obligé de risquer sa vie pour sauver cette personne en difficulté. Il devra plutôt chercher à obtenir de l'aide autrement[140]. Cette obligation, une fois comprise, crée un véritable décalage entre le droit pénal tel qu'appliqué au Québec et le droit pénal tel que sanctionné dans les autres provinces canadiennes. Ainsi, pour reprendre l'exemple typique du citadin endurci qui assiste, sans réagir, à une agression violente dans le métro, il serait possible, dans l'éventualité où le citoyen ne fait rien une fois l'agression terminée pour porter secours à la personne qui gît inconsciente sur le sol, que sa responsabilité pénale soit retenue au Québec en vertu de l'application des articles 2 de la Charte québécoise et 221 du *Code criminel*, mais écartée en Ontario en raison de l'absence d'obligation d'assistance.

54. Au-delà des infractions d'omission dont la fonction est de protéger la vie ou la sécurité d'autrui, le législateur prévoit certains devoirs tendant à sauvegarder l'intérêt public. L'omission du commerçant de tenir des comptes lorsqu'il est endetté pour un montant de plus de mille dollars et incapable de payer intégralement ses créanciers[141], le défaut d'une personne d'informer avec toute la célérité raisonnable un juge de paix ou un autre agent de la paix lorsque celle-ci est au courant de l'imminence d'une haute

---

139   *Girard* c. *Hydro-Québec*, J.E. 84-392, conf. (1987) R.L. 168 (C.A.); *Papin* c. *Éthier*, (1995) R.J.Q. 1795 (C.S.).

140   C'est dans cette perspective qu'il faut envisager, à notre avis, la situation d'une personne qui assiste à une agression sans intervenir. Le danger étant réel, le citoyen n'est pas obligé d'intervenir personnellement, mais devra, conformément au texte de l'article 2 de la *Charte québécoise*, chercher à obtenir de l'aide en appelant, par exemple, les autorités policières. Voir, sur ce point, *Gaudreault* c. *Drapeau*, (1988) R.R.A. 61, 63 (C.S.) : « [I]l aurait fallu pour celui-ci qu'il intervienne pour forcer, inciter ou appeler sa belle-sœur au calme alors que les deux femmes étaient empoignées. Il n'a rien fait, avec la conséquence que la demanderesse a été privée du seul secours et assistance alors possible qui aurait pu appeler Shirley Lang au calme. »

141   C.cr., art. 402(1).

trahison ou d'une trahison[142], l'omission pour un agent de la paix de prendre toutes les mesures raisonnables pour réprimer une émeute[143], le défaut d'une personne d'accomplir un devoir légal permettant à un individu confié sous sa garde de s'évader[144], l'omission de prêter main forte à un agent de la paix qui exécute ses fonctions en arrêtant quelqu'un après un avis raisonnable portant qu'il est requis de le faire sont des exemples de devoirs visant à préserver l'intérêt public[145]. Le défaut en ce sens entraînera l'intervention du ministère public et l'imposition d'une sanction à caractère pénal.

55. Des commentaires qui précédent, il s'ensuit que l'omission est coupable pénalement lorsqu'il existe un devoir d'agir ou une obligation de diligence prévus dans la loi ou dans la common law. Parmi les obligations formellement reconnues par le *Code criminel*, mentionnons également le devoir de poursuivre l'accomplissement d'un acte si l'omission de le faire peut mettre la vie humaine en danger[146], celui d'apporter une connaissance, une habileté et des soins raisonnables dans l'administration d'un traitement[147] et enfin l'obligation de prendre les mesures voulues pour éviter qu'une personne se blesse dans l'accomplissement d'un travail ou l'exécution d'une tâche[148]. Enfin, soulignons, que « les infractions d'omission, au même titre que les infractions de commission, doivent être définies par la loi, puisque le principe de la légalité – *nullum crimen* – s'applique aux deux types d'infraction. »[149]

---

142   C.cr., art. 50(1)*b*).

143   C.cr., art. 69.

144   C.cr., art. 146*a*).

145   C.cr., art. 129*b*).

146   C.cr., art. 217.

147   C.cr., art. 216.

148   C.cr., art. 217.1. De même sera condamnée, la personne qui abandonne illicitement son enfant de moins de dix ans ou expose ce dernier à un danger. (art. 218 C.cr.).

149   J. FORTIN et L. VIAU, *op. cit.*, note 14, p. 83.

Deuxième sous-section : Des faits et des circonstances particulières

56. En plus d'exiger l'adoption d'un comportement quelconque, plusieurs infractions commandent la présence d'une ou plusieurs circonstances. Une fois surajoutée à l'objet qui spécifie cet acte, la circonstance devient une condition essentielle de l'infraction dans la mesure où elle participe à la définition du crime qu'elle contribue à bâtir. Ainsi, pour reprendre un exemple fréquent, flâner ou rôder sur la propriété d'autrui constitue un crime au sens de l'article 177 du *Code criminel* uniquement lorsque l'action se produit au cours de la nuit. L'heure du jour étant une circonstance surajoutée, celle-ci devient alors une condition essentielle de l'infraction[150]. Le lieu[151], le statut de la victime[152], l'âge de celle-ci[153], son consentement[154], la personne avec qui ou pour qui l'infraction a été commise[155] constituent également d'autres circonstances pouvant conférer au comportement reproché sa coloration particulière. En droit, les circonstances qui spécifient l'objet

---

150 T. D'AQUIN, *op. cit.*, note 26, quest. 7, art. 3, p. 77 : « Temps et lieu enveloppent l'acte par mode de mesure; les autres circonstances l'enveloppent en l'affectant de quelque autre manière, tout en demeurant en dehors de sa substance. »

151 Voir par exemple l'article 173(1) C.cr. [Actions indécentes].

152 Voir par exemple l'article 270(1) C.cr :
[Voies de fait contre un agent de la paix] Commet une infraction quiconque exerce des voies de fait :
a) soit contre un fonctionnaire public ou un agent de la paix agissant dans l'exercice de leurs fonctions, ou une personne qui leur prête main forte;
[...].

153 Voir par exemple l'article 151 C.cr. :
[Contacts sexuels] Est coupable soit d'un acte criminel et passible d'un emprisonnement maximal de dix ans, soit d'une infraction punissable sur déclaration de culpabilité par procédure sommaire toute personne qui, à des fins d'ordre sexuel, touche, directement ou indirectement, avec une partie de son corps ou avec un objet, une partie du corps d'un enfant âgé de moins de quatorze ans.

154 Voir par exemple l'article 265 C.cr. [Voies de fait].

155 Voir par exemple les articles 82(2) [Possession liée aux activités d'une organisation criminelle] et 467.12(1) C.cr. [Infraction au profit d'une organisation criminelle].

de l'acte illégal doivent être prouvées hors de tout doute raisonnable par la poursuite. Ce sont ces circonstances et quelques-unes de leurs principales figures qu'il faut maintenant envisager.

57. *L'agression sexuelle* : D'après le juge McIntyre dans l'arrêt *R.* c. *Chase*[156], l'agression sexuelle est « une agression, au sens de l'une ou l'autre des définitions de ce concept au par. 244(1) [maintenant art. 265] du *Code criminel*, qui est commise dans des circonstances de nature sexuelle, de manière à porter atteinte à l'intégrité sexuelle de la victime »[157]. Ainsi, d'après la Cour suprême du Canada dans l'arrêt *R.* c. *Ewanchuk*[158], l'*actus reus* de l'agression sexuelle repose sur la preuve des trois éléments suivants : (1) des attouchements, (2) de nature sexuelle, (3) effectués sans consentement de la part de la victime[159]. Le premier élément renvoie à un acte positif, au comportement physique de l'individu. Dans ce cas, il suffit de prouver le caractère volontaire de l'acte reproché au point de vue matériel. En ce qui concerne les deux derniers éléments, ils renvoient à des circonstances importantes de l'infraction; circonstances qui, une fois surajoutées à l'acte perpétré, contribuent à la perfection du crime.

58. Au Canada, l'évaluation de la nature sexuelle des attouchements reprochés repose sur un critère objectif. L'opinion personnelle de l'accusé quant à la nature sexuelle de la conduite en question est donc indifférente. On l'ignore au profit d'une analyse centrée sur les circonstances de l'affaire. Selon le juge McIntyre dans l'arrêt *R.* c. *Chase*[160] :

> Le critère qui doit être appliqué pour déterminer si la conduite reprochée comporte la nature sexuelle requise est objectif : Compte

---

156   [1987] 2 R.C.S. 293.

157   *Id.*, 302.

158   [1999] 1 R.C.S. 330.

159   *Id.*, 353.

160   Précité, note 156.

tenu de toutes les circonstances, une personne raisonnable peut-
elle percevoir le contexte sexuel ou charnel de l'agression. La
partie du corps qui est touchée, la nature du contact, la situation
dans laquelle cela s'est produit, les paroles et les gestes qui ont
accompagné l'acte, et toutes les autres circonstances entourant la
conduite, y compris les menaces avec ou sans emploi de la force,
constituent des éléments pertinents. L'intention ou le dessein de
la personne qui commet l'acte, dans la mesure où cela peut ressortir des éléments de preuve, peut également être un facteur à
considérer pour déterminer si la conduite est sexuelle. Si le mobile
de l'accusé était de tirer un plaisir sexuel, dans la mesure où cela
peut ressortir de la preuve, il peut s'agir d'un facteur à considérer
pour déterminer si la conduite est sexuelle. Toutefois, il faut souligner que l'existence d'un tel mobile constitue simplement un
des nombreux facteurs dont on doit tenir compte et dont l'importance variera selon les circonstances.[161]

59. C'est dans cette perspective qu'il faut envisager la condamnation de l'individu qui a posé ses mains sur les seins d'une
jeune fille[162], de celui qui a empoigné les parties génitales de son
fils pour le dissuader de faire la même chose avec ses amis[163], ou
encore de la personne qui continue de se masturber en caressant
la plaignante malgré son refus[164]. En sens contraire, fut acquitté
l'individu qui donna un baiser à une fillette pour lui souhaiter
bonne année. L'événement étant dénué d'aspect charnel, l'accusé
fut blanchi de l'accusation qui pesait contre lui[165].

60. Si la présence simultanée d'un comportement positif et
d'un contexte sexuel est nécessaire à la constatation d'une agression sexuelle, encore faut-il que la victime ne soit pas consentante
à l'acte reproché (car il s'agirait alors non pas d'agression sexuelle
mais de relation sexuelle proprement dite). Le consentement étant

---

161   *Id.*, 302.
162   *Id.*, 303.
163   *R.* c. *V. (K.B.)*, [1993] 2 R.C.S. 857.
164   *R.* c. *Pronovost*, [1995] A.Q. (Quicklaw) n° 597 (C.A.).
165   *R.* c. *Beaumont*, [1999] R.J.Q. 2785 (C.Q.).

défini comme « l'accord volontaire du plaignant à l'activité sexuelle »[166], certaines circonstances pourront vicier le caractère libre ou réfléchi de l'accord manifesté et contaminer le caractère volontaire de cette décision. Parmi les causes d'involontaires formellement reconnues par le législateur, mentionnons l'emploi de la force envers la victime[167], les menaces d'emploi de la force ou de la crainte de cet emploi envers la plaignante ou une autre personne[168], la fraude et l'exercice de l'autorité[169]. Contrairement à la seconde composante de l'*actus reus*, l'absence de consentement est déterminée de manière subjective, c'est-à-dire par rapport à ce qui s'est véritablement passé dans l'esprit de la victime au moment du crime. Le critère étant purement subjectif, la croyance de l'accusé n'entre pas en ligne de compte. « À cette étape, il s'agit [donc] purement d'une question de crédibilité qui consiste à se demander si, dans son ensemble, le comportement de la plaignante est compatible avec sa prétention selon laquelle elle n'a pas consenti ».[170] « Bien que la plausibilité de la crainte alléguée et toutes expressions évidentes de cette crainte soient manifestement pertinentes pour apprécier la crédibilité de la prétention de la plaignante qu'elle a consenti sous l'effet de la crainte »[171], « il n'est pas nécessaire que la crainte de la plaignante soit raisonnable, ni qu'elle ait été communiquée à l'accusé pour que le consentement soit vicié »[172].

61. *Intrusion de nuit et voies de fait contre un agent de la paix*: Contrairement à l'agression sexuelle (et à plusieurs infrac-

---

166   C.cr., art. 273.1(1). Voir également T. D'AQUIN, *op. cit.*, note 26, quest. 74, art. 7, p. 478 :

> Consentir est un acte de l'appétit, non absolument toutefois, mais comme nous l'avons dit en son lieu, c'est un acte de la volonté consécutif à un acte de la raison délibérant et jugeant. Le consentement s'achève en effet dans l'adhésion de la volonté à ce qui est désormais jugé par la raison. De là vient que l'on peut attribuer le consentement et à la volonté et à la raison.

167   C.cr., art. 265(3)*a*).

168   C.cr., art. 265(3)*b*).

169   C.cr., art. 265(3)*c*).

170   *R.* c. *Ewanchuk*, précité, note 158, 349.

171   *Id.*

172   *Id.*, 352.

tions contenues dans le *Code criminel*), certains délits renvoient à des circonstances spécifiques dont le contenu est préalablement défini par le législateur. On n'a qu'à penser à l'intrusion de nuit prévue à l'article 177 du *Code criminel*, infraction qui sanctionne la personne qui flâne ou rôde (action positive), la nuit (circonstance) sur la propriété d'autrui (circonstance), près d'une maison d'habitation située sur cette propriété (circonstance). L'intrusion devant se produire au cours de la nuit, l'accusé devra se trouver sur la propriété d'autrui entre vingt et une heures et six heures du matin, conformément à la définition du mot « nuit » prévue à l'article 2 du *Code criminel*. Cette situation n'est pas sans analogie avec l'infraction de voies de fait contre un agent de la paix contenue au paragraphe 270(1) du *Code criminel*. Ici, le ministère public devra prouver (1) la présence de voies de fait; (2) l'identité de la victime (agent de la paix) et (3) que celle-ci était dans l'exercice de ses fonctions. En ce qui concerne, tout d'abord, les voies de fait, nul doute, l'expression est sujette à interprétation. Est-ce que le fait de cracher au visage d'un policier peut, par exemple, constituer des voies de fait? Après avoir conclu, en conformité avec l'arrêt *Stewart*[173], qu'il s'agit effectivement de voies de fait, la Cour devra vérifier ensuite si l'action a été commise contre un agent de la paix. La définition d'agent de la paix étant prévue à l'article 2 du *Code criminel*, l'interprétation de cette expression sera réduite au maximum, car le législateur aura pris le soin de fixer à l'avance (*prédétermination*) sa signification juridique. Finalement, en ce qui concerne la dernière circonstance, la poursuite devra démontrer que l'agent de la paix était dans l'exercice de ses fonctions, ce qui exige, dans la plupart des cas, une interprétation des droits du policier à la lumière des faits en l'espèce[174]. Une arrestation illégale[175] ou un pouvoir exercé de manière excessive[176] fera sortir l'agent de la paix du cadre de ses fonctions empêchant ainsi une condamnation en vertu du paragraphe 270(1) du *Code criminel*.

---

173 *R.* c. *Stewart*, [1988] R.J.Q. 1123 (C.S.P.).

174 Voir par exemple *R.* c. *Landry*, [1986] 1 R.C.S. 145.

175 *R.* c. *Cottam*, [1970] 1 C.C.C. 117 (C.A. C.-B.).

176 *R.* c. *Plamondon*, (1997) 121 C.C.C. (3d) 314 (C.A. C.-B.).

62. Loin de se limiter à la présence d'un acte positif, la plupart des infractions exigent donc la preuve d'une ou des circonstances. Ces circonstances, une fois définies, participent à l'élaboration du crime en tant qu'essence.

Troisième sous-section : Une conséquence

63. En plus d'exiger l'adoption d'un comportement quelconque et la présence de certaines circonstances particulières, plusieurs infractions commandent la réalisation d'une conséquence prohibée par la loi. Le résultat étant essentiel à l'achèvement du crime, le ministère public devra prouver son existence hors de tout doute raisonnable. Au Canada, la conséquence rattachée à une infraction de résultat agit à un double niveau : soit qu'elle aggrave l'action en la faisant changer de nature (conséquence substantive), soit qu'elle aggrave le crime en ajoutant à la même action un résultat préjudiciable (conséquence aggravante).

A. Le conséquence prohibée change la nature de l'action reprochée (conséquence substantive)

64. Ainsi, l'accusé qui blesse une personne avec un couteau commet des voies de fait avec lésions corporelles (ou voies de fait graves selon les conséquences) en vertu de l'article 267*b*) (ou 268 du *Code criminel*). La victime décède, alors, l'inculpé sera accusé d'homicide involontaire coupable ou de meurtre selon son intention au moment des événements en question[177]. La mort étant l'élément essentiel des infractions d'homicide, l'*actus reus*

---

177   Bien que nous utilisions ici comme exemple le meurtre et l'homicide involontaire coupable, il convient de souligner que l'homicide involontaire coupable résultant d'un acte illégal est une infraction qui participe à la fois de la conséquence substantive (*R. c. Creighton*, [1993] 3 R.C.S. 3, 42) et de la conséquence aggravante (*R. c. Creighton*, *id.*, 54). Cette difficulté, comme nous allons le voir plus loin, entraîne des problèmes importants au plan de la *mens rea* exigée en semblable matière.

du crime ne sera pas établi tant et aussi longtemps que la victime ne sera pas décédée.

65. Au-delà des infractions relatives aux homicides, plusieurs infractions reposent également sur la constatation d'une conséquence spécifique. La fraude, par exemple, est une infraction de résultat qui exige la preuve d'un élément de privation. En effet, selon la juge McLachlin dans l'arrêt *R. c. Théroux*[178], « l'*actus reus* de l'infraction de fraude sera établi par la preuve (1) d'un acte prohibé, qu'il s'agisse d'une supercherie, d'un mensonge ou d'un autre moyen dolosif, et (2) de la privation causée par l'acte prohibé, [laquelle privation] peut consister en une perte véritable ou dans le fait de mettre en péril les intérêts pécuniaires de la victime »[179]. La privation étant un élément essentiel de l'infraction, l'accusé sera acquitté si la poursuite n'est pas en mesure d'établir hors de tout doute raisonnable que la victime a subi une perte véritable ou que ses intérêts pécuniaires ont été mis en péril. Enfin, comme toutes les infractions de résultat, la poursuite devra également faire la preuve du lien de causalité entre la conduite de l'accusé et la conséquence reprochée.

B. La conséquence prohibée aggrave le crime en ajoutant à la même action un résultat préjudiciable (conséquence aggravante)

66. Ainsi, frapper une personne sans son consentement constitue, aux fins du droit criminel, des voies de fait en vertu de l'article 265 C.cr. Si en plus on ajoute à la description du crime, une conséquence préjudiciable telle que des lésions corporelles, l'infraction sera plus grave, bien que la responsabilité morale de l'agent ne s'en trouvera pas nécessairement modifiée. Ici, la conséquence ne change pas la nature de l'action reprochée, mais aggrave

---

178   Précité, note 48.
179   *Id.*, 20.

le crime en s'attardant au résultat préjudiciable. C'est d'ailleurs ce que souligne le juge Sopinka dans l'arrêt *R. c. DeSousa*[180] :

> Dans bien des cas, comme les voies de fait ou la conduite dangereuse, l'infraction est établie peu importe les conséquences de l'acte, mais les conséquences peuvent être utilisées pour aggraver la responsabilité de l'auteur. Par exemple, les voies de fait et les voies de fait causant des lésions corporelles exigent toutes deux la même *mens rea*, et l'élément qui réside dans le fait de causer des lésions corporelles ne sert qu'à qualifier l'infraction. Aucun principe de justice fondamentale n'empêche le législateur de considérer les crimes entraînant certaines conséquences comme plus graves que les crimes qui n'en entraînent pas.[181]

67. Le même geste peut donc être puni plus sévèrement selon les conséquences qui s'y rattachent. Par exemple, l'agression sexuelle[182], l'agression sexuelle causant des lésions corporelles[183] et l'agression sexuelle grave[184] reposent sur la même structure matérielle – des attouchements, de nature sexuelle, sans consentement de la part de la victime – mais se distinguent en fonction du résultat préjudiciable. Il en va de même de la conduite dangereuse causant des lésions corporelles[185], de la conduite dangereuse causant la mort[186], de l'incendie criminel causant des lésions corporelles[187], etc. Comme l'explique le juge Sopinka dans l'arrêt *DeSousa* :

> [L]e droit dans ce domaine repose sur le principe implicite qu'il est acceptable d'établir une distinction quant à la responsabilité

---

180   [1992] 2 R.C.S. 944.
181   *Id.*, 966.
182   C.cr., art. 271.
183   C.cr., art. 272(1)*c*).
184   C.cr., art. 273(1).
185   C.cr., art. 249(3).
186   C.cr., art. 249(4).
187   C.cr., art. 433*b*).

criminelle entre des actes également répréhensibles en fonction du préjudice qui est effectivement causé. Ce principe s'exprime par la condamnation à des peines maximales plus sévères dans le cas des infractions dont les conséquences sont plus graves. Les tribunaux et le législateur reconnaissent le préjudice effectivement causé en concluant que, pour des cas égaux par ailleurs, une conséquence plus grave commande une réaction plus sérieuse.[188]

68. En résumé, les infractions de résultat incriminent les conséquences d'une action ou d'une omission, de sorte que si le dommage prévu n'est pas présent, la conduite de l'accusé ne sera pas punie (p. ex.: négligence criminelle causant la mort (art. 220 C.cr) ou causant des lésions corporelles (art. 221 C.cr.)) ou donnera lieu à une infraction moins grave (p. ex.: voies de fait (art. 266 C.cr.)).

Troisième section : Le lien de causalité

69. Si plusieurs infractions exigent la réalisation d'une conséquence prohibée, il arrive parfois que celle-ci, une fois constatée, ne puisse être portée au compte de son auteur (*imputabilité matérielle*). Le lien de causalité étant absent, l'accusé sera acquitté de l'infraction reprochée. En quoi consiste ce lien de causalité? Voilà la question! Doit-on exiger la présence d'un lien réel, mais diffus, d'une causalité si lointaine qu'elle recouvrirait dans son sillage toutes les conséquences possibles et imaginables d'un acte ou d'une omission?[189] Ou plutôt opter pour un critère plus rigide,

---

188   *R. c. DeSousa*, précité, note 180, 967.

189   On n'a qu'à penser à la célèbre disposition des Lois d'Henry qui reconnaissait la culpabilité de l'individu qui ne pouvait jurer qu'il n'avait rien fait qui pouvait avoir eu pour conséquence d'éloigner la victime de la vie ou de l'approcher de la mort. *Leges Henrici Primi*, cité dans F.B. SAYRE, *loc. cit.*, note 11, 978 et 979 :

> There are also various kinds of misfortunes taking place by accident rather than by design, and to be treated with mercy rather than strict justice; for

plus serré, qui exigerait un lien direct entre l'acte de l'accusé et le résultat prohibé? Et si la réponse se trouvait entre ces deux extrêmes, dans l'espace où se forment et s'entrecroisent la matérialité de nos actes et les conséquences qui s'y rattachent? Peut-être serions-nous mieux en mesure d'établir un équilibre entre la conduite de l'accusé et sa véritable responsabilité au point de vue pénal. C'est ce que croit la Cour suprême du Canada, et avec elle, d'ailleurs, l'ensemble des auteurs sur la question, car à défaut de causalité, la culpabilité ne peut être prononcée.

Première sous-section : Le lien de causalité en regard des principes généraux de la responsabilité criminelle (common law)

70. D'après la juge Arbour dans l'arrêt *R.* c. *Nette*[190], les règles de droit applicables en matière de causalité au Canada relèvent du principe de justice fondamentale voulant que les personnes moralement innocentes ne soient pas punies pour leurs actes[191]. Il est donc interdit de punir quelqu'un sans avoir établi au préalable le lien existant entre son acte et les conséquences prohibées car, à moins de circonstances exceptionnelles, cela contreviendrait à

---

the law is *qui inscienter peccat scienter emendet* [...]. And wherever a man cannot truly swear that he had done nothing whereby another was further from life or nearer to death, he ought properly to pay for whatever was done. Of such cases are: if someone on a journey for another should meet death while engaged in the mission [...]; if a man should send for someone and the latter should be killed while on the way; if someone should meet death when summoned by another; if another's weapons placed there by their owner should kill another; if one, whether the deceased or another, should throw them down and they do injury [...] if someone should be brought to see the show of a wild beast or a lunatic, and should suffer any harm from them; if someone should lend a horse or anything to another from which evil should befall him; if someone's horse, goaded or struck in the rear by someone, injures a person; in these and similar cases, where a man intends one thing and another thing happens, where the act is blameworthy and not the intent, the judges should rather decree a less severe punishment by way of *honorarium* in proportion to the injury.

190   [2001] 3 R.C.S. 488.
191   *Id.*, 513.

l'article 7 de la Charte et serait, par conséquent, difficilement justifiable en vertu de l'article premier.

71. En droit, la règle applicable en matière de causalité fut énoncée en 1978 par la Cour suprême du Canada dans l'arrêt *Smithers* c. *La Reine*[192]. Dans cette affaire, l'inculpé, un jeune joueur de hockey de race noire, était accusé d'homicide involontaire coupable résultant d'un acte illégal (coup de pied donné à l'estomac d'un joueur de l'équipe adverse). Selon le médecin légiste qui procéda à l'examen de la victime après son décès, la mort était due « à l'aspiration de corps étranger consécutive à un vomissement »[193], aspiration provoquée en partie par le mauvais fonctionnement de l'épiglotte de la victime. Résultat : la Cour devait déterminer si l'action de l'accusé avait suffisamment contribué au décès de la victime afin d'engager sa responsabilité pénale. Après avoir examiné le témoignage des experts médicaux et des personnes présentes au moment de l'accident, la Cour proposa le critère suivant :

> [Les] témoins experts et ordinaires ont fourni au jury un ensemble de preuves très considérable indiquant que le coup de pied avait pour le moins contribué à la mort, de façon plus que mineure, et que c'est tout ce que le ministère public avait à établir. Il importe peu que la mort ait été causée en partie, par un mauvais fonctionnement de l'épiglotte auquel l'appelant peut, ou non, avoir contribué. Il ne se pose, en l'espèce, aucune question de traitement inadéquat ou d'absence d'immédiateté.[194]

72. Le principe est donc simple et bien arrêté : sera condamné pour homicide involontaire coupable résultant d'un acte illégal l'individu dont le comportement a contribué, de façon plus que mineure, à la mort de la victime (critère également reconnu par les tribunaux anglophones sous l'appellation de « cause ayant contribuée d'une façon qui n'est pas négligeable ou insignifiante »).

---

192   [1978] 1 R.C.S. 506.
193   *Id.*, 509.
194   *Id.*, 519.

Cette responsabilité, il va sans dire, ne résulte pas uniquement de la constatation du lien de causalité, mais également de la preuve de l'acte illégal (p. ex. : *actus reus* et *mens rea* de l'infraction de voies de fait) et de la prévisibilité raisonnable du risque de lésions corporelles applicable en matière d'homicide involontaire coupable[195]. Malgré son rattachement à l'alinéa 222(5)*a*) du *Code criminel*, le critère énoncé dans l'arrêt *Smithers* ne se limite pas à cette infraction, mais à tous les crimes de conséquence, qu'il s'agisse d'homicide involontaire coupable, de meurtre[196], de fraude[197], de conduite

---

195 *R. c. Creighton*, précité, note 177, 42 et 43 :

Il ressort de la jurisprudence que, outre l'*actus reus* et la *mens rea* liés à l'acte sous-jacent, tout ce qu'il faut pour fonder une déclaration de culpabilité d'homicide involontaire coupable est la prévisibilité raisonnable du risque de lésions corporelles. Bien que l'al. 222(5)*a*) ne pose pas expressément l'exigence de lésions corporelles prévisibles, c'est ainsi qu'il a été interprété : voir l'arrêt *R. c. DeSousa*, précité. L'acte illégal doit présenter un danger objectif, c'est-à-dire, être de nature à causer des blessures à une autre personne.

196 Après avoir conclu que l'accusé a commis un meurtre, le jury doit ensuite examiner s'il existe des circonstances aggravantes qui justifient une déclaration de culpabilité pour meurtre au premier degré en vertu de l'article 231(5) du *Code criminel*. À l'analyse de la culpabilité de l'accusé succède alors une analyse de sa nocivité. Compte tenu des conséquences d'une déclaration de culpabilité de meurtre au premier degré, la Cour retient un critère plus exigeant qu'en matière d'homicide involontaire coupable ou de meurtre au second degré. Ce critère est celui de la cause substantielle du décès énoncé par le juge Cory dans l'arrêt *R. c. Harbottle*, [1993] 3 R.C.S. 306, 323 :

Les conséquences d'une déclaration de culpabilité de meurtre au premier degré et le texte de la disposition sont tels que le critère de causalité applicable aux fins du par. 214(5) [maintenant 231(5)] doit être strict. À mon avis, un accusé ne peut être déclaré coupable, en vertu de ce paragraphe, que si le ministère public prouve qu'il a accompli un acte ou une série d'actes d'une telle nature qu'ils doivent être considérés comme une cause substantielle et essentielle du décès. [...] Le critère de la cause substantielle exige que l'accusé joue un rôle très actif – habituellement un rôle de nature physique – dans le meurtre. [...] De toute évidence, cette exigence est plus grande que celle décrite dans *Smithers c. La Reine*, [1978] 1 R.C.S. 506, où il était question d'homicide involontaire coupable.

197 G. CÔTÉ-HARPER, P. RAINVILLE et J. TURGEON, *op. cit.*, note 40, p. 309 et 310 :

Des problèmes de causalité entre l'acte et le résultat surgissent surtout dans les cas d'homicide, la question étant de savoir si c'est l'acte de l'accusé qui a causé la mort. [...] Cependant, outre l'homicide, il existe d'autres infractions

dangereuse ayant causé la mort[198], de conduite avec les facultés
affaiblies ayant causé la mort[199], etc. Examinant le lien de causalité applicable en matière d'homicide, la juge Arbour, dans l'arrêt
R. c. Nette, explique :

> Depuis l'arrêt *Smithers*, on utilise les expressions « cause ayant
> contribué de façon plus que mineure » « beyond de minimis » ou
> « outside the de minimis range » ou « cause ayant contribué d'une
> façon plus que négligeable » dans les directives au jury sur le cri-
> tère de causalité applicable à toutes les infractions d'homicide,

---

de conséquence qui nécessitent aussi la preuve de l'existence de ce lien de
causalité. Il suffit de mentionner le fait de causer des lésions corporelles, de
mettre le feu volontairement, de causer volontairement une blessure à un
animal de même que la fraude et autres crimes connexes.

198   *R. c. Ewart*, (1999) 53 C.C.C. (3d) 153 (C.A. Alta.).

199   *R. c. Hall*, [2004] O.J. (Quicklaw) n° 4746, par. 62 et 63 (S.C.) :
The first step is to determine whether Shawn Hall was impaired by alcohol
at the time of this accident. The onus is on the Crown to prove impairment
beyond a reasonable doubt. However, there is no requirement to prove a
particular degree of impairment. The charge is established if the evidence
establishes "any degree of impairment ranging from slight to great": *R.* v.
Stellato (1993), 78 C.C.C. (3d) 380 (Ont. C.A.).
If it is established that Mr. Hall was impaired, the next step is to consider
causation. The fact that the accident caused Mr. Simmons death is only one
step in the chain of causation. Likewise, adding to that equation a finding
that Mr. Hall was impaired at the time of the accident does not necessarily
lead to the conclusion that his impairment caused the accident. If the accident and Mr. Simmons death would have occurred in any event regardless
of Mr. Hall's state of sobriety, then his impairment cannot be said to have
caused the death. It is not necessary for the Crown to establish that Mr. Hall's
impairment was the sole cause of the accident, or even the primary cause.
If impairment by alcohol was at least a contributing cause, outside the *de
minimus* range, that is sufficient: *R.* v. *Smithers* (1977), 34 C.C.C. (2d) 427,
75 D.L.R. (3d) 321, [1978] 1 S.C.R. 506; *R.* v. *Nette* (2001), 158 C.C.C. (3d)
486 (S.C.C.) at paras. 53-54 and 71-72. Another way of expressing the
same test is to say that causation is established if the impairment was a
"significant contributing cause" of the accident, in the sense that it contributed to the accident in a way that was "more than negligible", or was "more
than a trivial cause": Nette, *supra*, at paras. 71-72.

Voir également *R. c. Lafleur*, [2005] J.Q. (Quicklaw) n° 12247, par. 130-
140 (C.Q.); *R. c. Laprise*, (1996) 113 C.C.C. (3d) 87 (C.A. Qué.); *R. c.
Gilbert*, [1991] A.Q. (Quicklaw) n° 249 (C.A.).

peu importe qu'il s'agisse d'un homicide involontaire coupable ou d'un meurtre.[200]

73.   Après avoir confirmé l'importance du critère développé dans l'arrêt *Smithers*, la juge Arbour entreprend une analyse fort détaillée de sa formulation. D'après la magistrate, l'emploi d'expressions latines, et plus particulièrement d'un critère reposant sur une double négation, peuvent créer dans l'esprit du jury de l'incertitude quant à la nature exacte du critère utilisé[201]. Il serait donc préférable de recourir à une formule positive exigeant, par exemple, la présence « d'une cause ayant contribué de façon appréciable au résultat prohibé » plutôt que d'utiliser une expression négative telle que la « cause ayant contribué d'une façon qui n'est pas négligeable ou insignifiante ». Cette substitution, précise la juge Arbour, n'est pas obligatoire, mais facultative (pouvoir discrétionnaire)[202]. Les juges du procès demeurent donc libres, selon les circonstances, d'employer l'une ou l'autre de ces formules :

> Le critère de causalité formulé dans l'arrêt *Smithers* est encore valide et applicable à toutes les formes d'homicide. Le seul point faible que peut avoir le critère de l'arrêt *Smithers* se trouve non pas dans son contenu, mais dans sa formulation. Bien qu'ils causent peu de difficultés aux juges et aux avocats, l'emploi d'expressions latines et la formulation de critères sous la forme négative ne sont pas particulièrement utiles pour expliquer une notion abstraite à un jury. Pour expliquer le plus clairement possible le critère de causalité au jury, il peut être préférable de le formuler de façon affirmative en parlant, par exemple, d'une « cause ayant contribué de façon appréciable » au lieu de recourir à une formule négative comme celle de la « cause ayant contribué d'une façon qui n'est pas négligeable ou insignifiante ». [...] Les juges du procès ont le pouvoir discrétionnaire de choisir la terminologie qu'ils utiliseront pour expliquer au jury le critère de causalité

---

200   *R.* c. *Nette*, précité, note 190, 518.
201   *Id.*, 526.
202   *Id.*, 527.

applicable. Les questions relatives à la causalité sont particulières à chaque cas et reposent sur les faits.[203]

74. Bien plus qu'une simple clarification terminologique, l'analyse proposée par la juge Arbour entraîne une véritable modification du critère applicable en matière de causalité, car en substituant l'expression « cause ayant contribué d'une façon qui n'est pas négligeable ou insignifiante » par celle de « cause ayant contribué de façon appréciable », la magistrate élève le seuil de causalité applicable en matière d'infractions de conséquence. Il serait donc préférable de maintenir le critère employé dans l'arrêt *Smithers* en utilisant l'expression positive énoncée par le juge Dickson dans la version française de la décision, expression qui suppose que l'acte de l'accusé ait contribué au résultat de façon plus que mineure.

Deuxième sous-section : Les dispositions du *Code criminel* relatives au lien de causalité

75. Si la règle proposée dans l'arrêt *Smithers* est issue des tribunaux, différentes dispositions du *Code criminel* viennent se superposer de l'extérieur afin de contourner certaines difficultés relatives à l'établissement du lien de causalité. Ce sont ces règles et leurs principales conditions d'application qu'il faut maintenant envisager.

A. L'article 224 du *Code criminel* (lorsque la mort aurait pu être empêchée)

76. Aux termes de l'article 224 du *Code criminel* :

224. [Lorsque la mort aurait pu être empêchée] Lorsque, par un acte ou une omission, une personne fait une chose qui entraîne

---

203   *Id.*, 526

la mort d'un être humain, elle cause la mort de cet être humain, bien que la mort produite par cette cause eût pu être empêchée en recourant à des moyens appropriés.[204]

77. Contrairement à l'opinion de certains commentateurs, nous croyons que l'article 224 C.cr. n'exige pas la présence d'un acte suffisamment sérieux ou dangereux pour causer la mort. Si le geste de l'accusé est illégal, s'il est de nature à causer des blessures à une autre personne qui ne sont ni sans importance ni de nature passagère (danger objectif), alors l'accusé devra supporter les conséquences pénales de son geste (peu importe la gravité de la blessure subie par la victime à la suite de l'acte illégal). C'est ainsi qu'il faut envisager la culpabilité de l'alpiniste qui inflige une coupure au bras de son partenaire à la suite d'un coup porté avec un instrument servant à l'escalade. Cette blessure ayant – en raison de l'effet combiné d'une infection virulente et de l'impossibilité d'obtenir à temps des soins appropriés – causé le décès de la victime, l'inculpé pourra être accusé d'homicide involontaire coupable résultant d'un acte illégal (al. 222(5)*a*) et art. 234 C.cr.). La blessure corporelle n'a donc pas à être dangereuse pour maintenir le lien de causalité. Tout ce qui compte est l'acte illégal et la prévision objective (dans le contexte d'un acte dangereux) du risque

---

204   Sur la constitutionnalité de l'article 224 du *Code criminel*, voir *R. c. Barolet*, R.J.P.Q. 90-204 (C.S.) :

> L'accusé subit son procès sous l'accusation d'avoir causé la mort d'une personne en lui infligeant des lésions corporelles, commettant ainsi un homicide involontaire coupable. Il aurait donné un coup de pied à la victime, lui fracturant les deux os de la jambe droite. La victime est décédée à l'hôpital, d'une embolie pulmonaire, causée par le déplacement d'un thrombus formé au site de la fracture.
> Le procureur de l'accusé soutient que l'article 224 C.cr. et l'article 225 C.cr. sont invalides, parce qu'ils violent les droits garantis par les articles 7 et 11*d*) de la Charte canadienne. Il soutient que ces deux articles créent des infractions de responsabilité absolue, et demande qu'ils soient déclarés inconstitutionnels.
> La Cour rejette ces prétentions. Les articles 224 et 225 C.cr. ne créent aucune infraction. Ils ne sont que « des balises dans la recherche de la cause de la mort. » Ils n'ont pas pour résultat de rendre coupable d'homicide involontaire une personne qui a posé un geste qui n'est que l'occasion d'un décès. La demande est rejetée.

de lésions corporelles qui ne sont ni sans importance ni de nature
passagère.

78. En ce qui concerne maintenant l'impossibilité d'avoir
recours à temps à des soins appropriés, celle-ci renvoie habituellement à la présence d'obstacles physiques ou géographiques empêchant l'individu d'obtenir l'assistance nécessaire. Cette absence
de soins, précise l'article 224 du *Code criminel*, ne peut briser le
lien de causalité entre l'accusé et le résultat final. On n'a qu'à penser à l'individu qui est agressé en forêt et qui ne peut, pour cette
raison, recourir à des moyens appropriés (p. ex. : une transfusion
sanguine). Dans ce cas, l'accusé sera responsable de la mort de la
victime car l'acte d'agression, en plus d'être objectivement dangereux (prévisibilité raisonnable de lésions corporelles), aura contribué d'une manière plus que mineure au décès de la victime.
Comme l'indiquent, avec justesse d'ailleurs, les auteurs Côté-
Harper, Rainville et Turgeon, « cet article vise avant tout le cas de
la victime qui meurt à la suite des blessures infligées par l'accusé
sans avoir pu recevoir de secours : il est alors inutile de se demander si un traitement ou une intervention médicale administré à
temps aurait pu la sauver »[205].

79. Si l'impossibilité d'avoir recours à temps à des soins
appropriés ne pose pas trop de difficultés aux tribunaux, il en va
autrement des situations où l'absence de traitement adéquat n'est
pas tributaire d'une circonstance extérieure à la victime, mais d'un
facteur propre à celle-ci, comme sa négligence ou son refus de traitement[206]. Dans ce cas, nous croyons, conformément à la jurisprudence dominante, que l'accusé devra supporter les conséquences
de son geste car, malgré le choix de la victime, ce geste aura contribué d'une manière plus que mineure au décès de cette dernière.
Bien qu'elle soit à première vue extrêmement sévère, la rigidité
de cette règle est atténuée par l'exigence de prévisibilité objective

---

205   G. CÔTÉ-HARPER, P. RAINVILLE et P. TURGEON, *op. cit.*, note 40,
      p. 338.
206   *R.* c. *Blaue*, [1975] 1 W.L.R. 1411, 1415.

du risque de lésions corporelles applicable en matière d'homicide involontaire coupable et par celle de prévisibilité subjective de la mort dans les cas de meurtre. L'arrêt *R. c. Blaue* illustre bien cette situation. Dans cette affaire, l'inculpé fut accusé de meurtre après avoir perforé le poumon d'une jeune fille de 18 ans à l'aide d'un couteau. La victime ayant refusé de subir une transfusion sanguine en raison de ses convictions religieuses (elle était témoin de Jéhovah), celle-ci décéda quelques heures plus tard[207]. À la question : quelle est la cause du décès de la victime ? Le juge Lawton répondit : « [T]he stab wound. The fact that the victim refused to stop this end coming about did not break the causal connection between the act and death. [...] In this case the judge would have been entitled to have told the jury that the defendant's stab wound was an operative cause of death. »[208] La blessure étant une *cause active* de la mort, l'acte de l'accusé a contribué d'une façon plus que mineure au décès de la victime.

80. Loin d'être limité au refus découlant de convictions religieuses, ce principe s'étend également au décès résultant de la négligence de la victime. En effet : « if a man receives a wound, which is not in itself mortal, but either for want of helpful applications, or *neglect* thereof, it turns to a gangrene, or a fever, and that gangrene or fever be the immediate cause of his death, yet this is murder or manslaughter in him, that gave the stroke or wound. »[209] Examinant la responsabilité d'un individu accusé de meurtre après

---

207   *Id.*, 1413 et 1415 :

> The victim was aged 18. She was a Jehovah's Witness. She professed the tenets of that sect and lived her life by them. During the late afternoon of May 3, 1974, the defendant came into her house and asked her for sexual intercourse. She refused. He then attacked her with a knife inflicting four serious wounds. One pierced her lung. [...] As she had lost a lot of blood, before there could be an operation there would have to be a blood transfusion. As soon as the girl appreciated that the surgeon was thinking of organising a blood transfusion for her, she said that she should not be given one and that she would not have one. To have one, she said, would be contrary to her religious beliefs as a Jehovah's Witness. [...] The prosecution admitted at the trial that had she had a blood transfusion when advised to have one she would not have died. She did so at 12.45 a.m. the next day.

208   *Id.*, 1415.

209   M. HALE, *op. cit.*, note 1, p. 428.

avoir infligé une grave coupure au doigt d'une personne à l'aide
d'un instrument contondant (coupure qui s'était par la suite gan-
grenée), le juge Maule retient la culpabilité de l'accusé malgré le
fait que la mort de la victime résultait, en grande partie, de son refus
de subir une amputation du doigt. D'après le magistrat : « It made
no difference whether the wound was in its own nature instantly
mortal, or whether it became the cause of death by reason of the
deceased not having adopted the best mode of treatment; the real
question is, whether in the end the wound inflicted by the prisoner
was the cause of death. »[210] Bien qu'étant extrêmement sévère, le
principe énoncé par Matthew Hale et repris par les tribunaux dans
les arrêts *Blaue* et *Holland* demeure toujours applicable. En effet :
« He who inflicted an injury which resulted in death could not
excuse himself by pleading that his victim could have avoided
death by taking greater care of himself. »[211]

81. Des commentaires qui précèdent, nous concluons que
la négligence ou le refus de la victime ne brisent pas le lien de
causalité entre le résultat préjudiciable et l'acte de l'accusé. C'est
plutôt à la *mens rea* (prévision objective de lésions corporelles en
matière d'homicide involontaire coupable; prévision subjective
de la mort en matière de meurtre) que revient la lourde et redou-
table responsabilité de distinguer les situations justifiant une condamnation de celles qui, au contraire, méritent un acquittement.

B. L'article 225 du *Code criminel* (Mort découlant du traitement de blessures)

82. Si l'impossibilité d'obtenir à temps l'assistance nécessaire n'a pas pour effet de dénouer le lien de causalité entre le
geste de l'accusé et le décès de la victime, l'administration d'un

---

210   *R.* c. *Holland*, 2 Mood & R. 351, 352.
211   *R.* c. *Blaue*, précité, note 206, 1414.

traitement [médical] ne signifie pas, pour autant, la rupture de ce lien. En effet, d'après l'article 225 du *Code criminel* :

> **225.** [**Mort découlant du traitement de blessures**] Lorsqu'une personne cause à un être humain une blessure corporelle qui est en elle-même de nature dangereuse et dont résulte la mort, elle cause la mort de cet être humain, bien que la cause immédiate de la mort soit un traitement convenable ou impropre, appliqué de bonne foi.

83. Pour que l'article 225 C.cr. s'applique, il faut, tout d'abord, que la blessure à l'origine du traitement convenable ou non soit dangereuse. Si la blessure est mineure, l'article 225 C.cr. ne peut s'appliquer, car le texte étant clair, il n'y a pas lieu de l'interpréter autrement. Quant à la nature dangereuse de la blessure en question, celle-ci doit compromettre l'existence de la victime. En effet, « it seems that bodily injury that is of itself of a dangerous nature means one that could on any reasonable standard cause death. »[212] Résultat : si la blessure n'est pas dangereuse et que la cause immédiate du décès est la présence d'un traitement convenable ou impropre, appliqué de bonne foi, l'accusé ne sera pas responsable du décès de la victime. L'exemple de l'individu qui reçoit un coup de poing sur le nez et qui se rend à l'hôpital en raison d'une simple fracture illustre bien ce principe. Son décès ayant été constaté deux semaines plus tard en raison d'une contamination à la bactérie C. difficile (maladie contractée suite à l'introduction de mèches dans le nez), la mort de la victime ne pourra être attribuée à son agresseur, faute de blessure dangereuse. En sens contraire, sera condamnée pour homicide involontaire coupable ou pour meurtre, l'individu qui poignarde une personne au thorax (ou coup de fusil) qui décède à la suite d'une infection causée par une mauvaise stérilisation des instruments chirurgicaux. La blessure étant dangereuse, l'accusé sera coupable de la mort de la victime même si la cause immédiate de la mort est un traitement impropre appliqué de bonne foi.

---

212 Alan M. MEWETT et Morris MANNING, *Mewett and Manning on Criminal Law*, 3rd ed., Toronto, Butterworths, 1994, p. 145 et suiv.

84. Bien que la mort découlant d'un traitement convenable ou impropre, appliqué de bonne foi, puisse être imputée à la personne à l'origine de la blessure dangereuse, il reste que la mort de la victime doit, à tout le moins, résulter de cette blessure pour enclencher les mécanismes à la base de l'article 225 C.cr.[213] La plasticité du principe énoncé dans cette disposition n'est donc pas absolue. Son application est appelée à varier au gré des circonstances en l'espèce. La cause est-elle trop lointaine? Alors l'accusé ne pourra être imputé du décès de la victime, car la blessure dangereuse n'est plus une cause active de la mort de cette dernière (*operating factor contributing to the death*)[214]. On n'a qu'à penser à la victime d'un coup de couteau qui est transportée à l'hôpital et qui décède, après sa guérison complète, des suites d'un empoisonnement dû à l'administration d'un médicament auquel elle est allergique[215]. En sens contraire, sera coupable de meurtre, le militaire accusé d'avoir asséné deux coups de baïonnettes à un soldat qui est décédé à la suite de son transport à l'infirmerie (l'individu avait été échappé deux fois au sol) et à l'administration d'un mauvais traitement. D'après le juge Parker, l'appel de l'accusé devait

---

213   *R.* c. *Smith*, [1959] 2 B.R. 35.

214   *Id.*, 42 et 43.

215   *R.* c. *Jordan*, (1956) 40 Cr. App. R. 152, 156 et 157 (C.A.):

The stab wound had penetrated the intestine in two places, but it was mainly healed at the time of death. With a view to preventing infection it was thought right to administer an antibiotic, terramycin.

It was agreed by the two additional witnesses that that was the proper course to take, and proper dose was administered. Some people, however, are intolerant to terramycin, and Beaumont was one of those people. After the initial doses he developed diarrhea, which was only properly attributable, in the opinion of those doctors, to the fact that the patient was intolerant to terramycin. Thereupon the administration of terramycin was stopped, but unfortunately the very next day the resumption of such administration was ordered by another doctor and it was recommenced the following day. The two doctors both take the same view about it. Dr. Simpson said that to introduce a poisonous substance after the intolerance of the patient was shown was palpably wrong. Mr. Blackburn agreed.

Other steps were taken which were also regarded by the doctors as wrong. [...] As a result the lungs became waterlogged and pulmonary œdema was discovered. Mr. Blackburn said that he was not surprised to see that condition after the introduction of so much liquid, and the pulmonary œdema leads to broncho-pneumonia as an inevitable sequel, and it was from broncho-pneumonia that Beaumont died.

être rejeté car la blessure initiale était encore une cause active au moment du décès de la victime :

> It seems to the court that if at the time of death the original wound is still an operating cause and a substantial cause, then the death can properly be said to be the result of the wound, albeit that some other cause of death is also operating. Only if it can be said that the original wounding is merely the setting in which another cause operates can it be said that the death does not flow from the wound. Putting in another way, only if the second cause is so overwhelming as to make the original wound merely part of the history can it be said that the death does not flow from the wound.[216]

85.   En somme, si, au moment du décès, la blessure dangereuse joue encore un rôle *actif*, si elle contribue de façon appréciable (ou plus que mineure) au décès de la victime, celui-ci sera porté au compte de l'accusé et cela malgré le fait que la cause immédiate de la mort ait été un traitement convenable ou impropre, appliqué de bonne foi.

C. L'article 226 du *Code criminel* (hâter la mort)

86.   Aux termes de l'article 226 du *Code criminel* :

> **226. [Hâter la mort]** Lorsqu'une personne cause à un être humain une blessure corporelle qui entraîne la mort, elle cause la mort de cet être humain, même si cette blessure n'a pour effet que de hâter sa mort par suite d'une maladie ou d'un désordre provenant de quelque autre cause.

---

216   *R. c. Smith*, précité, note 213, 42 et 43.

87. Comme les articles 224 et 225 du *Code criminel*, l'article 226 C.cr. est une transcription plus ou moins intégrale d'un vieux principe de common law. D'après Matthew Hale : « [l]orsqu'une personne souffre d'une maladie telle que dans le cours de la nature, elle décédera en six mois, si une autre la blesse ou la frappe et qu'ainsi sa fin est hâtée parce que le cours de la maladie devient plus violent, cette accélération de la mort constitue un homicide coupable, meurtre ou homicide involontaire, selon le cas. »[217] D'application peu fréquente, l'article 226 Ccr. reconnaît implicitement le principe de la vulnérabilité particulière de la victime (aussi connu sous le nom de la théorie du crâne fragile). Regardons brièvement en quoi consiste ce principe.

88. *La vulnérabilité particulière de la victime* : « Admis en jurisprudence, reconnu et même défendu »[218] par la plupart des auteurs de doctrine, le principe de la vulnérabilité particulière de la victime est une règle bien établie en common law. D'après cette règle, la personne qui se livre à une activité criminelle doit supporter toutes les conséquences, prévisibles ou non, résultant de son geste[219]. Tout au long de la procédure pénale court le célèbre adage : « One who assaults another must take his victim as he finds him. »[220] Étroitement associée à la notion de sécurité publique, la règle de la vulnérabilité particulière de la victime doit être lue à la lumière des conditions énoncées dans les arrêts *Smithers* et *Creighton*. Il n'est donc plus question d'imputer à quelqu'un toutes les conséquences, possibles et imaginables, de son geste. Seul l'acte ayant contribué d'une façon plus que mineure au décès de la victime et comportant, en sus, une prévision objective de lésions corporelles pourra être porté au compte de l'accusé. Ainsi, pour reprendre les paroles de la juge Arbour dans l'arrêt *Nette*,

---

217   M. HALE, *op. cit.*, note 1, p. 428, cité en français dans Irénee LAGARDE, *Droit pénal canadien*, Montréal, Wilson et Lafleur, 1962, p. 292.

218   A.-C. DANA, *op. cit.*, note 5, p. 190.

219   Cette règle, common nous allons le voir, doit être nuancée considérablement.

220   Celui qui commet des voies de fait sur une autre personne doit prendre la victime comme il la trouve. (Notre traduction.)

« la rigueur potentielle de l'application de la règle de la vulnérabilité de la victime en matière criminelle est atténuée par l'exigence que l'accusé possède la *mens rea* requise pour l'infraction
dont il est accusé, à savoir qu'il y ait eu "prévisibilité objective
[dans le contexte d'un acte dangereux] du risque de lésions corporelles qui ne sont ni sans importance ni de nature passagère" »[221].
Sur ce point, nous sommes d'accord avec la juge McLachlin pour
dire que : « [Le] principe de la vulnérabilité de la victime est à la
fois bon et utile. Il oblige les agresseurs, une fois lancés dans une
conduite dangereuse qui pourra d'une manière prévisible causer
des blessures à autrui, à endosser la responsabilité de toutes les
conséquences, y compris la mort. »[222]

89.   C'est donc le résultat qui justifie la règle, car si le principe de la vulnérabilité particulière de la victime semble, à première
vue, extrêmement sévère, il apparaît, au contraire, parfaitement légitime une fois combiné aux principes développés dans les arrêts
Smithers et *Creighton*. C'est dans cet esprit qu'il faut envisager
l'acquittement d'un individu accusé d'avoir causé la mort d'une
personne cardiaque suite à une échauffourée[223]. D'après le patho-
logiste qui procéda à l'autopsie de la victime, c'est le stress qu'aurait
subi cette dernière au moment de l'altercation, et non le coup de
poing, qui aurait entraîné son décès. Résumant le témoignage de
l'expert médical et les conclusions du juge de première instance,
la Cour d'appel du Québec, par la voie du juge Rousseau-Houle,
confirme l'acquittement de l'accusé :

« [LE PATHOLOGISTE] Bien, c'est évident que l'individu avait un
coeur tellement défaillant, tellement malade, que cet individu là
ne pouvait pas supporter un état de stress, un état de risque comme
ça, il pouvait sûrement pas être capable de supporter ça et c'est
ça qui est arrivé, le coeur a arrêté de fonctionner à cause de ça. »
(m.a., p. 83)

---

221   Précité, note 206, 531.
222   *R. c. Creighton*, précité, note 177, 52.
223   *R. c. Lépine*, [1993] R.J.Q. 88 (C.A.); [1992] A.Q. (Quicklaw) n° 2108.

[LE JUGE ROUSSEAU-HOULE] Il a précisé à la page 88 que l'état de stress : « occasionne une décharge d'adrénaline qui fait monter sa pression artérielle, et son coeur n'est pas capable de supporter une telle décharge et le coeur a arrêté de fonctionner tout simplement. C'est comme ça que j'explique le mécanisme de ce décès. »

[LE JUGE ROUSSEAU-HOULE] Le juge, tout en rappelant le principe voulant que l'accusé prenne sa victime comme il la trouve, s'est demandé, selon l'expression utilisée dans *Smithers*, « si le coup de poing avait pour le moins contribué à la mort de façon plus que mineure ». Il a jugé, après avoir analysé la preuve, que ce n'est pas le coup comme tel qui avait été la cause du décès mais plutôt la réaction physiologique déclenchée par le stress ressenti par la victime.

En l'espèce, le premier motif d'appel est mal fondé. Le premier juge a apprécié la crédibilité des témoins et la force probante des éléments de preuve, de même que le fardeau de preuve imposé à l'appelante d'établir que le coup de poing avait pour le moins contribué à la mort de façon plus que mineure (Voir *Smithers* c. *La Reine*, précité; *R.* c. *Colby*, 52 C.C.C. (3d, 321; *R.* c. *Pinske*, [1989] 2 R.C.S. 979). Il a conclu que le coup de poing n'était pas un fait générateur de culpabilité. Cette conclusion est raisonnable et ne pouvait au surplus être soumise à la Cour d'appel lors d'un appel d'acquittement.[224]

90. En sens contraire, fut condamné l'individu qui frappa une personne à la tête avec un morceau de bois et qui, en raison de la fragilité particulière du crâne de la victime, causa son décès[225]. Dans la mesure où la personne qui se lance dans la poursuite d'une conduite dangereuse doit prendre la victime comme elle est, la contribution – souvent fort importante – d'un autre facteur dans le décès de la victime n'aura pas pour effet de liquider automatique-

---

224   *Id.*, 90.
225   Ce cas n'est pas sans analogie avec celui de l'accusé qui assène deux coups de poing à une personne, coups de poing qui s'avèrent mortels une fois combinés à la consommation excessive d'alcool et au coeur anormalement petit et malade de la victime.

ment la responsabilité de l'agent. Au contraire, le comportement étant objectivement dangereux et la mort attribuable en partie à l'acte illégal, l'accusé devra en supporter les conséquences pénales. Ce résultat, affirme la juge en chef McLachlin, respecte les exigences constitutionnelles dans la mesure où il fait intervenir un élément de faute qui rencontre les critères développés dans l'arrêt *Creighton*[226].

D. L'article 222(5)*c*) et *d*) en conjonction avec l'article 228 C.cr.

91. D'après l'article 222(5)*c*) et *d*) du *Code criminel* :

222. (5) **[Homicide coupable]** Une personne commet un homicide coupable lorsqu'elle cause la mort d'un être humain :

[...]

c) soit en portant cet être humain, par des menaces ou la crainte de quelque violence, ou par la supercherie, à faire quelque chose qui cause sa mort;

d) soit en effrayant volontairement cet être humain, dans le cas d'un enfant ou d'une personne malade.

92. Cette disposition doit être lue en conjonction avec l'article 228 du *Code criminel*, lequel prévoit notamment l'absence de responsabilité pénale dans les cas où la mort de la victime résulte uniquement d'une influence sur l'esprit ou d'un trouble résultant d'une telle influence.

---

226 *R. c. Creighton*, précité, note 177, 52.

93. *1*. L'article 222(5)*c*) C.cr. : Pour que cet article s'applique, il faut tout d'abord relever chez l'agent un comportement, une attitude ou une conduite qui s'apparente soit à des menaces, soit à un danger de violence ou à une forme de supercherie. En outre, il faut également que ce comportement ou cette attitude ait amené la victime à faire quelque chose d'où résulte la mort. On peut penser à la personne qui, sous le coup d'une attaque soudaine, se jette dans une rivière et se noie ou à la victime qui, en raison de la peur découlant d'une agression imminente, tombe par la fenêtre et décède[227]. Ici, l'accusé ne désire point le résultat final, mais doit néanmoins en supporter les conséquences car l'acte d'agression, en plus d'être objectivement dangereux, a contribué d'une manière plus que mineure au décès de la victime. Enfin, mentionnons que l'accusé sera responsable de la mort de celle-ci peu importe que l'acte à l'origine du décès soit le résultat d'un accident[228] (p. ex. : la personne effrayée se penche à la fenêtre pour appeler du secours et tombe malencontreusement au sol), ou d'un acte intentionnel (p. ex. : la victime se précipite hors d'une voiture en mouvement). En effet, « lorsque la victime a posé elle-même l'acte qui a causé sa mort parce qu'elle a été ainsi portée par la crainte de violence inspirée par l'accusé, l'homicide en est un dont l'accusé est coupable »[229].

---

227   *Curley*, (1909) 2 Cr. App. R. 109, 110. D'après l'accusé : "I ran at her to hit her. I didn't quite touch her. Out she jumped." Voir également *R.* c. *Martin*, (1881) 8 Q.B.D. 54, 14 Cox C.C. 633, cité en français dans I. LAGARDE, *op. cit.*, note 217, p. 289 :

> Pour se sauver de la violence que son mari menace de lui faire, une femme se jette par la fenêtre et se blesse. Le mari est déclaré coupable d'avoir infligé des lésions corporelles à sa femme. (Si celle-ci s'était tuée, le mari aurait commis un homicide coupable).

228   *R.* c. *Graves*, (1913) 47 R.C.S. 568 :

> It was proved that the prisoners, who had been drinking, came on the deceased's lawn and commenced to shout and sing and use profane and insulting language towards him. He twice warned them away, and finally appeared with a loaded gun threatening to shoot. A rush was made towards the verandah where he stood, when he took hold of the barrel of the gun and struck one of the prisoners with the stock. The gun was discharged into his body and there was evidence that the prisoners then maltreated him and his wife. He was taken to a hospital in Halifax where he died shortly after.

229   M. HALE, *op. cit.*, note 1, C. XXXIII.

94. *2.* L'article 228 C.cr. : Si la présence de menaces, de crainte de violence ou de supercherie est suffisante pour détendre les mécanismes à la base de l'alinéa 222(5)*c*) du *Code criminel*, il en va autrement de l'influence exercée sur l'esprit d'une personne. Dans ce cas, l'article 228 C.cr. est catégorique : la mort résultant de l'influence sur l'esprit seulement ou d'un désordre ou d'une maladie résultant d'une telle influence ne peut engager la responsabilité de son auteur[230]. En effet d'après Matthew Hale :

> Lorsqu'une personne, soit en exerçant une influence sur l'esprit d'une autre soit même par un traitement dur ou peu convenable, provoque chez celle-ci un transport de chagrin ou de crainte tel qu'elle en décède subitement ou contracte quelque maladie dont elle meurt, bien qu'au regard de Dieu ce fait puisse constituer, selon les circonstances de l'affaire, un meurtre ou un homicide involontaire, elle ne peut, en regard de la loi humaine, tomber sous le coup de la félonie parce qu'il n'y a eu aucun acte extérieur de violence...[231]

95. En sens contraire, sera coupable l'individu qui cause la mort d'un enfant ou d'une personne malade en l'effrayant volontairement. L'adverbe « volontairement » étant rattaché au verbe effrayer, le geste de l'accusé devra démontrer une volonté en ce sens. Sera acquitté, par conséquent, d'homicide involontaire coupable, l'individu accusé de la mort d'une personne décédée à la suite d'une crise cardiaque survenue après une échauffourée. La mort étant le résultat de la maladie de la victime et du stress découlant de l'altercation, la preuve ne permet pas de conclure, hors de tout doute raisonnable, que l'accusé a causé la mort de la personne malade en l'effrayant volontairement[232]. Cet article, il convient de le préciser, ne pourra s'appliquer lorsque la preuve démontre que les actes physiques de l'accusé ont contribué d'une manière plus

---

230   *Id.*, p. 429. Voir également *R.* c. *Powder*, (1981) 29 C.R. (3d) 183.

231   M. HALE, *id.*, cité en français dans I. LAGARDE, *op. cit.*, note 217, p. 292.

232   *R.* c. *Lépine*, précité, note 223.

que mineure au décès de la victime. D'après le juge Stauth dans l'arrêt *R.* c. *A.A.*[233] :

> I think that the wording of Section 211 is such that I would con-clude that it applies only to cases of death caused by fright alone. As soon as there is an unlawful act you are out of section 211, and the determination of conviction or acquittal depends entirely on whether that unlawful act causes death. In our case, had there been nothing more than the taunts I would readily agree that we would have been dealing with a Section 211 situation or even as in the *Smithers* case had the accused not kicked Coby, but merely confronted him outside the arena in a menacing way, then that too in my opinion would have been a result of killing another by an influence on the mind alone.[234]

---

233   *R.* c. *A.A.*, [1980] O.J. (Quicklaw) n° 2375 (Prov. Ct.). Voir également *R.* c. *Shanks*, [1996] O.J. (Quicklaw) n° 4386, par. 3-9 (C.A. Ont.) :
> On March 2, 1994, at about 9:30 p.m., the appellant, William Shanks, attended the nearby residence of the deceased, Lawrence Spurrell, angered that his cat had apparently been injured by the Spurrel cat. The appellant stood on the porch of the Spurrell residence and threatened the cat and the deceased, provoking the deceased into agreeing to fight the appellant out-side. [...] In a very brief physical encounter, the deceased was put down or thrown down to the ground by the appellant. A short while later that evening, the deceased suffered an acute heart attack and died at about 11:30 p.m.
> Prior to these events, the deceased was a very sick man. He had diabetes, high blood pressure, a history of strokes and suffered at least one previous heart attack. He had triple coronary disease, with high grade calcification and obstruction in all three arteries. [...] It was clear that an acute plaque rupture in the right coronary artery ultimately led to the blockage of blood to the deceased's heart and, as a result, his death. Emotional or physical stress or a combination of both may trigger a plaque rupture. It is often dif-ficult to isolate specific triggering events. [...] The trial judge was, in fact, very careful to restrict his analysis to whether the actual physical assault had caused Mr. Spurrell's death. He found beyond a reasonable doubt that this unlawful act, alone, was a contributing cause of death outside the *de minimus* range.

234   *Id.*, par. 31. Voir également *R.* c. *Howard*, (1913) 5 W.W.R. 838, 13 Can. Abr. 344, résumé en français dans I. LAGARDE, *op. cit.*, note 217, p. 293 :
> Le prévenu est accusé d'homicide. Il a, dans un tramway, une altercation avec le défunt qu'il frappe. À ce moment, celui-ci paraît en bonne santé

96. En ce qui concerne finalement l'élément mental découlant de l'emploi de l'adverbe « volontairement », nous croyons, contrairement à l'opinion des anciens, que l'accusé doit savoir que la personne est malade, car l'homicide coupable exige, au minimum, une prévision objective de lésions corporelles (prévision qui ne peut exister dans les cas où la personne raisonnable ne connaît pas la condition personnelle du malade).

Conclusion

97. Cette étude sur l'élément matériel de l'infraction nous a montré combien l'*actus reus* est un élément essentiel d'un système de justice fondé sur le respect de l'autonomie et de la volonté de la personne. Sans *actus reus*, sans élément matériel, l'infraction n'arrive pas à se manifester ni à éclater à la lumière du jour. Si l'*actus reus* ne laisse pas toujours de cicatrices apparentes à la surface de l'action (p. ex. : dans les cas d'omission), sa présence n'est pas moins essentielle dans la mesure où elle permet à l'élément de faute de se manifester dans l'adoption d'un comportement criminel dont les ondulations engageront la responsabilité de son auteur.

---

mais, peu de temps après, il s'évanouit et décède. La preuve médicale est à l'effet que le coup porté par l'accusé ne pouvait causer directement la mort mais que le défunt était dans un tel état de colère et d'énervement qu'il serait mort sans avoir reçu de coup. L'accusé est libéré dès l'enquête préliminaire puisqu'en vertu de l'article 255 [aujourd'hui 228 C.cr.] , il ne pouvait être coupable d'homicide involontaire.

Première partie

La faute subjective

98. Volonté, *actus reus* et *mens rea*. Tels peuvent être reconstitués, brièvement, les fondements à l'origine de la responsabilité pénale. C'est à travers cette étrange complicité, cette vieille alliance de l'âme (imputabilité), du corps (*actus reus*) et de l'esprit (*mens rea*), que s'organise et s'élabore la fonction punitive. *Actus non facit reum nisi mens sit rea*, enseignent les criminalistes d'une voix unanime. L'infraction, telle que nous la connaissons aujourd'hui, tient son équilibre de l'union privilégiée entre deux réalités à la fois étrangères mais réciproques. D'un côté, l'*actus reus* ou l'élément matériel. Véritable support de l'infraction, l'*actus reus* constitue le terreau dans lequel s'enracinent les manifestations physiques du crime, le substrat dans lequel fleurit l'élément psychologique de l'infraction. De l'autre côté, la *mens rea* ou l'élément de faute, cette réalité à la fois opaque et complexe qui se situe « à la couture de l'âme et du corps »[235] et qui, en se superposant à l'*actus reus*, participe à l'union de l'acte et de la faute. En somme, si l'imputabilité est le principe de la responsabilité (élément préalable à la constatation du crime), l'*actus reus* et la *mens rea* forment les deux composantes essentielles de l'infraction.

99. Issue de la montée irrésistible de la faute en droit criminel, la *mens rea* peut être évaluée grâce à un critère subjectif ou objectif, le cas échéant. La faute est-elle subjective? Il s'agira alors de plonger dans l'esprit de l'accusé, de retracer la trame psychologique à la base de l'infraction. « C'est peut-être [là] une loi des cieux »[236], que notre volonté, en s'extériorisant dans la commission d'un acte matériel, fasse éclore nos pensées les plus intimes. Car « l'homme à l'homme est obscur »[237], ses pensées, toujours secrètes, ne se manifestent que dans le déploiement de sa volonté, que dans l'adoption d'une conduite dont la réalisation permettra à la justice pénale de retracer la courbe subjective à la base de nos actions. La faute est-elle objective? Alors la « question ne porte

---

235   M. FOUCAULT, *op. cit.*, note 7, p. 84.
236   V. HUGO, *op. cit.*, note 2, p. 416.
237   *Id.*, p. 376.

plus sur ce qui s'est passé dans l'esprit de l'accusé mais sur l'absence d'un état mental de diligence »[238]. D'une faute propre à l'accusé, inhérente à l'homme en tant que sujet pensant, nous passons à une faute normative, propre à l'homme en tant que citoyen-pénal.

100. La faute est donc simple en genre, mais double en espèce. Individu et société, subjectivisme et objectivisme s'attirent et se repoussent mutuellement afin d'apporter à la faute sa coloration particulière.

101. L'objet de cette première partie est consacré à l'étude de la faute subjective en droit criminel et plus précisément à l'analyse des trois formes originales de *mens rea* que sont la connaissance (**chapitre I**), l'intention (**chapitre II**) et l'insouciance (**chapitre III**).

---

238   *R.* c. *Hundal*, précité, note 23, 869.

Chapitre premier

La connaissance

102. Selon saint Augustin, le péché est un acte de volonté contraire à la loi éternelle[239]. Or l'acte volontaire, d'après Aristote, désigne « l'acte dont le principe se trouve dans l'agent qui connaît toutes les circonstances particulières de l'action »[240]. Donc, la connaissance est un principe moteur dans l'ordre du mouvement appétitif menant au péché. En effet, « un acte est dit louable ou coupable du fait qu'il est imputé à l'agent; car louer et blâmer n'est rien d'autre qu'imputer à quelqu'un la bonté ou la malice de ses actes »[241]. « Mais comme on l'a dit [ailleurs] un acte humain est jugé volontaire ou involontaire du fait de la connaissance ou de l'ignorance des circonstances. »[242] Il est donc propre à l'homme d'agir en fonction de la connaissance qu'il possède des circonstances entourant son action, car celui qui agit mal sans le savoir agit mal sans le vouloir[243], affirment les théologiens.

103. Voilà le récit d'une autre époque et d'un autre monde. Si la théologie, en se donnant pour mission de pourchasser le mal et de rechercher le bien, se préoccupait de la conduite des âmes et de la victoire du Christ sur les armées de Satan, le droit poursuit des objectifs dont le contenu n'est pas d'ordre spirituel, mais de nature temporelle. Résultat : celui-ci doit bâtir un langage qui reflète cet idéal, il doit construire son discours sur les bases d'un système qui, tout en adhérant aux principes de la responsabilité morale, possède ses propres accents, ses propres règles. Il n'est donc plus question

---

239   Cité dans T. D'AQUIN, *op. cit.*, note 26, quest. 71, art. 6, p. 450.

240   ARISTOTE, *Éthique de Nicomaque*, Paris, GF-Flammarion, 1965, p. 77.

241   T. D'AQUIN, *op. cit.*, note 26, quest. 21, art. 2, p. 165.

242   *Id.*, quest. 7, art. 2, p. 76.

243   Voir sur ce point ARISTOTE, *op. cit.*, note 240, p. 76.

de Péché ni de Chute morale, mais bien d'infraction et de culpabilité. C'est dans cet espace nouveau, tenu pour sol positif, que vient se loger la connaissance, dans un espace où s'entremêlent à la fois l'*actus reus* et la *mens rea* de l'infraction, le corps et l'esprit de l'accusé. Impossible donc de punir quelqu'un sans établir au préalable sa connaissance des circonstances pertinentes du crime, car sans connaissance, l'homme ne peut orienter intelligemment son action.

104. C'est dans cette perspective que nous allons aborder la première forme de *mens rea* en droit pénal canadien, dans une optique visant à redonner à la connaissance toute l'importance qui lui revient. À l'étude de la connaissance factuelle ou réelle des faits constitutifs de l'infraction, succèdera un examen de l'ignorance volontaire et de la connaissance imputée, formes secondaires de connaissance actuellement reconnues en droit pénal.

Première section : La connaissance en relation avec les principes régissant la responsabilité pénale

105. Dérivée du mot latin *principium* (de *incipere*), qui signifie commencer, la notion de principe désigne « ce qu'il y a de premier dans un ensemble ordonné »[244]. Or la connaissance est le principe de la culpabilité[245]. Donc la connaissance se trouve à la base des différentes formes de *mens rea* subjective que sont l'intention, l'insouciance et la connaissance, bien entendu[246]. En quoi

---

244   T. D'AQUIN, *Somme théologique*, t. 1, Paris, Éditions du Cerf, 1999, p. 113. (vocabulaire de la *Somme théologique*).

245   J. FORTIN et L. VIAU, *op. cit.*, note 14, p. 124 : « La connaissance des faits constitutifs de l'infraction est la condition fondamentale du *mens rea.* »

246   G. CÔTÉ-HARPER, P. RAINVILLE et J. TURGEON, *op. cit.*, note 40, p. 382. Sur ce point, nous nous accordons avec les auteurs Côté-Harper, Rainville et Turgeon pour dire qu'« à la base de toute forme de *mens*

consiste la connaissance? Voilà la question! Sur ce point, la jurisprudence distingue, à titre de *summa divisio*, les trois formes de
connaissance que sont (1) la connaissance réelle, (2) l'aveuglement volontaire et (3) la connaissance imputée.

Première sous-section : La connaissance réelle ou factuelle

106. Comme l'indique son origine étymologique (du latin :
cognoscere, noscere), la connaissance désigne la faculté de celui
qui comprend ou saisit, à travers les impressions que lui commu-
niquent ses sens et les représentations mentales qui en découlent,
les rapports entre le sujet pensant et le monde extérieur. D'après
Aristote, « le principe de notre connaissance est le sens »[247]. « Mais
parce que les images qui proviennent de nos sens sont incapables
de modifier l'intellect possible, elles doivent être rendues intelligibles en acte par l'intelligence agent »[248]. Donc, la connaissance[249]

---

rea, en tant que faute subjective, se retrouve le concept de la connaissance des éléments constitutifs de l'infraction ».

247 Cité dans T. D'AQUIN, *op. cit.*, note 244, quest. 84, art. 6, p. 737.

248 *Id.*, quest. 84, art. 6, p. 738.

249 Cette connaissance, il va sans dire, est nécessaire à la détermination de
l'acte, car sans connaissance, il n'y a pas de volonté ni de culpabilité,
avons-nous dit. En effet, « l'acte de volonté n'est rien d'autre qu'une inclination consécutive à la forme connue par l'intellect » (*Id.*, quest. 87,
art. 4, p. 761). Or : « [l]e choix d'un acte particulier à exécuter est comme
la conclusion d'un syllogisme de l'intelligence pratique. Mais d'une
proposition universelle on ne peut tirer directement une conclusion sin-
gulière comme mineure » (*Id.*, quest. 86, art. 1, p. 753). Donc le jugement
universel de l'intelligence pratique ne peut porter à l'action sans connaître au préalable la nature de cet acte. Comme l'indique saint Thomas
d'Aquin, et avec lui la plupart des philosophes de tradition aristotélicienne, la connaissance est antérieure à la volonté, comme la cause du
mouvement l'est au mobile et le principe actif au passif (*Id.*, quest. 86,
art. 3, p. 718), car le bien connu par l'intelligence met en mouvement la
volonté, en indiquant à l'homme la direction de ses actions.

résulte de la conjugaison des sens (qui nous fournissent les images, les impressions des corps sensibles[250]) et de l'intelligence (qui

---

250   *Id.*, quest. 84, art. 6, p. 737 et 738 :

Il y eut sur ce point trois opinions parmi les philosophes. Pour Démocrite, « il n'est pas d'autre cause à toute notre connaissance que ceci : de ces corps que nous concevons, des images viennent pénétrer dans nos âmes ». Ainsi s'exprime S. Augustin dans sa lettre à Dioscore. Aristote lui-même rapporte que Démocrite expliquait la connaissance par des images et des émanations. Et le motif de cette opinion est que Démocrite, tout comme les autres anciens philosophes de la Nature, ne mettait pas de différence entre l'intelligence et le sens, d'après Aristote au traité *De l'âme*. Et comme le sens est modifié par le sensible, ils croyaient que toute notre connaissance provenait exclusivement de cette modification. Selon Démocrite, elle était produite par des émanations d'images.

Platon, au contraire, mettait une différence entre l'intelligence et le sens, l'intelligence étant une puissance immatérielle qui n'employait pas un organe corporel pour agir. Mais, comme un principe immatériel ne peut être modifié par un corps, Platon admit que la connaissance intellectuelle provient non d'une modification de l'intelligence par les choses sensibles, mais par une participation des formes intelligibles séparées, comme nous l'avons dit. De plus, le sens était pour lui une puissance qui agit par elle-même. Étant une force spirituelle, le sens non plus ne pouvait être modifié par les choses sensibles. Ce sont les organes des sens qui recevaient cette modification par laquelle l'âme serait en quelque sorte excitée à former en elle les espèces des réalités sensibles. S. Augustin paraît faire allusion à cette opinion lorsqu'il dit que « ce n'est pas le corps qui sent, mais l'âme par le corps; elle se sert de lui comme d'un messager pour former en elle-même ce qui est annoncé du dehors. » En fin de compte, d'après Platon, ni la connaissance intellectuelle ne procède du sensible, ni même la connaissance sensible n'est produite entièrement par les réalités matérielles. Mais celles-ci excitent l'âme sensible à sentir, et les sens excitent l'âme intellectuelle à connaître.

Aristote, lui, prit une voie intermédiaire. Il admettait avec Platon que l'intelligence diffère du sens, mais que le sens n'a pas d'opération propre sans communiquer avec le corps; en sorte que sentir n'est pas un acte de l'âme seulement, mais du composé. De même pour toutes les opérations de l'âme sensitive. Or, rien ne s'oppose à ce que les choses sensibles qui sont hors de l'âme agissent sur le composé. Aristote s'accorde donc avec Démocrite pour admettre que les opérations de l'âme sensitive sont produites par une opération des choses sensibles sur le sens, non pas par manière d'émanation, comme le voulait Démocrite, mais par une certaine action. Car Démocrite expliquait toute opération par une émanation d'atomes, comme le montre Aristote. – Quant à celui-ci, il affirme que l'intelligence opère sans communiquer avec le corps. Et puisque aucun corps ne peut agir sur une réalité incorporelle, il ne suffit donc pas, pour produire l'acte d'intelligence, de la seule impression des corps sensibles, mais il faut un principe d'une nature plus élevée. Car « l'agent est plus noble que le patient », dit-il lui-même. Non pas cependant que l'acte intellectuel soit produit en nous par la seule impression d'êtres supérieurs, selon l'opinion de Platon. Mais ce principe opère en nous la transformation des images en concepts intelligibles[251]).

107. En droit, la « connaissance des faits et circonstances qui constituent l'acte criminel »[252] est généralement essentielle à la responsabilité. C'est pourquoi le ministère public doit normalement prouver la culpabilité de l'accusé en démontrant que celui-ci a commis l'acte prohibé « intentionnellement ou sans se soucier des conséquences, en étant conscient des faits constituant l'infraction ou en refusant volontairement de les envisager »[253]. Cette conscience des faits constituant l'infraction renvoie à la connaissance factuelle ou réelle des éléments à l'origine de l'acte criminel et plus précisément à la première forme de connaissance décrite par Lord Devlin dans l'arrêt Roper c. Taylor's Central Garage (Exeter) Ltd.[254] :

> There are, I think, three degrees of knowledge which it may be relevant to consider in cases of this kind. The first is actual knowledge, which the justices may find because they infer it from the nature of the act done, for no man can prove the state of another

---

actif, supérieur et de nature plus élevée, qu'Aristote appelle intellect agent et dont nous avons parlé précédemment, rend intelligibles en acte, par mode d'abstraction, les images acquises par le sens.

251   *Id.*, quest. 85, art. 5, p. 749 :
      Il est nécessaire à l'intellect humain de procéder par composition et division. Puisqu'il passe de la puissance à l'acte, il ressemble aux êtres soumis à la génération, qui n'ont pas immédiatement toute leur perfection, mais l'acquièrent de façon successive. Pareillement, l'intellect humain n'obtient pas dès la première appréhension la connaissance parfaite d'une réalité; il en connaît d'abord quelque chose, par exemple, la quiddité qui est l'objet premier et propre de l'intellect, puis les propriétés, les accidents, les manières d'être qui entourent l'essence de cette réalité. Et à cause de cela, il est nécessaire à l'intellect d'unir les éléments connus, ou de les séparer, et ensuite, de cette composition ou division, de passer à une autre, ce qui est raisonner.

252   *Pappajohn* c. *La Reine*, [1980] 2 R.C.S. 120, 148.

253   *R.* c. *Corporation de la ville de Sault Ste-Marie*, [1978] 2 R.C.S. 1299, 1309.

254   (1951) 2 T.L.R. 284 (Eng. K.B.).

man's mind; and they may find it even if the defendant gives evidence to the contrary. They may say, "We do not believe him; we think that that was his state of mind".[255]

108. La connaissance réelle des éléments essentiels de l'infraction résulte donc de la conscience subjective des éléments constitutifs du crime. Cette connaissance, qui renvoie directement à l'état d'esprit de l'accusé au moment du crime, peut être substituée par la preuve d'une autre forme de connaissance : l'aveuglement volontaire.

Deuxième sous-section : L'aveuglement volontaire

109. L'aveuglement volontaire désigne l'état de celui qui a délibérément choisi de demeurer dans l'ignorance des faits alors qu'il pouvait se renseigner[256]. « La personne a eu des soupçons, a réalisé la probabilité de l'existence d'un fait ou d'une circonstance, mais a préféré ne pas obtenir une confirmation pour pouvoir par la suite nier la connaissance. »[257] D'après la Cour suprême du Canada dans l'arrêt Sansregret c. La Reine[258] : « l'ignorance volontaire se produit lorsqu'une personne qui a ressenti le besoin de se renseigner refuse de le faire parce qu'elle ne veut pas connaître la vérité. Elle préfère rester dans l'ignorance. »[259] Or d'après saint Thomas d'Aquin, « ce qui est fait par ignorance mérite le pardon »[260]. Mais il arrive parfois qu'une action faite par ignorance ne le mérite pas. « Par exemple lorsque quelqu'un veut ignorer pour avoir une excuse à son péché ou pour n'en être détourné. De là les

---

255   *Id.*, 288.
256   *The Zamora No. 2*, [1921] 1 A.C. 801, 812 (P.C.)
257   G. CÔTÉ-HARPER, P. RAINVILLE et J. TURGEON, *op. cit.*, note 40, p. 388.
258   [1985] 1 R.C.S. 570.
259   *Id.*, 584.
260   T. D'AQUIN, *op. cit.*, note 26, quest. 6, art. 8, p. 73 : « S. Jean Damascène et Aristote disent tous deux "qu'il y a de l'involontaire par ignorance". »

paroles de Job : "Seigneur, je ne veux pas connaître tes voix." »[261] L'ignorance étant volontaire, l'individu doit en supporter le blâme, car c'est pour pécher plus librement qu'il s'est maintenu dans l'ignorance[262]. L'aveuglement volontaire est donc synonyme de connaissance en droit pénal. En effet, d'après le juge Devlin dans l'arrêt *Roper* c. *Taylor's Central Garage (Exeter) Ltd.* :

> They may feel that the evidence falls short of that [connaissance réelle ou factuelle], and if they do they have then to consider what might be described as knowledge of the second degree, whether the defendant was, as it has been called, shutting his eyes to an obvious means of knowledge. Various expressions have been used to describe that state of mind. I do not think it necessary to look further, certainly not in cases of this type, than the phrase which Lord Hewart, C.J., used in a case under this section, *Evans* v. *Dell* (1937) 53. The Times L.R. 310, where he said (at p. 313): "...the respondent deliberately refrained from making inquiries the results of which he might not care to have".[263]

110. C'est dans cette perspective qu'il faut envisager la culpabilité d'une personne qui a accepté de changer une série de chèques pour un pur inconnu en retour de deux mille dollars[264].

---

261   *Id.*, quest. 6, art. 8, p. 73.
262   *Id.*, quest. 76, art. 4, p. 490 et 491.
263   *Roper* c. *Taylor's Central Garage (Exeter) Ltd.*, précité, note 254, 289.
264   Sur ce point, voir *a contrario* l'arrêt *R.* c. *Hayes*, [1995] A.Q. (Quicklaw) n° 882, par. 31 et 37 (C.A.) :
> L'« ignorance » ou « l'aveuglement » volontaire (de fait, l'on dit généralement que l'ignorance découle de l'aveuglement volontaire) équivaut à une connaissance réelle dans la mesure où (1) l'inculpé a un soupçon quant à la provenance et (2) il refuse d'éliminer ce soupçon, préférant demeurer dans l'ignorance, se fermant les yeux. C'est ce qui se dégage de l'arrêt *Sansregret* c. *La Reine*, [1985] 1 R.C.S. 570 et d'un arrêt de cette Cour, *R.* c. *Rathod*, (1993) 61 Q.A.C., 171. [...]
> Pour tous ces motifs, je suis d'avis que le premier juge s'est mal dirigé en fait et en droit dans l'application de la règle relative à la faute pénale fondée sur l'aveuglement volontaire qui, en définitive, constitue le fondement sur lequel il s'appuie pour conclure à cette connaissance spécifique de la provenance. À mon avis, de nombreux éléments militaient en faveur de la thèse de l'ignorance sincère de l'appelant quant à la provenance illégale, soit

Les chèques étant faux, l'ignorance volontaire pourra être utilisée pour démontrer sa connaissance de la fausseté des chèques en question[265].

Troisième sous-section : La connaissance imputée

111. La connaissance imputée réfère, pour sa part, à l'ignorance de celui qui *peut* et *doit* savoir. L'individu est en mesure de connaître, mais néglige de se renseigner. D'après les auteurs Côté-Harper, Rainville et Turgeon : « la connaissance imputée ou présumée consiste à attribuer la connaissance d'un fait ou d'une circonstance lorsque, à la suite de la preuve présentée par la poursuite, on peut inférer qu'une personne raisonnable aurait eu la connaissance de ce fait. »[266] À l'instar de l'ignorance volontaire, la connaissance imputée est d'origine antique. On la retrouve autant chez Aristote : « on punit l'auteur d'un acte répréhensible lorsque son ignorance découle de sa négligence, attendu qu'il ne dépendait que de lui d'éviter cette ignorance et que rien ne l'empêchait d'y parer »[267] que chez saint Thomas d'Aquin : « l'ignorance des choses que l'on est tenu de savoir peut être reprochée à l'agent dans

---

(1) que c'est McCully, un ami de longue date, qui l'avait engagé dans cette aventure, (2) que la transaction se faisait à la banque de l'appelant et non dans la clandestinité, (3) que la commission de 900$ était minime et qu'elle n'était certes pas de nature à faire croire que le bénéficiaire était relié au monde des stupéfiants, (4) que l'appelant avait demandé à McCully pourquoi l'intéressé passait par lui, (5) que l'appelant n'avait donc aucune raison de se méfier de McCully, (6) que le premier juge n'a jamais conclu d'ailleurs que McCully aurait dit à l'appelant plus que ce que ce dernier prétendait ignorer, ce qui se confirme incidemment par les propos tenus entre eux qui ont été enregistrés. Dans ces circonstances, il m'est difficile de croire que sans ces erreurs de droit et de fait, un verdict de culpabilité aurait pu être rendu : je suis plutôt d'avis que comme l'ensemble de la preuve n'établit pas de façon concluante la connaissance spécifique de l'appelant quant à la provenance illégale des sommes d'argent converties, l'appelant doit être acquitté.

265   J. FORTIN et L. VIAU, *op. cit.*, note 14, p. 138.

266   G. CÔTÉ-HARPER, P. RAINVILLE et J. TURGEON, *op. cit.*, note 40, p. 396.

267   ARISTOTE, *op. cit.*, note 240, p. 85.

le cas où celui-ci ne prend pas garde actuellement à ce qu'il peut et doit considérer; [...] ou bien lorsque quelqu'un ne se soucie pas d'acquérir la connaissance qu'il doit avoir : dans ce cas, l'ignorance des choses que chacun est tenu de connaître est dite volontaire comme provenant de la négligence »[268]. Discutant de la troisième forme de connaissance actuellement reconnue en droit pénal, Lord Devlin écrit :

> The third kind of knowledge is what is generally known in the law as constructive knowledge: it is what is encompassed by the words "ought to have known" in the phrase "knew or ought to have known". It does not mean actual knowledge at all; it means that the defendant had in effect the means of knowledge. When, therefore, the case of the prosecution is that the defendant fails to make what they think were reasonable inquiries it is, I think, incumbent on them to make it plain which of the two things they are saying. There is a vast distinction between a state of mind which consists of deliberately refraining from making inquiries, the result of which the person does not care to have, and a state of mind which is merely neglecting to make such inquiries as a reasonable and prudent person would make. If that distinction is kept well in mind I think that justices will have less difficulty that this case appears to show they have had in determining what is the true position. The case of shutting eyes is actual knowledge in the eyes of the law; the case of merely neglecting to make inquiries is not knowledge at all – it comes within the legal conception of constructive knowledge, a conception which, generally speaking, has no place in the criminal law.[269]

112. Malgré son caractère objectif, la connaissance imputée est une forme de connaissance actuellement reconnue en droit pénal. Cette connaissance, qui renvoie au critère de la personne raisonnable, est cependant soumise à des impératifs constitutionnels dont le principe exclut sa présence dans les cas d'infractions

---

268   T. D'AQUIN, *op. cit.*, note 26, quest. 6, art. 8, p. 73.
269   *Roper* c. *Taylor's Central Garage (Exeter) Ltd.*, précité, note 254, 289.

exigeant un degré minimum de *mens rea* telles que le meurtre, le vol et la tentative de meurtre.

113. Après avoir identifié, de façon générale, les trois formes de connaissance actuellement reconnues en droit pénal, il nous faut maintenant examiner leur application. Comme les actes criminels ne méritent ce titre que s'ils sont couchés sur la base d'un acte matériel – l'*actus reus* étant un élément essentiel de l'infraction –, c'est de ce côté qu'il faut orienter notre analyse. À l'étude du rapport entre la connaissance et l'acte positif, succédera une analyse du lien entre la connaissance, les circonstances et les conséquences de l'infraction reprochée.

Deuxième section : La connaissance en relation avec les composantes de l'*actus reus*

Première sous-section : La connaissance en relation avec le comportement (acte positif)

114. Comme nous l'avons déjà expliqué lors de notre analyse de l'*actus reus*, la plupart des infractions que l'on retrouve au Canada commandent l'adoption d'un comportement positif prohibé par la loi. L'emploi de verbes tels que « toucher », « inviter », « vendre », « exposer », « importer », « imprimer », « exhiber » indique la présence d'une action préalable à l'examen des autres éléments du crime. Or cette action suppose *généralement* la preuve d'une certaine forme d'intention, laquelle implique, à son tour, l'idée de connaissance, car on ne peut agir intentionnellement sans savoir ce que l'on fait. En effet, d'après saint Thomas d'Aquin, l'intention est un acte de volonté qui présuppose un minimum de connaissance[270]. Or l'emploi de verbes indiquant la présence d'un com-

---

270   T. D'AQUIN, *op. cit.*, note 26, quest. 12, art. 1, p. 99.

portement positif suppose *généralement* la preuve d'une intention coupable (intention qui s'exprime, à notre avis, dans l'accomplissement *intentionnel* de l'acte en question ou dans la décision prise *sciemment* par l'accusé d'accomplir cet acte). Donc les crimes liés à un comportement interdit exigent habituellement de l'accusé qu'il sache ce qu'il fait[271].

Deuxième sous-section : La connaissance en relation avec les faits et les circonstances

115.   Du latin *circumstantiae*, qui signifie « se tenir autour », le mot circonstance désigne une particularité qui accompagne et délimite une action. « Or en matière de lieu, on dit qu'une chose en circonscrit une autre (*circumstare*) quand, tout en étant une réalité extérieure à elle, elle la touche ou l'approche localement. De même, appelle-t-on circonstances des conditions qui, tout en étant en dehors de la substance de l'acte humain, le touchent cependant en quelque façon. »[272] Pour saint Jean Damascène et saint Grégoire de Nysse, « l'ignorance des circonstances cause de l'involontaire »[273]. Or un acte criminel est jugé « volontaire ou involontaire du fait de la connaissance ou de l'ignorance des circonstances »[274]. Donc la connaissance des circonstances pertinentes du crime est un élément essentiel de la responsabilité pénale, car celui qui ne connaît pas les circonstances de son acte ne peut orienter intelligemment son action. En effet, il est clair, écrit la juge L'Heureux-Dubé dans les arrêts *Hinchey* et *Cogger*, que l'intention de commettre un acte prohibé, conjuguée à la connaissance des circonstances pertinentes

---

271   *R. c. Hinchey*, [1996] 3 R.C.S. 1128, 1165.

272   T. D'AQUIN, *op. cit.*, note 26, quest. 7, art. 2, p. 75.

273   *Id.*, p. 76. Voir également à la page 467 : « L'ignorance d'une circonstance diminue le péché; car celui qui pèche par ignorance d'une circonstance mérite le pardon, assure le Philosophe. Donc la circonstance aggrave le péché ».

274   *Id.*

est une forme acceptée de responsabilité criminelle[275]. Cette connaissance, précise la juge, ne s'applique toutefois pas à tous les types de circonstances, mais uniquement à celles qui participent à la définition du crime[276]. C'est pourquoi il importe de bien définir, pour chaque infraction, les circonstances qui accompagnent et délimitent l'action reprochée. Cette analyse comporte deux considérations selon que la connaissance est expressément exigée aux termes de l'infraction ou implicitement commandée par les principes généraux de la responsabilité pénale.

A. Élément de connaissance découlant explicitement de la rédaction de l'infraction

116. Au Canada, plusieurs infractions exigent explicitement la présence d'un élément de connaissance quant aux faits constitutifs du crime. Le législateur ayant recours à des expressions telles que « sciemment » ou « en sachant que », le ministère public devra alors prouver la connaissance de tous les éléments de l'infraction et cela hors de tout doute raisonnable[277]. D'après Glanville Williams, dans son ouvrage *Criminal Law* : « le terme sciem-

---

275 *R. c. Hinchey*, précité, note 271, 1166; *R. c. Cogger*, [1997] 2 R.C.S. 845, 854.

276 *R. c. Hinchey, id.*, 1171 et 1172.

277 G. CÔTÉ-HARPER, P. RAINVILLE et J. TURGEON, *op. cit.*, note 40, p. 384 :

L'usage du verbe « savoir » connote une *mens rea* particulière. De nombreuses dispositions du *Code criminel* exigent de l'accusé qu'il ait « su » un fait donné. Il lui faut alors être bel et bien au courant de la réalité. Il ne doit pas agir sous le coup d'une méprise ou d'une erreur. Tel accusé pense erronément s'être procuré des biens volés. Il se croit en possession de biens illicites mais l'on ne saurait dire qu'il se sait en possession de biens volés : le « mot "savoir" renvoie exclusivement à la connaissance véritable; l'on ne peut affirmer "savoir" sans connaître la vérité ».

Le vocable « savoir » nécessite la preuve de la conformité de la croyance de l'accusé avec la réalité. Son erreur de fait l'empêchera donc de se rendre coupable de l'infraction projetée mais elle l'exposera, le cas échéant, à une condamnation pour tentative ou complot. L'inculpé se croyant à tort en possession de marchandise volée se rend ainsi coupable de tentative de possession de biens volés.

ment dans une loi s'applique à tous les éléments de l'*actus reus*. Le principe d'interprétation qu'il convient d'appliquer est [alors] de dire que l'exigence de la connaissance, lorsqu'elle a été inscrite dans l'infraction, en régit l'ensemble, à moins que le législateur n'ait expressément prévu le contraire. »[278] Ce principe, qui fut repris et développé par la Cour suprême du Canada dans les arrêts *Rees*[279] et *Jorgensen*[280] ne fait plus aucun doute. L'utilisation d'expressions telles que « sciemment » ou « en sachant que » indique que la connaissance s'applique à tous les éléments de l'infraction, incluant bien entendu les faits et les circonstances qui délimitent le comportement prohibé. Regardons, brièvement, en quoi consistent ces infractions.

117. *Corruption des moeurs* : La question de l'étendue de la connaissance lorsque le législateur utilise l'adverbe « sciemment » fut abordée par la Cour suprême du Canada dans l'arrêt *R. c. Jorgensen*[281]. Dans cette affaire, l'accusé, Randy Jorgensen, fut inculpé, en vertu de l'alinéa 163(2)*a*) du *Code criminel*, de vente de matériel obscène sans justification ni excuse légitime. D'après cette disposition :

163. (1) **[Corruption des moeurs]** [...].

(2) **[Idem]** Commet une infraction quiconque, sciemment et sans justification ni excuse légitime, selon le cas :

a) vend, expose à la vue du public, ou a en sa possession à une telle fin, quelque écrit, image, modèle, disque de phonographe ou autre chose obscène ;

Lorsque le législateur prévoit expressément la connaissance, il exclut l'insouciance quant à l'existence de la circonstance et la Couronne prouve la connaissance réelle.

278   Glanville WILLIAMS, *Criminal Law*, 1953, p. 131 et 133, cité dans *R. c. Jorgensen*, [1995] 4 R.C.S. 55, 93.

279   *R. c. Rees*, [1956] R.C.S 640.

280   *R. c. Jorgensen*, précité, note 278.

281   *Id.*

[...]

(8) **[Publication obscène]** Pour l'application de la présente loi, est réputée obscène toute publication dont une caractéristique dominante est l'exploitation indue des choses sexuelles, ou de choses sexuelles et de l'un quelconque ou plusieurs des sujets suivants, à savoir : le crime, l'horreur, la cruauté et la violence.

118. Après avoir établi que le terme « sciemment » doit être appliqué à tous les éléments de l'infraction, la Cour suprême conclut que le ministère public est tenu de démontrer « que le détaillant savait que le matériel vendu avait les caractéristiques ou contenait les scènes précises qui le rendaient obscène aux termes de la loi »[282]. Toujours selon le juge Sopinka :

> À mon avis, pour établir le lien nécessaire, il faut, en droit, démontrer que le détaillant était au courant des actes précis ou de l'ensemble de faits qui ont amené les tribunaux à conclure que le matériel en question était obscène aux termes du par. 163(8). Par exemple, si la partie offensante du vidéo était celle dans laquelle un homme donnait une fessée à une femme et l'obligeait à avoir des rapports sexuels, alors pour qu'un accusé soit déclaré coupable aux termes de l'al. 163(2)a), il faut démontrer que le détaillant savait que le vidéo contenait cette scène ou a fait preuve d'ignorance volontaire à cet égard.[283]

119. Il ne s'agit pas ici d'évaluer la croyance personnelle du détaillant quant à la nature obscène du vidéo, mais bien de démontrer qu'il savait que le film contenait certains éléments, cer-

---

282   *Id.*, 107.
283   *Id.*, 106. Voir également, à la page 121, les commentaires suivants :
      Pour résumer, j'ai conclu que le ministère public devait faire la preuve de la connaissance de la part de l'accusé inculpé d'une infraction visée à l'al. 163(2)a), non seulement qu'il savait que le matériel avait comme caractéristique dominante l'exploitation des choses sexuelles, mais qu'il était au courant de la présence des éléments du matériel qui en droit rendait indue l'exploitation des choses sexuelles.

taines scènes qui pouvaient le rendre obscène. C'est donc la connaissance du contenu du vidéo et non sa qualification en tant que
chose obscène, qui compte. Résultat : « si le détaillant dit qu'il a
visionné les films et a vu la scène particulière de la fessée ou noté
la dégradation sous-jacente mais était d'avis qu'elle était innocente et inoffensive, il ne pourra l'invoquer à titre de moyen de
défense. »[284]

120. *Possession de biens criminellement obtenus* : Aux termes du paragraphe 354(1) du *Code criminel* :

> **354.** (1) [**Possession de biens criminellement obtenus**] Com
> met une infraction quiconque a en sa possession un bien, une chose
> ou leur produit sachant que tout ou partie d'entre eux ont été ob
> tenus ou proviennent directement ou indirectement :
>
> **a)** soit de la perpétration, au Canada, d'une infraction punissable
> sur acte d'accusation;
>
> **b)** soit d'un acte ou d'une omission, en quelque endroit que ce
> soit, qui aurait constitué, si elle avait eu lieu au Canada, une in
> fraction punissable sur acte d'accusation.

121. Pour qu'un accusé soit déclaré coupable de possession de biens criminellement obtenus, le ministère public doit prouver hors de tout doute raisonnable que celui-ci a commis l'*actus
reus* et formé la *mens rea* requise aux termes de l'infraction. L'*actus
reus* de l'infraction de possession de biens criminellement obtenus est la possession d'un bien d'origine criminelle, obtenu soit
de la perpétration au Canada d'une infraction punissable sur acte
d'accusation, ou d'une infraction qui aurait constituée, si elle avait
eu lieu au Canada, une infraction punissable sur acte d'accusation.
Quant à la *mens rea* ou à l'élément de faute, il consiste en l'intention de posséder ces choses ainsi que dans la connaissance de leur

---

284   *Id.*, 107.

origine illicite[285]. En utilisant l'expression « sachant que », le législateur indique en effet que « l'un des éléments de l'infraction prévue à l'article 354 du *Code criminel* est la connaissance par la personne en possession de la chose que celle-ci a été obtenue par la perpétration d'un acte criminel »[286]. En somme, le ministère public doit établir la possession des biens par l'accusé[287], leur origine criminelle et la connaissance de leur caractère illicite (connaissance de la provenance de l'objet).

---

285   *R. c. Lamontagne*, [1999] J.Q. (Quicklaw) n° 5416, par. 22 (C.A. Qué.) :
        En lisant cet article, on constate que l'*actus reus* de l'infraction réside dans la possession de biens d'origine criminelle, obtenus d'une source décrite aux alinéas *a*) ou *b*), alors que la *mens rea* réside dans l'intention de posséder ces biens et la connaissance de leur provenance illicite. Pour obtenir un verdict de culpabilité, le ministère public doit donc prouver hors de tout doute raisonnable la possession des biens par l'accusé, leur origine criminelle et la connaissance par l'accusé de cette origine.

286   *R. c. L'Heureux*, [1985] 2 R.C.S. 159, 162.

287   *R. c. Lamontagne*, précité, note 285, par. 27 et 28 :
        En matière de recel, il est maintenant acquis que la notion de possession exige qu'une personne ait à la fois la connaissance de la nature de la chose qu'elle possède et un certain contrôle sur celle-ci (*Rex c. Hess* (No 1) , 94 C.C.C. 48, aux pp. 50-51 (C.-B. C.A.); *Beaver c. La Reine*, [1957] R.C.S. 531, aux pp. 541-542, le juge Cartwright, pour la majorité; *R. c. Terrence*, [1983] 1 R.C.S. 357, à la p. 364, le juge Ritchie, au nom de la Cour). Le contrôle peut se définir comme l'autorité ou le pouvoir de commandement qu'une personne a sur une chose (*R. c. Colvin et Gladue*, [1943] 1 D.L.R. 20, à la p. 25 (C.-B. C.A.), arrêt approuvé par la Cour suprême dans *R. c. Terrence*, précité, à la p. 363). Je reconnais, en l'espèce, que le simple fait que la remorque volée ait été attachée au camion de l'appelant ne constitue pas en soi une preuve de possession : encore faut-il que ce dernier ait eu un certain contrôle sur celle-ci. Or, à mon avis, Mario Demers étant toujours au volant du camion de l'appelant lorsque ce dernier a tenté de faire le plein d'essence, la preuve d'un contrôle personnel de l'appelant sur la remorque volée paraît fragile.
        La Cour suprême reconnaît, toutefois, qu'un accusé peut être trouvé coupable de possession par complicité même s'il n'avait pas le contrôle personnel du bien lorsque les faits permettent de conclure au-delà de tout doute raisonnable à l'existence d'une intention commune de posséder l'objet incriminant (*Zanini c. La Reine*, [1967] R.C.S. 715, à la p. 719, le juge Judson, au nom de la Cour; *R. c. Terrence*, précité, à la p. 362). En effet, l'article 21(1) *b*) C.cr. prévoit que « quiconque accomplit ou omet d'accomplir quelque chose en vue d'aider quelqu'un » à commettre une infraction est coupable de cette infraction.

122. Cette connaissance, qui est essentielle à la constatation du crime, peut être établie notamment grâce à l'application de la théorie de la possession de biens récemment volés. Ainsi, lorsqu'une personne est trouvée en possession d'un bien récemment volé, le juge des faits peut, à défaut d'une explication qui pourrait raisonnablement être vraie, déduire qu'elle a une connaissance coupable[288]. Appliquant les principes établis dans l'arrêt *R*. c. *Kowlyk*[289], le juge Dussault énonce au nom de la Cour d'appel du Québec les critères suivants :

> Le juge des faits ne pourra donc recourir à l'application de la théorie de la possession de biens récemment volés que si le ministère public prouve hors de tout doute raisonnable que l'accusé a été trouvé en possession des objets volés, que ces objets ont été volés récemment et qu'ils appartenaient à une personne autre que l'accusé. Une telle preuve est un préalable obligé à l'application de cette théorie qui permet au juge d'inférer la connaissance que l'accusé avait de la provenance illicite de ces biens. Toutefois, si ce dernier fournit une explication raisonnablement vraie, le juge des faits ne peut plus inférer la *mens rea* et, en l'absence d'autre preuve démontrant la culpabilité de l'accusé hors de tout doute

---

288 *Id.*, par. 23 : « Lorsque la possession de biens d'origine criminelle est prouvée hors de tout doute raisonnable, le juge des faits peut inférer, toutefois, la *mens rea* de l'accusé en appliquant la théorie de la possession de biens récemment volés. » Voir également *R*. c. *Duguay*, (1993) 19 C.R. (4th) 380; *R*. c. *Poulin*, [1998] A.Q. (Quicklaw) n° 1572 (C.A.); *R*. c. *Leclaire*, [1996] A.Q. (Quicklaw) n° 75 (C.A.)

289 [1988] 2 R.C.S. 59, 74 :
> En résumé donc, me fondant sur les jurisprudences anglaise et canadienne que j'ai mentionnées, je suis d'avis que ce qui a été appelée la théorie de la possession de biens récemment volés peut être énoncée de façon succincte de la manière suivante. Dès que la possession inexpliquée de biens récemment volés a été démontrée, le juge des faits peut – sans y être obligé – tirer une déduction de culpabilité de vol ou d'infractions accessoires. Lorsque les circonstances sont telles que la question de savoir si l'accusé est un voleur ou simplement un possesseur peut être soulevée, il incombera au juge des faits après examen de toutes les circonstances de décider quelle déduction, sinon les deux, devraient être tirées. Dans toutes les affaires de possession de biens récemment volés, la déduction de culpabilité est facultative et non obligatoire et lorsqu'on fournit une explication qui pourrait raisonnablement être vraie, même si le juge des faits n'est pas convaincu de sa véracité, la théorie ne s'applique pas.

raisonnable, comme par exemple l'aveuglement volontaire, il doit
prononcer un verdict d'acquittement (*R. c. Kowlyk*, précité, aux
pp. 71-72).[290]

123. Comme l'indique cet extrait emprunté à l'arrêt *R. c.
Lamontagne*, la connaissance est un élément essentiel de l'infraction de possession de biens criminellement obtenus. Cette connaissance, qui s'adresse aussi bien à la notion de possession qu'à celle
de l'origine illégale des biens obtenus, est nécessaire à la perfection du crime.

124. *Faux prospectus, fabrication d'un faux, emploi d'un
document contrefait* : À l'image de plusieurs opérations frauduleuses, l'émission d'un faux prospectus prévue au paragraphe 400(1)
du *Code criminel* prévoit expressément un élément de connaissance quant à la fausseté des renseignements transmis. Cet élément,
qui découle directement de l'utilisation de l'expression « qu'il sait
être faux », exclut la connaissance imputée mais admet, en sens
contraire, l'ignorance volontaire. D'après Lord Moncreiff dans
l'arrêt *R. c. Directors of the city of Glasgow Bank* :

> Now what the prosecutor has undertaken to prove, and says that
> he has proven, is not that these directors were bound to know the
> falsity of the statements in the balance-sheets – not that they lay
> under the obligation to know it, not that they had the means of
> knowledge – but that, in point of fact, they did know it; and that
> is what you must find before you can convict the prisoners of any
> part of the offences attributed to them. [...] Constructive knowl-
> edge might be quite sufficient if we were dealing here simply
> with an action for civil debt or civil reparation; for what a man is
> bound to know he shall be held to have known. But that has no
> place at all when a man is charged with crime. His crime is guilty
> knowledge, and nothing else.[291]

---

290   *R. c. Lamontagne*, précité, note 285, par. 24. Voir plus récemment *R. c.
      Moreau*, 2005 QCCA 1249.
291   Passage cité dans l'arrêt *Rex c. Harcourt*, (1929) 52 C.C.C. 342, 349
      (Ont. S.C.).

125. La fausseté des renseignements transmis étant un élément essentiel de l'infraction, le ministère public devra prouver la connaissance de l'accusé (ou ignorance volontaire) quant à cette circonstance du crime.

126. Cette infraction n'est pas sans analogie avec celles de fabrication de faux (par. 366(1) C.cr.) et d'utilisation de document contrefait (par. 368(1) C.cr.). D'après le paragraphe 366(1) du *Code criminel* :

> **366.** (1) **[Faux]** Commet un faux quiconque fait un faux document le sachant faux, avec l'intention, selon le cas :
>
> **a)** qu'il soit employé ou qu'on y donne suite, de quelque façon, comme authentique, au préjudice de quelqu'un, soit au Canada, soit à l'étranger;
>
> **b)** d'engager quelqu'un, en lui faisant croire que ce document est authentique, à faire ou à s'abstenir de faire quelque chose, soit au Canada, soit à l'étranger.

127. En utilisant les expressions « sachant que » et « avec l'intention que », le législateur renvoie expressément à un élément de connaissance et à la présence d'une intention spécifique. Le sens d'un mot ou d'une expression consacrée ne pouvant être forcé ou dévié de son acception usuelle sans raison ou motif apparent, l'infraction de fabrication de faux doit être interprétée comme exigeant la preuve des trois éléments suivants. « D'abord il doit y avoir un faux document; ensuite, le prévenu doit savoir qu'il fait un faux; enfin, il doit présenter une intention spécifique que le faux soit utilisé pour porter préjudice à autrui. »[292] C'est dans cette perspective qu'il faut envisager l'acquittement d'un délateur relocalisé qui, pour préserver sa nouvelle identité, avait remis à son

---

292   *R. c. Ferland*, [2001] A.Q. (Quicklaw) n° 4524, par. 16 (C.A. Qué.).

locateur des chèques signés d'un prénom qui ne correspondait pas
à celui sous lequel il avait ouvert un compte à la banque.

128. En ce qui concerne finalement l'infraction d'emploi
d'un document contrefait, il convient de souligner l'absence d'indication quant à la présence d'une intention spécifique. Aux termes de l'alinéa 368(1)*a*) du *Code criminel* :

> **368.** (1) **[Emploi d'un document contrefait]** Quiconque,
> sachant qu'un document est contrefait, selon le cas :
>
> **a)** s'en sert, le traite, ou agit à son égard;
>
> **b)** fait, ou tente de faire, accomplir l'un des actes visés à l'alinéa *a*),
> comme si le document était authentique, est coupable :
>
> **c)** soit d'un acte criminel et passible d'un emprisonnement maxi-
> mal de dix ans;
>
> **d)** soit d'une infraction punissable sur déclaration de culpabilité
> par procédure sommaire.

129. Bien que l'expression « sachant que » commande la
preuve de la connaissance de la fausseté du document, l'absence
d'indication quant à la présence d'une intention spécifique signifie qu'une « simple intention de tromper suffit pour conclure à la
commission du crime »[293].

130. *Gageure, bookmaking, etc.* : Aux termes de l'alinéa
202(1)*b*) du *Code criminel* :

> **202.** (1) **[Gageure, bookmaking, etc.]** Commet une infraction
> quiconque, selon le cas :

---

293   *Id.*, par. 22. Voir également *R.* c. *Wilder*, [2000] B.C.J. (Quicklaw)
      n° 453 (S.C.); *R.* c. *Hutton*, [2000] Nfld.J. (Quicklaw) n° 168 (C.A.).

a) [...];

b) importe, fait, achète, vend, loue, prend à bail ou garde, expose, emploie ou sciemment permet que soit gardé, exposé ou employé, dans quelque endroit sous son contrôle, un dispositif ou appareil destiné à inscrire ou à enregistrer des paris ou la vente d'une mise collective, ou une machine ou un dispositif de jeu ou de pari;

[...].

131. En rattachant l'expression « permet que soit gardé » à l'adverbe « sciemment », le législateur manifeste sa volonté. Il indique aux tribunaux son intention d'exiger la preuve d'un élément cognitif par rapport aux éléments essentiels de l'infraction. Ainsi :

Pour obtenir une déclaration de culpabilité relativement à l'infraction de « garder » au sens de l'al. 202.(1)*b*), le ministère public [devra donc] établir (1) que l'appelante gardait des dispositifs dans un endroit sous son contrôle (*actus reus*); (2) que ces dispositifs étaient des dispositifs de jeu (*actus reus*); et (3) que l'appelante savait que les dispositifs étaient des dispositifs de jeu et qu'elle les gardait sciemment (*mens rea*).[294]

132. En employant l'adverbe « sciemment » dans la norme qu'il a rédigée – adverbe traditionnellement reconnu en droit pénal comme nécessitant la connaissance de l'élément pertinent –, le législateur contrôle au maximum la lecture qu'en feront les tribunaux. Bref, il inscrit à l'intérieur de l'infraction le code qui viendra orienter la Cour au moment d'en interpréter la signification. Cette opération – que l'on nomme prédétermination – consiste ainsi à se référer « à un code – au sens linguistique – déjà existant et d'y choisir ceux des concepts dont la signification est acquise et ne donne pas lieu à aucune ambiguïté – ou au moins d'ambiguïtés possibles. L'encodeur [le législateur] coule donc le

---

294   *R. c. Kent*, [1994] 3 R.C.S. 133, 138.

texte qu'il a à rédiger dans les moules de concepts déjà existants et dont l'usage qui en est fait induit un certain nombre de conséquences juridiques précisément voulues par l'encodeur »[295]. Cette technique, qui n'est pas exceptionnelle, est à la base même de l'activité interprétative et de la recherche de l'intention du législateur. Il est donc important d'en respecter la lettre.

133. *Harcèlement criminel* : Le harcèlement criminel est une infraction relativement complexe dont l'interprétation exige une lecture attentive de son texte constitutif. D'après le paragraphe 264(1) C.cr. :

264. (1) **[Harcèlement criminel]** Il est interdit, sauf autorisation légitime, d'agir à l'égard d'une personne sachant qu'elle se sent harcelée ou sans se soucier de ce qu'elle se sente harcelée si l'acte en question a pour effet de lui faire raisonnablement craindre – compte tenu du contexte – pour sa sécurité ou celle d'une de ses connaissances.

(2) **[Actes interdits]** Constitue un acte interdit aux termes du paragraphe (1), le fait, selon le cas, de :

a) suivre cette personne ou une de ses connaissances de façon répétée;

b) communiquer de façon répétée, même indirectement, avec cette personne ou une de ses connaissances;

c) cerner ou surveiller sa maison d'habitation ou le lieu où cette personne ou une de ses connaissances réside, travaille, exerce son activité professionnelle ou se trouve;

d) se comporter d'une manière menaçante à l'égard de cette personne ou d'un membre de sa famille.

---

295   Gérard TIMSIT, *Les noms de la loi*, Paris, P.U.F., 1991, p. 80 ct 81.

134. L'*actus reus* de cette infraction suppose la présence des quatre conditions impératives que sont: (1) la commission d'un acte interdit prévu au paragraphe (2) *a*), *b*), *c*) ou *d*); (2) la preuve que la victime fut harcelée; (3) la preuve qu'en raison de la conduite de l'accusé, la victime a craint pour sa sécurité ou celle d'une de ses connaissances et enfin (4) que cette crainte était, compte tenu de toutes les circonstances en l'espèce, raisonnable[296]. Quant à la *mens rea* de l'infraction, celle-ci consiste dans l'intention de l'accusé de s'engager dans une conduite interdite prévue au paragraphe 264(2) C.cr. et dans sa connaissance (aveuglement volontaire) ou son insouciance que la victime se sentait harcelée[297]. Si la présence d'un acte interdit prévu au paragraphe

---

[296] *R. c. Lamontagne*, [1998] A.Q. (Quicklaw) n° 2545, par. 14 (C.A. Qué.): «L'*actus reus* de cette infraction se compose de trois éléments, soit (1) l'acte interdit au par. (2), (2) que de fait la victime soit harcelée et (3) l'effet que cet acte provoque chez la victime. »

[297] Voir sur ce point *R. c. Kosikar*, (1999) 138 C.C.C. (3d) 217 (C.A. Ont.); *R. c. George*, (2002) 162 C.C.C. (3d) 337 (C.A. T.N.-O.); *R. c. Kordrostami*, (2000) 143 C.C.C. (3d) 488, 491 (C.A. Ont.):

> As set out in Kosikar, *supra*, Lamontagne, *supra*, and Sillipp, *supra*, the elements of the offence are as follows:
> 1) It must be established that the accused has engaged in the conduct set out in s. 264(2)(a), (b), (c), or (d) of the *Criminal Code*;
> 2) It must be established that the complainant was harassed;
> 3) It must be established that the accused who engaged in such conduct knew that the complainant was harassed or was reckless or wilfully blind as whether the complainant was harassed;
> 4) It must be established that the conduct caused the complainant to fear for her safety or the safety of anyone known to her; and
> 5) It must be established that the complainant's fear was, in all the circumstances, reasonable.

Voir également *R. c. Sillipp*, (1997) 120 C.C.C. (3d) 384, 397 et 398 (C.A. Alta.):

> That which is prohibited is a person engaging in subsection (2) conduct with knowledge (recklessness or wilful blindness) that such conduct is causing the complainant to be harassed. The *mens rea* of the offence is the intention to engage in the prohibited conduct with the knowledge that the complainant is thereby harassed. To interpret the section in this way is not, as the Appellant suggests, "to take excessive interpretive liberties for the sake of preserving an unconstitutional provision". On the contrary, it gives the section its obvious intended meaning. [...]

264(2) C.cr. ne pose pas trop de difficultés aux tribunaux, il en va autrement des trois autres conditions de l'infraction. D'abord, la définition de harcèlement[298]. Pour déterminer si la victime fut harcelée, il faut regarder si la conduite de l'accusé avait « pour effet

---

As set out above, criminal harassment does require proof of a *mens rea* and, accordingly, does allow for the defence of honest mistake. A conviction under s. 264 requires that the accused have "known" that his subsection (2) conduct was causing the complainant to be harassed, or that he was aware of such risk and was reckless or wilfully blind as to whether or not the person was harassed. The Appellant's "morally innocent accused" who honestly believed that his subsection (2) behaviour was not known to the complainant, and who was not reckless or wilfully blind, would escape criminal liability.

298   *R.* c. *Lamontagne*, précité, note 296, par. 25-30 :
        Le « harcèlement » n'est pas défini par le législateur à l'art. 264.
        Dans les arrêts Ryback et Sillipp, *supra*, l'on s'entend pour donner à ce mot une interprétation contextuelle. Il ne suffit pas que la plaignante soit « vexed, disquieted or annoyed », encore faut-il démontrer que la conduite prohibée ait « tormented, troubled, worried continually or chronically, plagued, bedeviled and badgered », soulignent ces arrêts.
        Enfin, Nicholas Bala dans « Criminal Code Amendments to Increase Protection to Children & Women : Bills C-126 & C-128 », 21 *C.R.* (4th) 365, adopte la définition du harcèlement proposée dans certaines décisions, comme signifiant le fait de « vex, trouble, annoy continually or chronically ».
        De ces définitions du « harcèlement » auxquelles je me range, je retiens que l'on ne se limite pas au sens classique et restreint du mot qui est de « soumettre sans répit à de petites attaques réitérées, à de rapides assauts incessants » (*Le Petit Robert I*, 1987). « Harceler » peut tout aussi bien signifier le fait d'« importuner (qqn) par des demandes, des sollicitations, des incitations » (*Le Grand Robert de la langue française*, 1992), ce qui traduit bien l'idée qu'il doit s'agir d'un comportement qui a pour effet d'importuner en raison de sa continuité ou de sa répétition, (« vex, trouble, annoy continually or chronically »).
        En raison de la distinction que fait le législateur entre l'acte interdit au sens du par. (2) et le harcèlement comme conséquence ultime de l'acte, on ne peut donc tout simplement faire l'équation entre les deux, d'où la nécessité, comme je viens de l'exposer, de s'interroger sur la définition de l'état d'« harcèlement », indépendamment des actes interdits qui peuvent générer cet état et qui sont expressément prévus au par. (2).
        En l'espèce, de cet incident unique caractérisé par les mots employés par l'appelant dans le contexte qu'il précise et qui est retenu par la juge, compte tenu également du silence de la plaignante quant à son état, ne peut se dégager la conclusion que de fait elle a été harcelée de quelque façon que ce soit. Le défaut de prouver cet élément devait entraîner l'acquittement.

d'importuner celle-ci en raison [du contexte][299], de sa continuité ou de sa répétition»[300]. Comme l'indiquent les arrêts *Sillipp*,

---

299 Voir *R. c. Kosikar*, précité, note 297, 223 :

> Proulx J.A. also provided valuable assistance in giving meaning to this element of the *actus reus*, namely that the complainant be in a state of being harassed as a consequence of the prohibited conduct. At p. 186, *supra*, he said this : [TRANSLATION] The second element of the *actus reus*, that is that the complainant was harassed, appears even more clear in the English version of the text which requires knowledge that the victim "is harassed", whereas the French version refers to knowledge that the complainant "feels harassed".
>
> He went on at p. 188, *supra* : [TRANSLATION] "Harassment" was not defined by Parliament in s. 264. In Ryback and Sillipp, *supra*, the courts agree to give this word a contextual interpretation. These cases point out that it is not sufficient that the complainant be "vexed, disquieted or annoyed", rather it must be demonstrated that the prohibited conduct "tormented, troubled, worried continually or chronically, plagued, bedeviled and badgered".
>
> Hence, I think this element of the offence requires the Crown to prove that as a consequence of the prohibited act the complainant was in a state of being harassed or felt harassed in the sense of feeling "tormented, troubled, worried continually or chronically, plagued, bedeviled and badgered". The statute says nothing that would preclude a single threatening act from producing this consequence. In other words, while being in a harassed state involves a sense of being subject to ongoing torment, a single incident in the right context can surely cause this feeling.
>
> In summary, therefore, I conclude that neither the proscribed conduct in s. 264(2)(d), nor the consequence required of the complainant prevent a single act from founding a conviction. If the single incident is threatening conduct and if, in the circumstances, it causes the complainant to feel harassed, then these two elements of the offence are made out. That occurred in this case.

> *R. c. Kordrostami*, précité, note 297, 492 :

> The hang up calls cannot be seen in isolation from other relevant facts. In order to appreciate the impact of the calls and the gravity of the wrong committed by the perpetrator of the calls, the entire factual context must be considered. In Kosikar, *supra*, the court took into account the entire history of the relationship between the parties in finding that a single incident was found to be a sufficient basis to establish harassment; see also *R. v. Riossi* (1997), 6 C.R. (5th) 123 (Ont. Ct. (Gen. Div.)).

300 *R. c. Kordrostami, id.*, 492 et 493 :

> In the present case, the factual context includes the earlier conversation at the restaurant and the first call made by the appellant. The trial judge found that the complainant had called the appellant a "pervert" and that she explicitly told him that if he called her back he would be in a lot of trouble. She was sufficiently alarmed by the appellant's conduct at the restaurant to speak to the manager. After receiving the appellant's first call, she called

Lamontagne et *Kordrostami*, « harrassed is defined as tormented, troubled, worried continually or chronically, plagued, bedevilled and badgered. »[301] Ces conditions, précise la Cour d'appel de l'Ontario dans l'arrêt *Kordrostami*, ne sont pas cumulatives mais disjonctives. « Thus, it would be harassment to be plagued in one context and bedevilled in another. »[302] En plus d'être harcelée, la victime doit craindre pour sa sécurité ou celle d'une de ses connaissances. Quant à l'analyse du caractère raisonnable de cette crainte[303], celle-ci doit tenir compte de toutes les circonstances de l'affaire, telles que l'âge de la victime, la nature ou le contenu de certaines conversations, les mises en garde proférées par la plaignante, etc.[304]

---

the police. The trial judge found that the calls made by the appellant caused the complainant to fear for her safety.

In my view, on these findings, the complainant was harassed within the meaning of s. 264(1). To the extent the synonyms adopted from Sillipp, *supra*, serve to elucidate the meaning of harassment, I have no difficulty in concluding from the findings of the trial judge that the complainant was "tormented", "troubled", "plagued" or "bedeviled" as a result of the appellant's conduct. Where a 39-year-old man persists in making several hang up calls to a young girl after having invited her to engage in a threesome and having been told that she regards him as a "pervert" on account of his unwanted overtures, the young girl has been harassed.

301   *Id.*, 492. Voir également *R.* c. *Ryback*, (1996) 105 C.C.C. (3d) 240 (C.A. C.-B.).

302   *R.* c. *Kordrostami, id.*

303   *R.* c. *Lamontagne*, précité, note 296, par. 23 :

Encore là, il s'agit d'un test objectif en raison de l'emploi du mot « raisonnablement ». Cela signifie que même si une plaignante affirmait avoir subjectivement craint pour sa sécurité, cela ne suffirait pas puisque le juge des faits doit être satisfait que « raisonnablement », donc d'un point de vue objectif (d'une personne raisonnable), ce comportement « menaçant », « compte tenu du contexte », a fait craindre à la plaignante pour sa sécurité (*R.* v. *Ducey* (W.J.) (1996), 142 Nfld. & P.E.I.R. 91 (C.A. T.-N.), et *La Reine* c. *Anne-Nicole Josile* (inédit), C.S. Montréal, n° 500-36-001209-975, 16 janvier 1998, j. Pinard.

R. c. *Sillipp*, précité, note 297, 395 :

I would add only that the application of the reasonable person test to the objective evaluation of "all the circumstances" does not mean that the particular vulnerabilities of the complainant are excluded from consideration.

304   *R.* c. *Lamontagne, id.* Voir également *R.* c. *Kordrostami*, précité, note 297, 493 :

(4) Fear for Safety

The complainant testified that she was "scared" and "frightened" by the appellant's calls and that she thought that she was being "stalked". This

Finalement, en ce qui concerne la *mens rea*, l'inclusion de mots tels que « sachant » et « sans se soucier de », indique pour l'un la présence d'un élément de connaissance ou d'aveuglement volontaire, et pour l'autre d'un état d'insouciance. L'accusé sera donc coupable de harcèlement criminel si le ministère public arrive à prouver hors de tout doute raisonnable la présence de l'élément matériel et de la *mens rea* de l'infraction (la connaissance (aveuglement volontaire) ou l'insouciance que la victime se sentait harcelée). L'inclusion de l'insouciance aux côtés de la connaissance s'explique ici parfaitement dans la mesure où le harcèlement criminel est, contrairement à la plupart des infractions prévues dans cette rubrique, une infraction de conséquence. Or l'insouciance désigne la connaissance d'une probabilité défendue. Donc l'ajout de l'expression « sans se soucier de ce qu'elle se sente harcelée » est fort compréhensible.

135. *Proférer des menaces* : Si l'infraction prévue au paragraphe 264(1) du *Code criminel* peut reposer sur la preuve de la connaissance ou de l'insouciance de l'accusé quant à l'état d'esprit de la victime, la profération de menaces suppose, pour sa part, la preuve d'un élément cognitif qui, tout en étant expressément exigé par le législateur, découle directement de l'intention reprochée. Ainsi, d'après l'article 264.1(1) du *Code criminel* :

---

evidence fully supports the trial judge's finding that she feared for her safety.
(5) Reasonableness of Fear
Nor do I see any reason to interfere with the finding that this fear was reasonable, in light of the age of the complainant, the nature of the "sexually charged" conversation they had at the restaurant, and the very explicit direction she had given him to leave her alone; see, for example, *R.* v. *Lafreniere*, [1994] O.J. No. 437 (QL) (Ont. Ct. (Prov. Div.)) at para. 23 [summarized 22 W.C.B. (2d) 519] and *R.* v. *Sousa*, [1995] O.J. No. 1435 (QL) (Ont. Ct. (Gen. Div.)) at para. 6, where similar personal characteristics were used to assess the reasonableness of the complainant's fear. See also R v. *Krushel*, *supra*, at para. 26, where pre-charge conduct was stated to be relevant to the reasonableness of the complainant's fear.

264.1 (1) **[Proférer des menaces]** Commet une infraction quiconque sciemment profère, transmet ou fait recevoir par une personne, de quelque façon, une menace :

a) de causer la mort ou des lésions corporelles à quelqu'un;

[...].

136. Comme l'indique la Cour suprême du Canada dans
l'arrêt *R. c. Clemente*[305], deux éléments doivent être réunis pour
que l'on puisse conclure à la culpabilité de l'individu au regard
d'une accusation de proférer des menaces. D'abord, l'accusé doit
avoir proféré des menaces de mort ou de blessures graves. « La
question [ici] à trancher peut être énoncée de la manière suivante.
Considérés de façon objective, dans le contexte de tous les mots
écrits ou énoncés et compte tenu de la personne à qui ils s'adressent, les termes visés constituent-ils une menace de blessures graves
pour une personne raisonnable? »[306] Une fois l'*actus reus* prouvé,
le ministère public devra alors établir la *mens rea* de l'infraction
et plus précisément « l'intention de faire en sorte que les paroles
prononcées ou les mots écrits soient perçus comme une menace
de causer la mort ou des blessures graves, c'est-à-dire comme
visant à intimider ou à être pris au sérieux »[307]. L'inclusion du mot
« sciemment » est donc ici superfétatoire, car l'intention d'intimider
ou de susciter la crainte englobe naturellement un certain niveau
de connaissance quant aux faits gouvernant l'action reprochée.
En effet, d'après Glanville Williams : « we now see the influence
of the word knowingly, used in a statute, upon the rules relating to
ignorance and mistake. On principle the word "knowingly" has
no extra effect where the crime requires intention, for intention
itself presupposes knowledge of the circumstances. »[308]

---

305   [1994] 2 R.C.S. 758.
306   *R. c. McGraw*, [1991] 3 R.C.S. 72, 82 et 83.
307   *R. c. Clemente*, précité, note 305, 760.
308   Passage cité dans *R. c. Rees*, précité, note 279.

137. *Fournir une drogue, une substance délétère, un ins-trument ou une autre chose destinés à être employés pour obtenir un avortement* : La fourniture de substances délétères destinées à être employées pour obtenir un avortement est un autre exemple d'infraction dont la trame repose sur la présence d'un élément cognitif expressément exigé par le législateur. L'article 288 du *Code criminel* est ainsi rédigé :

> **288. [Fournir des substances délétères]** Est coupable d'un acte criminel et passible d'un emprisonnement maximal de deux ans quiconque illégalement fournit ou procure une drogue ou autre substance délétère, ou un instrument ou une chose, sachant qu'ils sont destinés à être employés ou utilisés pour obtenir l'avorte-ment d'une personne du sexe féminin, que celle-ci soit enceinte ou non.

138. De cette disposition, il appert que deux éléments doi-vent être présents afin de conclure à la responsabilité de l'agent. D'abord, l'*actus reus* ou l'élément matériel de l'infraction. Ici, l'accusé doit avoir illégalement fourni ou procuré une drogue ou autre substance délétère, ou un instrument ou une chose destinée à être utilisée pour obtenir un avortement, que la femme concer-née soit enceinte ou non. Ensuite, la *mens rea* ou l'élément de faute. Pour établir l'élément de faute applicable en matière de fourniture de substances délétères, le ministère public doit prouver l'inten-tion de l'accusé que la substance fournie par lui soit employée pour obtenir un avortement. L'intention de la personne qui se procure la substance en question importe donc peu. On l'ignore au profit d'une analyse purement subjective de l'intention de l'accusé, ana-lyse qui présuppose bien entendu un minimum de connaissance quant à la nature particulière de la substance en question. D'après le juge Erle dans l'arrêt anglais *R. c. Hillman*[309] :

> The question is, whether or not the intention of any other person besides the defendant himself, that the poison or noxious thing

---

309   (1963) 9 Cox C.C. 386, 169 E.R.1424.

should be used to procure a miscarriage, is necessary to constitute the offence charged under the 24 and 25 Vic. C. 100, s. 59. We are all of the opinion that that question must be answered in the negative. The statute is directed against the supplying or procuring of poison or noxious things for the purpose of procuring abortion with the intention that they shall be so employed, and knowing that it is intended that they shall be so employed. The defendant knew what his own intention was, and that was, that the substance procured by him should be employed with intent to procure miscarriage. The case is therefore within the words of the Act.[310]

139. La connaissance étant exigée expressément par le législateur, le ministère public devra établir sa présence hors de tout doute raisonnable.

140. *L'inceste* : L'inceste est, à l'image des autres crimes prévus dans cette section, une infraction exigeant explicitement la présence d'un élément de connaissance quant à une circonstance pertinente de l'infraction. Selon le paragraphe 155(1) du *Code criminel* :

> **155.** (1) **[Inceste]** Commet un inceste quiconque, sachant qu'une autre personne est, par les liens du sang, son père ou sa mère, son enfant, son frère, sa sœur, son grand-père, sa grand-mère, son petit-fils ou sa petite-fille, selon le cas, a des rapports sexuels avec cette personne.

141. L'élément matériel du crime est l'obtention de rapports sexuels avec une personne mentionnée dans le texte constitutif de l'infraction. Quant à l'élément de faute, il consiste en l'intention d'avoir des rapports sexuels avec une personne mentionnée ci-haut, intention qui suppose, bien entendu, un élément de connaissance quant au lien de sang. En effet, d'après le juge

---

310   *Id.*, cité dans *R. c. Irwin*, [1968] R.C.S. 462, 465.

Dickson dans l'arrêt *Pappajohn* c. *La Reine*, « la connaissance de l'existence d'un lien de sang est un élément constitutif de l'inceste, prévu à l'article 150 du Code »[311].

B. Élément de connaissance implicitement reconnu aux termes de l'infraction

142. Bien que plusieurs infractions commandent expressément la connaissance de certaines circonstances, la plupart des crimes demeurent silencieux à cet égard. Que faut-il conclure de ce silence? Qu'il n'y a pas lieu de prouver la connaissance quant aux circonstances pertinentes de l'infraction? Non, répondons-nous. Les circonstances de l'infraction étant à l'origine du comportement illégal, celles-ci doivent généralement être accompagnées d'un élément cognitif[312]. Cette règle, *qui n'est pas infaillible*, constitue néanmoins un guide efficace au moment de déterminer l'élément de faute qui gouverne la plupart des infractions en droit pénal. Voyons brièvement en quoi consistent quelques-unes de ces infractions.

143. *Représentation théâtrale immorale* : L'analyse de la *mens rea* applicable en matière de représentation théâtrale immorale fut abordée par la Cour suprême du Canada dans l'arrêt *R.* c. *Mara*[313]. Dans cette affaire, le propriétaire d'une taverne et son gérant responsable des divertissements furent accusés, en vertu du paragraphe (1) de l'article 167 du *Code criminel*, d'avoir permis la présentation de spectacles indécents. D'après cet article :

---

311 Précité, note 252, 146.
312 L'ignorance ou l'erreur de fait étant généralement un moyen de défense disponible pour l'accusé, celles-ci ne pourront avoir d'effet disculpatoire que si la connaissance de la circonstance alléguée est essentielle à l'infraction.
313 [1997] 2 R.C.S. 630.

167. (1) **[Représentation théâtrale immorale]** Commet une infraction quiconque, étant le locataire, gérant ou agent d'un théâtre, ou en ayant la charge, y présente ou donne, ou permet qu'y soit présenté ou donné, une représentation, un spectacle ou un divertissement immoral, indécent ou obscène.

144. Après avoir souligné l'absence d'expressions telles que « sciemment » ou « en sachant que », la Cour arrive à la conclusion que l'infraction prévue au paragraphe 167(1) du *Code criminel* exige une *mens rea* complète qui englobe la connaissance des activités en cause, circonstance déterminante de l'infraction. S'exprimant au nom de la Cour, le juge Sopinka affirme :

> J'estime que la cour a commis une erreur en écartant la conclusion de fait que le juge du procès avait tirée quant à la *mens rea*. L'article 167 exige que l'accusé « permette » la présentation du spectacle indécent. Je suis d'accord avec l'appelant Mara et l'intimée pour dire que l'art. 167 définit une infraction exigeant une *mens rea* complète. À mon avis, l'exigence que l'accusé « permette » la présentation d'un spectacle indécent implique, tout au moins, l'exigence d'acquiescement concerté ou d'ignorance volontaire de la part de l'accusé. En fait, je suis d'avis que « permet », dans le présent contexte, équivaut à « sciemment » dans le contexte de *Jorgensen*. Par conséquent, étant donné que la conclusion subsidiaire de la Cour d'appel est fondée sur une perception de la *mens rea* qui est moindre que l'idée de « sciemment », je ne l'accepte pas.[314]

145. Le principe est donc simple et bien arrêté : la connaissance des circonstances pertinentes de l'infraction est un élément essentiel du crime dans la mesure où elle détermine la culpabilité nécessaire à la condamnation de l'accusé.

---

314   *Id.*, 655 et 656.

146. *L'agression sexuelle* : Comme nous l'avons déjà dit, l'agression sexuelle est, d'après la Cour suprême du Canada, « une agression, au sens de l'une ou l'autre des définitions de ce concept au par. [265(1)] du *Code criminel*, qui est commise dans des circonstances de nature sexuelle, de manière à porter atteinte à l'intégrité sexuelle de la victime »[315]. En effet, selon l'article 265 du *Code criminel* :

265. (1) **[Voies de fait]** Commet des voies de fait, ou se livre à une attaque ou une agression, quiconque, selon les cas :

a) d'une manière <u>intentionnelle</u>, emploie la force, directement ou indirectement, contre une autre personne sans son consentement;

[...].

(2) **[Application]** Le présent article s'applique à toutes les espèces de voies de fait, y compris les agressions sexuelles, les agressions sexuelles armées, menace à une tierce personne ou infliction de lésions corporelles et les agressions sexuelles graves.

147. Comme on peut le constater à la lecture de cette disposition, l'article 265 du *Code criminel* n'exige pas expressément la présence d'un élément cognitif. Or comme l'indique Lord Reid dans l'arrêt *Sweet* v. *Parsley*[316], « le fait que d'autres articles de la Loi exigent la *mens rea* en termes exprès, parce qu'ils emploient le terme "sciemment", n'est pas en soi suffisant pour décider qu'un article qui est muet sur cette question crée une infraction absolue »[317]. Il importe donc d'examiner les circonstances impliquées en matière d'agression sexuelle, car « la culpabilité repose sur la perpétration de l'infraction en connaissance des faits et circonstances qui constituent l'acte criminel »[318]. Sur ce point, la Cour

---

315   *R. c. Chase*, précité, note 156.
316   [1969] 1 All E.R. 347.
317   *Id.*, 350.
318   *Pappajohn* c. *La Reine*, précité, note 252, 148.

suprême est catégorique : « l'*actus reus* de l'agression sexuelle est établi par la preuve des trois éléments [suivants] : (i) les attouchements, (ii) la nature sexuelle des contacts, (iii) l'absence de consentement. »[319] Le premier élément est objectif. Il s'intéresse au comportement de l'individu au moment du crime, à l'accomplissement d'un acte volontaire au point de vue physique. Quant aux deux derniers éléments de l'*actus reus*, ils renvoient directement aux circonstances qui accompagnent et délimitent l'action. On pourrait donc s'attendre à ce que les tribunaux reconnaissent, de façon générale, un élément cognitif quant à ces deux circonstances. Or il n'en est rien. D'après le juge Major dans l'arrêt *Ewanchuk*, la *mens rea* de l'agression sexuelle comporte seulement deux éléments : l'intention de se livrer à des attouchements sur une personne et la connaissance de son absence de consentement ou l'insouciance ou l'aveuglement volontaire à cet égard[320]. Quant à la nature sexuelle des contacts en question, celle-ci (à l'image d'autres faits juridiques tels que la malhonnêteté, l'obscénité et l'indécence) est « déterminée objectivement : le ministère public n'a pas besoin de prouver que l'accusé avait quelque *mens rea* pour ce qui est de la nature sexuelle de son comportement »[321]. Nous ne sommes pas d'accord avec cette conclusion. S'il est vrai que la nature sexuelle des contacts reprochés exige une évaluation objective (*actus reus*), nous croyons qu'il est nécessaire que l'accusé soit conscient des actes précis ou de l'ensemble des faits qui ont amené les tribunaux à conclure que les gestes en question étaient de nature sexuelle (*mens rea*). Il n'est pas question ici d'évaluer la perception personnelle de l'accusé quant à la nature sexuelle ou non des contacts, mais uniquement de souligner l'importance de la con-

---

319   *R. c. Ewanchuk*, précité, note 158.

320   *Id.*, 346 et 347. Pour une évaluation de l'impact de l'alinéa 273(2)*b*) du Code sur la *mens rea* de cette infraction, voir H. PARENT, *op. cit.*, note 52, p. 415 et suiv.

321   *R. c. Ewanchuk*, précité, note 158, 347. *R. c. Litchfield*, [1993] 4 R.C.S. 333, par. 8 :

> Le critère qu'il faut appliquer pour déterminer si la conduite d'un accusé était de la nature requise pour constituer une agression sexuelle est donc un critère objectif. Comme l'a indiqué notre Cour dans l'arrêt *Chase*, toutes les circonstances entourant la conduite en question seront pertinentes pour déterminer si l'attouchement était de nature sexuelle et s'il a porté atteinte à l'intégrité sexuelle de la plaignante.

naissance des faits qui ont amené les tribunaux à conclure que les attouchements étaient de nature sexuelle.

148. *Voies de fait contre un agent de la paix* : Si la présence de mots tels que « sciemment » et « en sachant que » est un indicateur précieux de la volonté du législateur quant à l'existence d'un élément cognitif, son absence n'en liquide pas pour autant l'importance. Au contraire, une infraction représente toujours la somme de ses éléments constitutifs. Or les circonstances, avons-nous dit, délimitent, de façon générale, le comportement interdit par rapport aux autres types d'infractions. Il convient donc de retracer les circonstances à l'origine du crime. Sur ce point, l'article 270 C.cr. est sans détour : les voies de fait contre un agent de la paix exigent la connaissance du statut de la victime, car c'est la fonction de cette dernière qui distingue l'infraction principale (voies de fait contre un agent de la paix) de l'infraction sous-jacente (voies de fait). Cette circonstance étant au cœur de l'infraction prévue à l'article 270 du *Code criminel,* l'ignorance ou l'erreur de l'accusé quant à cet élément essentiel devra entraîner son acquittement. En effet, d'après le juge Davey dans l'arrêt *R. c. McLeod*[322] :

> At the outset, I should emphasize that, for the reasons stated by my brother O'Halloran, we hold that knowledge that the victim is a peace officer is an essential ingredient of the offence. The Magistrate found on the facts that the accused had no reason to know, the complainant's status, which finding we must accept. Therefore the crime charged was not proven.
>
> [...]
>
> Where knowledge of a constituent of the crime is an essential ingredient, as we hold here, the prisoner is entitled to be acquitted when the evidence fails to establish, or negatives, the specific knowledge required, regardless of any other offence the accused

---

322   (1954) 111 C.C.C. 106 (C.A. C.-B.).

may have been committing, because the crime charged has not been proven.[323]

149. La connaissance du statut de la victime étant un élément essentiel de l'infraction, le ministère public devra prouver sa présence hors de tout doute raisonnable.

150. *Infraction au profit d'une organisation criminelle* : La commission d'une infraction au profit, sous la direction ou en association avec une organisation criminelle est une autre infraction dont la trame psychologique repose sur la présence d'un élément de connaissance par rapport à une circonstance pertinente, voire aggravante, du crime. Aux termes de cette disposition :

467.12 (1) **[Infraction au profit d'une organisation criminelle]** Est coupable d'un acte criminel et passible d'un emprisonnement maximal de quatorze ans quiconque commet un acte criminel prévu à la présente loi ou à une autre loi fédérale au profit ou sous la direction d'une organisation criminelle, ou en association avec elle.

Poursuite

(2) Dans une poursuite pour l'infraction prévue au paragraphe (1), le poursuivant n'a pas à établir que l'accusé connaissait l'identité de quiconque fait partie de l'organisation criminelle.

151. Étroitement lié à la lutte au crime organisé[324], l'article 467.12 C.cr. fait partie d'un ensemble d'infractions dont la gravité est accentuée par la présence d'une circonstance particulière : une

---

323   *Id.*, 118 et 119, *R.* c. *Vlcko*, (1972) 10 C.C.C. (2d) 139 (C.A. Ont.).

324   *R.* c. *Lindsay*, (2004) 182 C.C.C. (3d) 301, par. 32 (C.S.J. Ont.) :
       On May 8, 2001, the Minister of Justice appeared before the House of
       Commons Standing Committee on Justice and Human Rights, to address
       the content of Bill C-24. In her opening statement, she indicated that the

organisation criminelle. Résultat : pour obtenir une condamnation en vertu de cette disposition, le ministère public devra prouver, en sus de *l'actus reus* et de la *mens rea* de l'infraction sous-jacente, la connaissance de l'accusé que cette infraction a été perpétrée au profit ou sous la direction d'une organisation criminelle, ou en association avec elle (intention). L'article 467.12 C.cr. n'exige rien de moins. D'après le juge Fuerst dans l'arrêt *R. c. Lindsay*[325] :

> I agree with the applicants that s. 467.12 is an offence that carries significant stigma on conviction, and at least the prospect of a substantial penalty. I am unable to agree that it imposes liability on an accused who has less than a subjective *mens rea*. In order to convict an accused under this provision, the Crown must prove that he/she had the requisite *mens rea* for the particular predicate offence involved, and that the accused acted for the benefit of, at the direction of, or in association with a criminal organization. The Crown takes the position, and I agree, that there is an implicit requirement that the accused committed the predicate offence with the intent to do so for the benefit of, at the direction of, or in association with a group he/she knew had the composition of a criminal organization, although the accused need not have known the identities of those in the group. Recognition that subjective awareness is required under s. 467.12 is reflected in the remarks of the Minister of Justice referred to in para. 32, above. See also: *R. v. Finta, supra*.[326]

---

new provisions aimed to criminalize participation in, and contribution to a criminal organization:

Membership, if it can be defined, can be extremely difficult to prove since organizations often operate underground or covertly. Organizations could easily change their approach to evade a membership prerequisite. Finally, persons who are not formal members can still do a great deal of harm to society by helping criminal organizations to either commit or facilitate crime and are often those persons directly involved in crimes committed at the street level on behalf of criminal organizations. [...]

The provisions in the Bill will include all the people, not just the members who take part knowingly in activities which help achieve the criminal objectives of the organization.

See: *Minutes of Proceedings, the Standing Committee on Justice and Human Rights*, May 8, 2001, at pp. 5-6.

325   *Id.*
326   *Id.*, par. 64

152. Cette interprétation, qui respecte les exigences constitutionnelles et les principes d'interprétation judiciaire – principes qui commandent un élément de connaissance par rapport à une circonstance pertinente du crime –, oblige le ministère public à prouver la connaissance de l'accusé que l'infraction à été commise au profit ou sous la direction d'une organisation criminelle, ou en association avec elle. Ce n'est donc pas parce que l'accusé connaît certains membres des Hells Angels qu'il sait automatiquement que son fournisseur fait partie de cette organisation. Les fournisseurs n'étant pas généralement identifiés aux couleurs du groupe, il s'agit alors uniquement d'une supposition. Quant à l'idée que certaines formes d'activités illégales soient directement liées à la présence d'une organisation criminelle, cette inférence n'est pas suffisante en soi pour démontrer la connaissance de l'accusé que son infraction (voir, par exemple, trafic de cocaïne) a été faite au profit ou en association avec un groupe criminalisé. Mentionnons enfin que la connaissance de l'accusé peut être prouvée directement (connaissance réelle) ou indirectement par le biais de l'aveuglement volontaire. En ce qui concerne la négligence de ce dernier (il aurait dû savoir), celle-ci n'est pas pertinente au point de vue de la faute, car seule un élément de connaissance subjective peut engager la responsabilité de l'agent. Dans ce cas, l'accusé sera condamné, par exemple, pour trafic de stupéfiants, mais acquitté des charges concernant l'infraction commise au profit, sous la direction ou en association avec une organisation criminelle.

153. *Fraudes envers le gouvernement* : La fraude envers le gouvernement est une infraction qui, à l'instar des articles 167, 265, 270 et 467.12 du *Code criminel*, ne prévoit pas expressément un élément de connaissance par rapport aux circonstances du crime. Malgré le silence du législateur, la Cour suprême du Canada, dans les arrêts *R*. c. *Hinchey*[327] et *R*. c. *Cogger*[328], reconnaît l'importance de la connaissance quant aux circonstances pertinentes du crime. Discutant de la responsabilité d'un accusé inculpé d'avoir accepté

---

327   Précité, note 271. Voir également *R*. c. *Jacques*, [2001] A.Q. (Quicklaw) nᵒ 3533 (C.A.).

328   Précité, note 275.

un bénéfice ou un avantage en contrepartie d'une collaboration, d'une aide ou d'un exercice d'influence relativement à un sujet d'affaire ayant trait au gouvernement, la juge L'Heureux-Dubé souligne l'importance de l'élément cognitif comme élément de faute suffisant en matière criminelle :

> Je conclus que la « corruption » n'est pas un élément essentiel de l'*actus reus* ou de la *mens rea* de l'infraction prévue à l'al. 121(1)*a*). Ce qui est nécessaire, c'est que l'accusé ait commis intentionnellement l'acte prohibé tout en étant au fait des circonstances qui constituent les éléments nécessaires de l'infraction. En conséquence, pour être déclaré coupable de l'infraction prévue par cette disposition, l'accusé doit savoir qu'il est un fonctionnaire, il doit intentionnellement exiger ou accepter un prêt, une récompense, un avantage ou un bénéfice de quelque nature que ce soit pour lui-même ou pour une autre personne, et il doit savoir que la récompense lui est accordée en contrepartie d'une collaboration, d'une aide ou d'un exercice relativement à la conclusion d'affaires avec le gouvernement ou ayant trait à celui-ci.[329]

154. Cette manière d'envisager l'élément de faute applicable en matière de fraudes envers le gouvernement n'est pas unique à l'alinéa 121(1)*a*) C.cr., mais s'étend également à l'alinéa 121(1)*c*) du *Code criminel*.[330]

155. *La fraude* : L'analyse de l'*actus reus* et de la *mens rea* de la fraude est une question difficile sur laquelle les tribunaux se sont longuement interrogés. Cette question, qui fut examinée par la Cour suprême du Canada dans l'arrêt *R. c. Théroux*[331], a donné lieu à l'élaboration d'une structure infractionnelle dont la trame repose sur la présence d'un acte prohibé et d'une conséquence spécifique. Ainsi, après avoir rattaché l'élément matériel de l'infraction à la présence (1) « d'un acte prohibé, qu'il s'agisse d'une

---

329   *Id.*, 858.
330   *R.* c. *Hinchey*, précité, note 271, 1166.
331   Précité, note 48.

supercherie, d'un mensonge ou d'un autre moyen dolosif »[332] et
(2) « d'une privation causée par l'acte prohibé, laquelle privation
peut consister en une perte véritable ou dans le fait de mettre en
péril les intérêts pécuniaires de la victime »[333], la Cour suprême
définit la *mens rea* de l'infraction comme incluant (1) « la connaissance subjective de l'acte prohibé (connaissance qui consiste
en l'*intention* d'accomplir l'acte prohibé ou dans la décision prise
sciemment d'accomplir cet acte) et (2) la connaissance subjective
que l'acte prohibé pourrait causer une privation à autrui (laquelle
privation peut consister en la connaissance que les intérêts pécuniaires de la victime sont mis en péril) »[334]. Autrement dit, d'après
le juge Taggart dans l'arrêt *R.* c. *Long*[335] :

> L'élément moral de l'infraction de fraude ne doit pas reposer sur
> la croyance de l'accusé quant au caractère honnête ou malhon-
> nête de sa conduite et de ses conséquences. Il doit plutôt reposer
> sur ce que l'accusé savait être les faits de l'opération, les circons-
> tances dans lesquelles elle a lieu et ce que les conséquences pour-
> raient être une fois l'opération terminée.[336]

156. Comme l'indique ce passage emprunté à l'arrêt *R.* c.
Long, la connaissance n'est pas exclusive aux circonstances pertinentes du crime. Il arrive parfois que celle-ci s'étende également
à certaines conséquences de l'infraction, conséquences dont la
nature varie selon l'acte reproché[337].

---

332   *Id.*, 20.

333   *Id.*

334   *Id.*

335   (1990) 61 C.C.C. (3d) 156 (C.A. C.-B.).

336   *Id.*, 174.

337   Sur ce point, voir G. CÔTÉ-HARPER, P. RAINVILLE et J. TURGEON,
       op. cit., note 40, p. 384 et suiv.

Troisième sous-section : La connaissance en relation avec les conséquences de l'infraction

157. Dans l'usage commun du langage, le mot « conséquence » vient du terme latin *consequens*, (de *consequi*) qui signifie « venir après, suivre », de sorte qu'une conséquence désigne, au point de vue juridique, une suite ou un ensemble d'événements entraînés par une action ou une omission. Synonyme de résultat, la conséquence juridique agit à un double niveau : soit qu'elle aggrave l'acte en le faisant changer de nature, c'est une conséquence *substantive* (nécessaire à la culpabilité), soit qu'elle aggrave l'action principale en ajoutant à cette dernière un résultat préjudiciable, c'est alors une conséquence *aggravante*. Cette distinction, une fois comprise, se reflète, bien entendu, sur l'exigence de connaissance relative à la conséquence spécifiée. À l'analyse des crimes comportant une conséquence substantive, succèdera donc un examen des infractions prévoyant une conséquence aggravante.

A. La connaissance en relation avec les crimes comportant une conséquence substantive

158. *Le meurtre* : Le meurtre est de toutes les infractions criminelles probablement celle qui représente le mieux la notion de conséquence substantive. La mort étant nécessaire à la perfection du crime, l'élément mental devra s'organiser autour de ce résultat. En effet, le meurtre exige une prévision subjective de la mort[338]. Cet élément, précise le juge Lamer dans l'arrêt *R. c. Martineau*[339], reflète les stigmates et la sévérité particulière de la peine pouvant être imposée en matière de meurtre. Toujours selon le magistrat :

---

338   *R. c. Martineau*, [1990] 2 R.C.S. 633.
339   *Id.*

À mon avis, dans une société libre et démocratique qui attache de l'importance à l'autonomie et au libre arbitre de l'individu, les stigmates et la peine rattachés au crime le plus grave, le meurtre, devraient être réservés à ceux qui ont choisi de causer intentionnellement la mort ou d'infliger des lésions corporelles dont ils savaient qu'elles étaient susceptibles de causer la mort. L'exigence d'une prévision subjective de la mort dans le contexte d'un meurtre a essentiellement pour rôle de maintenir une proportionnalité entre les stigmates et la peine rattachés à une déclaration de culpabilité de meurtre et la culpabilité morale du délinquant.[340]

159. La prévisibilité subjective de la mort suppose donc la preuve de l'intention de l'accusé de causer la mort ou de son intention de causer des lésions corporelles tellement graves qu'il savait qu'elles étaient de nature à causer la mort. Exiger simplement une prévision objective de la mort aurait pour effet de vider complètement le meurtre de sa signification symbolique en entraînant l'affadissement des frontières qui séparent historiquement le meurtre de l'homicide involontaire coupable.

160. *L'homicide involontaire coupable* : Bien qu'il partage avec le meurtre un dénominateur commun (la mort), l'homicide involontaire coupable se distingue du meurtre dans la mesure où il exige uniquement une prévision objective (dans le contexte d'un acte dangereux) du risque de lésions corporelles qui ne sont ni sans importance ni de nature passagère[341]. La prévisibilité objective de la mort n'est donc pas nécessaire. Cette situation, qui semble étonnante à première vue, s'explique parfaitement. Tout

---

340   *Id.*, 646.
341   *R.* c. *Creighton*, précité, note 177, 44 et 45 :

> Il s'ensuit qu'au Canada, comme au Royaume-Uni, le critère pour la détermination de la *mens rea* dans le cas de l'homicide involontaire coupable résultant d'un acte illégal est (outre l'existence de la *mens rea* requise pour l'infraction sous-jacente) celui de la prévisibilité objective (dans le contexte d'un acte dangereux) du risque de lésions corporelles qui ne sont ni sans importance ni de nature passagère. La prévisibilité du risque de mort n'est pas nécessaire. La question est donc de savoir si ce critère viole les principes de justice fondamentale.

d'abord, l'homicide involontaire coupable est, contrairement au meurtre, une infraction à la fois de conséquence substantive et aggravante. Substantive, premièrement, car l'homicide involontaire coupable résultant d'un acte illégal est un crime dont la structure infractionnelle repose sur la réalisation d'une conséquence prohibée : la mort. Ici, nul doute, la conséquence aggrave l'acte en le faisant changer de nature. Aggravante, ensuite, car il s'agit également d'un crime fondé sur la présence d'une infraction sous-jacente. Dans ce cas, la conséquence aggrave le crime en ajoutant à ce dernier un résultat préjudiciable[342]. La prévisibilité du risque de mort n'est donc pas nécessaire[343]. Cette difficulté est exacerbée par l'antinomie qui oppose depuis toujours le meurtre à l'homicide involontaire coupable. Examinant l'élément de faute applicable en matière d'homicide involontaire coupable, la juge McLachlin énonce, dans l'arrêt *R.* c. *Creighton*[344], les commentaires suivants :

> Quiconque est déclaré coupable d'homicide involontaire coupable n'est pas un meurtrier. Cette personne n'a pas eu l'intention de tuer qui que ce soit. [...] La conscience publique serait choquée à la pensée qu'une personne pourrait être reconnue coupable d'homicide involontaire coupable en l'absence de toute faute morale fondée sur la prévisibilité d'un préjudice. Inversement, la conscience publique pourrait bien être choquée également si la personne qui a commis un homicide ne se voyait déclarer coupable

---

342   *Id.*, 54 :

   Parfois aussi, comme dans le cas de l'homicide involontaire coupable résultant d'un acte illégal, la gravité de l'infraction est augmentée en raison de la gravité de ses conséquences, quoique l'élément moral demeure inchangé.

343   *Id.*, 55 :

   Donc, en se penchant sur la constitutionnalité de l'exigence de la prévisibilité de lésions corporelles, on doit se demander non pas si la règle générale de la correspondance entre la *mens rea* et les conséquences prohibées de l'infraction a été respectée, mais bien s'il y a conformité avec le principe de justice fondamentale selon lequel la gravité et le caractère blâmable d'une infraction doivent correspondre à la faute morale liée à cette infraction. La justice fondamentale n'exige pas la symétrie absolue de la faute morale et des conséquences prohibées. Les conséquences, ou leur absence, peuvent légitimement avoir une incidence sur la gravité que prête le législateur à une conduite déterminée.

344   *Id.*

que de voies de fait graves – conséquence de l'exigence de la prévisibilité de la mort – au seul motif que le risque de mort n'était
pas raisonnablement prévisible. La conséquence affreuse qu'est
la mort exige davantage. En bref, l'exigence en matière de *mens
rea* qu'a adoptée la common law, à savoir la prévisibilité d'un préjudice, convient parfaitement aux stigmates rattachés à l'infraction
d'homicide involontaire coupable. Changer la *mens rea* exigée
serait courir le risque de créer précisément la disproportion de la
mens rea et des stigmates, dont se plaint l'appelant.[345]

161. Entre le meurtre et l'homicide involontaire coupable
une brèche s'est créée, une brèche qui interdit catégoriquement
tout rapprochement entre les deux infractions. En ce qui touche
finalement la prévisibilité objective de lésions corporelles (et non
de la mort), celle-ci s'inscrit dans le cadre d'un mouvement de
politique criminelle visant à responsabiliser les personnes qui se
lancent dans des conduites objectivement dangereuses.

162. *Le tapage* : Le tapage est, à l'image du meurtre, une
infraction qui comporte une conséquence substantive. D'après le
paragraphe 175(1) du *Code criminel* :

175. (1) [**Troubler la paix, etc.**] Est coupable d'une infraction
punissable sur déclaration de culpabilité par procédure sommaire quiconque, selon le cas :

a) n'étant pas dans une maison d'habitation, fait du tapage dans
un endroit public ou près d'un tel endroit :

(i) soit en se battant, en criant, vociférant, jurant, chantant ou
employant un langage insultant ou obscène, [...].

---

345   *Id.*, 47 et 48.

163. L'*actus reus* de l'article 175(1)*a*) du *Code criminel* suppose la réunion des deux conditions impératives que sont : (1) l'accomplissement de l'un des actes énumérés au point (i); acte qui entraîne (2) du tapage dans un endroit public ou près d'un tel endroit. Ces deux éléments sont objectifs. Pour établir la présence d'un acte énuméré au point (i), il suffit que le ministère public prouve que les actes de l'accusé étaient volontaires. Quant au tapage, il exige « quelque chose de plus » qu'un simple trouble émotif. « Il doit y avoir une perturbation manifestée extérieurement de la paix publique au sens d'une entrave à l'utilisation ordinaire et habituelle des lieux par le public. Il peut y avoir une preuve directe d'un tel effet ou d'une telle entrave, ou on peut en déduire l'existence de la preuve apportée par un agent de police sur le comportement d'une personne aux termes du par. 175(2). »[346] En ce qui concerne la *mens rea* de l'infraction, celle-ci comporte un élément de faute subjective et un élément de faute objective. En effet, selon la juge L'Heureux-Dubé dans l'arrêt *R. c. Hinchey*[347] :

> Pour être déclaré coupable, l'accusé doit tout d'abord avoir subjectivement l'intention de commettre l'acte sous-jacent, qui entraîne du tapage, c.-à-d. se battre, jurer, etc. Une fois que cela se produit, le second élément est déterminé en fonction d'une norme objective. Il importe peu de savoir si l'accusé a eu l'intention ou non de causer du désordre. Comme l'a écrit le juge McLachlin, pour qu'il soit possible de conclure à la culpabilité, « le désordre doit avoir été raisonnablement prévisible dans les circonstances particulières du moment et du lieu ».[348]

164. Cette interprétation est, à notre avis, erronée. Comme nous l'avons déjà expliqué, le tapage est une infraction de conséquence substantive. Or les infractions de conséquence substantive exigent, à notre avis, une prévision subjective quant au résultat

---

346 *R. c. Lohnes*, [1992] 1 R.C.S. 167, 181. Voir également *R. c. Reed*, (1992) 76 C.C.C. (3d) 204 (C.A. C.-B.).

347 Précité, note 271.

348 *Id.*, 1172.

prohibé, car s'agissant d'une conséquence qui, à l'image des circonstances importantes du crime, participe à la définition de l'infraction en tant qu'essence, celle-ci devrait être accompagnée de connaissance (ou insouciance à cet égard)[349]. Cette conclusion s'accorde d'ailleurs avec l'exigence de connaissance subjective applicable en matière de fraude, connaissance que l'acte prohibé pourrait causer une privation à autrui (laquelle privation peut consister en la connaissance que les intérêts pécuniaires de la victime sont mis en péril (ou insouciance à cet égard))[350].

B. La connaissance relative aux crimes comportant une conséquence aggravante

165. Contrairement aux infractions comportant une conséquence substantive, les crimes de conséquence aggravante n'exigent pas de connaissance particulière ou de prévisibilité subjective quant au résultat prohibé. Le crime étant fondé sur la preuve d'une infraction sous-jacente, la conséquence vient alors se superposer de l'extérieur afin d'ajouter à l'acte interdit un résultat préjudicia-

---

349   En ce qui concerne l'insouciance, nous croyons, conformément à l'état actuel de la jurisprudence, que les infractions de conséquence substantive peuvent également être établies grâce à la preuve de l'insouciance. Cette position s'explique parfaitement dans la mesure où l'insouciance présuppose la connaissance de la possibilité (quelques fois de la vraisemblance) des conséquences prohibées. Il n'est donc pas question d'assimiler purement et simplement la connaissance et l'insouciance, mais uniquement de reconnaître l'insouciance comme fondement suffisant de faute en matière d'infractions de conséquence substantive.

350   Examinant l'élément de faute applicable en matière de fraude, la juge McLachlin, dans l'arrêt *R. c. Théroux*, précité, note 48, par. 26, conclut au nom de la majorité :

   J'ai parlé de la connaissance des conséquences de l'acte frauduleux. Toutefois, rien ne paraît s'opposer à ce que l'insouciance quant aux conséquences entraîne également la responsabilité criminelle. L'insouciance présuppose la connaissance de la vraisemblance des conséquences prohibées. Elle est établie s'il est démontré que l'accusé, fort d'une telle connaissance, accomplit des actes qui risquent d'entraîner ces conséquences prohibées, tout en ne se souciant pas qu'elles s'ensuivent ou non.

ble (résultat qui justifie l'imposition d'une sanction plus sévère).
Comme l'indique le juge Sopinka dans l'arrêt *R. c. DeSousa*[351] :

> Un certain nombre d'infractions prévues au *Code criminel* don-
> nent lieu à une inculpation plus grave si certaines conséquences
> en découlent. Exiger l'intention relativement à chaque conséquence
> remettrait en cause un grand nombre d'infractions, dont l'homi-
> cide involontaire coupable (par. 222(5)), le fait de causer des lésions
> corporelles par négligence criminelle (art. 221), le fait de causer
> la mort par négligence criminelle (art. 220), la conduite dan-
> gereuse causant des lésions corporelles (par. 249(3)), la con-
> duite en état de faculté affaiblie causant des lésions corporelles
> (par. 255(2)), la conduite en état de faculté affaiblie causant la
> mort (par. 255(3)), l'agression causant des lésions corporelles
> (al. 267(1)*b*)), les voies de fait graves (art. 268), l'agression sexuelle
> causant des lésions corporelles (al. 272*c*)), l'agression sexuelle
> grave (art. 273), le méfait causant un danger réel pour la vie des
> gens (par. 430(2)) et l'incendie criminel causant des lésions cor-
> porelles (al. 433*b*)). Comme le fait observer le professeur Col-
> vin, [TRADUCTION] « [c]e serait toutefois une erreur de supposer
> que l'*actus reus* et la *mens rea* s'harmonisent toujours aussi par-
> faitement ».[352]

166. Le principe en semblable matière est donc simple et
bien arrêté : les infractions de conséquence aggravante n'exigent pas
de prévisibilité subjective quant aux conséquences particulières
d'un acte illégal, mais uniquement la preuve de l'élément moral
de l'acte sous-jacent et de la prévisibilité objective de lésions corporelles dans les cas d'infractions comportant un élément de dangerosité (p. ex. : voies de fait causant des lésions corporelles, voies
de fait graves). Toujours selon le juge Sopinka :

> Il semble qu'au Canada et ailleurs un principe général veuille qu'en
> l'absence d'indication expresse dans la loi, l'élément moral d'une

---

351   Précité, note 180.
352   *Id.*, 966.

infraction ne se rattache qu'à l'infraction sous-jacente et non aux circonstances aggravantes. [...] Exiger une faute relativement à chaque conséquence d'une action lorsqu'il s'agit d'établir la responsabilité pour avoir causé cette conséquence équivaudrait à bouleverser les notions admises en matière de responsabilité criminelle. [...] Une personne n'est pas moralement innocente simplement parce qu'elle n'avait pas prévu une conséquence particulière d'un acte illégal. En punissant pour des conséquences imprévisibles, le droit ne punit pas ceux qui sont moralement innocents, mais ceux qui causent un préjudice en commettant une action illégale qu'ils pouvaient éviter.[353]

167. Comme l'indique ce passage emprunté à l'arrêt *DeSousa*, il n'existe pas actuellement au Canada de principe général obligeant le ministère public à prouver « la prévision des conséquences d'un acte quand ces conséquences constituent un élément essentiel de l'infraction »[354]. Une personne, en effet, n'est pas moralement innocente simplement parce qu'elle n'a pas prévu une conséquence particulière d'un acte illégal, ce que nous avons qualifié plus tôt de conséquence aggravante[355]. Là où nous établissons une distinction avec les propos du magistrat, est lorsque la conséquence ne vient pas aggraver une infraction déjà complète en soi, mais contribuer à son élaboration, à son essence, en tant que crime. Dans ce cas, nous croyons, conformément aux principes généraux de la responsabilité morale des actes humains, qu'il serait préférable que le ministère public prouve l'élément de connaissance quant à cette conséquence substantive (ou insouciance à cet égard).

---

353   *Id.*, 967.
354   *Id.*, 964.
355   *Id.*, 967.

Troisième section : L'ignorance volontaire comme forme de connaissance en droit pénal

168. Comme nous l'avons déjà indiqué, l'ignorance volontaire est l'ignorance de celui qui pressent un danger, qui a des doutes, mais qui omet délibérément de se renseigner afin d'avoir une excuse. Cette ignorance est dite volontaire, « car l'acte de volonté porte sur l'ignorance elle-même, comme lorsque quelqu'un désire ignorer pour avoir une excuse à son [crime] ou pour n'en être pas détourné »[356]. Au Canada, l'ignorance volontaire est une forme de connaissance expressément reconnue par les tribunaux. En effet, « [l]orsque l'accusé ignore délibérément parce qu'il se ferme les yeux devant la réalité, le droit présume qu'il y a la connaissance »[357]. Or la connaissance est une forme de *mens rea* suffisante en matière de responsabilité pénale. Il en va donc également de l'ignorance volontaire; ce qui est connaître sous une forme négative. D'après Glanville Williams :

> La règle selon laquelle l'ignorance volontaire équivaut à la connaissance est essentielle et se rencontre partout dans le droit criminel. En même temps, c'est une règle instable parce que les juges sont susceptibles d'en oublier la portée très limitée. Une cour peut valablement conclure à l'ignorance volontaire seulement lorsqu'on peut presque dire que le défendeur connaissait réellement le fait. Il le soupçonnait; il se rendait compte de sa probabilité; mais il s'est abstenu d'en obtenir confirmation définitive parce qu'il voulait, le cas échéant, être capable de nier qu'il savait. Cela, et cela seulement, constitue de l'ignorance volontaire.[358]

169. Une fois l'ignorance volontaire définie, il convient de la distinguer de l'insouciance, car l'aveuglement volontaire et

---

356   T. D'AQUIN, *op. cit.*, note 26, quest. 6, art. 8, p. 73.
357   *Sansregret* c. *La Reine*, précité, note 258, 587.
358   Passage cité dans *Sansregret* c. *La Reine*, *id.*, 586.

l'insouciance sont deux réalités fort approchantes dont les paramètres se confondent aisément. Malgré la similitude existant entre ces deux concepts, l'aveuglement volontaire et l'insouciance ne sont pas des états d'esprit identiques. En effet, l'aveuglement volontaire repose sur la présence de soupçons et sur la volonté de les écarter afin de mieux pécher (*p. ex. : l'individu s'aperçoit qu'il commence à avoir des problèmes avec ses fondations, mais préfère ne pas pousser plus loin son enquête afin de ne pas être contraint à faire face à la réalité*), alors que l'insouciance suppose la connaissance d'un risque et la volonté de persister malgré ce risque (*p. ex.* : *l'individu sait que ses fondations sont fragiles et ne peuvent supporter de poids excessif, mais consent tout de même à accueillir plusieurs personnes dans ses lieux sans se soucier des conséquences éventuelles*). Examinant la différence entre l'aveuglement volontaire et l'insouciance en droit criminel, le juge McIntyre, dans l'arrêt *Sansregret* c. *La Reine*[359], propose l'analyse suivante :

> L'ignorance volontaire diffère de l'insouciance parce que, alors que l'insouciance comporte la connaissance d'un danger ou d'un risque et la persistance dans une conduite qui engendre le risque que le résultat prohibé se produise, l'ignorance volontaire se produit lorsqu'une personne qui a ressenti le besoin de se renseigner refuse de le faire parce qu'elle ne veut pas connaître la vérité. Elle préfère rester dans l'ignorance. La culpabilité dans le cas d'insouciance se justifie par la prise de conscience du risque et par le fait d'agir malgré celui-ci, alors que dans le cas de l'ignorance volontaire elle se justifie par la faute que commet l'accusé en omettant délibérément de se renseigner lorsqu'il sait qu'il y a des motifs de le faire.[360]

---

359   *Id.*
360   *Id.*, 584 et 585. Voir également G. CÔTÉ-HARPER, P. RAINVILLE et P. TURGEON, *op. cit.*, note 40, p. 391 :

> Il faut aussi faire une distinction entre l'ignorance volontaire et l'insouciance. Ces deux concepts découlent d'attitudes psychologiques différentes. L'insouciance comporte la connaissance du danger ou du risque couru et la volonté de persister dans le comportement, alors que l'aveuglement volontaire a lieu quand une personne refuse de se renseigner parce qu'elle ne veut pas connaître la situation réelle. Le comportement coupable d'une personne insouciante réside dans la connaissance du risque et sa volonté d'agir

170. Cette distinction rejaillit, bien entendu, sur la qualification de ces deux états d'esprit aux fins du droit criminel. En effet, l'ignorance volontaire est, aux côtés de la connaissance réelle et de la connaissance imputée, une forme de connaissance actuellement reconnue par les tribunaux. Quant à l'insouciance, celle-ci n'est pas une forme de connaissance, mais une forme de *mens rea* dont la structure repose sur la conscience d'un risque et sur la volonté de persister malgré ce risque. La différence entre l'ignorance volontaire et l'insouciance est donc bel et bien réelle. Cette différence, qui n'est pas nouvelle, puise sa source dans la philosophie classique et plus précisément dans les écrits de saint Thomas d'Aquin. D'après le Dominicain, il existe trois formes de connaissance : la connaissance réelle, l'ignorance volontaire et la connaissance imputée. Discutant des deux premières formes de connaissance en philosophie, saint Thomas observe :

> Puisque tout péché est volontaire, l'ignorance peut le diminuer dans la mesure où elle en diminue le caractère volontaire; sans cela, elle ne le diminue pas du tout. Évidemment, l'ignorance qui excuse complètement du péché parce qu'elle lui ôte tout caractère volontaire, ne diminue pas le péché mais le supprime totalement. [...] Or il arrive parfois qu'une telle ignorance est voulue directement et par soi comme lorsqu'on ignore quelque chose de son plein gré, pour pécher plus librement. Pareille ignorance accroît, semble-t-il le volontaire et le péché; car l'intention volontaire de pécher fait que l'on veut subir l'inconvénient de l'ignorance pour avoir la liberté de pécher.[361]

171. À la connaissance réelle et l'ignorance volontaire, s'ajoute donc la connaissance imputée, connaissance qui porte « sur ce qu'on est tenu de savoir et qu'on peut savoir »[362]. L'insouciance

---

malgré tout. Dans le cas de l'aveuglement volontaire, la culpabilité de l'accusé provient de son refus délibéré de se renseigner quand il sait qu'il devrait le faire.

361   T. D'AQUIN, *op. cit.*, note 26, quest. 76, art. 4, p. 490 et 491.
362   *Id.*, p. 490.

n'est donc pas une forme de connaissance traditionnellement reconnue en philosophie, mais un élément de faute dont la structure repose sur un élément de connaissance. Résultat : les tribunaux peuvent ajouter ou exiger concurremment à la connaissance un élément d'insouciance à l'égard du fait interdit, car l'insouciance satisfait également à une exigence en matière de *mens rea*. Cette règle générale ne s'applique pas toutefois lorsque l'infraction prévoit explicitement, par l'utilisation de mots tels que « sciemment » ou « en sachant que », la présence d'un élément cognitif, car l'insouciance n'étant pas une forme de connaissance, il serait contraire à l'intention du législateur d'admettre cet état d'esprit à titre de *mens rea*. Ceci dit, le sujet n'est pas commode. Son traitement exige une analyse attentive des règles et des exceptions qui surplombent le droit applicable en semblable matière. Ce sont ces règles et quelques-unes de leurs principales difficultés qu'il faut maintenant envisager.

Première sous-section : L'ignorance volontaire en relation avec les circonstances

A. Dans les cas où le législateur prévoit expressément l'élément de connaissance

172. *Vente de matériel obscène* : Comme nous le savons, la vente de matériel obscène, prévue à l'alinéa 163(2)*a*) du *Code criminel*, est une infraction qui prévoit expressément un élément de connaissance quant aux actes précis ou à « l'ensemble des faits qui ont amené les tribunaux à conclure que le matériel en question était obscène aux termes du par. 163(8) »[363]. La preuve qu'un détaillant a connaissance des actes ou des caractéristiques précises qui rendent un vidéo obscène peut, selon la Cour suprême du Canada, se faire de deux façons. D'abord, le ministère public peut démontrer la connaissance réelle du détaillant. Ici, la Couronne n'est pas obligée de prouver que le détaillant a réellement regardé

---

363   *R.* c. *Jorgensen*, précité, note 278, 106.

le matériel obscène. Une preuve fondée sur les circonstances entourant l'infraction suffit pour établir la connaissance de l'accusé. C'est du moins ce qu'affirme le juge de première instance dans l'arrêt *R. c. Jorgensen*[364] :

> Mon examen de la jurisprudence et des principes du droit criminel montre qu'il peut être satisfait à l'exigence [en matière de connaissance] par des éléments de preuve comme les déclarations faites par un accusé, les avertissements des policiers en ce qui a trait au contenu du matériel et la distribution de ce matériel malgré les avertissements et le non-respect de procédures *in rem*, le non-respect des décisions judiciaires, des accusations pendantes, la condition du matériel et l'endroit où il se trouvait au moment de la saisie, la nature du matériel lui-même, la preuve d'une certaine forme d'activité clandestine et le non-respect des exigences relatives aux coupures à apporter à un film pour satisfaire à des normes d'approbation appropriées.[365]

173. L'ignorance volontaire est la seconde manière de prouver l'élément de connaissance prévue à l'alinéa 163(2)*a*) du *Code criminel*. «Si le détaillant sait qu'il doit examiner de manière plus approfondie la nature des vidéos qu'il vend et que délibérément, il choisit de faire abstraction de ces indications et ne pousse pas l'examen plus loin, il peut alors être néanmoins accusé en application de l'al. 163(2)*a*) pour avoir vendu "sciemment" du matériel obscène.»[366] L'ignorance volontaire étant une forme dérivée de connaissance, le ministère public pourra contourner les écueils reliés à l'établissement de la connaissance personnelle de l'accusé, en démontrant sa volonté d'ignorer les faits pertinents :

> Pour conclure à l'ignorance volontaire, il faut répondre par l'affirmative à la question suivante : L'accusé a-t-il fermé les yeux parce qu'il savait ou soupçonnait fortement que s'il regardait, il saurait?

---

364 *Id.*
365 *Id.*, 109.
366 *Id.*, 110.

On pourrait dire que des détaillants qui se doutent que le matériel est obscène mais qui s'abstiennent de faire l'examen nécessaire de manière à éviter d'être mis au courant qu'ils ont fait preuve d'ignorance volontaire. La décision doit être prise en tenant compte de toutes les circonstances.[367]

174. Ces circonstances, il convient de le préciser, englobent autant les circonstances immédiates entourant le crime que les événements passés pouvant éclairer la Cour dans sa recherche de la connaissance de l'accusé.

175. *La possession de biens criminellement obtenus* : Comme nous le savons, la possession de biens criminellement obtenus nécessite la preuve de la connaissance de l'accusé de l'origine illégale du bien saisi. Le législateur ayant recours à l'adverbe « sciemment » – adverbe qui renvoie directement à la connaissance de l'accusé –, celle-ci ne peut être suppléée par l'ajout d'un élément de faute concurrentielle ou complémentaire. C'est donc sur la base de la connaissance de l'origine illégale du bien en question que doit se fonder la lecture du texte. Cette connaissance peut être prouvée soit directement par l'établissement de la connaissance personnelle de l'accusé, soit indirectement par le biais de son ignorance volontaire. L'insouciance en tant que forme indépendante de *mens rea* n'a donc pas sa place ici. Seule la connaissance de l'origine illégale du bien suffit aux fins de l'article 354 du *Code criminel*. C'est dans cette perspective qu'il faut envisager la décision de la Cour d'appel de l'Alberta dans l'arrêt *R. c. Vinokurov*[368], dans une optique visant à redonner à la connaissance toute l'importance qui lui revient. D'après le juge Berger :

As Finlayson J.A. made clear in *R. v. Sandhu* (1989), 50 C.C.C. (3d) 492 (Ont. C.A.), wilful blindness is imputed knowledge

---

367   *Id.*, 111.
368   (2001) 156 C.C.C. (3d) 300 (C.A. Alta.).

while recklessness is "something less than that". He added (at p. 497):

> In my opinion, it is now clear on the authority of Sansregret, *supra* [(1985), 18 C.C.C. (3d) 223 (S.C.C.)], and *R*. v. *Zundel* (1987), 31 C.C.C. (3d) 97, 35 D.L.R. (4th) 338, 58 O.R. (2d) 129 (Ont. C.A.), that where an offence requires knowledge on the part of the accused, it is improper to instruct the jury that a finding of recklessness satisfies that requirement.

I respectfully agree, wilful blindness will suffice because it is the equivalent of actual knowledge. Recklessness is not and, accordingly, is insufficient. Ridley J., speaking for the English Court of Criminal Appeal in *R*. v. *Havard* (1914), 11 Cr. App. R. 2 at p. 3, stated:

> it is not sufficient to say that if a man is reckless and does not care, he is just as guilty as if he received the property, knowing at the time that there was something wrong with it. We do not agree with that; the proper direction is that the jury must take into consideration all the circumstances in which the goods were received, and must say if the appellant, at the time when he received the goods, knew that they had been stolen.

Recklessness will not satisfy the knowledge requirement on a charge of possession of stolen property.[369]

---

369   *Id.*, 305. *R*. c. *Cheney*, [2005] S.J. (Quicklaw) n° 71, par. 10 et 11 (Prov. Ct.):

There is a distinction in law between wilful blindness and recklessness. When an offence requires proof of knowledge as part of its *mens rea* component, wilful blindness will suffice. Where an accused has his suspicions aroused but then deliberately omits to make further inquiries because he wishes to remain in ignorance, he is deemed to have knowledge. He is thus said to be "wilfully blind"; *Criminal Law*, Glanville Williams (2nd ed.), *R*. v. *Vinokurov*, (2001), 44 C.R. (5th) 369. Wilful blindness can be found where it can almost be said that the defendant actually knew; that he suspected, realized the possibility, but refrained from further inquiry; Williams, (*supra.*), p. 158-159.

Recklessness, on the other hand, is something less than wilful blindness; *R*. v. *Sandhu*, (1989) 50 C.C.C. (3d) 492. Recklessness will not satisfy the *mens rea* requirement where knowledge is an element of the offence.

176. Nous sommes tout à fait d'accord avec cette conclusion. Comme l'indique l'ancien juge en chef Lamer dans l'arrêt *R. c. McIntosh*[370], une loi doit être interprétée d'une façon compatible avec le sens ordinaire des termes qui la composent. « Si le libellé de la loi est clair et n'appelle qu'un seul sens, il n'y a pas lieu de procéder à un exercice d'interprétation »[371], d'autant plus qu'ici, l'expression « sciemment » renvoie à un code juridique déjà existant, celui de la connaissance de l'accusé. Le sens étant clair et univoque, l'insouciance n'est pas suffisante pour engager la responsabilité de l'agent.

177. *Diffusion de fausses nouvelles* : Aux termes de l'article 181 du *Code criminel* :

181. [Diffusion de fausses nouvelles] Est coupable d'un acte criminel et passible d'un emprisonnement maximal de deux ans quiconque, volontairement, publie une déclaration, une histoire ou une nouvelle qu'il sait fausse et qui cause, ou est de nature à causer, une atteinte ou du tort à quelque intérêt public. [disposition déclarée inopérante]

178. En employant l'expression « histoire ou nouvelle qu'il *sait* fausse », le législateur inscrit sa volonté dans la norme qu'il a rédigée. « Il oriente, mieux encore, il oblige par les mots qu'il utilise le tribunal à retenir l'interprétation – la seule interprétation – qui s'impose. »[372] Sur ce point, l'article 181 est catégorique : la connaissance est nécessaire à la perfection du crime. L'insouciance quant à la fausseté de l'histoire en cause ne suffit pas à engager la responsabilité de son auteur. En ce qui concerne l'élément de connaissance, celui-ci peut être établi grâce à la preuve de l'ignorance volontaire; seconde forme de connaissance explicitement recon-

---

370   [1995] 1 R.C.S. 687.
371   *Id.*, 697.
372   G. TIMSIT, *op. cit.*, note 295, p. 80 et suiv.

nue en droit pénal. De là les commentaires de la Cour d'appel de
l'Ontario dans l'arrêt *R. c. Zundel*[373] :

> Where recklessness with respect to an element of the offence
> suffices for criminal liability, absence of an honest belief in the
> existence of that element and indifference to whether it exists
> constitutes the necessary recklessness. For example, in cases of
> sexual assault, absence of an honest belief that the complainant
> is consenting, and indifference to whether or not she is consent-
> ing constitutes the necessary recklessness with respect to the ele-
> ment of consent. [...] On the other hand, honest belief in consent
> negatives recklessness as to that element.
>
> The offence of knowingly publishing false statement under s.
> 177 of the Code, however, requires proof of actual knowledge of
> the falsity of the statements. Recklessness as to the truth or fal-
> sity of the statement is insufficient. Wilful blindness is, of course,
> the equivalent of actual knowledge.[374]

---

373   (1987) 31 C.C.C. (3d) 97 (C.A. Ont.). La disposition a été déclarée ino-
      pérante par la Cour suprême du Canada dans *R. c. Zundel*, [1992] 2 R.C.S.
      731.

374   *Id.*, 157 :
> The issue was not whether the appellant published the pamphlet with no
> honest belief in its truth, but whether the Crown had proved beyond a rea-
> sonable doubt that he knew it was false when he published it.
> An honest belief that the pamphlet was true would, of course, negative
> knowledge of its falsity. The absence of an honest belief in its truth taken
> together with all the circumstances would permit the jury to draw the infer-
> ence that the appellant knew that it was false, but it would be necessary for
> the jury to draw the inference. The absence of an honest belief in the truth
> of the pamphlet simpliciter is not, however, the same thing as knowledge
> of its falsity. The state of mind of one who publishes a false document with
> no honest belief in its truth, not caring whether it is true or false, is reck-
> lessness with respect to its falsity, not knowledge of its falsity. The trial
> judge, it is true, on several occasions correctly instructed the jury that the
> Crown was required to prove that the appellant knew that the document
> was essentially false. He also correctly instructed them that the appellant's
> defence was that he honestly believed the pamphlet to be true. However,
> even if the appellant's defence was rejected, it was still incumbent on the
> Crown to prove that he knew the pamphlet was false.

179. Le principe est donc simple et bien arrêté : là où le législateur commande la présence d'un élément cognitif, l'insouciance, en tant que forme indépendante de *mens rea*, ne peut remplacer cet élément de faute.

180. *Complicité après le fait* : Aux termes du paragraphe 23(1) du *Code criminel*, est complice après le fait, celui qui, sachant qu'une personne a participé à l'infraction, la reçoit, l'aide ou l'assiste en vue de lui permettre de s'échapper. D'après la Cour d'appel de l'Ontario dans l'arrêt *R. c. Duong*[375], la complicité après le fait suppose la preuve des trois conditions suivantes : (1) la perpétration d'une infraction spécifique par un tiers, (2) la connaissance de l'accusé que la personne a participé à cette infraction et (3) l'aide ou l'assistance de la part de l'accusé. L'*actus reus* de l'infraction est donc, à notre avis, (1) la commission d'une infraction de la part d'un tiers, commission à laquelle s'ajoute (2) une action ou une omission qui a pour but d'aider l'auteur de l'infraction à s'échapper. Quant à la *mens rea,* celle-ci consiste dans la connaissance que le tiers a commis cette infraction spécifique (et non pas une infraction quelconque) et dans l'intention ultérieure de l'aider à s'évader. Comme l'indique cette analyse du paragraphe 23(1) du *Code criminel*, la responsabilité en matière de complicité après le fait exige un élément cognitif quant à l'infraction spécifique à laquelle a participé la personne aidée. Cette connaissance, il va de soi, peut être établie directement par la preuve de la connaissance de l'accusé de la participation du tiers à cette infraction ou indirectement par la preuve de l'ignorance volontaire. D'après le juge Doherty dans l'arrêt *R. c. Duong*[376] :

> A charge laid under s. 23(1) must allege the commission of a specific offence (or offences) and the Crown must prove that the alleged accessory knew that the person assisted was a party to that offence. The Crown will meet its burden if it proves that the accused had actual knowledge of the offence committed. [...]

---

375   (1998) 124 C.C.C. (3d) 392 (C.A. Ont.).
376   *Id.*

These authorities make it clear that where the Crown proves the existence of a fact in issue and knowledge of that fact is a component of the fault requirement of the crime charged, wilful blindness as to the existence of that fact is sufficient to establish a culpable state of mind. Liability based on wilful blindness is subjective. [...] Actual suspicion, combined with a conscious decision not to make inquiries which could confirm that suspicion, is equated on the eyes of the criminal law with actual knowledge. Both are subjective and both are sufficiently blameworthy to justify the imposition of criminal liability.[377]

181. Selon l'arrêt *R. c. Duong*, la connaissance de l'accusé que la personne aidée a participé à l'infraction spécifique est un élément essentiel de l'infraction prévue au paragraphe 23(1) du *Code criminel*. Or l'ignorance volontaire est une forme de connaissance reconnue en droit pénal. Donc l'ignorance volontaire est suffisante pour démontrer la connaissance de l'accusé que la personne aidée a participé à l'infraction spécifique.

182. *Emploi d'un document contrefait* : L'emploi d'un document contrefait prévu au paragraphe 368(1) du *Code criminel* est une autre infraction dont la structure psychologique repose expressément sur la présence d'un élément cognitif. La connaissance de la fausseté du document contrefait étant nécessaire à la constatation du crime, cet élément de faute pourra être établi par la preuve de la connaissance réelle de l'accusé ou de son aveuglement volontaire. Examinant la culpabilité d'une jeune femme accusée d'avoir encaissé une série de faux chèques pour un individu qui faisait l'objet d'une enquête policière, le juge Matsalla souligne l'obligation pour le ministère public de prouver la connaissance de l'accusée de la fausseté des chèques encaissés :

It is common ground that the cheques in question are forgeries and that Ms. Mersereau used them. The outstanding issue is whether

---

377   *Id.*, 401 et 402.

the Crown has proven the mental element of the offences beyond a reasonable doubt.

It has been held that the inclusion of the word "knowing" in the Code section generally prevents the Crown from arguing that the *mens rea* of an offence can be satisfied by applying the standard of the reasonable person, see *R. v. Rees*, [1956] S.C.R. 640. Proving recklessness will not assist the Crown to establish knowledge on the part of the accused, see *R. v. Sandhu* (1989), 50 C.C.C. (3d) 492 (Ont. C.A.), however, proof of wilful blindness can establish the necessary mental element. An excellent review of the law in the area can be found in the case of *R. v. Vinokurov* (2001), 44 C.R. (5th) 369 (Alta. C.A.).[378]

183. Dans la mesure où l'accusée a omis délibérément de se renseigner sur la nature des chèques à encaisser lorsqu'elle savait qu'il y avait des motifs de le faire, elle fut reconnue coupable de l'infraction reprochée.[379]

---

378 *R. c. Mersereau*, [2005] S.J. (Quicklaw) n° 815, par. 17 et 18 (Prov. Ct.).
379 *Id.*, par. 25, 26 et 27 :

> The accused is a hard-working, intelligent woman who is trying to provide for her son. I am satisfied that her motive for agreeing to cash the cheques was to get some much needed money to pay her bills. There is no evidence that she made any effort to find out about D.G.'s connection to the company named on the face of the cheque or how her name came to be printed on them. Yet she followed his specific instructions as to where to cash the cheques and how to make the withdrawals. She received only a fraction of the total amount withdrawn. Therefore, I am satisfied that she knew she was to play a role in a cheque cashing scheme and that role involved providing D.G. with an opportunity to use her bank account in order to obtain a significant amount of money.
> It is difficult for me to understand how someone in the place of Ms. Mersereau would not have had her suspicions aroused when she was first asked to participate, however she testified that D.G. and other persons in whom she had confidence, convinced her that the process was legitimate. She must have had doubts about the propriety of cashing a cheque made out to her for money that she did not earn and yet she proceeded to do so. I believe that she must have suspected that there was a possibility that the process was not legitimate. Having said that, given the assurances that she had received I have a doubt as to whether it could be said that the circumstances, in her mind, were so unusual or peculiar to her that she was cognizant of the need to ask further questions before cashing the cheques. Therefore I cannot conclude beyond a reasonable doubt that the Crown has

B. Dans les cas où le législateur ne prévoit pas expressément un élément de connaissance

184. Bien que plusieurs infractions prévoient explicitement la présence d'un élément de connaissance, il arrive parfois – souvent même – que la disposition demeure silencieuse à cet égard. Le législateur ne s'étant pas formellement inscrit dans la norme qu'il a rédigée, l'absence de *prédétermination* laissera donc place à la *codétermination* (interprétation constructive des tribunaux), opération qui vise essentiellement à conférer à la norme sa signification finale. D'après Gérard Timsit, auteur d'un ouvrage sur la question, l'indétermination de la trace matérielle oblige les tribunaux à participer à la définition de la norme[380] :

> La codétermination se loge partout où existe un « blanc » dans le texte; et partout où le « pouvoir d'entendre » dont parle Blanchot confère à l'« auditeur », au lecteur de la norme, la possibilité par la singularité du code qu'il applique au déchiffrage du texte, de

established that she "knowingly" used the forged document described in count #2.

After the first cheque had been cashed, the police spoke to Ms. Mersereau and she discovered that D.G. was under investigation by the police and she was further advised that they had more cheques in her name – cheques that had been recovered from D.G. Not only did she neglect to speak to the police about the cheques but, shortly thereafter, she obtained other similar cheques from D.G. She did not wait to see if the first cheque had cleared. The second cheque was considerably larger and even though she was now suspicious about the process, she cashed the cheque and she agreed to give D.G. her bank card knowing that he was going to access her account for more money. By the time the cheque was cashed, I believe that she was not only conscious that there might be a risk were she to proceed but she knew, or at least she must have strongly suspected that if she would have made inquiries she would have received information that would have called into question the validity of the cheques. I am satisfied that it can be said that with each of the cheque that she cashed thereafter she deliberately failed to seek information respecting the validity of the cheque and so she "shut her eyes" in order to avoid knowing the truth. She was therefore, with respect to counts 4, 6, and 8, wilfully blind as to the nature of the cheques and therefore she is deemed to have the knowledge that the three cheques had been forged.

380   G. TIMSIT, *op. cit.*, note 295, p. 112.

collaborer de quelque manière avec l'auteur à l'élaboration du sens de la norme. La codétermination s'installe ainsi dans toutes les poches d'autonomie normative que recèle le texte, chaque fois que la prédétermination produite par le texte se trouve en défaut et que le sens qu'elle porte n'est plus imposé ou qu'il cesse d'être prévisible.[381]

185. L'absence d'indication expresse du législateur quant à la présence d'un élément de connaissance procure donc à l'instance judiciaire – le lecteur – une liberté qui lui permet de prévoir *concurremment* à la connaissance de la circonstance pertinente, un élément d'insouciance à cet égard. Ainsi, mis à part l'interdiction d'assimiler l'insouciance à la connaissance (celle-ci n'étant pas une forme de connaissance reconnue en droit pénal mais un élément de faute à part entière), les tribunaux demeurent tout à fait libres d'exiger à la place de la connaissance (ou ignorance volontaire) un élément d'insouciance à l'égard de la circonstance pertinente. L'auteur de la norme ne s'étant pas inscrit dans le texte qu'il a rédigé, il est alors impossible d'en contrôler la lecture. De là la difficulté de proposer une règle applicable dans tous les cas. Malgré cette difficulté, certaines généralisations peuvent être faites quant à l'utilisation de l'insouciance en tant qu'élément de faute complémentaire ou concurrentiel à l'élément cognitif. Examinons en quoi consistent ces principes.

186. *L'agression sexuelle* : Comme nous l'avons déjà expliqué, l'agression sexuelle exige la preuve de l'absence de consentement de la victime, ainsi que de la connaissance de l'accusé quant à l'absence de consentement ou l'insouciance ou l'aveuglement volontaire à cet égard. Dans la mesure où l'agression sexuelle admet l'insouciance comme élément suffisant de *mens rea*, on serait porté à croire que cette infraction assimile purement et simplement l'insouciance à la connaissance. Or il n'en est rien. Bien qu'il soit clair que le concept d'agression sexuelle est différent de celui du viol, l'interprétation de cette ancienne infraction exerce encore une

---

381   *Id.*

influence tangible sur la structure psychologique de l'agression sexuelle. Or le viol, écrit le juge Dickson dans l'arrêt *Pappajohn*, exige la preuve de «l'intention ou de l'insouciance à l'égard de tous les éléments de l'infraction, y compris l'absence de consentement»[382]. Donc l'agression sexuelle peut être établie par la preuve de l'insouciance quant à l'absence de consentement. L'insouciance n'est pas ici une forme alternative de connaissance, mais une forme de *mens rea* suffisante aux fins de l'article 265 du *Code criminel*. Résultat : l'agression sexuelle «doit comporter la connaissance du fait que la personne du sexe féminin [ou masculin] n'est pas consentante ou l'insouciance quant à savoir si elle est consentante ou non»[383]. Il n'est pas question ici d'assimiler purement et simplement les deux concepts aux fins du droit criminel, mais plutôt de reconnaître la pertinence de ces deux états d'esprit dans l'élaboration psychologique de l'infraction.

187. *Représentation théâtrale immorale* : La présentation de spectacles indécents est, comme nous le savons, une autre infraction exigeant implicitement la connaissance d'une circonstance pertinente. Étroitement associée à la vente de matériel obscène – infraction dont la structure morale fut étudiée dans l'arrêt *Jorgensen*[384] –, la présentation de spectacles indécents «implique, tout au moins, l'exigence d'acquiescement concerté ou d'ignorance volontaire de la part de l'accusé»[385]. Dans la mesure où le verbe «permettre» équivaut à «sciemment» dans le contexte de l'arrêt *Jorgensen*, l'ignorance volontaire est un fondement suffisant de responsabilité pénale. Il en va autrement cependant de la notion d'insouciance, car celle-ci, comme nous l'avons déjà dit, n'est pas une forme de connaissance véritable en droit pénal, mais un élément de faute dont la structure mentale repose sur la perception d'un risque auquel s'ajoute un désir de persister malgré ce risque.

---

382   *Pappajohn* c. *La Reine*, précité, note 252, 146.
383   *Sansregret* c. *La Reine*, précité, note 258, 581.
384   *R.* c. *Jorgensen*, précité, note 278.
385   *R.* c. *Mara*, précité, note 313, 653.

188. *Fraudes envers le gouvernement*: L'infraction prévue à l'alinéa 121(1)c) du *Code criminel* est, comme l'indique la juge L'Heureux-Dubé dans l'arrêt *R.* c. *Hinchey*[386] , une infraction de comportement dont le but n'est pas seulement de protéger l'intégrité du gouvernement, mais aussi de préserver l'apparence d'intégrité qui s'y rattache[387]. Ainsi, pour obtenir une condamnation en vertu de l'alinéa 121(1)c) du *Code criminel*, le ministère public devra prouver, outre « la décision prise sciemment par l'employé d'accepter une commission, une récompense, un avantage ou un bénéfice de quelque nature, le fait de savoir (ou d'ignorer volontairement), au moment de l'acceptation, que le donneur avait des relations d'affaires avec le gouvernement et que le supérieur n'a pas consenti à l'acceptation d'une commission, une récompense, un avantage ou un bénéfice de quelque nature »[388]. Encore une fois, la Cour suprême est sans détour : la connaissance du fait en cause peut être inférée de l'ignorance volontaire et non de l'insouciance de l'accusé. En refusant ici d'inclure la notion d'insouciance comme forme dérivée de connaissance, la Cour suprême réitère sa position traditionnelle quant à la distinction entre ces deux états d'esprit. Il n'y a donc pas lieu d'associer l'insouciance à la connaissance.

189. *Défaut d'arrêter lors d'un accident*: Le défaut d'arrêter lors d'un accident prévu au paragraphe 252(1) du *Code criminel* est une autre infraction dont la structure repose sur l'établissement d'un élément cognitif. Pour obtenir une condamnation en vertu de cette disposition, le ministère public devra donc prouver que le conducteur savait qu'il était impliqué dans un accident avec une autre personne (ou avec un autre véhicule ou du bétail). Cette connaissance, précise la Cour d'appel du Québec dans l'arrêt *R.* c. *Doyon*[389], peut être établie par la preuve de la connaissance directe de l'accusé ou par son ignorance volontaire. D'après le juge de première instance :

---

386   Précité, note 271.
387   *Id.*, 1143 et 1144.
388   *Id.*, 1166.
389   [1994] A.Q. (Quicklaw) n° 334 (C.A.).

En définitive, si des soupçons effleurent un accusé et qu'il omet délibérément de faire de plus amples recherches, parce qu'il désire demeurer dans l'ignorance, il a alors la connaissance de l'infraction et conséquemment, elle est commise.

La Cour est d'opinion, en examinant toutes les circonstances de la présente affaire, que l'accusé s'est délibérément aveuglé en refusant de faire les recherches nécessaires pour découvrir qu'il venait de heurter un être humain.[390]

190. Ce principe fut repris récemment par la Cour provinciale de la Saskatchewan dans l'arrêt *R. c. Gillespie*[391]. D'après le juge Kolenick, l'accusé avait des doutes, il soupçonnait qu'il venait de heurter une personne, mais a omis délibérément de se renseigner afin de demeurer dans l'ignorance de ce fait. Il avait donc la connaissance nécessaire aux termes de cette disposition[392].

191. *Infractions concernant les stupéfiants* : L'utilisation de l'insouciance comme forme dérivée de connaissance est fort répandue en matière de stupéfiants (possession, possession en vue du trafic, possession en vue de l'exportation, etc.). La connaissance de la nature de la substance possédée étant nécessaire à la perfection du crime, celle-ci pourra être inférée de l'aveuglement volon-

---

390   *Id.*, par. 6. Voir également *R. c. Langlais*, [2001] J.Q. (Quicklaw) n° 3894, par. 35 (C.Q.) :

   Comme l'ignorance volontaire est synonyme de connaissance présumée (imputed knowledge) ou son équivalent légal, le Tribunal estime prouvée la connaissance qu'avait l'accusé d'avoir été impliqué dans un accident avec une personne.

391   [2003] S.J. (Quicklaw) n° 94 (C. prov.).

392   *Id.*, par. 43 :

   I must conclude that the accused was indeed aware of the circumstances as they had occurred, once he had checked in his rear view mirror. However, he chose to ignore the facts as they clearly existed, and proceed on his way from the scene, rather than stopping in accord with his legal obligations. Applying the principles in Sansregret (*supra*), the accused had his suspicions aroused, but failed to stop, and deliberately omitted to make further inquiries, because he wished to remain in ignorance. As such, he had the critical contemporaneous knowledge of what occurred.

taire et de l'insouciance de l'accusé. D'après le juge McFarlane dans l'arrêt *R. c. Blondin*[393] : « I accordingly agree that it would be correct to instruct a jury that the existence of that knowledge may be inferred as a fact, with due regard to all circumstances, if the jury finds that the accused has recklessly or wilfully shut his eyes or refrained from inquiry as to the nature of the substance he imports. »[394] Cette position, qui fut reprise par la suite dans les arrêts *Aiello*[395], *Overvold*[396], *Rathod*[397] et *Oluwa*[398] ne fait plus l'unanimité. La Cour d'appel de l'Ontario, par exemple, dans l'arrêt *R. c. Sandhu*[399] écarte l'insouciance au profit de l'aveuglement volontaire. D'après les juges Finlayson, Carthy et Zuber, l'insouciance n'est pas une forme de connaissance actuellement recon-

---

393   (1970) 2 C.C.C. (2d) 118 (C.A. C.-B.).

394   *Id.*, 122 et 123.

395   *Aiello c. La Reine*, [1979] 2 R.C.S 15.

396   *R. c. Overvold*, (1972) 9 C.C.C. (2d) 517, 523 (M.C. T.-N.) :
      What the court said, in my understanding, is that failing actual knowledge that he had the alleged narcotic, the accused may be convicted if he was merely reckless or wilfully shut his eyes to what "it" was, i.e., to its character as a narcotic substance which he knew he had in his actual possession or control.

397   *R. c. Rathod*, [1993] A.Q. (Quicklaw) n° 1689, par. 16, (note 1) (C.A.) :
      Contrairement à la position adoptée par la Cour d'appel d'Ontario dans l'arrêt *R. c. Sandhu* (1989), 50 C.C.C. (3d) 492, qui a conclu que l'insouciance ne peut servir à établir la connaissance coupable (« where an offence requires knowledge on the part of the accused, it is improper to instruct the jury that a finding of recklessness satisfies that requirement »), et faisant mien le commentaire de cet arrêt, signé par le professeur Don Stuart [(1989) 73 C.R. (3d), p. 163], j'estime qu'en l'espèce le jury devait être invité à considérer autant l'insouciance que l'aveuglement volontaire comme formes de connaissance coupable. L'arrêt *Sansregret* me semble concluant sur ce point. Je note également que dans l'arrêt *Aiello c. La Reine*, [1979] 2 R.C.S. 15, la Cour a endossé les motifs du juge A. Martin en Cour d'appel d'Ontario [38 C.C.C. (2d) 485] selon qui la connaissance coupable peut se fonder autant sur l'aveuglement volontaire que l'insouciance.

398   *R. c. Oluwa*, (1996) 107 C.C.C. (3d) 236, 259 (C.A. C.-B.) :
      Absent any evidence to the contrary, the facts of this case are such that it is permissible to infer that the appellant actually did know that his flight would make a scheduled stop in Vancouver. If he did not actually know of this stop, it is my view that it would be sufficient to support a conviction if the evidence establishes that the appellant was wilfully blind or reckless as to that fact.

399   (1989) 50 C.C.C. (3d) 492 (C.A. Ont.).

nue en droit pénal. Celle-ci ne peut donc être utilisée afin d'établir la connaissance de l'accusé quant à la substance interdite :

> Unfortunately, the way the instruction was given, the jury was left with three bases upon which it could convict: actual knowledge or wilful blindness or recklessness. The jury was not told that wilful blindness is the equivalent of actual knowledge, but only that it is different from recklessness. Wilful blindness is imputed knowledge while recklessness is quite another thing. [...] In my opinion, it is now clear on the authority of *Sansregret* and *R. v. Zundel*, that where an offence requires knowledge on the part of the accused, it is improper to instruct the jury that a finding of recklessness satisfies that requirement. It is an enlargement of the element of intent required by the *Narcotic Control Act* in both importing and possession offences. It is an explanation of the use of "knowingly" in the definition of possession in s. 4(3) of the *Criminal Code*.[400]

192. La confusion est réelle, mais la solution demeure possible. Elle passe par un meilleur découpage des infractions de *possession* ainsi que par une meilleure compréhension des processus mentaux impliqués dans ce type d'infraction. D'après l'article 4(1) de la *Loi réglementant certaines drogues et autres substances*, la possession de toute substance inscrite aux annexes I, II ou III est interdite. Or la possession, comme nous l'avons déjà dit ailleurs, implique un élément de connaissance et de contrôle vis-à-vis l'objet possédé[401]. Donc la culpabilité en matière de possession de stupéfiants suppose la preuve de la connaissance réelle de l'accusé ou de son aveuglement volontaire[402]. L'insouciance n'est pas ici per-

---

400   *Id.*, 497.

401   Voir sur ce point le chapitre préliminaire.

402   Pour une décision récente sur le sujet voir *R. c. Bola*, [2005] S.J. (Quicklaw) n° 213, par. 17 (Q.B.) :

> I have considered the relevant authorities particularly *R. v. Sandhu* (1989), 50 C.C.C. (3d) 492 (Ont. C.A.) where asserted lack of knowledge was in issue and wilful blindness was defined and differentiated from recklessness. I have concluded that Mr. Bolla either had knowledge or was wilfully blind to the nature of his special cargo when he left British Columbia. If it

tinente, car il ne s'agit pas d'une forme dérivée de connaissance mais d'un élément de faute à part entière. Loin d'être limitée à la possession de stupéfiant, cette conclusion s'applique également à toutes les infractions de possession. Discutant de la responsabilité d'un individu accusé de possession d'une arme à feu prohibée chargée sans autorisation légale, le juge Allen, dans l'arrêt *R. c. Raglon*[403], étend la règle limitant l'élément cognitif d'une infraction à la connaissance réelle ou à l'aveuglement volontaire de l'accusé à toutes les infractions reposant sur un état de possession :

> The subjective *mens rea* is applicable to the determination that the gun was loaded. However, this does not mean that the subjective *mens rea* can only be proven by evidence from which actual knowledge can be inferred. Subjective *mens rea* can be inferred for some offences from recklessness or wilful blindness. Where offences having as an element "possession" then the basis for subjective *mens rea* is either actual knowledge or wilful blindness. Recklessness does not provide a basis for the *mens rea* there.[404]

---

was wilful blindness, which means shutting one's eyes to what is taking place, his eyes were opened when the sender offered $4,000.00 for extra custodial services and Mr. Bolla later made special efforts to personally gather and protect the boxes, loading them onto the new truck before the police arrived.

403   [2001] A.J. (Quicklaw) n° 872 (Prov Ct.).

404   *Id.*, par. 53. Voir également le par. 66 :

The nature of the weapon is such that it is plainly a prohibited firearm. The possession of such firearms have always been tightly controlled in Canada. Weapons of this nature are generally devoted to dealing with other humans. They are not firearms that are generally used for hunting or other sport. Nor is there any evidence before me that Mr. Raglon's possession of this weapon was authorized in some way, such as for target shooting. It is impossible to believe that Mr. Raglon had the weapon for any other than an illegal purpose. Young men in urban landscapes do not need weapons of this nature to wander the streets. His possession in these circumstances was indicative that the weapon would be produced to confront others as a weapon if necessary. Its utility as a weapon was greatly enhanced if the gun was loaded. While it is unknown what length of time that the accused had the handgun, it was clear that he had it on his person. The possession of a weapon of this appearance was sufficient to arm him with the knowledge required that the weapon was a prohibited weapon. Moreover, his handling of the handgun when confronted by the police is indicative of his desire to rid himself of that object. When all of these circumstances are considered in their entirety it is my opinion that they are sufficient to prove beyond a reasonable doubt

193. Au terme de ce qui précède, nous concluons que lorsque le législateur prévoit expressément la connaissance d'un fait « il exclut l'insouciance quant à l'existence de la circonstance et la Couronne [doit] prouver la connaissance réelle »[405] de l'accusé ou son aveuglement volontaire. Par contre, lorsque le texte est muet et que la connaissance n'est qu'implicite, nous croyons que les tribunaux demeurent libres (sauf peut-être en matière de crimes de possession où la connaissance de la nature de l'objet illégal est à l'origine de la possession de l'accusé[406]) d'ajouter à la connaissance un élément d'insouciance (non pas comme forme dérivée de connaissance, mais comme forme indépendante de *mens rea*). Cela étant, nous pensons que l'insouciance ne devrait pas, de façon générale, être acceptée pour établir la connaissance d'un *fait* ou d'une *circonstance* pertinente du crime. Comme l'explique Jean-Claude Hébert :

> Le concept de connaissance requiert la conscience de l'existence d'un fait plutôt que la reconnaissance de sa probabilité. Comme le souligne Glanville Williams, la connaissance en droit fait appel à l'idée de certitude ou l'absence de doute, tandis que l'insouciance se nourrit de probabilités. Assumer un risque, c'est quand même agir en connaissance de cause. L'insouciance présuppose donc la connaissance d'une probabilité défendue. Puisque l'ignorance volontaire réfère à la connaissance d'une certitude alors que l'insouciance porte sur la conscience d'une probabilité de risque, ces deux concepts ne peuvent s'emmêler. [...] Pour les motifs qui précèdent, la notion d'insouciance devrait être évacuée du débat lorsque la doctrine d'ignorance volontaire fait l'objet de discussion quant à son applicabilité. Cette interprétation est conforme

---

that he knew the gun was loaded. If I am in error in making the finding that the accused actually knew the prohibited weapon was loaded, I find that the evidence proves beyond a reasonable doubt that the accused was wilfully blind that the firearm was loaded.

405   G. CÔTÉ-HARPER, P. RAINVILLE et J. TURGEON, *op. cit.*, note 40, p. 393.

406   *R. c. Raglon*, précité, note 403, par. 49 : "The essence of possession crimes is that there is no crime unless there is knowledge of the character of the forbidden substance."

à l'enseignement de la plus haute cour du pays quant à la nécessaire distinction devant exister entre l'ignorance volontaire et
l'insouciance. En effet, ces concepts découlent d'attitudes psychologiques dissemblables et génèrent des résultats juridiques
différents.[407]

194. Si l'aveuglement volontaire est synonyme de connaissance, l'insouciance, quant à elle, n'est pas une forme de connaissance actuellement reconnue en droit pénal, mais un élément
de faute reposant sur la conscience d'un risque.

**Deuxième sous-section : L'ignorance volontaire : critère
objectif ou subjectif?**

195. Comme nous le savons, l'ignorance volontaire est une
forme dérivée de connaissance. Or la connaissance implique généralement une évaluation subjective de l'état d'esprit de l'accusé au
moment du crime. On peut donc en dire autant de l'aveuglement
volontaire, car « [l]a faute pénale [en matière d'aveuglement volon-
taire] se commet en omettant délibérément de se renseigner lorsque
[l'accusé] sait qu'il y a des motifs de le faire »[408]. Il s'agit donc
d'une faute subjective qui « exige l'examen de la conduite de l'inculpé en regard de toutes les circonstances du dossier. Une autre
personne dite raisonnable aurait peut-être agi autrement, mais on ne
peut pas faire abstraction de l'état d'esprit de l'inculpé en situation :
l'on doit se demander s'il a préféré se fermer les yeux et ne pas
s'informer alors qu'il savait qu'il y avait des motifs de le faire »[409].
Cet élément de faute exclut la négligence comme fondement
suffisant de responsabilité. Comme l'indique la Cour d'appel de
l'Alberta dans l'arrêt *R. c. Souter*[410] :

---

407   Jean-Claude HÉBERT, *Droit pénal des affaires*, Cowansville, Éditions
       Yvon Blais, 2002, p. 61 et 62.
408   *R. c. Rathod*, précité, note 397, par. 9.
409   *Id.*, par. 13.
410   (1998) 216 A.R. 292 (C.A. Alta.).

The test for wilful blindness is not an objective one. It is not enough that a person "ought to have suspected" that vehicles were probably stolen. Rather, the person must be proven to have suspected a fact and to have refrained from seeking confirmation or denial of it.[411]

196. Malgré certaines hésitations, il est désormais établi que l'ignorance volontaire repose sur un critère subjectif dont la preuve s'oppose à l'utilisation de la personne raisonnable comme facteur attributif de responsabilité[412].

---

411   *Id.*, 295.

412   Voir sur ce point *R.* c. *Hayes*, précité, note 264, par. 34 :

De plus, l'omission délibérée de se renseigner que le juge reproche à l'appelant ne doit être considérée que si la preuve établissait que l'appelant avait un soupçon ou savait qu'il y avait des motifs qui justifiaient qu'il se renseigne : or, il n'y a pas de preuve sur cet élément, ou à tout le moins la preuve demeure tout à fait insuffisante.

R. c. *Hajian*, (1998) 124 C.C.C. (3d) 440, 447 (C.A. Qué.) :

The judge could not merely mention to the jurors that they could ask themselves whether the circumstances permitted them to reasonably conclude that the appellants had been wilfully blind. He had to indicate how wilful blindness could apply to the conduct of the appellants because they had refused to inform themselves in order not to know the true situation in order to be able, if necessary, to deny that they knew.

R. c. *Currie*, (1975) 24 C.C.C. (2d) 292, 296 (C.A. Ont.) :

The fact that a person ought to have known that certain facts existed, while it may, for some purposes in civil proceedings, be equivalent to actual knowledge, does not constitute knowledge for the purpose of criminal liability, and does not by itself form a basis for the application of the doctrine of wilful blindness.

R. c. *Vinokurov*, précité, note 368, 307 :

With that in mind, and in the light of the proven facts, the trial judge concluded that wilful blindness was not established. His express finding was that the Crown had failed to prove "that the accused did suspect something". In the language of Sansregret, *supra*, the trial judge had, at the very least, a reasonable doubt as to whether the appellant had "become aware of the need for some inquiry".

Voir, *a contrario*, *R.* c. *Rolfe*, [1997] B.C.J. (Quicklaw) n° 1206 (Prov. Ct.).

Quatrième section : La connaissance imputée

197. On appelle connaissance imputée ou présumée la connaissance d'un fait, d'une circonstance ou d'une conséquence
importante d'un crime que l'on impute à un individu, lorsqu'une
personne raisonnable et prudente aurait été au courant de ce fait.
En droit, cette connaissance peut se traduire de trois manières différentes selon (1) qu'on ne considère pas en acte ce qu'on peut et
doit considérer, par exemple lorsque le législateur emploie l'expression « devait » ou « devrait savoir », (2) qu'on ne se soucie pas
d'acquérir la connaissance qu'on peut et doit avoir, par exemple
lorsque le législateur impute implicitement à l'accusé la connaissance d'une circonstance importante du crime; connaissance qui
peut être écartée au moyen d'une preuve de diligence raisonnable
ou (3) que l'on omet d'envisager un risque qu'une personne raisonnable aurait envisagé, par exemple lorsqu'un individu est accusé
de voies de fait graves ou d'une autre infraction de conséquence
aggravante (prévision objective de lésions corporelles). Dans le
premier cas, la connaissance est explicitement exigée par le législateur alors que dans la seconde et troisième hypothèses l'exigence
n'apparaît qu'implicitement.

Première sous-section : La connaissance imputée
explicitement par le législateur

198. Certains crimes ou portions de crimes prévoient
explicitement le recours à la connaissance imputée comme fondement suffisant de faute au point de vue pénal. Le législateur ayant
recours à des expressions telles que « aurait dû savoir », « devait
savoir » ou « devrait savoir », l'accusé pourrait être condamné
malgré l'absence d'une prévision subjective quant à cet élément.
Or comme nous le savons, certaines infractions, comme le meurtre et la tentative de meurtre, exigent au point de vue constitutionnel une prévision subjective de la mort. Donc la connaissance
imputée n'est pas toujours suffisante au point de vue constitutionnel.

199. C'est dans cette perspective qu'il faut envisager les principes gouvernant la connaissance imputée en droit pénal, dans un contexte déchiré entre la liberté du Parlement fédéral en matière criminelle et les limites constitutionnelles entourant la détermination de certains crimes[413]. Ainsi, mis à part les infractions exigeant un degré minimum de *mens rea* au point de vue constitutionnel, le législateur conserve l'entière liberté en ce qui concerne la détermination des éléments constitutifs d'un crime. Il peut donc fonder la responsabilité d'un individu sur la preuve d'une connaissance imputée. En effet, d'après le paragraphe 21(2) du *Code criminel* :

> **21.** (2) **[Intention commune]** Quand deux ou plusieurs personnes forment ensemble le projet de poursuivre une fin illégale et de s'y entraider et que l'une d'entre elles commet une infraction en réalisant cette fin commune, chacune d'elles qui savait ou devait savoir que la réalisation de l'intention commune aurait pour conséquence probable la perpétration de l'infraction, participe à cette infraction.

200. En employant l'expression « devait savoir », le législateur reconnaît la possibilité d'engager la responsabilité d'un participant sur la base d'une prévision objective. Résultat : une partie

---

413   R. c. *Vaillancourt*, [1987] 2 R.C.S. 636, 651 et 652 :
        Avant l'adoption de la *Charte*, le Parlement avait pleins pouvoirs législatifs en matière de « droit criminel » (*Loi constitutionnelle de 1867*, par. 91 (27)), y compris en ce qui concerne la détermination des éléments essentiels d'un crime donné. Il pouvait interdire tout acte et imposer n'importe quelle sanction pour la violation de l'interdiction, à la condition seulement que cette dernière ait été établie dans [TRADUCTION] « un but de nature publique qui permettrait de la rattacher au droit pénal » (*Reference re Validity of s.5(a) of the Dairy Industry Act*, [1949] R.C.S. 1, à la p. 50; pourvoi devant le Conseil privé rejeté, [1951] A.C. 179). Du moment qu'ils concluaient qu'une loi satisfaisait à ce critère les tribunaux n'avaient qu'un pouvoir très restreint d'examiner le contenu de cette loi. [...] Toutefois, les législateurs fédéral et provinciaux ont choisi de limiter, au moyen de la Charte, ce pouvoir en matière de droit criminel. Suivant l'article 7, si une déclaration de culpabilité, en raison soit des stigmates qui se rattachent à l'infraction soit des peines qui peuvent être imposées, porte atteinte au droit de l'accusé à la vie, à la liberté ou à la sécurité de sa personne, le législateur doit alors respecter les principes de justice fondamentale.

à une infraction pourra être condamnée sur le fondement d'une *mens rea* moindre que celle requise pour l'auteur principal du crime. Cette situation, qui n'est pas illégale en soi[414], peut s'appliquer tant et aussi longtemps que l'infraction reprochée au participant n'exige pas un degré minimum de *mens rea* au point de vue constitutionnel. Dans ce cas, il ne fait aucun doute, le participant pourra bénéficier de la protection constitutionnelle accordée à l'auteur principal et échapper ainsi à la condamnation. D'après le juge Lamer dans l'arrêt *R. c. Logan*[415] :

> Il y a quelques infractions à l'égard desquelles l'application de l'élément objectif du par. 21(2) restreindra les droits que l'art. 7 reconnaît à un accusé. Si une infraction est de celles pour lesquelles l'art. 7 exige un degré minimum de *mens rea*, alors l'arrêt *Vaillancourt* empêche effectivement le Parlement de prévoir la déclaration de culpabilité d'une partie à cette infraction sur le fondement d'un degré de *mens rea* moindre que le degré minimum exigé par la Constitution.[416]

201. Pour déterminer si le participant à l'infraction peut être condamné sur la base d'une prévision objective, la Cour doit

---

414   *R. c. Logan*, [1990] 2 R.C.S. 731, 741 :
> Avec égards, je ne peux dégager de l'arrêt *Vaillancourt* une proposition générale portant que le Parlement ne peut jamais adopter de dispositions exigeant des niveaux différents de culpabilité de la part des auteurs principaux et des parties. J'admets volontiers que, en principe, la proposition semble plutôt équitable, mais je ne suis pas disposée à l'ériger en principe de justice fondamentale. Il faut rappeler que de nombreuses infractions comportent différents degrés de culpabilité et qu'il appartient à celui qui détermine la peine d'ajuster en conséquence le châtiment de chaque contrevenant. L'argument que les principes de justice fondamentale interdisent la déclaration de culpabilité d'une partie à une infraction sur le fondement d'un degré moindre de *mens rea* que celui requis pour la déclaration de culpabilité de l'auteur principal ne pourrait valoir, si tant est qu'il le peut, que dans le cas où la peine applicable à une infraction particulière est déterminée. Cependant, aujourd'hui, au Canada, le processus de détermination de la peine est assez souple pour accommoder les différents degrés de culpabilité qui résultent de l'application des art. 21 et 22.

415   *Id.*
416   *Id.*, 741.

donc vérifier si l'infraction reprochée exige un degré minimum de
mens rea au point de vue constitutionnel pour qu'une personne
puisse être condamnée comme auteur principal de cette infraction
(p. ex. : le meurtre, le vol, la tentative de meurtre). Si la réponse
est négative, alors la connaissance imputée peut s'appliquer sans
contrevenir aux droits constitutionnels de l'accusé. Dans le cas
contraire, c'est-à-dire lorsque l'infraction suppose un degré minimum de *mens rea*, le participant pourra bénéficier de la même
protection que l'auteur principal et ainsi éviter l'application de la
connaissance imputée[417].

202. C'est dans ce contexte que l'on doit envisager la
constitutionnalité de l'alinéa 229c) du *Code criminel* et plus précisément la validité des mots « devrait savoir, de nature à causer la
mort ». Le meurtre, comme nous le savons, exige une prévisibilité
subjective de la mort. Or l'alinéa 229c), en utilisant l'expression
« devrait savoir », prévoit la possibilité d'engager la responsabilité de l'agent sur la base d'une simple prévision objective de la
mort. Cette partie de l'alinéa 229c) est donc inopérante, car elle
permet une déclaration de culpabilité malgré l'absence d'une prévisibilité subjective de la mort. Discutant de la constitutionnalité
de l'expression « devrait savoir de nature à causer la mort » le juge
Lamer, dans l'arrêt *Martineau*[418], observe :

---

417   *Id.*, 741 et 742 :

    L'examen de la question de savoir si une partie à une infraction avait la
    mens rea requise pour justifier une déclaration de culpabilité en application
    du par. 21(2) doit se faire en deux étapes. Premièrement, un degré mini-
    mum de *mens rea* est-il requis, à titre de principe de justice fondamentale,
    pour qu'une personne puisse être déclarée coupable comme auteur princi-
    pal de cette infraction particulière? C'est une étape initiale importante
    parce que, si l'infraction n'est pas assortie de cette exigence constitution-
    nelle, l'élément objectif du par. 21(2) peut agir sans restreindre les droits
    constitutionnels de la partie à l'infraction. Deuxièmement, si les principes
    de justice fondamentale exigent un certain degré minimum de *mens rea*
    pour justifier une déclaration de culpabilité de cette infraction, alors ce
    degré minimum de *mens rea* est également exigé par la Constitution pour
    justifier la déclaration de culpabilité d'une partie à cette infraction.

418   *R.* c. *Martineau*, précité, note 338.

Le fait que j'ai fondé mes motifs sur le principe de la prévision subjective jette un doute sérieux, sinon fatal, sur la constitutionnalité d'une partie de l'al. 212*c*) [maintenant 229*c*)] du Code, plus particulièrement les mots « devrait savoir, de nature à causer la mort ». La validité de l'al. 212*c*) du Code n'a pas été directement attaquée dans le présent pourvoi, mais la Cour a eu l'avantage d'entendre les arguments du procureur général du Canada et des procureurs généraux de l'Alberta, de la Colombie-Britannique, de l'Ontario, du Québec et du Manitoba qui ont choisi d'intervenir, sur la question de savoir sur laquelle de la prévision subjective ou de la prévisibilité objective de la mort constitue la *mens rea* minimale requise du point de vue constitutionnel pour qu'il y ait meurtre. À mon avis, la prévision subjective de la mort doit être prouvée hors de tout doute raisonnable pour qu'une déclaration de culpabilité de meurtre puisse être maintenue et, par conséquent, il est évident que la partie de l'al. 212*c*) du Code, qui permet de prononcer une déclaration de culpabilité si on prouve que l'accusé aurait dû savoir que la mort était susceptible de s'ensuivre, viole l'art. 7 et l'al. 11*d*) de la Charte.[419]

203.   De ce qui précède, on peut conclure que la connaissance imputée, lorsqu'elle est prévue explicitement par le législateur, est un fondement suffisant de faute en droit pénal si l'infraction dont est accusé l'individu n'exige pas, au point de vue constitutionnel, une prévision subjective.

Deuxième sous-section : La connaissance imputée implicitement par le législateur

A. La connaissance imputée en matière d'infractions d'ordre sexuel

204.   La seconde forme de connaissance imputée ne repose pas sur l'emploi d'expressions spécifiques telles que « aurait dû

---

419   *Id.*, 648.

savoir », « devait savoir » ou « devrait savoir », mais sur l'existence d'une présomption implicite de connaissance qui s'applique suite à l'établissement de la circonstance pertinente. Une fois présumée, la connaissance ne pourra donc être écartée que si la preuve démontre que l'accusé a fait preuve de diligence raisonnable (erreur de fait raisonnable). Cette seconde forme de connaissance imputée, qui n'est pas généralement reconnue par la doctrine, intervient principalement dans les cas d'infractions d'ordre sexuel impliquant des mineurs.

205. *Infractions d'ordre sexuel impliquant des mineurs* : Certaines dispositions du *Code criminel* interdisent actuellement la commission d'infractions d'ordre sexuel impliquant des enfants âgés de moins de quatorze ans ou des personnes âgées de moins dix-huit ans. L'âge de la victime étant une circonstance pertinente, il importe alors de prouver la connaissance de l'accusé quant à cette circonstance. Cette connaissance, il convient de le préciser, ne s'articule pas sur la preuve de la connaissance directe ou réelle de l'accusé, mais sur la base d'une présomption implicite de connaissance qui peut être contournée dans les cas où l'accusé a pris toutes les précautions raisonnables pour s'assurer de l'âge du plaignant. Ainsi, d'après les paragraphes 4 et 5 de l'article 150.1 du *Code criminel* :

150.1 [...]

(4) **[Inadmissibilité de l'erreur]** Le fait que l'accusé croyait que le plaignant était âgé de quatorze ans au moins au moment de la perpétration de l'infraction reprochée ne constitue pas un moyen de défense contre une accusation portée en vertu des articles 151 ou 152, des paragraphes 160(3) ou 173(2) ou des articles 271, 272 ou 273 que si l'accusé a pris toutes les mesures raisonnables pour s'assurer de l'âge du plaignant.

(5) **[Idem]** Le fait que l'accusé croyait que le plaignant était âgé de dix-huit ans au moins au moment de la perpétration de l'infraction reprochée ne constitue un moyen de défense contre une accusation portée en vertu des articles 153, 159, 170, 171 ou 172

ou des paragraphes 212(2) ou (4) que si l'accusé a pris toutes les mesures raisonnables pour s'assurer de l'âge du plaignant.

206. Pour obtenir une condamnation en vertu de l'article 151 du *Code criminel*, le ministère public n'a donc pas à prouver la connaissance directe de l'accusé que le plaignant avait moins de quatorze ans. Il n'a qu'à établir que l'accusé a eu des contacts sexuels avec un enfant réellement âgé de moins de quatorze ans, ce qui déclenchera automatiquement l'application d'une présomption de connaissance qui pourra par la suite être contournée par la preuve que l'accusé a pris toutes les mesures raisonnables pour s'assurer de l'âge du plaignant. Pour décider si le moyen de défense doit être laissé au jury, le juge du procès doit déterminer s'il existe une preuve permettant à un jury ayant reçu des directives appropriées de conclure raisonnablement que l'accusé a pris *toutes les mesures raisonnables* pour s'assurer de l'âge du plaignant. Résultat : « [a]ucune charge de persuasion n'incombe à l'accusé. Dès que la preuve fait jouer le moyen de défense invoqué, celui-ci sera retenu à moins que son application ne soit réfutée hors de tout doute raisonnable par le ministère public.[420] »

---

420   *R.* c. *Fontaine*, [2004] 1 R.C.S. 702, par. 56; *R.* c. *P.(L.T.)*, (1997) 113 C.C.C. (3d) 42, par. 19-20 (C.A. C.-B.) :
   I conclude from these cases that where the defence of honest but mistaken belief in the complainant's age arises in circumstances where s. 150.1(4) applies, the Crown must prove beyond a reasonable doubt that the accused did not take all reasonable steps to ascertain the complainant's age, or that he did not have an honest belief that her age was fourteen years or more. For the defence to succeed, it must point to evidence which gives rise to a reasonable doubt that the accused held the requisite belief, and in addition, evidence which gives rise to a reasonable doubt that the accused took all reasonable steps to ascertain the complainant's age.
   In considering whether the Crown has proven beyond a reasonable doubt that the accused has not taken all reasonable steps to ascertain the complainant's age, the Court must ask what steps would have been reasonable for the accused to take in the circumstances. As suggested in R. v. Hayes, *supra*, sometimes a visual observation alone may suffice. Whether further steps would be reasonable would depend upon the apparent indicia of the complainant's age, and the accused's knowledge of same, including: the accused's knowledge of the complainant's physical appearance and behaviour; the ages and appearance of others in whose company the complainant is found; the activities engaged in either by the complainant individually,

B. La prévisibilité objective de lésions corporelles en matière d'infractions de conséquence aggravante

207. La troisième et dernière forme de connaissance imputée que nous allons aborder dans le cadre de cette rubrique consacrée à l'élément cognitif d'une infraction intervient lorsqu'une personne est accusée d'un crime comportant une conséquence aggravante. La prévisibilité objective (dans le contexte d'un acte dangereux) du risque de lésions corporelles étant suffisante au point de vue de la faute, le ministère public n'a pas à prouver la connaissance (prévision subjective) ou l'intention de l'accusé par rapport à la conséquence. Dans ce cas, il s'agit véritablement de connaissance imputée puisque l'accusé pouvait et devait savoir

---

or as part of a group; and the times, places, and other circumstances in which the complainant and her conduct are observed by the accused. The Court should ask whether, looking at those indicia, a reasonable person would believe that the complainant was fourteen years of age or more without further inquiry, and if not, what further steps a reasonable person would take in the circumstances to ascertain her age. Evidence as to the accused's subjective state of mind is relevant but not conclusive because, as pointed out in *R.* v. *Hayes* at p. 11, "[a]n accused may believe that he or she has taken all reasonable steps only to find that the trial judge or jury may find differently".

Voir également *R.* c. *Osborne*, (1992) 17 C.R. (4th) 350, 362-363 (C.A. T.-N.):

All that s. 150.1(4) requires is that there is evidence which, if true, would entitle the accused to an acquittal. As noted above, it is not necessary that the facts be true. It is only necessary that the evidence raise a reasonable doubt.

A cautionary note should be expressed for those who seek to establish such a defence. The evidentiary onus is to show evidence that establishes that the accused took all reasonable steps to ascertain the age of the complainant. The common law defence of honest belief has thereby been restricted to those entertaining an honest belief who have taken all reasonable steps to ascertain the true age. The word "all" is important and, while it is only necessary for an accused to create a reasonable doubt, the evidence which he uses to establish such doubt must be directed to the word "all" as much as to any other part of the subsection. [...]

The onus on the respondent in this case is an evidentiary onus, not a persuasive onus. If he identifies evidence which, if true, would entitle him to an acquittal, it is up to the Crown to show beyond a reasonable doubt that he did not take all reasonable steps.

(prévoir) que sa conduite était de nature à entraîner cette conséquence. Il était donc à même d'éviter ce risque. C'est ainsi qu'il
faut envisager la culpabilité d'un individu accusé de voies de fait
graves. En effet, d'après le juge Cory dans l'arrêt *R. c. Godin*[421] la
mens rea requise aux fins du paragraphe 268(1) du *Code criminel*
est l'intention exigée en matière de voies de fait et la prévision
objective de lésions corporelles.

Conclusion

208. Il nous faut maintenant relier les fils antérieurs, voir
en quoi la connaissance se distingue et se rapproche en même temps
des autres éléments de faute actuellement reconnus en droit pénal.
Sur ce point, il ne fait aucun doute, la connaissance est l'élément
mental le plus important en droit criminel et cela pour deux raisons. Tout d'abord, par sa proximité avec l'imputabilité. Ensuite,
par sa participation dans l'élaboration des autres éléments de
faute subjective en droit criminel. En effet, la connaissance est au
cœur de la *mens rea* subjective, au centre de l'intention et de l'insouciance en tant qu'élément de faute. La connaissance est donc,
à notre avis, la forme la plus générale et la plus brute de *mens rea*
en droit criminel. Elle est la mince pellicule à la surface de l'élément matériel de l'infraction. C'est pourquoi elle occupe la première place dans la hiérarchie des éléments mentaux.

---

421   [1994] 2 R.C.S. 484.

Chapitre deuxième

L'intention

209. Comme l'indique son origine étymologique (du latin : *intendere*, qui signifie « tendre vers »), l'intention désigne la volonté en mouvement[422]. « C'est l'action du moteur et le mouvement du mobile. »[423] D'après saint Thomas d'Aquin, l'intention est à la fois un acte de connaissance et de volonté. De connaissance, tout d'abord, puisqu'une personne ne peut tendre vers quelque chose sans connaître, au préalable, l'objet vers lequel elle ordonne sa volonté. « Or pour qu'une chose soit ordonnée de manière droite à la fin qui lui est due, il faut, en effet, une connaissance de cette fin, du moyen de parvenir à cette fin, et de la juste *(debita)* proportion entre les deux. »[424] L'intention est donc un acte d'intelligence qui présuppose un minimum de connaissance. De volonté, enfin, car l'intention implique la notion de mouvement, ce qui est le propre de la volonté en tant que cause motrice. Donc, l'intention est un acte de volonté à l'égard de ce qui est connu par l'intelligence. En effet, « ce n'est pas la volonté qui met en ordre, mais elle tend vers quelque chose selon l'ordre de la raison; ainsi le mot intention désigne-t-il un acte de volonté, mais présuppose une ordination par la raison de quelque chose vers une fin »[425]. L'intention est donc un acte de la puissance appétitive et de la puissance de connaître, conclut le Dominicain.

---

422   T. D'AQUIN, *op. cit.*, note 26, quest. 12, art. 1, p. 99.

423   *Id.*, p. 98.

424   Thomas D'AQUIN, *Somme contre les Gentils*, Livre III, « La Providence », coll. « GF », Paris, Flammarion, 1999, n° 91, p. 318 et suiv.

425   T. D'AQUIN, *op. cit.*, note 26.

210. Au Canada, l'intention est, avec l'insouciance, la forme la plus pure de *mens rea*. D'après Glanville Williams :

> What [...] does legal *mens rea* mean? It refers to the mental element necessary for the particular crime, and this mental element may be either intention to do the immediate act or bring about the consequence or (in some crimes) recklessness as to such act or consequence. In different and more precise language, *mens rea* means intention or recklessness as to the elements constituting that *actus reus*. These two concepts, intention and recklessness, hold the key to the understanding of a large part of criminal law. Some crimes require intention and nothing else will do, but most can be committed either intentionnally or recklessly. Some crimes require particular kinds of intention or knowledge.[426]

211. Malgré l'introduction récente de la faute objective en droit criminel et l'érosion progressive qui mine le subjectivisme juridique depuis quelques années, l'intention occupe toujours une place de premier plan au Canada. C'est pourquoi nous allons consacrer ce chapitre à la notion d'intention. À l'analyse des principes gouvernant l'intention au point de vue juridique, succédera un examen de ses principales figures taxinomiques (intention générale et intention spécifique).

Première section : L'intention en relation avec les principes régissant la responsabilité pénale

Première sous-section : La définition de l'intention en droit pénal canadien

212. Comme les actes intentionnels ne méritent ce titre que s'ils participent à la fois de la connaissance et de la volonté, c'est

---

426   G. WILLIAMS, *op. cit.*, note 31, p. 31.

de ce côté qu'il faut commencer notre analyse de l'intention en droit pénal canadien. Tout d'abord, la connaissance[427]. Sur ce point, il ne fait aucun doute, l'intention désigne une certaine ordination vers quelque chose. Or ordonner est le propre de la raison. Donc, l'intention repose sur la raison d'où jaillit la connaissance. D'après Glanville Williams :

A woman once set light to the coal in her hearth, forgetting that she had concealed jewellery among the kindling. The jewellery was damaged. Did she intentionally damage it? Obviously not. She intentionally set light to the fuel, but did not realise that the fuel surrounded jewellery. Thus she was able to recover for the damage under her fire insurance policy. Had she intentionally burnt the jewellery she could not have done so. The decision would have been the same if she had ignited paper money thinking that it was newspaper.

The principle is that where a circumstance is not known to the actor, his act is not intentional as to that circumstance. [...] For if *actus reus* includes surrounding circumstances, it cannot be said to be intentional unless all its elements, including those circumstances are known.[428]

213. L'acte intentionnel ne doit pas être le résultat d'un accident ou d'une erreur, car : « [c]e qu'on fait sans en avoir l'intention, on le fait par accident. Mais on ne peut avoir l'intention de faire ce qu'on ignore. Donc tout ce que l'homme fait par ignorance est accidentel aux actes humains »[429].

---

427   D'après saint Thomas d'Aquin, « le mouvement de la flèche tend vers une cible déterminée en vertu de la direction que lui a donné l'archer ». Or l'archer ne peut tendre son arc vers une cible déterminée sans connaître au préalable le but vers lequel il fera siffler sa flèche. L'intention emprunte donc sa direction de la connaissance que lui procure l'intelligence.

428   G. WILLIAMS, *op. cit.*, note 31, p. 140 et 141.

429   T. D'AQUIN, *op. cit.*, note 26, quest. 76, art. 3, p. 489.

214. Si l'intention exige un acte d'intelligence, elle suppose également un acte de volonté (*puissance appétitive*), car l'intention désigne le mouvement de la volonté vers ce qui est connu par l'intelligence. Comme le fait observer Lord Simon of Glaisdale dans l'arrêt *D.P.P.* c. *Lynch*[430] : [TRADUCTION] « [d]ans les circonstances où soit la "nécessité" soit la contrainte est pertinente, l'*actus reus* et la *mens rea* sont tous deux présents. [...] Dans les deux cas, la conséquence de l'acte est voulue au sens de toute définition acceptable de l'intention. [L']acte est intentionnel mais involontaire »[431]. Intentionnel, tout d'abord, puisque le principe de l'action se trouve dans l'agent qui connaît les circonstances entourant sa commission. Involontaire, ensuite, car le choix de l'individu n'est pas un choix réel, mais un choix dicté par « les instincts normaux de l'être humain »[432] (acte involontaire au point de vue moral ou normatif). De là la distinction entre l'acte intentionnel et l'acte volontaire. Alors que le premier supporte le poids de la contrainte et de la nécessité, le second s'incline devant la présence de telles circonstances. Résultat : l'intention exclut les actes commis par ignorance, accident, automatisme et contrainte physique. C'est pourquoi nous croyons que *l'intention est un acte de volonté à l'égard de ce qui est connu par l'intelligence*[433], car l'acte de volonté en matière d'intention n'est rien d'autre qu'une inclination qui procède d'un principe intérieur doué de connaissance[434] (moteur

---

430   *Director of Public Prosecutions for Northern Ireland* c. *Lynch*, [1975] A.C. 653, 692, cité dans *R.* c. *Hibbert*, [1995] 2 R.C.S. 973, 1013 et 1014.

431   *Id.*, 692. Résultat : l'individu qui jette sa cargaison à la mer au cours d'une tempête agit intentionnellement mais involontairement. Intentionnellement, d'abord, car il sait ce qu'il fait et agit par lui-même. Mais absolument parlant, on peut dire que l'individu agit involontairement, car il n'a pas la capacité d'orienter librement son action, sa liberté de choix étant contrainte par les circonstances qui, en se précipitant sur lui, l'empêchent d'agir librement. Il n'a donc pas à en supporter la responsabilité morale.

432   *R.* c. *Perka*, [1984] 2 R.C.S. 232, par. 33.

433   T. D'AQUIN, *op. cit.*, note 26, quest. 12, art. 3, p. 100 et 101 : « [L']intention est un mouvement de la volonté vers quelque chose, mouvement qui est préordonné dans la raison. »

434   *Id.*, quest. 12, art. 1, p. 98 et 99.

qui meut en direction de l'objet connu par l'intelligence)[435]. Formulé juridiquement, ce principe peut être énoncé de la manière
suivante :

> Sauf disposition contraire de la présente loi ou de toute autre loi
> fédérale, pour qu'il y ait infraction, il faut, si la disposition la créant
> ou toute autre règle de droit prévoit que le critère de l'intention
> s'applique à un de ses éléments constitutifs, que l'auteur du fait
> en cause :
>
> **a)** dans le cas du fait, veuille l'accomplir;
>
> **b)** dans le cas d'une circonstance, sache qu'elle existe;
>
> **c)** dans le cas d'un résultat, veuille atteindre le résultat en cause
> ou soit conscient du fait qu'il se produira dans le cours normal
> des choses.[436]

215.   Comme l'indique ce passage emprunté à la Commission de réforme du droit du Canada, l'intention est un élément de
faute (*mens rea*) dont la structure psychologique s'organise autour
de l'élément matériel de l'infraction (*actus reus*). D'où l'importance de bien cerner les rapports qu'entretient l'intention avec le
comportement, la *circonstance* et la *conséquence* d'une infraction.

216. *L'intention en relation avec le comportement.* Au
Canada, l'emploi de verbes positifs comme « toucher », « imprimer », « exhiber », « offrir », « accepter », etc., indique généralement la présence d'une action préalable à la constatation des autres
éléments du crime. Or cette action présuppose, au point de vue de
la faute, l'accomplissement *intentionnel* de l'acte en question ou

---

435   *Id.*, p. 99.
436   CANADA, MINISTÈRE DE LA JUSTICE, *Proposition de modification du Code criminel (principes généraux)*, 28 juin 1993, art. 12.4(2),
cité dans *R. c. Chartrand*, [1994] 2 R.C.S. 864, 893.

la décision prise *sciemment* d'accomplir cet acte. L'intention exige donc un acte de volonté par rapport « à ce qui est fait », volonté qui implique un minimum de connaissance quant à l'action entreprise[437]. C'est ainsi qu'il faut envisager la culpabilité d'un fonctionnaire accusé de fraude envers le gouvernement. Les verbes « exiger » et « accepter » étant à la base de l'incrimination prévue à l'alinéa 121(1)*a*) du *Code criminel*, le ministère public devra prouver l'intention d'accomplir l'une ou l'autre de ces actions (*l'accusé doit intentionnellement exiger ou accepter un prêt, une récompense, un avantage ou un bénéfice de quelque nature que ce soit pour lui-même ou pour une autre personne*).

217. *L'intention en relation avec les circonstances.* Comme l'intention suppose un acte de volonté par rapport à ce qui est connu par l'intelligence et que les circonstances pertinentes du crime font partie de l'*actus reus* de l'infraction, il est naturel d'entrevoir dans la connaissance des circonstances un élément d'intention à cet égard. Ainsi à moins d'être rattachée à une circonstance dont la présence peut être prouvée par l'intermédiaire d'un état d'insouciance, ce qui est plutôt rare (voir p. ex.: agression sexuelle), l'intention apparaîtra toujours en filigrane de la connaissance d'une circonstance. Sur ce point, citons l'exemple de l'infraction commise au profit d'une organisation criminelle, infraction qui suppose de la part de l'accusé un élément de connaissance (et donc d'intention) par rapport à la circonstance aggravante. Bien que la connaissance d'une circonstance implique généralement un élément d'intention à cet égard, nous croyons qu'il est plus sage (et plus simple) de limiter l'élément mental qui se rattache à la présence d'une circonstance à la connaissance de cette dernière. C'est d'ailleurs ce que reconnaissent les auteurs Toni Pickard, Phil Goldman et Renate M. Mohr dans leur ouvrage *Dimensions of Criminal Law*. D'après ces derniers :

Even when judges do not make the consequence/circumstance distinction in those particular words, their decisions can often be

---

437   *R. c. Lamy*, [2002] 1 R.C.S. 860, par. 17.

understood as responsive to it. You must be careful, however, when reading cases where the judge is analyzing "intention". Consider the elements of the crime charged. If they involve bringing about something, like death or bodily harm, or deprivation of the use of the property, then the judge is using the word intention in the way we shall be using it. If, however, the crime involves acting when certain circumstances such as non-consent exist, if the judge is analyzing the defendant's "intent", he or she is analyzing what we shall talk about as knowledge.[438]

218.   En ce qui concerne finalement les infractions qui permettent l'établissement de l'élément mental d'une circonstance au moyen de la preuve d'un état d'insouciance (p. ex. : agression sexuelle), il importe, dans ce cas, de ne pas assimiler l'insouciance à l'intention, car l'insouciance présuppose un degré de conscience du risque (risque possible ou probable) qui est inférieur à celui exigé en matière d'intention (risque quasi certain ou certain).

219.   *L'intention en relation avec les conséquences.* En raison de la prévisibilité subjective qui se rattache à la plupart des infractions de conséquence substantive (p. ex. : la fraude), l'intention et l'insouciance suffisent généralement pour établir cet élément de faute[439]. L'intention, tout d'abord, puisque l'individu qui a pour but conscient de causer l'événement ou qui prévoit que la conséquence résultera *certainement* ou *presque certainement* de l'acte perpétré est présumé avoir engendré cette conséquence de

---

438   Toni PICKARD, Phil GOLDMAN and Renate M. MOHR, *Dimensions of Criminal Law*, 3rd ed. (Rosemary CAIRNS-WAY), Toronto, Emond Montgomery Publications, 2002, p. 348.

439   Sur ce point, nous nous accordons avec les auteurs T. PICKARD, P. GOLDMAN, R.H. MOHR et R. CAIRNS-WAY (*id.*, p. 370) pour dire que :
    For consequences crimes, unless there is something explicit in the Code to the contrary, or some powerful interpretive reason to limit *mens rea* to intention only, proof of either intention or recklessness will lead to conviction.

façon intentionnelle. En effet, d'après E.G. Ewaschuk dans *Criminal Pleadings & Practice in Canada*[440] :

> Une personne vise intentionnellement un événement si elle a pour but conscient de causer l'événement. *Une personne vise aussi intentionnellement un événement lorsqu'elle n'a ni l'intention ni pour objectif de causer l'événement, mais prévoit que l'événement (la conséquence) résultera certainement ou presque certainement de l'acte qu'elle accomplit pour atteindre un autre but.* Dans ce dernier cas, la personne est présumée avoir visé intentionnellement la conséquence inévitable de son acte, indépendamment de son but véritable.[441]

220. Dans la mesure où la conséquence est inéluctable ou presque certaine, on peut dire que l'acte est intentionnel, car l'accusé *connaît le résultat* de sa conduite et *fait tendre* sa volonté en direction d'une action qui produira cette conséquence[442].

---

440   E.G. EWASCHUK, *Criminal Pleadings & Practice in Canada*, 2nd ed., vol. 2, Aurora, Canada Law Book, 1987, p. 21-65.

441   *R.* c. *Chartrand*, précité, note 436, 893. Voir également Glanville WILLIAMS, *Textbook of Criminal Law*, 2nd ed., London, Stevens & Sons, 1983, p. 84 :
> Bien que le fait de savoir, pour un individu, que l'acte qu'il commet entraînera probablement une conséquence particulière soit parfois insuffisant pour dire qu'il a l'intention qu'elle survienne, il y a de fortes raisons de conclure qu'en droit, on peut juger que l'intention existe à l'égard de ce qu'il sait avec certitude qu'il fait. [cité en français dans *R.* c. *Chartrand*, *id*, par. 59].

442   G. WILLIAMS, *op. cit.*, note 31, p. 38-40 :
> There is one situation where a consequence is deemed to be intended though it is not desired. This is where it is foreseen as substantially certain. To take a somewhat highly-coloured illustration, suppose that D, an eccentric and amoral surgeon, wishes to remove P's heart completely from P's body in order to experiment upon it. D does not desire P's death (being perfectly content that P shall go on living if he can do so without his heart), but recognises that in fact his death is inevitable from the operation to be performed. Such a case would clearly be murder, and this without resort to any of the forms of constructive malice at common law. [...] It may be objected, that certainty is a matter of degree. In a philosophical view, nothing is certain; so-called certainty is merely high probability. Consider the following case, which came before a British court in Eritrea. The two accused had agreed with pilgrims to take them to Mecca by sea in a dhow, but had

221. En ce qui concerne, par ailleurs, la notion d'insouciance, celle-ci désigne « l'attitude de celui qui, conscient que sa conduite risque d'engendrer le résultat prohibé par le droit criminel, persiste néanmoins malgré ce risque »[443]. La conscience du risque (voire, quelquefois, de la probabilité du risque) étant suffisante au point de vue de la faute (prévision subjective), l'insouciance sera génératrice de responsabilité en matière d'infractions de conséquence substantive[444].

Deuxième sous-section : L'intention en relation avec le mobile

222. Avant de terminer cette rubrique consacrée à la définition de l'intention en droit pénal canadien, il importe de dire quelques mots sur le mobile[445]. Sur ce point, le décalage entre la

---

marooned them on a rocky island inhabited only by voracious land-crabs. Eighteen of the pilgrims died; four were rescued by the chance visit of a vessel. The two miscreants were sentenced for murder. It may be said that here, even if the accused were indifferent whether the pilgrims lived or not, the conviction for murder was right because there was a "moral certainty" of death. Yet it was not complete certainty, and in fact four pilgrims had the good fortune to survive.

This difficulty, though serious, is by no means fatal. We do in fact speak of certainty in ordinary life; and for the purpose of the present rule it means such a high degree of probability that common sense would pronounce it certain. Mere philosophical doubt, or the intervention of an extraordinary chance, is to be ignored.

443 R. c. *Sansregret*, précité, note 258, par. 16.

444 Sur ce point, il est important de noter que la personne accusée de meurtre en vertu de l'article 229a)(ii) C.cr., doit prévoir la *probabilité* que le décès résulte des lésions corporelles qu'il inflige à la victime et non simplement un *risque* de décès. R. c. *Cooper*, [1993] 1 R.C.S. 146, 155-156.

445 Glanville WILLIAMS, *The Mental Element in Crime*, Jerusalem, The Hebrew University, 1965, p. 14 :
The consequence need not be desired as an end in itself; it may be desired as a means to another end. [...] There may be a series of ends, each a link in a chain of purpose. Every link in the chain, when it happens, is an intended consequence of the original act. Suppose that a burglar is arrested when breaking into premises. It would obviously be no defence for him to

philosophie morale et le droit pénal est remarquable. En effet, d'après saint Thomas d'Aquin :

> Les actes sont appelés proprement humains, nous l'avons dit, dans la mesure où ils sont volontaires. Or la volonté a la fin pour motif et pour objet. C'est pourquoi la circonstance la plus fondamentale est celle qui atteint l'acte du point de vue de sa fin, c'est-à-dire « ce pourquoi »; vient ensuite celle qui atteint la substance même de l'acte à savoir « ce qu'il a fait ». Quant aux autres circonstances, leur importance se mesure à la proximité plus ou moins grande qu'elles ont avec ces deux-là.[446]

223. Contrairement à la théologie, le droit ne s'occupe pas de la conduite des âmes, mais de la responsabilité criminelle proprement dite. Résultat : « [i]f D causes an *actus reus* with *mens rea*, he is guilty of the crime and it is entirely irrelevant to his guilt that he had a good motive. The mother who kills her [...] suffering child out of motives of compassion is just as guilty of murder as is the man who kills for gain.[447] » Le mobile n'étant généralement pas pertinent à la responsabilité de l'agent[448], on peut dire que l'intention n'a pas rapport à la fin[449] (*sentiment* qui anime l'accusé

---

say that his sole intention was to provide a nurse for his sick daughter, and for that purpose to take money from the premises, but that he had no desire or intention to deprive anyone of anything. Such an argument would be fatuous. He intended (1) to steal money (2) in order to help his daughter. These are two intentions, and the one does not displace the other. English lawyers call the first an intent and the second a motive; this is because the first (the intent to steal) enters into the definition of burglary and is legally relevant, while the second (the motive of helping the daughter) is legally irrelevant, except perhaps in relation to sentence. Although the verbal distinction between intention and motive is convenient, it must be realised that the remoter intention called motive is still an intention.

446   T. D'AQUIN, *op. cit.*, note 26, quest. 7, art. 4, p. 78.

447   J.C. SMITH and B. HOGAN, *Criminal Law*, 3rd ed., London, Butterworths, 1973, p. 63.

448   *R.* c. *Chartrand*, précité, note 436, 892 et 893. Voir également *Lewis* c. *La Reine*, [1979] 2 R.C.S. 821, 831.

449   G. WILLIAMS, *op. cit.*, note 441, p. 48. G. CÔTÉ-HARPER, P. RAINVILLE et P. TURGEON, *op. cit.*, note 40, p. 496 : « Le premier sens

au moment du crime, p. ex. : désir de vengeance, profit personnel, désir altruiste), mais plutôt au moyen d'atteindre cette fin (p. ex., tuer quelqu'un, voler de la nourriture, etc.). À l'analyse de « ce pourquoi on le fait », le droit préfère donc l'examen de « ce qui est fait »[450]. De là les propos du juge Dickson dans l'arrêt *Lewis* c. *La Reine*[451] :

> Il existe une différence en droit pénal entre le terme « intention » et « mobile ». En droit criminel dans la plupart des cas, le *mens rea* réfère à l'« intention », c'est-à-dire à l'exercice d'une libre volonté d'utiliser certains moyens pour produire certains résultats plutôt qu'au « mobile », c'est-à-dire ce qui précède et amène l'exercice de la volonté. L'élément moral d'un crime ne contient ordinairement aucune référence au mobile.[452]

224. Un individu peut donc avoir l'intention de commettre un crime sans nécessairement avoir le désir ou le souhait qu'il se réalise[453]. On n'a qu'à penser à la personne qui est forcée, sous l'emprise de la menace d'un tiers, de conduire un meurtrier chez

---

donné au terme "mobile" en droit pénal réside dans le sentiment qui porte un individu à commettre un crime. » T. D'AQUIN, *op. cit.*, note 1, quest. 7, art. 4, p. 78 (objections) : « La fin est extrinsèque à la chose. Elle ne semble donc pas être la plus fondamentale des circonstances. »

450 Don STUART, *Canadian Criminal Law, A Treatise*, 2nd ed., Toronto, Carswell, 1987, p. 130 :
    Le mobile d'un acte explique la raison pour laquelle l'auteur a agi. En toute logique, le mobile, ou une série de mobiles, germe avant que l'acte soit commis. Cela peut très bien se passer au niveau de l'inconscient. L'intention et le mobile ne sont pas nécessairement les mêmes. [...] [cité dans *R.* c. *Chartrand*, précité, note 436, 892].

451 Précité, note 448.

452 *Id.*, 831.

453 *Director of Public Prosecutions for Northern Ireland* c. *Lynch*, précité, note 430, 690, cité dans *R.* c. *Hibbert*, précité, note 430, 993 :
    [L]'intention de provoquer une conséquence d'un acte peut coexister avec le désir que cette conséquence ne se réalise pas. [...] [L]e souhait est une forme particulière de désir. [...] [P]ar conséquent, l'intention d'accomplir un acte dont les conséquences sont prévues peut coexister avec le souhait de ne pas l'accomplir ou que ses conséquences ne se réalisent pas.

son ami. En pareilles circonstances, c'est intentionnellement qu'elle agit, car malgré les sentiments qui l'animent (besoin de préservation, désir profond de voir son ami s'en sortir), elle sait ce qu'elle fait et incline sa volonté en direction de cette action. Mais absolument parlant, on peut dire qu'elle agit involontairement car son action n'est pas volontaire au point de vue moral ou normatif. Comme le fait remarquer l'ancien juge en chef Lamer dans l'arrêt *Hibbert*[454] :

> En général, la personne qui accomplit un acte à la suite d'une menace sait ce qu'elle fait et connaît les conséquences probables de son acte. Ce sont les circonstances qui permettent de déterminer si elle désire ou non que ces conséquences se produisent. Par exemple, la personne qui est forcée par des voyous armés de les conduire à une banque sait habituellement que le résultat probable de son acte sera une tentative de dévaliser la banque, mais elle ne désire peut-être pas ce résultat – en réalité, elle peut souhaiter vivement que les plans des voleurs soient déjoués, si cela est possible sans que sa sécurité ne soit compromise. Par contre, il est presque certain que la personne qui se fait dire que son enfant est gardé en otage dans un autre endroit, et qu'il sera tué si le vol à main armée échoue, désirera subjectivement qu'il réussisse. Bien que l'existence de menaces ait nettement un effet sur le mobile qui pousse respectivement chaque acteur à aider à perpétrer le vol qualifié, on peut dire seulement du premier qu'il ne désire pas que le vol ait lieu, et on ne peut dire d'aucun de ces acteurs qu'il ne connaît pas les conséquences de son acte.[455]

225.   Comme l'indique cet extrait emprunté à l'arrêt *Hibbert*, l'élément moral d'un crime ne contient ordinairement aucune référence au mobile. Il importe donc de distinguer clairement l'intention du mobile, car, « en principe, les mobiles profonds du prévenu tels que la haine, la jalousie ou les sentiments humanitaires ne peuvent pas avoir d'effet disculpatoire en droit pénal. [...] Le droit criminel, écrivent les auteurs Côté-Harper, Rainville et Turgeon,

---

454   *R.* c. *Hibbert, id.*
455   *Id.*, 991 et 992.

se préoccupe de l'intention du prévenu et non de la motivation qui l'anime »[456].

226. Bien que « l'élément moral d'un crime ne contien[ne] généralement aucune référence au mobile »[457], la présence d'un motif ou d'un mobile peut s'avérer particulièrement importante lorsqu'il s'agit d'établir l'identité ou l'intention de l'accusé en matière de preuve circonstantielle (preuve entièrement indirecte)[458].

---

456   G. CÔTÉ-HARPER. P. RAINVILLE et J. TURGEON, *op. cit.*, note 40, p. 494.

457   *Lewis* c. *La Reine*, précité, note 448, 831.

458   *R.* c. *Chouinard*, [2002] J.Q. (Quicklaw) n° 6147 (C.S.) :
> La requête de non lieu est accueillie sur le chef prévu à l'article 244 C.cr., parce que rien dans la preuve n'établit l'intention de blesser, mutiler ou défigurer monsieur Tremblay de la part de l'accusé, qui on le répète est un élément essentiel. Malgré le fait que le mobile ou le motif ne constitue pas un élément du crime, il pourrait expliquer le geste : or nous n'en connaissons pas, la preuve est muette sur le sujet. Aucune parole agressive ou de menace n'est rapportée avoir été prononcée par l'accusé. L'intention de blesser est peut-être une hypothèse, mais sans que soit établi l'élément par une preuve hors de tout doute raisonnable (voir *Dubois* précité), l'élément essentiel que constitue « l'intention de... » doit être plus à notre avis qu'une simple hypothèse parmi tant d'autres.

Sur la pertinence du mobile en droit pénal, nous renvoyons à l'excellente analyse de G. CÔTÉ-HARPER, P. RAINVILLE et J. TURGEON, *op. cit.*, note 40, p. 497-500 :
> Bien qu'en principe le mobile n'affecte pas la culpabilité, il peut être pris en considération comme tout autre élément de preuve et ainsi servir à faire la preuve de l'intention.
> La preuve du mobile sera pertinente pour faciliter la preuve de la *mens rea* bien qu'elle ne soit pas un « élément juridiquement essentiel de l'accusation ».
> Le mobile du prévenu peut parfois être pris en considération dans le contexte des infractions d'intention spécifique. La Couronne doit prouver l'existence d'une intention ultérieure ou d'un but ultérieur recherché par l'auteur du crime.
> [...]
> Bien que ce soit l'intention qu'il faille prouver et non pas le mobile, il n'en reste pas moins que le mobile devient extrêmement important pour l'identité de l'auteur de l'acte lorsque la preuve s'avère exclusivement circonstancielle.
> [...] En dernier lieu, le mobile ou son absence sera généralement pris en considération lors du prononcé de la peine. Bien que n'ayant pas d'effet disculpatoire, cette preuve pourra être un facteur aggravant ou atténuant.

Discutant de la place qu'occupe le mobile en droit criminel, le juge Dickson propose, dans l'arrêt *Lewis*[459], les commentaires suivants :

> 1) La preuve du mobile est toujours pertinente : il s'ensuit qu'elle est recevable.

> 2) Le mobile ne fait aucunement partie du crime et n'est pas juridiquement pertinent à la responsabilité criminelle. Il ne constitue pas un élément juridiquement essentiel de l'accusation portée par le ministère public...

> 3) La preuve de l'absence de mobile est toujours un fait important en faveur de l'accusé et devrait ordinairement faire l'objet de commentaires dans un exposé du juge au jury...

> 4) À l'inverse, le présence d'un mobile peut être un élément important dans la preuve du ministère public, notamment en ce qui regarde l'identité et l'intention lorsque la preuve est entièrement indirecte.

> 5) Le mobile est donc toujours une question de fait et de preuve et la nécessité de s'y référer dans son adresse au jury est régie par le devoir général du juge de première instance de « ne pas seulement récapituler les thèses de la poursuite et de la défense mais de présenter au jury les éléments de preuve indispensables pour parvenir à une juste conclusion ».

> 6) Chaque affaire dépend des circonstances uniques qui l'entourent. La question du mobile est toujours une question de mesure.[460]

227. Bien que le mobile ne fasse pas partie du crime, sa présence ou son absence peut constituer un facteur aggravant ou atténuant au moment du prononcé de la *peine*.

---

459   *Lewis* c. *La Reine*, précité, note 448.
460   *Id.*, 883 et suiv.

Deuxième section : L'intention générale versus l'intention spécifique en droit pénal

228.   Ayant, dans un premier temps, tenté de définir la notion d'intention en droit pénal canadien, il convient maintenant d'en examiner les différentes formes, de chercher « avec quelles actions elles ont rapport », de voir en quoi elles se distinguent au point de vue juridique. Sur ce point, la jurisprudence est unanime : l'intention est générale ou spécifique[461]. Alors que l'intention générale opère au niveau le plus fondamental de l'infraction, *en dévoilant la connaissance de l'individu et sa volonté d'accomplir l'acte prohibé*, l'intention spécifique s'exprime à un niveau supérieur, *en dirigeant la volonté de l'accusé vers un but qui dépasse l'accomplissement de l'acte en question*. Tels peuvent être hâtivement définis les contours de l'intention générale et de l'intention spécifique en droit pénal canadien. Cela étant, voyons, un peu plus précisément, en quoi consistent ces deux formes d'intention.

Première sous-section : L'intention générale

229.   L'intention générale est la forme la plus pure et la plus brute d'intention en droit pénal. Mais de l'intention en général, de l'intention éprouvée dans ce qu'il y a de plus concret et de plus immédiat chez l'homme. L'individu *sait* ce qu'il fait et *tend* sa volonté en direction de cette action. C'est donc par rapport à l'acte matériel, et uniquement par rapport à lui, que s'organise la notion d'intention générale. Sur ce point, nous sommes d'accord

---

461   *R.* c. *Daviault*, précité, note 37, 77 :
      La distinction entre les crimes d'intention spécifique et les crimes d'intention générale a été reconnue et approuvée par notre Cour à maintes reprises. [...] Sur cette question, je suis généralement d'accord avec la présentation faite par le juge Sopinka. La catégorisation des crimes comme étant des infractions soit d'intention spécifique soit d'intention générale et les conséquences qui en découlent sont maintenant bien établies par notre Cour.

avec le juge McIntyre, dans l'arrêt *R. c. Bernard*[462], pour dire que
« l'infraction d'intention générale est celle pour laquelle l'intention se rapporte uniquement à l'accomplissement de l'acte en
question, sans qu'il y ait d'autre intention ou dessein. L'intention
minimale d'avoir recours à la force qui doit exister dans le cas de
l'infraction de voies de fait en est un exemple. »[463] Ici, l'individu
sait ce qu'il fait et dirige sa volonté en direction de cette action. Il
s'agit donc d'une intention de premier mouvement, d'une intention qui, à peine maîtrisée, s'incruste dans les nervures de l'acte
matériel. Synonyme de connaissance et de volonté, l'intention générale recouvre aussi bien l'*intention* d'accomplir l'acte prohibé que
la décision prise *sciemment* d'accomplir cet acte.

230. Avant de pousser plus loin notre analyse de l'intention générale au Canada, il convient de dire quelques mots sur la
place qu'occupe cet élément de faute en droit pénal. Sur ce point,
deux approches peuvent être observées. La première, qui est la
plus ancienne et la plus conforme à l'analyse classique, consiste à
étendre l'intention à toutes les composantes matérielles de l'infraction : il s'agit de l'approche globaliste de la *mens rea*. Pour les
tenants de cette approche, la *mens rea* du crime d'inceste serait,
par exemple, l'intention d'avoir des rapports sexuels avec une personne mentionnée dans le texte de l'infraction. Quant à l'agression sexuelle, celle-ci consisterait dans l'intention de se livrer à
des attouchements sexuels sur la plaignante sans son consentement. Tout en ayant le mérite de souligner le rôle que joue l'intention dans l'élaboration de l'élément psychologique de l'infraction,
cette approche nous semble trop rigide pour rendre compte des
éléments de faute qui ne cadrent pas bien avec la notion d'intention.
On n'a qu'à penser à l'agression sexuelle qui peut être commise
alors que l'individu avait l'intention de se livrer à des attouche-

---

462   Précité, note 10.
463   *Id.*, 863. Voir également G. CÔTÉ-HARPER, P. RAINVILLE et J. TUR-
       GEON, *op. cit.*, note 40, p. 418 :
       Les infractions d'intention générale peuvent être simplement le produit
       d'une « passion momentanée », tandis que les infractions d'intention spé-
       cifique exigent un processus mental qui aboutit à la formulation d'une in-
       tention spécifique.

ments sur la victime tout en étant *insouciant* à l'égard de son absence de consentement. Dans ce cas, il serait inexact de dire que
l'intention de l'accusé s'étend à tous les éléments matériels de
l'infraction puisque l'élément de faute à l'égard de l'absence de
consentement pourrait être établi par l'entremise de l'insouciance.

231. Pour pallier à cette difficulté, et pour tenir compte de
la diversité des éléments de faute actuellement reconnus en droit
pénal, les tribunaux suggèrent une seconde approche de la faute
qui vise à limiter l'intention générale à l'action ou au comportement qui sous-tend l'infraction. Cette approche, que nous appe-
lons « approche segmentaire de l'élément de faute » en raison de
sa structure morcelée (du lat. *segmentum*, « morceau coupé »), est
intéressante dans la mesure où elle épouse parfaitement les contours de l'*actus reus* de l'infraction (*souplesse*) et fournit un cadre
d'analyse qui favorise la compréhension générale de sa structure
psychologique (*simplicité*).

232. Sa *souplesse*, tout d'abord, puisque l'approche segmentaire de l'infraction, étant à la fois sélective et morcelée, permet à l'élément de faute de mieux adhérer à l'élément matériel du
crime. L'exemple de l'agression sexuelle illustre bien cette situation. Comme on le sait, l'*actus reus* de l'agression sexuelle est établi par la preuve des trois éléments suivants :

  1) les attouchements;
  2) la nature sexuelle des contacts, et
  3) l'absence de consentement[464].

233. En ce qui concerne la *mens rea* de l'infraction, celle-
ci consiste dans :

  1) l'intention de se livrer à des attouchements sur une per-
     sonne, et

---

464   *R. c. Ewanchuk*, précité, note 158, par. 25.

2) la connaissance de son absence de consentement ou l'insouciance ou l'aveuglement volontaire à cet égard[465].

234. Bien qu'il soit possible d'étirer l'élément intentionnel
de l'agression sexuelle à l'absence de consentement de la victime,
cette possibilité doit être écartée lorsque l'individu n'est pas conscient de l'absence de consentement, mais plutôt insouciant à cet
égard. L'insouciance relative à l'absence de consentement étant
suffisante au point de vue de la faute, la responsabilité de l'agent
sera retenue malgré son absence d'intention (absence d'intention
quant à l'absence de consentement). Il serait donc préférable d'utiliser l'approche suggérée par le juge Major dans l'arrêt *Ewanchuk*[466]
et par la juge Wilson dans l'arrêt *Bernard*[467], approche voulant que
l'agression sexuelle n'exige pas d'intention ou de dessein autre
que l'utilisation intentionnelle de la force. Cette conclusion est
d'autant plus importante que l'agression sexuelle peut commander la preuve d'une prévision objective de lésions corporelles
lorsque l'individu est accusé, par exemple, d'agression sexuelle
avec lésions corporelles ou d'agression sexuelle grave. Dans ces
deux hypothèses, il est évident que l'intention générale ne pourra
être appliquée à tous les éléments de l'infraction puisque l'une de
ses composantes pourra être satisfaite par la preuve d'un état d'insouciance et l'autre par l'adoption d'un critère objectif (prévision
objective de lésions corporelles)[468].

---

465   *Id.*, par. 42.
466   *Id.*, par. 41 et 42.
467   *R.* c. *Bernard*, précité, note 10, 883.
468   *R.* c. *Hinchey*, précité, note 271, par. 80 :
        À mon sens, ces deux extraits semblent suggérer que la *mens rea* d'une
        infraction est simplement l'appréciation de l'« aspect répréhensible » lequel
        est soit subjectif soit objectif. Je ne suis pas tout à fait confortable avec la
        façon dont le professeur Stuart traite d'« une infraction de *mens rea* subjec-
        tive » semblant indiquer qu'une infraction doit être soit subjective soit objec-
        tive, sans moyen terme. En fait, la *mens rea* d'une infraction comportera
        très souvent à la fois un élément objectif et un élément subjectif. C'est ce
        qu'a reconnu notre Cour à plusieurs reprises : *Nova Scotia Pharmaceutical
        Society* et *Lohnes*, précités. Pour éviter toute confusion, je préfère dire clai-
        rement que la *mens rea* d'une infraction donnée se compose de l'ensemble
        de ses divers éléments de faute. Le simple fait que la plupart des infractions

235. Au delà de sa grande souplesse, l'approche segmentaire de la *mens rea* présente également d'impressionnantes vertus pédagogiques (*simplicité*). Ce fait est particulièrement évident lorsque l'individu est accusé d'une infraction dont la trame psychologique repose sur la présence d'une structure matérielle plutôt élaborée, comme celle prévue à l'article 426 du *Code criminel*. D'après cette disposition :

426. (1) **[Commissions secrètes]** Commet une infraction quiconque, selon le cas :

a) par corruption :

(i) donne ou offre, ou convient de donner ou d'offrir, à un agent,

(ii) étant un agent, exige ou accepte ou offre ou convient d'accepter, de qui que ce soit, une récompense, un avantage ou un bénéfice de quelque sorte à titre de contrepartie pour faire ou s'abstenir de faire, ou pour avoir fait ou s'être abstenu de faire, un acte relatif aux affaires ou à l'entreprise de son commettant ou pour témoigner ou s'abstenir de témoigner de la faveur ou de la défaveur à une personne quant aux affaires ou à l'entreprise de son commettant;

b) avec l'intention de tromper un commettant, donne à un agent de ce commettant, ou étant un agent, emploie avec l'intention de tromper son commettant, quelque reçu, compte ou autre écrit :

(i) dans lequel le commettant a un intérêt,

(ii) qui contient une déclaration ou un énoncé faux ou erroné ou défectueux sous un rapport essentiel,

(iii) qui a pour objet de tromper le commettant.

---

criminelles exigent un certain élément subjectif ne signifie pas que chacun des éléments de l'infraction exige un tel état d'esprit. Voir aussi Eric Colvin, *Principles of Criminal Law* (2ᵉ éd. 1991), à la p. 55.

Fait de contribuer à l'infraction

(2) Commet une infraction quiconque contribue sciemment à la perpétration d'une infraction visée au paragraphe (1).

Peine

(3) Est coupable d'un acte criminel et passible d'un emprisonnement maximal de cinq ans quiconque commet une infraction prévue au présent article.

Définition de « agent » et « commettant »

(4) Au présent article, « agent » s'entend notamment d'un employé, et « commettant » s'entend notamment d'un patron.

236. Discutant de la responsabilité d'un dirigeant d'une société accusé d'avoir, par corruption, accepté une récompense ou un bénéfice en contravention de l'alinéa 426(1)a) du *Code criminel*, la Cour suprême du Canada propose, dans l'arrêt *Kelly*[469], une lecture segmentée et cohérente de l'*actus reus* et de la *mens rea* de l'infraction. D'après le juge Cory :

L'*actus reus* de l'infraction prévue au sous-al. 426(1)a)(ii) comporte donc trois éléments qui devront être établis en cas d'accusation contre un agent-acceptant relativement à l'acceptation d'une commission :

(1) l'existence d'un mandat;

(2) l'acceptation par l'agent d'un bénéfice à titre de contrepartie pour faire ou s'abstenir de faire un acte relatif aux affaires de son commettant;

---

469   *R.* c. *Kelly*, [1992] 2 R.C.S. 170.

(3) l'omission de la part de l'agent de divulguer d'une façon appropriée et en temps opportun la source, le montant et la nature du bénéfice.

La *mens rea* requise doit être établie pour chacun des éléments de l'*actus reus*. Conformément au sous-al. 426(1)*a*)(ii), l'agent-acceptant accusé doit :

(1) être au courant de l'existence du mandat;

(2) avoir accepté sciemment le bénéfice à titre de contrepartie pour un acte à être fait relativement aux affaires du commettant;

(3) être au courant de l'étendue de la divulgation au commettant ou de l'absence de divulgation.

Si l'accusé savait qu'il y a eu divulgation, il reviendra alors à la cour de déterminer si, compte tenu de toutes les circonstances de l'affaire, elle a été faite de façon appropriée et en temps opportun.

Dans le contexte des commissions secrètes, l'expression « par corruption » signifie qu'elles ont été versées secrètement ou qu'elles n'ont pas été divulguées comme il se doit. L'existence d'une « affaire entachée de corruption » n'est pas nécessaire. En conséquence, l'acceptant d'une récompense ou d'un bénéfice peut être déclaré coupable malgré l'innocence du donneur. Pour l'application de l'article, le ministère public aura établi la non-divulgation s'il démontre que l'agent n'a pas divulgué au commettant d'une façon appropriée et en temps opportun la source, le montant et la nature du bénéfice.[470]

237. Comme l'indique cet extrait emprunté à l'arrêt *Kelly*, l'intention générale prévue au sous-alinéa 426(1)*a*)(ii) C.cr. consiste dans le fait « d'avoir accepté *sciemment* le bénéfice à titre de contrepartie pour un acte à être fait relativement aux affaires du commettant » ou « d'avoir *intentionnellement* accepté le bénéfice à titre de contrepartie pour un acte à être fait relativement aux

---

470   *Id.*, 193 et 194.

affaires du commettant » (ce qui est la même chose, avons-nous dit). En ce qui concerne, par ailleurs, les autres éléments de l'infraction, ceux-ci peuvent être établis par l'entremise de la connaissance de l'accusé (et incidemment de son intention).

238. Ayant identifié, puis défini, les deux approches à la base de l'intention générale au Canada, il convient maintenant de s'interroger sur leur coexistence juridique. Sur ce point, nous croyons qu'il est difficile, voire même inutile, de rejeter complètement l'approche globaliste ou classique de la *mens rea*. Nous préférons plutôt « faire jouer la rencontrer et faire agir l'intervalle »[471] entre ces deux approches de manière à mieux saisir la complémentarité qui les unit au point de vue herméneutique, complémentarité qui s'exprime dans la possibilité d'utiliser l'une ou l'autre de ces techniques suivant les circonstances et les besoins en question. Cette complémentarité étant soulignée, il importe de se consacrer à l'analyse de certaines infractions dont la trame psychologique repose sur la présence d'une intention générale.

239. *Voies de fait ou agression* : Les voies de fait constituent probablement l'infraction qui représente le mieux la notion d'intention générale, comme intention minimale se rapportant à l'accomplissement de l'acte en question. D'après l'article 265 du *Code criminel*, est coupable de voies de fait ou d'agression l'individu qui emploie intentionnellement la force contre une autre personne sans son consentement[472]. L'intention étant un élément

---

471 Expression empruntée à Shoshana FELDMAN.

472 Le législateur ayant recours à l'adverbe « intentionnellement », l'insouciance ne semble pas suffisante pour engager la responsabilité de l'accusé en vertu de cet article. Voir sur ce point *Besner* c. *La Reine*, (1976) 33 C.R.N.S. 122 (C.A. Qué.); *R.* c. *Starratt*, (1971) 5 C.C.C. (2d) 32, 33 (C.A. Ont.) :

> To constitute the offence of assault occasioning bodily harm it has to be shown beyond reasonable doubt that a person intentionally applied force. The trial Judge found that any application of force resulted from either the appellant's action in the course of duty, which is proper, or his carelessness, but made no finding that there was an intentional application of force in the sense of being a wrongful application of force.

essentiel de l'infraction, il convient d'en déterminer la forme et l'intensité. Sur ce point, la Cour suprême est catégorique : l'agression ou voies de fait est une infraction d'intention générale qui n'exige que l'intention minimale d'utiliser la force[473]. L'individu, par exemple, sait ce qu'il fait et *tend* sa volonté *vers* la réalisation de cette action. Son intention se limite donc à l'accomplissement de l'acte à la source de l'infraction. C'est pourquoi il s'agit d'une infraction d'intention générale. En effet, d'après le juge Fauteux dans l'arrêt *R. c. George*[474] :

> In considering the question of *mens rea*, a distinction is to be made between (i) intention as applied to acts considered in relation to their purposes and (ii) intention as applied to acts considered apart from their purposes. A general intent attending the commission of an act is, in some cases, the only intent required to constitute the crime while, in others, there must be, in addition to that general intent, a specific intent attending the purpose for the commission of the act.

> Contrary to what is the case in the crime of robbery, where, with respect to theft, a specific intent must be proved by the Crown as one of the constituent elements of the offence, there is no specific intent necessary to constitute the offence of common assault. [...] There can be no pretence, in this case, that the manner in which force was applied by respondent to his victim was accidental or – excluding at the moment, from the consideration, the defence of drunkenness – unintentional.[475]

240. Ainsi considérées, les voies de fait constituent donc une infraction d'intention générale[476]. Il en va de même de l'in-

---

473   *R. c. George*, [1960] R.C.S. 871.
474   *Id.*
475   *Id.*, 877.
476   *R. c. Arciresi*, J.E. 94-1183 (C.M.) :
      La manière intentionnelle s'infère de la présomption de fait suivant laquelle toute personne est censée avoir voulu les conséquences naturelles et probables de ses actes. Il s'agit d'une infraction d'intention générale; il suffit de démontrer l'intention de faire l'acte constitutif de l'infraction.

fraction de voies de fait causant des lésions corporelles énoncée à l'article 267b) du *Code criminel*, car selon la juge Nicole Bernier de la Cour du Québec : « [l]'infraction de voies de fait, avec ou sans lésions corporelles, est une infraction d'intention générale. La Couronne n'a donc pas à prouver que l'accusé avait l'intention de causer des blessures à la victime. Il suffit de prouver qu'il y a eu blessure »[477]. Cette position, qui fut confirmée récemment par le juge Fish dans l'arrêt *R. c. Paice*[478], doit être lue à la lumière d'une seconde condition : la prévision objective de lésions corporelles. D'après le juge Anderson dans l'arrêt *Kinch*[479] :

> The Crown is required to prove beyond a reasonable doubt that the assault committed by the accused occasioned bodily harm and that bodily harm was an objectively foreseeable consequence of the assault. This is an offence of general intent. It is not necessary for the Crown to establish that the accused intended to cause bodily harm to the child. I am sure that he did not. What is required is the general intent to apply force as required in Section 265 together with objective foresight that the assault would subject the complainant to the risk of bodily harm.[480]

241. Quelle que soit la forme sous laquelle elle se présente, la *mens rea* requise aux fins du paragraphe 267b) C.cr. est donc la preuve de l'intention de commettre des voies de fait jumelée à la

---

477   *Protection de la jeunesse – 819*, J.E. 96-1407 (C.Q.).

478   [2005] 1 R.C.S. 339, par. 26 :
      [I]l est vrai qu'aux termes de l'al. 265(1)a) du *Code criminel*, L.R.C. 1985, ch. C-46, commet des voies de fait, ou se livre à une attaque ou une agression quiconque, « d'une manière intentionnelle, emploie la force, directement ou indirectement, contre une autre personne sans son consentement ». En vertu du par. 265(2), cette condition – l'emploi intentionnel de la force – s'applique à toutes les espèces de voies de fait. Par conséquent, l'élément de faute de l'infraction de voies de fait causant des lésions corporelles, énoncé à l'art. 267 du Code, est l'emploi de la force intentionnel : lorsqu'il s'ensuit des lésions corporelles, l'accusé sera déclaré coupable même si, en se livrant aux voies de fait, il n'a ni voulu ni prévu cette conséquence.

479   *R. c. Kinch*, [2005] O.J. (Quicklaw) n° 3997 (Ct. of J.).

480   *Id.*, par. 67.

prévision objective de lésions corporelles.[481] « Une personne [devra donc être] acquittée de cette infraction si elle soulève un doute sur le fait qu'une personne raisonnable n'aurait pas pu prévoir les lésions corporelles comme conséquence des voies de fait. [En revanche,] elle sera déclarée coupable de voies de fait simples si le juge demeure convaincu hors de tout doute raisonnable que l'accusé a

---

481   Voir sur ce point *R.* c. *Dewey*, (1998) 132 C.C.C. (3d) 348, par. 10 (C.A. Alta.) :

> Taking this all together, *Creighton* and *Godin* partially overrule *R.* v. *L. (S.R.)* and *Nurse* and throw into doubt the decision in *Swenson*. In *Creighton*, the symmetry relied upon in *R.* v. *L. (S.R.)* and *Nurse* was rejected. Objective foreseeability is objective foreseeability of the risk of bodily harm in general, not of a specific type of harm. The decision in *Swenson*, that the limitation of objective foreseeability is inappropriate for an assault offence, was rejected in *Godin*.
>
> Aggravated assault and assault causing bodily harm cannot be distinguished so as to convincingly argue that the requirement of objective foreseeability should only apply to the former.
>
> The result of these cases is that objective foreseeability of the risk of bodily harm is included in the mental element of the offence of assault causing bodily harm.
>
> Applying all of this to this appeal, the appellant Mr. Dewey, while arguing for the imposition of a requirement of objective foreseeability, seems to be supporting a requirement that the specific form of harm be objectively foreseeable. His counsel has acknowledged that it is his position that the relevant question to be asked is whether it was reasonably foreseeable that the complainant would fall and strike his head on the jukebox. This is not the appropriate question in light of the authorities *Creighton* and *Godin*. The appropriate question is whether it is objectively foreseeable that forcefully shoving someone in a bar would create a risk of bodily harm which is neither trivial nor transitory. There is of course a definition in the Code itself of bodily harm.
>
> What is objectively foreseeable in a certain situation is a question of law and can be determined by this court. The trial judge found that Dewey pushed the complainant more forcefully than would cause a stumble. It is objectively foreseeable that this action would create a risk of bodily harm which is neither transitory nor trivial.

Voir également *R.* c. *L.(S.R.)*, (1992) 76 C.C.C. (3d) 502 (C.A. Ont.); *R.* c. *Wiebe*, [1998] O.J. (Quicklaw) n° 6334 (Ct. of J.).

Voir *a contrario R.* c. *Swenson*, (1994) 91 C.C.C. (3d) 541 (C.A. Sask.); *R.* c. *Bergeron*, [1995] A.Q. (Quicklaw) n° 1806 (C.S.) : « Cette infraction ne requiert pas cependant de prévisibilité de lésions corporelles. La preuve de l'intention de commettre des voies de fait jumelée avec celle de lésions corporelles est suffisante en vertu de cette disposition. »

employé intentionnellement la force sur la victime sans son consentement »[482].

242. Cette conclusion, qui est conforme aux principes développés dans les arrêts *Creighton*[483] et *Nette*[484], s'accorde parfaitement avec les commentaires du juge Cory dans l'arrêt *R. c. Godin*[485]. Discutant de la *mens rea* applicable en matière de voies de fait graves prévues au paragraphe 268(1) du *Code criminel*, le juge déclare :

> La *mens rea* requise aux fins du par. 268(1) du *Code criminel*, L.R.C. (1985), ch. C-46, est la prévision objective de lésions corporelles. Il n'est pas nécessaire qu'il y ait eu intention de blesser, mutiler ou défigurer. Le paragraphe se rapporte à des voies de fait qui ont pour conséquence de blesser, mutiler ou défigurer. Cela découle des décisions des arrêts *R. c. DeSousa*, [1992] 2 R.C.S. 944, et *R. c. Creighton*, [1993] 3 R.C.S. 3, de notre Cour.[486]

243. Pour établir l'existence d'une infraction de voies de fait graves, le ministère public devra donc prouver : (1) l'élément mental de l'infraction de voies de fait, ce qui inclut naturellement l'intention générale d'employer la force et (2) la prévision objective de lésions corporelles[487].

---

482   Pierre LAPOINTE, « Les infractions criminelles », dans Collection de droit 2005-06, École du Barreau du Québec, vol. 12, *Droit pénal : Infractions, moyens de défense et peine*, Cowansville, Éditions Yvon Blais, 2005, p. 81.

483   *R. c. Creighton*, précité, note 177.

484   *R. c. Nette*, précité, note 190.

485   [1994] 2 R.C.S. 484.

486   *Id.*

487   *R. c. Vang*, (1999) 132 C.C.C. (3d) 32 (C.A. Ont.); *R. c. Leclerc*, (1991) 67 C.C.C. (3d) 563 (C.A. Ont.); *R. c. Foti*, (2002) 169 C.C.C. (3d) 57, 63 (C.A. Man.) :

   Thus, in the present case, to prove aggravated assault, three elements would have to be established :
   1. there was an intentional application of force or an intentional threat to apply force and a present ability to carry out the threat;

244. *L'agression sexuelle* : Comme nous l'avons déjà expliqué, l'agression sexuelle est une agression commise dans un contexte de nature sexuelle, de manière à porter atteinte à l'intégrité sexuelle de la victime. Or l'agression est une infraction d'intention générale. Il en va donc également de l'agression sexuelle, car selon la juge Wilson dans l'arrêt *Bernard*[488] :

> L'agression sexuelle est un crime violent. Il n'exige pas d'intention ou de dessein autre que l'utilisation intentionnelle de la force. C'est toujours et avant tout une agression. Elle est de nature sexuelle seulement parce que, d'un point de vue objectif, elle est reliée aux activités sexuelles soit en raison de la partie du corps qui subit la violence, soit en raison des paroles qui accompagnent la violence.[489]

245. Cette opinion, qui fut reprise et développée dans les arrêts *Daviault*[490] et *Ewanchuk*[491], ne laisse plus aucun doute : l'agression sexuelle est une infraction d'intention générale qui suppose simplement « l'intention de se livrer à des attouchements sur la plaignante »[492]. Cette intention, bien entendu, doit être complétée par la preuve de la « connaissance de l'absence de consentement ou [l'ignorance volontaire] ou l'insouciance à cet égard »[493].

---

    2. a reasonable person in the position of the accused would have foreseen that the pointing or the shooting of the gun (depending on the jury's finding of fact) in the direction of others would subject those others to a risk of bodily harm; and

    3. an actual wound, maiming or disfigurement did in fact result.

488   *R. c. Bernard*, précité, note 10.

489   *Id.*, 883.

490   *R. c. Daviault*, précité, note 37, 82.

491   *R. c. Ewanchuk*, précité, note 158, 353 :
    L'agression sexuelle est un acte criminel d'intention générale. [...] Par conséquent, la *mens rea* de l'agression sexuelle comporte deux éléments : l'intention de se livrer à des attouchements sur une personne et la connaissance de son absence de consentement ou l'insouciance ou l'aveuglement volontaire.

492   *Id.*

493   *Id.*, par. 42.

246. Avant de pousser plus loin notre analyse de l'intention générale au Canada, il convient d'introduire ici quelques commentaires sur l'agression sexuelle ayant causé des lésions corporelles (al. 272(1)c))[494] et sur l'agression sexuelle grave (par. 273(1)). Sur ce point, il ne fait aucun doute que ces deux infractions supposent, à l'instar des crimes prévus aux paragraphes 267b) et 268(1) du Code, une prévision objective de lésions corporelles.

247. *Braquer une arme à feu* : Aux termes du paragraphe 87(1) du *Code criminel* : « Commet une infraction quiconque braque, sans excuse légitime, une arme à feu, chargée ou non, sur une autre personne. » Comme l'emploi du verbe « braquer » exige un élément d'intention qui se « rapporte uniquement à l'accomplissement de l'acte en question, sans qu'il y ait d'autre intention ou dessein »[495] et que l'intention générale suppose un élément de connaissance et de volonté par rapport à « ce qui est fait », l'infraction prévue au paragraphe 87(1) du *Code criminel* est une infraction d'intention générale dont la *mens rea* exige simplement l'intention de pointer une arme à feu en direction d'une autre personne.

248. *L'inceste* : L'inceste est une autre infraction d'intention générale qui se limite à l'accomplissement du comportement prohibé par la loi. Aux termes de l'article 155 du *Code criminel* :

> **155.** (1) **[Inceste]** Commet un inceste quiconque, sachant qu'une autre personne est, par les liens du sang, son père ou sa mère, son enfant, son frère, sa soeur, son grand-père, sa grand-mère, son

---

494   *R.* c. *M.C.*, [2004] J.Q. (Quicklaw) nᵒ 1396, par. 142 (C.Q.) :
> Quatre éléments sont requis pour reconnaître un accusé coupable d'agression sexuelle avec lésions :
> 1- L'utilisation de la force sans le consentement de l'autre personne, ce qui constitue des voies de fait;
> 2- Un contexte sexuel;
> 3- Des lésions corporelles et un lien de causalité entre les voies de faits subies et les lésions corporelles qui en ont résulté;
> 4- Il doit être démontré la prévisibilité objective de lésions corporelles.

495   *R.* c. *Bernard*, précité, note 10.

petit-fils ou sa petite-fille, selon le cas, a des rapports sexuels avec cette personne.

249. Envisagé du point de vue de la faute, l'inceste est une infraction d'intention générale (intention minimale d'avoir des rapports sexuels[496] avec une personne visée au paragraphe 1 de l'article 155 du Code) qui suppose un élément de connaissance par rapport au statut particulier de la victime[497]. D'après le juge

---

496 Pour prononcer une déclaration de culpabilité d'inceste, il faut une preuve hors de tout doute raisonnable qu'il y a eu des « rapports sexuels » (par. 155(1) du Code).

497 *R.* c. *G.R.*, [2005] 2 R.C.S. 371, par. 17 et suiv. :
L'inceste peut être consensuel ou non consensuel. La preuve du consentement ne change rien au résultat (*R.* c. *S. (M)* (1996), 111 C.C.C. (3d) 467 (C.A. C.-B.), autorisation de pourvoi refusée, [1997] 1 R.C.S. ix). Par exemple, dans le comté de Queens, en Nouvelle-Écosse, une mère a été accusée d'inceste avec ses deux fils adultes. L'un d'eux a, à son tour, été accusé d'avoir eu des relations sexuelles avec ses deux demi-soeurs adultes, ces relations étant toutes consensuelles. Les déclarations de culpabilité ont néanmoins été maintenues : *R.* c. *F. (R.P.)* (1996), 105 C.C.C. (3d) 435 (C.A. N.-É.). La cour a rejeté l'argument selon lequel [TRADUCTION] « les activités sexuelles "récréatives" [consensuelles] entre des personnes liées par le sang devraient être légalisées et protégées constitutionnellement » (p. 441), parce que l'interdiction de l'inceste n'a rien à voir avec le consentement, mais a pour objet de préserver :
[TRADUCTION] l'intégrité de la famille en évitant la confusion des rôles qui résulterait des relations incestueuses [...] « les unions consanguines sont durement pénalisées sur le plan physiologique », en ce sens que les enfants issus de relations incestueuses courent un risque beaucoup plus grand d'avoir des défauts génétiques.
L'interdiction de l'inceste est aussi associée à la « protection des membres vulnérables de la famille » (p. 445). Le juge Roscoe a conclu, au nom de la cour, que l'inceste, peu importe qu'il soit consensuel ou non consensuel, est :
[TRADUCTION] inacceptable, incompréhensible et dégoûtant pour la grande majorité des gens, et ce, depuis des siècles dans de nombreuses cultures et de nombreux pays.
Dans le même sens, dans la décision *R.* c. *S. (M.)*, [1994] B.C.J. No. 1028 (QL) (C.S.), par. 13, le juge Meredith, qui a présidé le procès, a souscrit au rapport sur les *Sexual Offences* publié en 1984, par le Criminal Law Revision Committee d'Angleterre, qui indiquait que :
[TRADUCTION] [q]uelle que soit l'origine du tabou de l'inceste, qui fait l'objet de nombreuses théories différentes, deux raisons principales sont invoquées aujourd'hui pour justifier l'intervention du droit dans ce domaine. Il s'agit,

Berger dans l'arrêt *R. c. B. (S.J.)*[498] : « [I]ncest is a general intent offence. To hold otherwise is to confuse crimes of circumstantial intent with those that require the doing of an act expressly to bring about a purpose. »[499] L'inceste est donc, à l'image de l'agression sexuelle, une infraction d'intention générale.

250. *Séquestration* : Aux termes du paragraphe 279(2) du *Code criminel* :

279. (2) [**Séquestration**] Quiconque, sans autorisation légitime, séquestre, emprisonne ou saisit de force une autre personne est coupable :

---

premièrement, du risque génétique et, deuxièmement, des conséquences sociales et psychologiques. [par. 8.8 du rapport]

Dans l'arrêt *S. (M.)* portant sur l'appel de la décision de déclarer l'accusé coupable malgré sa prétention que les relations sexuelles qu'il avait eues avec sa fille adulte étaient consensuelles, le juge Donald a partagé l'opinion du juge du procès selon laquelle le consentement n'était pas pertinent notamment parce que, dans maintes situations familiales, il serait difficile de faire [TRADUCTION] « la différence entre le consentement et l'acquiescement qui peut exister entre un père et sa fille de n'importe quel âge » (je souligne; par. 37). Il a également estimé qu'une modification de la loi qui permettrait d'invoquer le consentement comme moyen de défense ne tiendrait pas compte des [TRADUCTION] « effets néfastes de l'inceste sur la progéniture, tant sur le plan social que sur le plan psychologique » (voir par. 37). Au Canada, dans son *Rapport sur les infractions sexuelles* (1978), la Commission de réforme du droit affirme qu'elle « persiste à croire [...] que l'inceste entre adultes consentants peut être décriminalisé » (p. 28), mais le Parlement n'a pas donné suite à cette recommandation qui aurait nécessité une modification de la loi.

498   (2002) 166 C.C.C. (3d) 537 (C.A. Alta.).

499   *Id.*, 550. Voir également l'opinion du juge Paperny (dissident) à la page 563 :

In this case, the use of the word "knowing" or "sachant" in the section should not be interpreted to indicate that a specific intent is required. The purpose of the section and additional policy considerations require the offence to be one of general intent. The wording of the section sets out no ulterior motive or purpose as an element of the offence. The mental element plays little role in the elements of the offence of incest because the offence seeks to prohibit all sexual intercourse with any of the enumerated blood relatives. The rationale behind punishing incest are to promote family integrity, avoid the danger of biological mutations which might occur in the issue of such relationships and the desire to protect children from parental abuse.

a) soit d'un acte criminel et passible d'un emprisonnement maximal de dix ans.

b) soit d'une infraction punissable sur déclaration de culpabilité de procédure sommaire et passible d'un emprisonnement maximal de dix-huit mois.

251. Encore une fois, il s'agit ici d'une infraction d'intention générale, car la *mens rea* exigée se limite à l'accomplissement de l'acte matériel et plus précisément au fait de « séquestrer, emprisonner ou saisir de force une personne ». Aucune intention ou dessein ultérieur n'est donc exigé pour satisfaire à l'élément psychologique de l'infraction. S'interrogeant sur la nature de l'intention prévue au paragraphe 279(2) du *Code criminel*, le juge Berger, dans l'arrêt *R. c. B. (S.J.)*[500], affirme :

Physical restraint standing alone will satisfy the minimum intent to perform the act which constitutes the *actus reus* of unlawful confinement. Although the serious nature of the crime itself might be suggestive of the necessity of establishing an ulterior intent, over and above the minimal intent required for general intent offences, I am of the view that the minimal intent to effect deprivation of freedom of movement will suffice. A robber who instructs staff and customers to raise their hands as he empties the till does so in order to hold them captive. The minimal intent associated with unlawful confinement is to prevent the victim from leaving or from being removed.[501]

252. Dans la mesure où l'infraction repose sur la constatation d'une action ayant pour effet de « séquestrer, emprisonner ou saisir de force une autre personne », le paragraphe 279(2) C.cr. suppose la preuve d'une intention générale qui implique, à son tour, un minimum de connaissance quant à l'action entreprise.

---

500   *Id.*
501   *Id.*, 552.

    253. Possession sans excuse légitime d'une substance explo-sive: À l'image de certaines activités dangereuses ou socialement répréhensibles, la possession, la fabrication et l'usage d'une substance explosive font l'objet d'un système d'interdictions multiples dont le faisceau d'action recouvre différents comportements interdits. Cette particularité, une fois comprise, permet aux tribunaux d'identifier avec précision l'élément de faute propre à chaque infraction (négligence pénale, intention générale, intention spécifique, connaissance). S'interrogeant sur la peine applicable en matière de possession d'une substance explosive, le juge Bonin, dans l'arrêt *R. c. Vandal*[502], propose les distinctions suivantes:

> Le Tribunal est d'avis qu'en matière de sentence pour explosifs, il y a lieu de se rappeler les distinctions que fait le législateur selon le mode de commission de l'offense.
>
> Ainsi, les articles 79 et 80 requièrent l'obligation de prendre des précautions dans la manipulation d'explosifs. Le défaut de le faire constitue un acte criminel passible de 14 ans ou à perpétuité, selon l'étendue des dommages ou la gravité des blessures aux personnes.
>
> Suivant l'article 81, l'usage d'explosifs est passible des mêmes peines maximales, selon que l'accusé accomplit un acte causant ou susceptible de causer une explosion dans l'intention qu'une personne en soit affectée directement ou d'endommager une propriété ou encore que l'accusé fabrique ou possède une substance explosive avec l'intention spécifique de mettre en danger ou de permettre que soit mis en danger la vie d'une personne ou que des dommages graves à des biens soient causés.
>
> L'article 82 criminalise la fabrication, la possession, la garde et le contrôle, sans excuse légitime, lequel crime est punissable d'un emprisonnement maximal de 5 ans suivant le 2e alinéa du même article. Le même crime est punissable de 14 ans de prison lors-

---

502   [2002] J.Q. (Quicklaw) n° 1113 (C.Q.).

qu'il est fait au profit ou sous la direction d'un gang, soit d'une organisation criminalisée.[503]

254. Une fois l'objet des différents mécanismes de répression pénale identifié, la structure psychologique de ces infractions s'éclaire d'un jour nouveau. En ce qui concerne, tout d'abord, le paragraphe 82(1) C.cr., celui-ci commande la preuve d'une intention générale (ou possession), laquelle suppose à son tour un minimum de connaissance quant à l'objet fabriqué ou possédé. C'est ce que confirme d'ailleurs le juge Batiot, dans l'arrêt *R. c. Chard*[504], au moment d'acquitter l'accusé de l'infraction de possession d'une substance explosive :

> When I consider the totality of the evidence and more particularly the accused's acts at the Liquor Store, I can conclude that his reaction of surprise, observed by all, his curiosity and his waiting for the police to arrive, his lack of any attempt to leave, his cooperation with Constable Routliffe, are consistent with his explanation given to Constable Routliffe which negate an inference of knowledge on the facts proven. And I am satisfied that he has amply raised a reasonable doubt as to whether he knew there was a bomb inside that "6 pack".[505]

255. Étroitement lié à l'infraction prévue au paragraphe 82(1) C.cr., le comportement interdit au second paragraphe du même article accentue la gravité de l'infraction en ajoutant au comportement interdit une circonstance aggravante. Dans ce cas, la fabrication ou la possession d'une substance explosive doit être effectuée au profit, en association ou sous la direction d'une organisation criminelle. Résultat : l'individu qui ne sait pas qu'il fabrique ou qu'il possède une substance explosive au profit d'une organisation criminelle devra être acquitté de cette infraction, mais

---

503   *Id.*, par. 14-17.
504   [1995] N.S.J. (Quicklaw) n° 645 (Prov. Ct.).
505   *Id.*, par. 39.

condamné pour possession ou fabrication d'une substance explosive. Dans l'arrêt *R. c. Vandal*[506], le juge Bonin écrit :

> Contrairement aux prétentions du Substitut du procureur général, le Tribunal ne peut le considérer comme étant de la quatrième catégorie. D'une part, l'accusé ne fait pas face à une accusation qui le relie à des organisations criminelles. D'autre part, le Tribunal ne peut tirer une telle inférence malgré la valeur importante recherchée sur le marché noir. Il n'y a pas lieu, non plus, de faire des hypothèses. Il s'agit d'une circonstance aggravante qu'une infraction soit perpétrée au profit d'une organisation criminalisée, laquelle doit être prouvée hors de tout doute raisonnable. Il n'y a pas une telle preuve au présent dossier à cet égard. Le crime de l'accusé est plutôt de la nature de la deuxième catégorie.[507]

256. En ce qui touche finalement l'article 81 du Code, celui-ci exige la preuve de certains comportements dont la réalisation, une fois constatée, doit être associée à la présence d'une intention spécifique. Ici, la décision prise *sciemment* de réaliser l'action principale (p. ex. : placer ou lancer une substance explosive en quelque lieu que ce soit (81(1)*c*); fabriquer ou posséder (ou avoir sous ses soins ou son contrôle) une substance explosive (81(1)*d*)) ne suffit pas (intention générale). Encore faut-il que cette intention soit complétée par la recherche d'un but précis, d'un dessein qui dépasse l'exécution de l'acte en question.

257. *Fait de vendre, etc., un passe-partout d'automobile* : Aux termes du paragraphe 353(1) du *Code criminel* :

353. (1) [**Fait de vendre, etc., un passe-partout d'automobile**] Est coupable d'un acte criminel et passible d'un emprisonnement maximal de deux ans quiconque, selon le cas :

---

506   *R. c. Vandal*, précité, note 502.
507   Par. 22.

a) vend, offre en vente ou annonce dans une province un passe-partout d'automobile autrement que sous l'autorité d'une licence émise par le procureur général de cette province;

b) achète ou a en sa possession dans une province un passe-partout d'automobile autrement que sous l'autorité d'une licence émise par le procureur général de cette province.

258. Tout d'abord l'*actus reus* de cette infraction. Pour engager sa responsabilité en vertu de l'alinéa 353(1)*a*) du *Code criminel*, l'accusé doit avoir vendu, offert en vente ou annoncé un passe-partout d'automobile sans être muni d'une licence émise par le procureur général de la province. L'objet interdit (passe-partout d'automobile) étant défini comme incluant « notamment une clef, un crochet, une clef à levier ou tout autre instrument conçu ou adapté pour faire fonctionner l'allumage ou d'autres commuta-teurs ou des serrures d'une série de véhicules à moteur », une per-sonne pourra être acquittée de cette infraction si elle est arrêtée en possession d'un cintre modifié pour pénétrer dans une voiture. Cette interprétation, qui est étonnante à première vue, s'explique parfai-tement lorsque l'on considère l'objet de la disposition en cause, objet qui vise selon le juge Martin de la Cour d'appel de l'Ontario : « to restrict the sale and possession of "automobile master keys" by prohibiting the sale, advertisement for sale and the possession of automobile master keys except under the authority of a licence issued by the Attorney-General of a province »[508]. Toujours selon le magistrat :

The section obviously contemplates a device which may be the subject of advertisement and of commerce, the sale and posses-sion of which is lawful only under a licence. The meaning of the word "instrument" in the definition of an "automobile master key" is qualified by the context in which it appears. We think that a coat hanger, albeit fashioned into something that can be used to

---

508   *R.* c. *Young*, (1983) 3 C.C.C. (3d) 395 (C.A. Ont.).

unlock a car door, does not fall within the scope of the section
and is not such an instrument as the section contemplates.[509]

259. Cette interprétation, qui est conforme à l'intention du
législateur et au contexte dans lequel s'insère la disposition[510], est
à l'origine de l'élargissement subséquent du champ d'application
de l'article 351 du *Code criminel* consacré à la possession d'outils
de cambriolage. Autrefois limitée aux instruments pouvant servir à
pénétrer par effraction dans un « endroit », « une chambre-forte »
ou un « coffre-fort », cette disposition fut modifiée pour tenir
compte également de la possession d'un « instrument pouvant
servir à pénétrer dans un véhicule à moteur ».

260. En ce qui concerne finalement la *mens rea* prévue à
l'alinéa 353(1)*a*) C.cr., celle-ci implique la preuve d'une intention
générale, laquelle suppose à son tour un élément de connaissance
par rapport à l'objet en question.

---

509   *Id.* Voir également *R.* c. *Hein*, [1987] B.C.J. (Quicklaw) n° 642 (Ct. of
       J.).

510   *R.* c. *Young*, *id.*, 398-399 :
       The possession of instruments suitable for house-breaking, vault-breaking
       or safe-breaking, and the possession of instruments suitable for breaking
       into a coin-operated device or a currency exchange device, attracts liability
       under ss. 309 and 310, respectively, only if the accused is in possession of
       such instruments under circumstances that give rise to a reasonable infer-
       ence that the instrument has been used or is intended to be used for the pro-
       hibited purpose. Under s. 311 possession of an automobile master key is,
       in the absence of a licence, absolutely prohibited and it is unnecessary to
       prove possession in such circumstances as give rise to a reasonable infer-
       ence that it was intended to be used unlawfully for car-breaking. We think
       that the contrast between the provisions of ss. 309 and 310 and those of
       s. 311 makes it clear that s. 311 is restricted to some device manufactured
       for operating the ignition or other switches or locks of a series of motor
       vehicles and that can be the subject of commerce, the trafficking in which
       may be controlled by a system of licensing. Parliament, if it chose, could
       readily bring an object such as the coat hanger in this case, within s. 309 by
       extending its provisions to include not only "instruments suitable for house-
       breaking, vault-breaking or safe-breaking" but to include "instruments suit-
       able for car-breaking".

261. *Vente de matériel obscène* : Comme nous l'avons déjà expliqué lors de notre analyse de la connaissance en droit pénal canadien, la vente de matériel obscène « exige la preuve que le détaillant était au courant des actes précis ou de l'ensemble des faits qui ont amené les tribunaux à conclure que le matériel en question était obscène aux termes du par. 163(8) du Code »[511]. Or, d'après l'alinéa 163(2)*a*) C.cr., « commet une infraction quiconque sciemment et sans justification ou excuse légitime, vend, expose à la vue du public, ou a en sa possession à une telle fin des choses obscènes ». Il est donc nécessaire de prouver l'intention minimale de l'accusé de vendre ou d'exposer à la vue du public du matériel obscène, car l'emploi de verbes positifs tels que « vendre », « exposer », « offrir », « annoncer », « exiger », « accepter », etc., lorsque ces verbes ne sont pas suivis ou précédés d'une expression telle que « en vue de » ou « dans le but de », etc. indique *généralement* la présence d'une intention minimale quant à l'acte reproché. Pour s'en convaincre, citons l'exemple de l'emploi d'un document contrefait prévu au paragraphe 368(1) du *Code criminel*. D'après la jurisprudence, il n'est pas nécessaire que le prévenu ait eu l'intention de causer un préjudice à autrui[512]. « Une simple intention de tromper suffit pour conclure à la commission du crime. »[513] Ce cas n'est pas sans analogie avec l'infraction prévue à l'alinéa 121(1)*a*) du *Code criminel*, infraction qui condamne les activités frauduleuses contre le gouvernement. D'après la juge L'Heureux-Dubé dans l'arrêt *R. c. Cogger*[514] :

> [P]our être déclaré coupable de l'infraction prévue par cette disposition, l'accusé doit savoir qu'il est un fonctionnaire, il doit intentionnellement exiger ou accepter un prêt, une récompense, un avantage ou un bénéfice de quelque nature que ce soit pour lui-même ou pour une autre personne, et il doit savoir que la récompense lui est accordée en contrepartie d'une collaboration, d'une

---

511 *R. c. Jorgensen*, précité, note 278, 106.

512 *R. c. Sebo*, (1988) 42 C.C.C. (3d) 536 (C.A. Alta.).

513 *R. c. Ferland*, précité, note 292, par. 22; *R. c. Sebo*, id.; *Lapointe c. La Reine*, (1984) 12 C.C.C. (3d) 238 (C.A. Qué.); *R. c. Keshane*, (1974) 20 C.C.C. (2d) 542 (C.A. Sask.).

514 Précité, note 275.

aide ou d'un exercice d'influence relativement à la conclusion d'affaires avec le gouvernement ou ayant trait à celui-ci.[515]

262. L'inclusion de verbes positifs dans le texte, lorsqu'ils ne sont pas suivis ou précédés par une expression associée à la présence d'une intention spécifique, est donc *généralement* l'indice de la présence d'une intention minimale.

Deuxième sous-section : L'intention spécifique

263. Alors que l'intention générale « se rapporte uniquement à l'accomplissement de l'acte en question, sans qu'il y ait d'autre intention ou dessein »[516], l'intention spécifique complète l'action principale en ajoutant à celle-ci la poursuite d'un but ultérieur. Dans ce cas, il ne suffit pas que l'accusé accomplisse l'action qui sous-tend l'élément matériel du crime, mais encore faut-il qu'il souhaite atteindre un but spécifique, un résultat qui excède l'accomplissement de l'acte en question :

> Une infraction d'intention spécifique se caractérise par la perpétration de l'*actus reus* assortie d'une intention ou d'un dessein qui ne se limite pas à l'accomplissement de l'acte en question. [...] Il y a monde entre l'homme qui dans un accès de frustration ou de colère porte un coup à quelqu'un dans un débit de boissons sans avoir d'autre dessein ou intention que de frapper et l'homme qui assène le même coup avec l'intention de causer la mort [...]. Quiconque tue quelqu'un avec l'intention de le tuer [...] se rend coupable de meurtre, tandis qu'une personne qui commet l'acte identique sans cette intention se voit déclarer coupable d'homicide involontaire coupable.[517]

---

515   *Id.*, 858.
516   *R.* c. *Bernard*, précité, note 10, 863.
517   *Id.*, 863 et 864.

264. En poursuivant un but précis, un dessein qui dépasse l'exécution de l'acte en question, l'intention spécifique vise une cible à la fois beaucoup plus éloignée et beaucoup plus représentative de la nocivité de son auteur. En somme, elle permet une discrimination juridique, une sélection à la fois stratégique et morale, parmi les individus qui désirent simplement commettre l'acte en question et ceux qui, à l'inverse, visent la réalisation d'un but ultérieur.

265. Au Canada, la plupart des infractions d'intention spécifique peuvent être repérées facilement. Le législateur ayant recours à des expressions telles que « aux fins de », « dans l'intention de », « dans le but de » pour compléter l'action principale, le ministère public devra alors prouver l'intention relative à ce but spécifique. Examinons quelques infractions appartenant à cette catégorie d'intention.

266. *Le meurtre* : Le meurtre est, sans contredit, l'infraction la plus grave en droit criminel. Son régime, qui est prévu à l'article 229 C.cr., prévoit notamment qu'un homicide coupable est un meurtre (1) lorsque la personne qui cause la mort d'un être humain a l'intention de causer sa mort ou (2) a l'intention de lui causer des lésions corporelles qu'elle sait être de nature à causer sa mort, et qu'il lui est indifférent que la mort s'ensuive ou non. Bien que l'intention prévue au sous-alinéa 229*a*)(i) se limite à la réalisation de la conséquence en question (*actus reus*), il s'agit bel et bien d'une infraction d'intention spécifique. Cette conclusion, qui n'est pas aussi évidente qu'on peut le croire à première vue, découle tour à tour de l'emploi de l'expression « a l'intention de » (code généralement associé à la présence d'une intention spécifique) et de la nécessité de la commission d'un acte illégal en matière d'homicide coupable. Résultat : un individu sera coupable de meurtre en vertu du sous-alinéa 229*a*)(i)C.cr. si en commettant un acte illégal (p. ex. : coup de couteau) il a l'intention par là de causer la mort. Dans l'arrêt *R. c. Bernard*[518], le juge McIntyre dit, à la page 864 :

---

518   *Id.*

La preuve de l'intention spécifique, c'est-à-dire celle de tuer ou
de causer des lésions corporelles, est nécessaire pour établir le
meurtre parce que le crime de meurtre est incomplet sans cet élément. Aucune intention de ce genre n'est toutefois requise pour
l'infraction d'homicide involontaire coupable parce qu'elle ne
fait pas partie de l'infraction, l'homicide involontaire coupable étant
simplement un homicide illégal qui ne comporte pas l'intention
nécessaire pour qu'il y ait un meurtre.[519]

267. Si la *mens rea* requise en vertu du sous-alinéa 229*a*)(i)
du *Code criminel* présuppose la preuve d'une intention spécifique
de causer la mort, la *mens rea* visée au sous-alinéa 229*a*)(ii) exige,
pour sa part, la preuve de l'intention de l'accusé de causer des
lésions corporelles tellement graves qu'il savait qu'elles étaient
de nature à causer la mort et qu'il lui était indifférent que ce résultat s'ensuive ou non[520]. En d'autres mots, pour qu'un accusé soit

---

519   *Id.*, 864.
520   *R. c. Nygaard*, [1989] 2 R.C.S. 1074, 1087 et 1088. Après avoir conclu
       que l'accusé a commis un meurtre, le jury doit décider, aux fins de la
       sentence, s'il s'agit d'un meurtre au premier ou au deuxième degré. D'une
       procédure visant à identifier les éléments de l'infraction, nous passons
       alors à un processus de classification dont le but est de repérer l'exis-
       tence de circonstances aggravantes justifiant l'imposition d'une sentence
       obligatoire d'emprisonnement à perpétuité sans possibilité de libération
       conditionnelle avant 25 ans : « En d'autres mots, dès que le jury décide
       que l'accusé a commis un meurtre, ce qui implique une conclusion que
       l'accusé a causé la mort de la victime [conformément au critère déve-
       loppé dans l'arrêt *Smithers*], il doit ensuite examiner si la culpabilité
       morale de l'accusé, qui ressort du rôle qu'il a joué dans le meurtre, jus-
       tifie un verdict de meurtre au premier degré ». Cette opération, qui est
       fort délicate, suppose une analyse de la préméditation du crime, de
       l'identité des victimes ou de la nature particulière de l'infraction com-
       mise au moment de la perpétration du meurtre.
       1. La préméditation du crime. Comme l'indique l'article 231 du *Code
       criminel*, il existe en droit pénal canadien deux catégories de meurtres :
       ceux du premier degré et ceux du deuxième degré. Le meurtre au premier
       degré est le meurtre commis avec préméditation et de propos délibéré.
       L'acte étant accompagné de malice volontaire, sa constatation justifiera
       la stigmatisation et la peine rattachée au meurtre au premier degré. Que
       le meurtre commis avec préméditation et de propos délibéré soit plus
       grave que celui commis dans la chaleur d'une passion violente, cela va

déclaré coupable de meurtre en vertu du sous-alinéa 229*a*)(ii) du Code, le ministère public doit prouver : « a) l'intention subjective

---

de soi car son mouvement « appartient davantage en propre à la volonté ». Ainsi, pour reprendre les paroles de saint Thomas d'Aquin : « Le péché commis par calcul mérite une peine plus grave par cela même. Il est écrit au livre de Job (34, 26 Vg) : Dieu a frappé aux yeux de tous, comme des impies, ceux qui se sont retirés de lui par calcul. Mais on n'augmente un châtiment qu'en raison de la gravité de la faute. Donc le péché est aggravé du fait qu'il y entre du calcul, c'est-à-dire de la malice volontaire. » Toujours selon le Dominicain :

> Comme le péché consiste principalement dans la volonté, il est d'autant plus grave, toutes choses égales d'ailleurs, que son mouvement appartient davantage en propre à la volonté. Or, quand on pèche par malice volontaire, le mouvement appartient plus proprement à la volonté qui se porte d'elle même au mal, que si l'on pèche par passion, la volonté étant alors poussée à mal faire comme par une force extérieure. Aussi, par cela même que l'on pèche par malice, le péché devient plus grave, et d'autant plus que la malice aura été plus violente ; au contraire, lorsqu'il est fait par passion, il est atténué, et d'autant plus que la passion aura été violente.

2. L'identité de la victime. Aux termes du paragraphe 4 de l'article 231 du *Code criminel* :

> **231.** (4) **[Meurtre d'un officier de police, etc.]** Est assimilé au meurtre au premier degré le meurtre, dans l'exercice de ses fonctions :
> **a)** d'un officier ou d'un agent de police, d'un shérif, d'un shérif adjoint, d'un officier de shérif ou d'une autre personne employée à la préservation et au maintien de la paix publique ;
> **b)** d'un directeur, d'un sous-directeur, d'un instructeur, d'un gardien, d'un geôlier, d'un garde ou d'un autre fonctionnaire ou employé permanent d'une prison ;
> **c)** d'une personne travaillant dans une prison avec la permission des autorités de la prison.

Ici, l'identité de la victime constitue la circonstance aggravante, car le statut de la victime aggrave la faute dans les cas où celle-ci se retrouve dans une position vulnérable. Or, comme nous l'avons déjà dit, ce sont les circonstances aggravantes qui justifient l'imposition d'une peine minimale de 25 ans d'emprisonnement. Donc le meurtre d'un officier de police ou d'un agent correctionnel justifie l'imposition d'une peine plus grave. Résultat : les stigmates reliés à une déclaration de culpabilité pour meurtre au premier degré et la sévérité de la peine qui s'y rattache commandent tous les deux l'imposition d'un lien de causalité plus important qu'en matière de meurtre au deuxième degré. Ce lien de causalité exige la démonstration d'un lien substantiel entre l'acte de l'accusé et le résultat prohibé (critère de la cause substantielle développé dans l'arrêt *R.* c. *Harbottle*).

de causer des lésions corporelles et b) la connaissance subjective que les lésions corporelles sont de nature à causer la mort »[521]. « L'intention de causer des lésions corporelles, sans la connaissance

---

3. La nature de l'infraction commise au moment de la perpétration du meurtre. Aux termes du paragraphe 5 de l'article 231 du *Code criminel* :

> **231.** (5) **[Détournement, enlèvement, infraction sexuelle ou prise d'otage]** Indépendamment de toute préméditation, le meurtre que commet une personne est assimilé à un meurtre au premier degré lorsque la mort est causée par cette personne, en commettant ou tentant de commettre une infraction prévue à l'un des articles suivants :
>
> **a)** l'article 76 (détournement d'aéronef);
> **b)** l'article 271 (agression sexuelle);
> **c)** l'article 272 (agression sexuelle armée, menaces à une tierce personne ou infliction de lésions corporelles);
> **d)** l'article 273 (agression sexuelle grave);
> **e)** l'article 279 (enlèvement et séquestration);
> **f)** l'article 279.1 (prise d'otage).

Contrairement au paragraphe 4 de l'article 231 du *Code criminel* – qui vise à protéger les personnes employées à la préservation et au maintien de la paix publique –, le paragraphe 5 vise à punir plus sévèrement le meurtre qui survient au cours de la perpétration d'un crime comportant un élément de domination de la victime. (*R. c. Ménard*, [2005] 1 R.C.S. 24).

En ce qui concerne maintenant l'article 231(6) du *Code criminel*, cet article assimile à un meurtre au premier degré, le meurtre commis par une personne en perpétrant ou en tentant de commettre l'infraction de harcèlement criminel. Dans la mesure où cette disposition emploie sensiblement le même langage (« lorsque celle-ci cause la mort ») que celui utilisé au paragraphe 5 de l'article 231 (« lorsque la mort est causée par cette personne »), il y a lieu d'appliquer le même raisonnement et le même critère que celui formulé dans l'arrêt *Harbottle*. Quant aux articles 231 (6.01 à 6.2) du *Code criminel*, nous croyons, conformément à l'objet de ces dispositions, qu'il est important, malgré l'absence d'exigence rattachant directement la mort à l'accusé, d'employer le critère de la cause substantielle. Pour reprendre les mots du juge Cory dans l'arrêt *Harbottle*, il semble « que la gravité du crime et la sévérité de la sentence indiquent tous les deux qu'il faut établir l'existence d'un degré substantiel et élevé de culpabilité, outre celle de meurtre, pour que l'accusé soit déclaré coupable de meurtre au premier degré »

521   *R. c. Cooper*, précité, note 444, 155 et 156.

qu'elles sont de nature à causer la mort est [donc] insuffisante »[522] au point de vue constitutionnel, car la prévisibilité subjective de la mort demeure, comme nous l'avons déjà souligné, un élément essentiel de l'infraction.

268. *Le parjure*: Aux termes de l'article 131(1) du *Code criminel*:

131. (1) **[Parjure]** Sous réserve du paragraphe (3), commet un parjure quiconque fait, avec l'intention de tromper, une fausse déclaration après avoir prêté serment ou fait une affirmation solennelle, dans un affidavit, une déclaration solennelle, un témoignage écrit ou verbal devant une personne autorisée par la loi à permettre que cette déclaration soit faite devant elle, en sachant que sa déclaration est fausse.

---

522   *Id.*, 150. Sur l'article 229 *c*) C.cr., voir les commentaires de P. LAPOINTE, « Les infractions criminelles », dans ÉCOLE DU BARREAU DU QUÉBEC, *op. cit.*, note 482, p. 101 :

Il existe une incertitude à propos de la validité constitutionnelle de cet article. Il y est prévu que celui qui « fait quelque chose » qui cause la mort d'une personne, dans le but de mettre à exécution « une fin illégale », sera coupable de meurtre s'il savait ou devait savoir que son acte était « de nature à causer la mort » d'une personne. [...] [L]'article 229*c*) C.cr. est inconstitutionnel lorsqu'il permet de fonder une déclaration de culpabilité pour meurtre sur la prévisibilité objective de la mort, compte tenu de la présence des mots « dev[r]ait savoir ».

Plusieurs pourront prétendre que le fait de poser un geste dangereux pour la vie, dans la poursuite d'un acte criminel grave qui comporte une intention subjective et sachant que l'acte est de nature à causer la mort, est un comportement suffisant pour supporter une condamnation pour meurtre dans le respect des droits garantis par la Charte. Il s'agit alors d'un comportement dangereux, commis intentionnellement avec une prévisibilité subjective de la mort. Ceci nous amène donc à nous demander si l'arrêt *Martineau* ne vise que la partie de cet article qui édicte une prévisibilité objective ou s'il englobe tout ce texte de loi. Rappelons que la Cour suprême, confrontée à un problème identique au sujet de l'article 21(2) C.cr., n'a déclaré inconstitutionnels que les mots « ou devait savoir » lorsque l'on cherche à appliquer cet article au meurtre.

269. À la lecture de cette disposition, trois éléments doivent être présents pour que l'on puisse conclure à un parjure. D'abord, les déclarations faites par l'accusé doivent être fausses, ensuite l'accusé doit connaître le caractère inexact de la déclaration et, enfin, il doit avoir l'intention spécifique de tromper la Cour. Ce principe énoncé dans l'arrêt *Calder*[523] fut repris et développé dans les affaires *Wolf*[524] et *Zazulak*[525]. D'après le juge Cartwright dans l'arrêt *Calder* c. *La Reine*[526]:

> In the case at bar it was incumbent upon the prosecution to prove beyond a reasonable doubt three matters, (i) that the evidence, specified in the indictment, given by the appellant on September 16, 1958, before Greshuk J. was false in fact, (ii) that the appellant when he gave it knew that it was false, and (iii) that he gave it with intent to mislead the Court. It may well be that if there were evidence to support findings that the appellant had given false evidence in fact knowing it to be false the tribunal of fact, in the absence of other evidence as to his intention, could properly draw the inference that in so doing he intended to mislead the Court.[527]

270. En ajoutant à la production d'« une fausse déclaration » « l'intention de tromper », le législateur manifeste sa volonté; il indique aux tribunaux son intention d'imposer au ministère public le fardeau de prouver tour à tour le faux témoignage de l'accusé

---

523   *Calder* c. *La Reine*, (1960) 129 C.C.C. 202 (C.S.C.).

524   *Wolf* c. *La Reine*, (1974) 17 C.C.C. (2d) 425, 430 (C.S.C.):
There may be cases in which knowing falsification will not support an inference of intent to mislead, but this is not one of them. The *Calder* case indicates that to falsify knowingly is not invariably enough for a conviction of perjury, and I take the same view. In this respect, the point made in the *Patterson* case, that in Canada (as distinguished from other jurisdictions) proof of an intent to mislead is necessary to conviction, is worth restatement.

525   *R.* c. *Zazulak*, (1993) 84 C.C.C. (3d) 303 (C.A. Alta.).

526   Précité, note 523.

527   *Id.*, 203.

et son intention spécifique de tromper la Cour. En somme, d'après la Cour suprême du Canada dans l'arrêt *R. c. Hébert*[528] :

> Pour qu'il y ait parjure il ne suffit pas d'une déclaration intentionnellement fausse. Il faut aussi qu'elle ait été faite avec l'intention de tromper. S'il est vrai que, de façon générale, celui qui ment le fait avec l'intention d'être cru, il n'est pas exclu, quoique cela soit exceptionnel, que l'on puisse intentionnellement mentir sans avoir l'intention de tromper. Il est toujours loisible à un accusé de chercher à faire la preuve par son témoignage ou autrement, d'une telle intention, quitte au juge du procès d'en apprécier le poids.[529]

271. Tel sera le cas, par exemple, de celui qui fait un faux témoignage non pas avec l'intention de tromper, mais plutôt avec celle « d'attirer l'attention du juge pour lui faire part des menaces dont il [a fait] l'objet »[530].

272. *Enlèvement d'une personne âgée de moins de 14 ans* : L'enlèvement d'une personne âgée de moins de 14 ans est une infraction qui suppose la commission d'un acte positif (exigence qui découle de l'emploi dans le libellé de l'infraction de verbes tels que « enlève, entraîne, retient, reçoit, cache ou héberge cette personne ») auquel s'ajoute l'intention de priver de la possession de celle-ci le père, la mère, le tuteur ou une autre personne ayant la garde ou la charge légale de cette personne. Il s'agit, par conséquent, d'une infraction d'intention spécifique qui exige la preuve de l'acte principal et de l'intention ultérieure prohibée par la loi. Cette intention peut être prouvée, comme nous l'avons déjà dit, soit en démontrant l'intention directe de l'accusé de priver les parents de la possession de leur enfant, soit en établissant sa connaissance que cette conséquence résultera *certainement* ou *presque*

---

528   [1989] 1 R.C.S. 233.

529   *Id.*, 235.

530   *Id.*

certainement de l'enlèvement. C'est ce que confirme d'ailleurs la juge L'Heureux-Dubé dans l'arrêt *R. c. Chartrand*[531] :

> Pour résumer, bien que l'on puisse établir l'intention aux fins de l'art. 281 en démontrant la privation intentionnelle et à dessein du contrôle des parents sur l'enfant, la plus grande partie de la jurisprudence et de la doctrine appuie l'opinion que la *mens rea* requise à l'égard d'infractions comme celle prévue à l'art. 281 du Code peut aussi être établie par la simple privation des parents (tuteurs, etc.) de la possession de leur enfant au moyen de l'enlèvement, pour autant que le juge des faits puisse, par inférence, conclure que l'auteur de l'enlèvement a prévu certainement ou presque certainement les conséquences de l'enlèvement, indépendamment du but ou du mobile de l'enlèvement.
>
> La *mens rea* requise peut être établie par le simple fait de priver les parents (tuteurs, etc.) de la possession de l'enfant au moyen de l'enlèvement, à condition que le juge des faits puisse conclure, par inférence, que les conséquences de cet enlèvement sont prévues par l'accusé comme un résultat certain ou presque certain, indépendamment du but ou mobile de l'enlèvement.[532]

273. Ce cas n'est pas sans analogie avec l'enlèvement d'un enfant de moins de 14 ans en contravention d'une ordonnance de garde prévu au paragraphe 282(1) du *Code criminel*. Encore une fois, le législateur exige la preuve de l'intention spécifique à titre d'élément de faute en ajoutant les mots « avec l'intention de priver de la possession » aux verbes qui sous-tendent l'élément matériel du crime. Résultat : le paragraphe 282(1) du Code requiert la preuve que l'enfant est détenu dans le but de priver le parent gardien de l'accès à l'enfant. L'insouciance ou la négligence de l'accusé à cet égard n'est donc pas suffisante pour engager sa responsabilité

---

531   Précité, note 436.
532   *Id.*, 894 et 895. Voir également G. CÔTÉ-HARPER, P. RAINVILLE et J. TURGEON, *op. cit.*, note 40, p. 426 : « Lorsqu'on exige la preuve d'une intention spécifique, l'état d'insouciance ne suffit pas pour condamner l'accusé. »

pénale. Citons, sur ce point, l'analyse du juge Doherty dans l'arrêt *R*. c. *McDougall*[533] :

> The language of s. 282 specifically requires proof of an intention to deprive the other parent of possession of the child. The section provides a classic example of what our jurisprudence refers to as a crime of ulterior or specific intent. In *R*. v. *Bernard* [...] per McIntyre J., the majority of the court referred to a crime of specific intent as one which "...involves the performance of the *actus reus* coupled with an intent or purpose going beyond the mere performance of the questioned act."
>
> Applying the language of *Bernard* [...] to s. 282 as it is relevant to this case, the *actus reus* or "questioned act" is the detention of the child in contravention of the custody order, while the "purpose going beyond the mere performance of the questioned act" is the intention to deprive the other parent of possession of the child. The language of the section precludes reliance on any lesser level of intent such as recklessness and requires proof that the act was done for the express purpose of depriving the other parent of possession of the children.[534]

274. En plus d'exiger la détention de l'enfant contrairement aux dispositions d'une ordonnance de garde rendue par un tribunal au Canada, le paragraphe 282(1) du Code suppose la présence d'un but ou d'un dessein spécifique qui consiste dans l'intention de priver le parent gardien de l'accès à l'enfant conformément à l'ordonnance de garde[535].

---

533   (1990) 62 C.C.C. (3d) 174 (C.A. Ont.).

534   *Id.*, 184 et 185.

535   *Id.*, 182 :
       The elements of the offence created by the section in so far as they relate to the circumstances of this case are as follows :
       1. The appellant must be a parent of children who are the subject of the detaining;
       2. the children must be under 14 years of age;
       3. the appellant must have detained the children;

275. *Voies de fait contre une personne dans l'intention de résister à une arrestation* : Contrairement aux voies de fait contre un fonctionnaire public ou un agent de la paix agissant dans l'exercice de leurs fonctions, les voies de fait commises dans l'intention de résister à une arrestation légale prévues à l'alinéa 270(1)*b*) du Code, reposent sur la preuve d'une intention spécifique. Dans la mesure où cette intention se rapporte à la présence d'une arrestation légale de l'accusé ou d'une autre personne, l'intention ne pourra être établie sans démontrer au préalable la connaissance de l'accusé quant à l'existence de l'arrestation. Dans l'arrêt *R*. c. *Tom*[536], le juge Wood propose l'analyse suivante :

> In order to obtain a conviction the Crown was required to prove, *inter alias*, that Tom assaulted Constable Lock with the intention of resisting his own arrest. Essential to that state of mind would be an awareness on Tom's part that he was, indeed, under or about to be placed under arrest. [...] The evidence of Constable Lock supports the inference that Tom was intoxicated to the point where it is doubtful he understood that he had, in fact, been placed under arrest. [...] I am of the view that the evidence of the appellant's intoxication was such that if the trial judge had properly directed himself on the intent required to sustain a conviction under s. 270(1)b), he would have been bound to acquit on count of the information.[537]

---

4. the detention must have been in contravention of the custody provisions of an existing custody order made by a Canadian court;

5. the appellant must know that there is an existing custody order made by a Canadian court. It may be that he must also know that his detention of the children is in violation of that order, but that issue need not be determined on this appeal; and

6. the detention must have been done with an intent to deprive the mother of possession of the children.

Voir également *R*. c. *Ilczyszyn*, (1988) 45 C.C.C. (3d) 91 (C.A. Ont.); *R*. c. *Tremblay*, [1994] A.Q. (Quicklaw) n° 97 (C.A.).

536   (1992) 79 C.C.C. (3d) 84 (C.A. C.-B.).

537   *Id.*, 90 et 91.

276. Comme l'indique ce passage emprunté à l'arrêt *R*. c. *Tom*, l'intention spécifique est, à l'image de l'intention générale, un état d'esprit qui exige la présence d'une certaine forme de connaissance.

277. *Introduction par effraction* : L'introduction par effraction dans un dessein criminel prévue à l'article 348 du Code est une infraction qui illustre bien la distinction entre les crimes d'intention générale et ceux d'intention spécifique. Aux termes du paragraphe 348(1) du *Code criminel* :

> **348.** (1) **[Introduction par effraction dans un dessein criminel]** Quiconque, selon le cas :
>
> **a)** s'introduit en un endroit par effraction avec l'intention d'y commettre un acte criminel;
>
> **b)** s'introduit en un endroit par effraction et y commet un acte criminel;
>
> **c)** sort d'un endroit par effraction :
>
> (i) soit après y avoir commis un acte criminel,
>
> (ii) soit après s'y être introduit avec l'intention d'y commettre un acte criminel, est coupable [d'un acte criminel].

278. Alors que l'introduction par effraction avec l'intention d'y commettre un acte criminel requiert la preuve d'une intention spécifique, intention découlant de l'expression « dans l'intention de », l'introduction par effraction avec commission d'un acte criminel prévue au paragraphe *b*) n'exige, pour sa part, qu'une intention générale. C'est ce que confirme d'ailleurs le juge McIntyre, dans l'arrêt *R*. c. *Quin*[538], en citant avec approbation les commentaires de la Cour d'appel de l'Ontario :

---

538   [1988] 2 R.C.S. 825.

L'alinéa 306(1)*a*) [maintenant 348(1)*a*)] traite d'accusations d'introduction par effraction avec l'intention de commettre une infraction criminelle dans l'endroit en cause, ce qui crée des crimes d'intention spécifique dans toutes les affaires relevant de l'alinéa. Il est bien établi que l'ivresse, selon ce qui ressort de la preuve, constitue une défense aux crimes d'intention spécifique. L'accusation en l'espèce vise [toutefois] l'infraction d'introduction par effraction et la perpétration de l'infraction de voies de fait causant des lésions corporelles.[539]

279. Comme l'indique ce passage emprunté à l'arrêt *Quin*, l'ivresse peut être pertinente en matière d'introduction par effraction avec l'intention de commettre une infraction criminelle (348(1)*a*)), mais inapplicable dans les cas où la personne est accusée d'avoir commis un acte criminel après s'être introduite en un endroit par effraction (348(1)*b*)).

280. *Faux messages, propos indécents au téléphone, appels téléphoniques harassants*: Les trois infractions (faux messages, propos indécents au téléphone, appels téléphoniques harassants) prévues aux paragraphes (1), (2) et (3) de l'article 372 du *Code criminel* supposent respectivement « l'intention de nuire à quelqu'un ou de l'alarmer », « l'intention d'alarmer ou d'ennuyer quelqu'un », « l'intention de harasser quelqu'un », lesquelles impliquent naturellement la présence d'une intention spécifique[540]. L'expression « avec l'intention de harasser » signifie, d'après l'arrêt *R*. c. *Sabine*[541], avec « l'intention de déranger ». L'accusé n'est donc pas obligé de parler pour être déclaré coupable d'appels téléphoniques harassants. Le fait de téléphoner de manière répétitive (p. ex.: 14 fois en 8 minutes) et de raccrocher après que la victime ait décroché le combiné peut être suffisant pour obtenir une condamnation en vertu de cette disposition.

---

539   *Id.*, 831.
540   *R*. c. *Menegon*, (1993) 21 W.C.B. (2d) 46 (C.M. Qué.).
541   (1990) 57 C.C.C. (3d) 209 (B.R. N.-B.).

281. *Fait de causer intentionnellement des lésions corporel-les – armes à feu*: Contrairement à l'article 87(1) du *Code criminel* (braquer une arme à feu), l'article 244 C.cr. est une infraction d'intention spécifique qui interdit à quiconque de « décharger une arme à feu contre quelqu'un (que cette personne soit ou non celle mentionnée à l'alinéa *a*), *b*) ou *c*)) dans l'intention *a*) soit de blesser, mutiler ou défigurer une personne, *b*) soit de mettre en danger la vie d'une personne, ou *c*) soit d'empêcher l'arrestation ou la détention d'une personne ». Ici, l'élément matériel de l'infraction consiste dans le fait de décharger une arme à feu contre quelqu'un[542]. Quant à l'élément de faute, il renvoie à l'intention prévue à l'alinéa *a*), *b*) ou *c*)[543]. Comme l'écrit le juge Decoste dans l'arrêt *R. c. Chouinard*[544]:

> L'infraction prévue à l'article 244*a*) du *Code criminel* en est une d'intention spécifique et oblige le Ministère public à établir non seulement le fait que l'accusé ait déchargé l'arme ou a tiré, mais aussi la preuve qu'il a posé ce geste dans le but de blesser ou mutiler ou défigurer une autre personne, un fardeau de preuve qui est lourd. Les deux éléments doivent être prouvés et on le sait, sans

---

542 *R. c. Jackson*, (2002) 163 C.C.C. (3d) 451, par. 14 (C.A. Ont.):
In my view, this submission must be rejected. The argument that an arrest is an element of the *actus reus* is not borne out by the language of s. 244. Sections 244(a) and (b) set out the *mens rea* required for conviction under those sections: the intent to wound, maim or disfigure any person in the case of s. 244(a), and the intent to endanger the life of any person in the case of s. 244(b). Similarly, s. 244(c) sets out the *mens rea* required for conviction under that section: the intent to prevent the arrest or detention of any person. The element of arrest is linked to the *mens rea* requirement under s. 244(c), and not to the *actus reus* requirement, which is the discharge of a firearm at a person.

543 *R. c. Foti*, précité, note 487, par. 24:
The *mens rea* in this offence, as opposed to that of aggravated assault, is one of specific intent: Colburne, at p. 249, and *R. v. Martin*, [1947] 1 W.W.R. 721 at 725, 88 C.C.C. 314 (Alta. S.C.). It is not sufficient to have an intention to threaten, scare or frighten someone, nor is it sufficient to objectively foresee that there is a risk of harm. According to the case law, the accused must have an actual intention to wound: *R. v. MacDonald* (1944), 82 C.C.C. 47 (Sask. C.A.); *R. v. Connop* (1949), 94 C.C.C. 349 (Ont. C.A.); and *R. v. Cashman* (1951), 13 C.R. 45, 102 C.C.C. 208 (Ont. Co. Ct.).

544 Précité, note 458.

laisser place au doute raisonnable, que la preuve soit directe ou circonstancielle si un verdict de culpabilité soit recherché. Quant à l'infraction prévue à l'article 87.2.a), l'absence d'excuse légitime et le fait de braquer en constituent les deux éléments essentiels.[545]

282.   Pour entraîner une condamnation en vertu de l'article 244*a*) du *Code criminel*, le ministère public doit donc prouver l'intention de l'accusé de blesser, de mutiler ou de défigurer une personne. L'intention d'effrayer ou de menacer la victime n'est pas suffisante aux fins de cette disposition.

283.   *Fait d'administrer une substance délétère* : L'administration d'une substance délétère prévue à l'article 245 du *Code criminel* est une autre infraction dont la preuve exige la présence d'une intention ou d'un dessein qui ne se limite pas à l'accomplissement de l'acte en question. L'article 245 C.cr. se lit comme suit :

245. [Fait d'administrer une substance délétère] Quiconque administre ou fait administrer à une personne, ou fait en sorte qu'une personne prenne, un poison ou une autre substance destructive ou délétère, est coupable d'un acte criminel et passible :

a) d'un emprisonnement maximal de quatorze ans, s'il a l'intention, par là, de mettre la vie de cette personne en danger ou de lui causer des lésions corporelles;

b) d'un emprisonnement maximal de deux ans, s'il a l'intention, par là, d'affliger ou de tourmenter cette personne.

284.   L'*actus reus* de l'infraction est le fait d'administrer à une personne (ou de faire administrer ou de faire en sorte que la victime prenne) un poison ou une autre substance destructrice ou

---

545   *Id.*, par. 9.

délétère. Quant à la définition d'une substance délétère, celle-ci exige une analyse contextuelle. La substance consommée, la dose administrée, le mode d'ingestion employé constituent des éléments qui permettront au tribunal de qualifier la substance en question. Comme l'explique habilement le juge Prowse dans l'arrêt *R.* c. *Burkholder*[546] :

> [T]here is support for the view in *R.* v. *Hennah* (1877), 13 Cox C.C. 546, that a substance is a noxious thing if, in the light of all of the circumstances attendant upon its administration, it is capable of effecting, or in the normal course of events will effect, a consequence defined in s. 229. Circumstances that may arise and which have to be considered in determining whether a substance is noxious include its inherent characteristics, the quantity administered, and the manner in which it is administered. Substances which may be innocuous, such as water to drink or an aspirin for a headache, may be found to be a noxious substance in some circumstances; for example, if water is injected into the body of a person by means of a hypodermic syringe or an excessive quantity of aspirin is administered to a person.[547]

285. En ce qui concerne maintenant la *mens rea* de l'infraction, celle-ci oblige le ministère public à prouver que l'accusé a posé ce geste dans le but soit de mettre la vie de la victime en danger ou de lui causer des lésions corporelles, soit d'affliger ou de tourmenter cette personne. Ici, l'insouciance n'est pas suffisante au point de vue juridique[548]. Seule une preuve d'intention spécifique

---

546   (1977) 34 C.C.C. (2d) 214 (Alta Sup. Ct. (App. Div.)).

547   *Id.*, 219.

548   *Id.*, 220 :

In my view, the *mens rea* required under s. 229 by the words "if he intends thereby to ..." does not encompass recklessness as in the Cunningham cases, *supra*. The essence of the offence is the *mens rea* that accompanies the *actus reus* which requires proof that the accused intended a consequence defined in the section under which he is charged, proof that he intended to endanger life, cause bodily harm or to aggrieve or annoy. The section does not provide that it is an offence to administer a noxious thing to another person. The offence is constituted by the mental element that accompanies the act of administering a substance that is in fact noxious.

peut entraîner la culpabilité de l'accusé aux termes de cette infraction. Cette preuve, comme nous l'avons déjà indiqué, peut être
établie par le biais de la connaissance de l'accusé que la conséquence prohibée résultera *certainement* ou *presque certainement*
de l'acte accompli. C'est ainsi qu'il faut envisager la culpabilité
d'un individu qui a donné à ses victimes de la nourriture et de la
boisson contenant de l'oxazépam (drogue de la famille des benzo-
diazépines, fréquemment utilisée comme drogue du viol). « Compte
tenu des doses administrées, du nombre de victimes, des effets de
la drogue constatés par l'appelant, il devait savoir que ses victimes seraient certainement affligées ou tourmentées[549]. »

286. Résumé brièvement, la *mens rea* de l'infraction prévue à l'article 245 C.cr. suppose obligatoirement la preuve (1) de
l'intention de l'accusé d'administrer à une personne un poison ou
une autre substance destructrice ou délétère (ce qui implique, à
notre avis, un élément de connaissance par rapport à la nature de
la substance administrée et non par rapport à sa qualification juridique en tant que substance délétère) et (2) de l'intention spécifique visée au paragraphe *a*) ou *b*).

287. *Fait de vaincre la résistance à la perpétration d'une
infraction* : Comme toutes les infractions d'intention spécifique que
nous avons étudiées jusqu'à maintenant, le crime contenu à l'article 246 C.cr. exige la preuve d'un élément mental qui dépasse la
commission matérielle de l'acte en question. D'après cette disposition :

**246. [Fait de vaincre la résistance à la perpétration d'une
infraction]** Est coupable d'un acte criminel et passible de l'emprisonnement à perpétuité quiconque, avec l'intention de permettre à lui-même ou à autrui de commettre un acte criminel, ou
d'aider à la perpétration, par lui-même ou autrui, d'un tel acte :

---

549   *R.* c. *Gagnon*, [2003] J.Q. (Quicklaw) n° 729, par. 100 (C.A.).

a) soit tente, par quelque moyen, d'étouffer, de suffoquer ou d'étrangler une autre personne, ou, par un moyen de nature à étouffer, suffoquer ou étrangler, tente de rendre une autre personne insensible, inconsciente ou incapable de résistance;

b) soit administre, ou fait administrer à une personne ou tente d'administrer à une personne, ou lui fait prendre ou tente de lui faire prendre une drogue, matière ou chose stupéfiante ou soporifique.

288. Ainsi, sera condamné l'individu qui offre à ses victimes de la nourriture ou de la boisson contenant de la drogue pour lui permettre de commettre des actes sexuels non désirés.[550] Ce cas n'est pas sans analogie avec celui de la personne qui étrangle sa victime afin de briser toute résistance à la poursuite d'une agression sexuelle. Cet étranglement, il convient de le souligner, exige toutefois « quelque chose de plus » que le simple fait de saisir l'autre personne à la gorge[551]. Quant à l'élément mental du crime, celui-ci pourra être écarté au moyen d'une défense d'ivresse[552].

289. *Fuite* : L'article 249.1 du *Code criminel* se lit comme suit :

249.1 (1) **[Fuite]** Commet une infraction quiconque conduisant un véhicule à moteur alors qu'il est poursuivi par un agent de la paix conduisant un véhicule à moteur, sans excuse raisonnable et dans le but de fuir, omet d'arrêter son véhicule dès que les circonstances le permettent.

290. L'*actus reus* de l'infraction suppose la présence des quatre éléments suivants : a) la conduite d'un véhicule à moteur (cette dernière expression étant définie à l'article 2 du Code comme

---

550   *Id.*
551   *R. c. R. (J.A.)*, 20 W.C.B. (2d) 245 (Ont. Ct.).
552   *Id.*

désignant tout « véhicule tiré, mû ou propulsé par un moyen autre que la force musculaire » (sauf du matériel ferroviaire), l'accusé pourra être au volant d'une voiture, d'une motoneige, d'un véhicule tout terrain, d'une moto, d'un bateau, etc.); b) l'accusé doit être poursuivi par un agent de la paix conduisant un véhicule à moteur; c) il doit avoir omis d'arrêter son véhicule dès que les circonstances le permettaient et enfin; d) il ne doit pas avoir d'excuse raisonnable. En ce qui concerne la *mens rea* de l'infraction, celle-ci sera établie par la preuve de l'intention de l'accusé de conduire un véhicule à moteur alors qu'il est poursuivi par un agent de la paix conduisant un véhicule à moteur, et par l'intention spécifique de fuir.

291. *Le vol* : Aux termes de l'article 322 du *Code criminel* :

322. (1) **[Vol]** Commet un vol quiconque prend frauduleusement et sans apparence de droit, ou détourne à son propre usage ou à l'usage d'une autre personne, frauduleusement et sans apparence de droit, une chose quelconque, animée ou inanimée, avec l'intention :

a) soit de priver, temporairement ou absolument, son propriétaire, ou une personne y ayant un droit de propriété spécial ou un intérêt spécial, de cette chose ou de son droit ou intérêt dans cette chose;

b) soit de la mettre en gage ou de la déposer en garantie;

c) soit de s'en dessaisir à une condition, pour son retour, que celui qui s'en dessaisit peut être incapable de remplir;

d) soit d'agir à son égard de telle manière qu'il soit impossible de la remettre dans l'état où elle était au moment où elle a été prise ou détournée.

292. Comme l'indique son libellé, le vol adjoint à l'action principale (« prend », « détourne ») l'exigence d'une intention spé-

cifique dont la présence résulte de l'emploi des mots « avec l'intention de » précédant les paragraphes *a*) à *d*). Ainsi, pour obtenir une condamnation pour vol, le ministère public devra prouver : (1) l'élément frauduleux, (2) la connaissance de l'absence d'apparence de droit et (3) l'intention spécifique de priver temporairement ou en permanence le propriétaire de la chose en question (ou une personne y ayant un droit de propriété spécial ou un intérêt spécial).

293. *Conclusion* : Comme l'indique cette analyse consacrée à la notion d'intention spécifique en droit pénal canadien, l'emploi d'expressions telles que « dans l'intention de », « dans le but de » est généralement un indicateur précieux de la volonté du législateur d'imposer au ministère public la preuve d'un dessein ultérieur à l'accomplissement de l'acte en question (souvent désigné par le verbe qui sous-tend l'infraction). À la liste déjà longue des crimes d'intention spécifique que nous avons étudiés jusqu'à maintenant, il convient donc d'ajouter les infractions suivantes : charger une personne de se livrer à une activité pour un groupe terroriste[553], méfait public[554], bris de prison[555], contacts sexuels[556], incitation à des contacts sexuels[557], trappes susceptibles de causer des lésions corporelles[558], fuite[559], passage d'enfants à l'étran-

---

553 C.cr., art. 83.21 (dans le but de).

554 C.cr., art. 140(1) (avec l'intention de).

555 C.cr., art. 144*b*) (avec l'intention de).

556 C.cr., art. 151 (à des fins d'ordre sexuel); *R.* c. *Bone*, (1993) 81 C.C.C. (3d) 389, 392 (C.A. Man.) :

> In contrast to sexual assault, the offence of sexual exploitation under s. 153 of the Code is one of specific intent: see *R.* v. *Nelson* (1989), 51 C.C.C. (3d) 150, 8 W.C.B. (2d) 385 (Ont. H.C.J.). This offence involves an act committed for "a sexual purpose". It is not enough for the Crown to prove, for example, a touching; the Crown must also prove the touching to have been for the specific purpose referred to in the section. In our opinion, the offence of sexual touching under s. 151 of the Code falls into the same category as that under s. 153. The specific intent of achieving a sexual purpose is a required element. A person too drunk to form that intent cannot be guilty.

557 C.cr., art. 152 (à des fins d'ordre sexuel).

558 C.cr., art. 247(1) (avec l'intention de).

559 C.cr., art. 249(1) (dans le but de).

ger[560], prise d'otages[561], abus de confiance criminel[562], incendie criminel avec l'intention de frauder[563], etc.

Troisième section : L'intention comme forme de *mens rea* découlant de l'utilisation de certaines expressions juridiques

294. Après avoir fixé les limites de l'intention générale et de l'intention spécifique en droit pénal canadien, il nous reste, maintenant, à déterminer la signification de trois expressions traditionnellement rattachées à la présence d'une certaine forme d'intention. À l'analyse de l'adverbe « volontairement », succédera un examen des adverbes « frauduleusement » et « illégalement ».

Première sous-section : « Volontairement »

295. L'analyse du mot « volontairement » comprend deux considérations, selon que l'adverbe est défini ou non par le législateur.

A. Dans les cas où le mot « volontairement » est défini par le législateur

296. Contrairement aux autres parties du *Code criminel* (qui demeurent silencieuses à cet égard), la partie XI du Code consa-

---

560   C.cr., art. 273.3(1) (dans le but de).
561   C.cr., art. 279.1(1) (dans l'intention de).
562   C.cr., art. 336 (avec l'intention de).
563   C.cr., art. 435(1) (avec l'intention de).

crée aux *actes volontaires et prohibés concernant certains biens*
définit l'adverbe « volontairement » de la manière suivante :

> **429.** (1) **[Volontairement]** Quiconque cause la production d'un
> événement en accomplissant un acte, ou en omettant d'accom-
> plir un acte qu'il est tenu d'accomplir, sachant que cet acte ou
> cette omission causera probablement la production de l'événe-
> ment et sans se soucier que l'événement se produise ou non, est,
> pour l'application de la présente partie, réputé avoir causé volon-
> tairement la production de l'événement.

297. Cet article étant applicable à toutes les infractions
prévues à la partie XI du Code (art. 430 à 447 inclusivement), il
convient d'examiner certaines de ces infractions à la lumière de
l'interprétation qu'en font les tribunaux.

298. *Méfait* : Est coupable d'un méfait, aux termes de l'article 430(1) du *Code criminel*, quiconque *volontairement*, a) détruit
ou détériore un bien; b) rend un bien dangereux, inutile, inopérant
ou inefficace; c) empêche, interrompt ou gêne l'emploi, la jouissance ou l'exploitation légitime d'un bien; et, enfin, d) empêche,
interrompt ou gêne une personne dans l'emploi, la jouissance ou
l'exploitation légitime d'un bien. Or, d'après l'article 429 du *Code
criminel*, l'adverbe « volontairement » exige la connaissance que
l'acte visé causera probablement la production de l'événement en
question. Donc le méfait suppose la preuve d'une intention ou
d'un état d'insouciance quant à la conséquence prohibée. D'après
le juge Rowles dans l'arrêt *R. c. Toma*[564] :

> The word "wilfully" is generally taken to mean intentionally but
> it is also used to mean recklessly. Section 429(1) of the *Criminal
> Code* provides an extended meaning for the word "wilful" for
> the purpose of Part XI of the Code: see *R. v. Muma* (1989), 51
> C.C.C. (3d) 85 (Ont C.A.). [...] In *R. v. Schmidtke* (1985), 19

---

564   (2000) 147 C.C.C. (3d) 252 (C.A. C.-B.).

C.C.C. (3d) 390 (Ont. C.A.), Robins J.A. similarly concluded that the offence of mischief charged under what is now s. 430(1)(a) of the *Criminal Code* is an offence of general rather than specific intent and that the requisite mental element for mischief requires proof of no more than an intentional or reckless causing of the *actus reus*.[565]

299. Le méfait est donc une infraction criminelle dont la constatation peut être établie grâce à la preuve d'une intention générale ou d'un état d'insouciance [566].

300. Cette manière d'envisager le mot « volontairement » prévu à l'article 429 du *Code criminel* rejaillit, bien entendu, sur la plupart des infractions que l'on retrouve dans la partie XI du Code. Les crimes d'incendie, par exemple, prévus aux articles 433 C.cr. (incendie criminel : danger pour la vie humaine), 434 C.cr. (incendie criminel : dommage matériel), 434.1 C.cr. (incendie criminel : biens propres), présupposent l'existence d'une intention ou d'une insouciance de la part de l'accusé. En utilisant l'expression « intentionnellement ou sans se soucier des conséquences de son acte », le législateur reprend, d'une certaine manière, la définition du mot « volontairement » contenue à l'article 429 du Code (voir cependant l'inclusion de l'adverbe « probablement » dans la définition prévue à l'article 429 C.cr.). Quant à cette expression, il convient de rappeler qu'elle ne requiert pas la preuve d'une intention malicieuse, mais la présence d'une intention générale ou d'un état d'insouciance de la part de l'accusé. Examinant l'interprétation du mot « volontairement » dans le cadre d'une accusation pour

---

565   *Id.*, 257 et 258.

566   *R.* c. *Phoenix*, [1991] B.C.J. (Quicklaw) n° 4013 (Prov. Ct.); *R.* c. *Guillemette*, J.E. 82-157 (C.A.) : « [...] la seule connaissance du prévenu que l'acte qu'il pose causera probablement la destruction ou la détérioration d'un bien et son insouciance quant à ce résultat suffisent pour que l'acte soit considéré comme volontaire ». (cité dans G. CÔTÉ-HARPER, P. RAINVILLE et J. TURGEON, *op. cit.*, note 40, p. 409).

avoir tué ou blessé des animaux, le juge Ilsley rejette, dans l'arrêt *McHugh*[567], la nécessité d'une intention malicieuse[568] :

> The evidence, in my opinion, is such that had the trial Judge considered s. 371 (1) and applied it to the evidence, he might reasonably have come to the following conclusions: (a) that the respondent omitted to give the horse proper care and attention whilst in a suffering state [...], (b) that this omission was an omission to do an act that it was his duty to do, (c) that he knew that that omission would probably cause unnecessary pain to the horse, (d) that he was reckless whether the causing of such unnecessary pain would occur or not, and (e) that therefore his omission was a wilful causing of unnecessary pain, even if, as in effect found by the trial Judge, he had no definite intention of causing such pain.[569]

301. L'intention n'est donc pas nécessaire pour conclure à la « volonté » de l'agent, l'insouciance suffit amplement pour établir la culpabilité de l'accusé relativement à l'acte illégal. Cette conclusion, il va de soi, s'applique à toutes les infractions contenues dans la partie XI du Code (infractions dont la structure s'appuie sur l'adverbe « volontairement », telles que la fausse alerte[570], l'entrave au sauvetage d'un navire naufragé[571] et le déplacement de bornes internationales)[572].

B. Dans les cas où le mot « volontairement » n'est pas défini par le législateur

302. Si la preuve d'une intention criminelle n'est pas nécessaire lorsque l'infraction prévoyant la commission d'un acte « volon-

---

567   *R.* c. *McHugh*, (1966) 1 C.C.C. 170 (C.S. N.-É.).
568   Voir également *R.* c. *Dupont*, [1978] 1 R.C.S. 1017.
569   *R.* c. *McHugh*, précité, note 567, 173.
570   C.cr., art. 437.
571   C.cr., art. 438(1).
572   C.cr., art. 443.

taire » est énoncée à la partie XI du *Code criminel*, il en va autrement lorsqu'une personne est accusée d'une infraction dont la trame n'est pas régie par l'article 429 C.cr. Le législateur ne s'étant pas inscrit dans la norme qu'il a rédigée, l'absence de *prédétermination* laissera place à une *codétermination* dont l'objet sera de fixer la signification finale du mot « volontairement ». La définition de l'adverbe « volontairement » fut abordée par la Cour d'appel de l'Ontario dans l'arrêt *R. c. Buzzanga and Durocher*[573]. Dans cette affaire, les deux inculpés étaient accusés d'avoir volontairement fomenté la haine conformément à l'article 281.2(2) [maintenant 319(2) du *Code criminel*]. Après avoir souligné les difficultés entourant l'interprétation du mot « volontairement », le juge Martin proposa une définition de l'adverbe qui privilégia l'intention au détriment de l'insouciance. Selon l'ancien magistrat, « the word « wilfully » does not have a fixed meaning, but I am satisfied that in the context of s. 281.2(2) it means with the intention of promoting hatred, and does not include recklessness »[574]. Après avoir souligné l'importance de l'intention dans l'interprétation donnée au mot « volontairement » prévu à l'article 281.2(2) [maintenant 319(2)], le juge Martin entreprit de définir la notion d'intention. D'après ce dernier, une personne agit intentionnellement lorsqu'elle a pour but conscient de causer l'événement ou lorsqu'elle prévoit que celui-ci résultera *certainement* ou *presque certainement* de l'acte en question[575].

303. Cette définition fut reprise et développée, quelques années plus tard, par le juge Dickson dans l'arrêt *R. c. Keegstra*[576]. Après avoir rappelé les faits de l'affaire *Buzzanga*, l'ancien juge

---

573   (1979) 49 C.C.C. (2d) 369 (C.A. Ont.).

574   *Id.*, 381.

575   *Id.*, 383 :

> There is, however, substantial support for the prosecution that in the criminal law a person intends a particular consequence not only when his conscious purpose is to bring it about, but also when he foresees that the consequence is certain or substantially certain to result from his conduct.

576   [1990] 3 R.C.S. 697.

en chef souligna avec approbation l'interprétation offerte par le juge Martin :

> L'interprétation donnée au mot « volontairement » dans l'affaire *Buzzanga* influe beaucoup sur la portée de la restriction de la liberté d'expression par le par. 319(2). Cet élément moral, qui nécessite davantage que simplement la négligence ou l'indifférence quant aux conséquences, restreint considérablement la portée de la disposition et réduit par le fait même celle de l'expression visée. [...] Cette interprétation découle dans une large mesure de ce que, selon moi, cette disposition pose une exigence rigoureuse concernant la *mens rea*, savoir l'intention de fomenter la haine ou la connaissance de la forte probabilité d'une telle conséquence.[577]

304. L'adverbe « volontairement » renvoie donc à la notion d'intention. C'est ce que reconnaît d'ailleurs la Cour suprême du Canada dans l'arrêt *R. c. Docherty*[578] où l'inculpé était accusé d'avoir illégalement et volontairement omis de se conformer à une ordonnance de probation lui adjoignant de ne pas troubler l'ordre public et d'avoir une bonne conduite. S'exprimant au nom de la Cour, la juge Wilson procéda à un examen minutieux du mot « volontairement » :

> Le paragraphe 666(1) est clairement rédigé de manière à exiger une connaissance coupable pour qu'il y ait violation. Le paragraphe interdit à un accusé d'omettre ou de refuser volontairement de se conformer à une ordonnance de probation. L'adverbe « volontairement » est sans doute idéal pour indiquer une exigence de *mens rea*. Il souligne l'intention en relation avec la réalisation d'un objectif. Il peut être opposé à des formes moindres de connaissance coupable comme « négligemment » ou même « de façon téméraire ». Bref l'emploi de l'adverbe « volontairement » indique que la loi exige un niveau relativement élevé de *mens rea* en

---

577   *Id.*, 775. Voir plus récemment *Mugesera c. Canada (Ministre de la Citoyenneté et de l'Immigration)*, [2005] 2 R.C.S. 100.

578   [1989] 2 R.C.S. 941.

vertu duquel ceux qui sont soumis à l'ordonnance de probation doivent avoir formé l'intention d'en violer les conditions et avoir eu cet objectif à l'esprit lorsqu'il l'ont fait. [...]

Comme je l'ai dit précédemment, la *mens rea* visée au par. 666(1) exige qu'un accusé ait l'intention de violer son ordonnance de probation. Il faut au moins prouver que l'accusé savait qu'il était soumis à l'ordonnance de probation et que celle-ci contenait une condition à laquelle il dérogerait s'il adoptait une certaine conduite.[579]

305. L'adverbe « volontairement » étant synonyme d'intention, il convient maintenant de s'interroger sur les formes que peut emprunter cet état d'esprit. Sur ce point, la jurisprudence est unanime : l'intention découlant de l'utilisation de l'adverbe « volontairement » peut, selon le texte d'incrimination, être générale ou spécifique. Générale, tout d'abord, puisque l'individu qui entrave volontairement un agent de la paix dans l'exécution de ses fonctions sera coupable d'un acte criminel s'il « pose un geste volontaire sachant ou prévoyant que l'effet sera de nuire au travail des policiers ou de le rendre plus difficile »[580]. Discutant de la res-

---

579   *Id.*, 949 et 950, par. 13 et 29.
580   *R.* c. *Maalouf*, [2003] J.Q. (Quicklaw) n° 6811, par. 40 et 41 (C.M. Laval); *R.* c. *Gunn*, (1997) 113 C.C.C. (3d) 174 (C.A. Alta.); *R.* c. *Gagnon*, [2000] J.Q. (Quicklaw) n° 5299, par. 28 (C.M.); *R.* c. *Bouchard*, [1999] J.Q. (Quicklaw) n° 2543, par. 60 (C.M.) :
      L'entrave à un agent de la paix est une infraction où l'intention coupable (*mens rea*) requise en est une d'intention générale. Il suffit de démontrer qu'un défendeur pose un geste volontaire sachant ou prévoyant que l'effet est de nuire au travail des policiers ou de le rendre plus difficile. C'est la conclusion à laquelle arrive monsieur le juge Boilard dans *R.* c. *Rousseau* [1982] C.S. 461; J.B. 82-790, lorsqu'il écrit à la page 463 (C.S.) :
      « Ces différentes décisions, je pense, indiquent que l'élément intentionnel mentionné à l'article 118 [maintenant 129] pour employer une terminologie acceptée à l'heure actuelle référent à une intention générale au sens donné à cette expression par la Cour suprême du Canada dans la décision de *R.* c. *George* (1961) 128 C.C.C. 289. »

ponsabilité du passager d'un taxi qui refusa à maintes reprises d'obtempérer à l'ordre d'un policier de quitter les lieux, le juge Robertson confirma la déclaration de culpabilité et souligna le caractère général de l'intention en question :

> "As ordinarily used in Courts of law, the word 'wilful' implies nothing blamable, but merely that the person of whose action or default the expression is used is a free agent, and that what had been done arises from the spontaneous action of his will. It amounts to nothing more than this : that he knows what he is doing, and intends to do what he is doing, and is a free agent. It does not imply that an act done in that spirit was necessarily a malicious act." To my mind the word "wilful" in s. 168 applies to a state of circumstances where the person charged knows what he is doing and intends to do what he is doing, and is a free agent.[581]

306. Étroitement rattaché à la notion d'intention, à la volonté *tendue vers* ce qui est connu par l'intelligence, l'adverbe « volontairement » peut également revêtir la forme d'une intention spécifique. On n'a qu'à penser à l'infraction d'entrave à la justice prévue à l'article 139 du *Code criminel*. D'après la Cour d'appel du Québec dans l'arrêt *R. c. Charbonneau*[582], cette infraction exige la preuve de l'intention spécifique d'entraver la justice. C'est ainsi qu'il faut envisager l'acquittement d'un agent de la paix accusé de ne pas avoir porté une plainte de facultés affaiblies contre un dénommé Bernard Savard. L'acquittement fut prononcé car la preuve démontrait, en l'espèce, que l'accusé avait déployé « tous les efforts requis tant auprès de la Sûreté du Québec que de ses supérieurs pour faire passer l'ivressomètre à Bernard Savard »[583]. En effet, « [p]our qu'une personne soit reconnue coupable d'entrave à la justice, il faut une intention spécifique d'entraver la justice. Or, une telle preuve n'existe pas sous le pré-

---

581   *R. c. Goodman*, (1951) 99 C.C.C. 366 (C.A. C.-B.).
582   (1992) 74 C.C.C. (3d) 49 (C.A. Qué.).
583   *R. c. Simard*, [2002] J.Q. (Quicklaw) n° 201, par. 88 (C.Q.).

sent chef, la preuve étant plutôt que l'intention du policier Simard était de porter plainte »[584].

307. Une fois l'adverbe « volontairement » défini, certaines difficultés subsistent encore. Par exemple, le mot « volontairement » s'applique-t-il seulement au verbe qui sous-tend l'infraction ou à tous les éléments du crime? Cette difficulté, qui est particulièrement évidente en matière d'actions indécentes, trouble encore aujourd'hui l'esprit des magistrats. Aux termes du paragraphe 173(1) du *Code criminel*:

---

[584] *Id.*, par. 89. Voir également *R.* c. *Murray*, (2000) 144 C.C.C. (3d) 289, par. 99 et 100 (C.S.J. Ont.):

> The *actus reus* issue, therefore, is whether Murray's action in secreting the videotapes had a tendency to obstruct the course of justice.
>
> The word "wilfully" denotes the *mens rea* of the section. This is a specific intent offence and the onus is on the Crown to prove that Murray, when he secreted the tapes, intended to obstruct the course of justice: see R. v. Charbonneau, *supra*, and R. v. Kirkham, *supra*.

Voir également *R.* c. *Kirkham*, (1998) 126 C.C.C. (3d) 397, par. 24 et 25 (Q.B.):

> The mental element of the crime prohibited by s. 139(2) consists of the specific intent to attempt to obstruct, pervert or defeat the course of justice. At first glance, this mental element appears to be identical to the *actus reus* element that I discussed previously (*i.e.* the attempt to obstruct, pervert, or defeat the course of justice). The only difference introduced by the mental element is the word "wilfully" which in turn is an integral part of the *actus reus* element that constitutes an attempt. By its very nature, an attempt must be intentional or deliberate or wilful as opposed to being accidental or involuntary. The mental intent element (*i.e.* the guilty intention) required by the offence however is more specific than the general intent to try to do the particular act that is determined by the court to constitute the *actus reus* of the crime.
>
> This distinction is crucial to the determination of whether or not a person is guilty of the offence described in s. 139(2). Conduct alone, no matter what it may consist of, cannot constitute the offence. Even though a person may do something deliberately (as opposed to accidentally) that results in the course of justice being defeated, that person does not commit a criminal offence if he or she had no intention to attempt to defeat the course of justice. In this sense, the crime prescribed by s. 139(2) involves two levels of intention. It is especially crucial to keep this factor in mind when considering the criminality of any conduct that is not specifically prohibited by the particular offence with which the person is charged.

173. (1) **[Actions indécentes]** Est coupable d'une infraction punissable sur déclaration de culpabilité par procédure sommaire quiconque volontairement commet une action indécente :

a) soit dans un endroit public en présence d'une ou de plusieurs personnes;

b) soit dans un endroit quelconque avec l'intention d'ainsi insulter ou offenser quelqu'un.

308. L'interprétation du paragraphe 173(1) du *Code criminel* a donné lieu récemment à l'adoption de deux approches différentes de l'adverbe « volontairement »[585]. La première, qui est la plus large et la plus favorable aux droits de l'accusé, soutient que l'adverbe « volontairement » s'applique aussi bien à la commission d'une action indécente qu'à la présence d'une ou de plusieurs personnes à l'endroit de l'infraction[586]. En d'autres termes, la *mens rea* requise pour faire la preuve d'une action indécente exige : « that the accused wilfully do an indecent act and that the act be wilfully done in a public place in front of one or more persons. This interpretation of s. 173(1)(a) results in "wilfully" modifying both the indecent act (as it clearly does) and the doing of the indecent act in a public place in front of one or more persons. »[587] Résultat : la Couronne devra prouver que l'accusé avait l'intention de commettre une action indécente dans un endroit public en présence d'une ou de plusieurs personnes. Ici, l'insouciance ne suffit pas à engager la responsabilité de l'agent. L'intention à l'égard

---

585   *R.* c. *Mailhot*, (1996) 108 C.C.C. (3d) 376, 379 (C.A. Qué.) :
The presence of the word "wilfully" (which is absent from the text of the charge laid by the Crown!) has given rise to a debate: some believe that this term qualifies both the words "indecent act" and the words "in a public place in the presence of one or more persons"; others believe just the opposite that the term "wilfully" only qualifies the words "indecent act" and bears no relation to para. (a).

586   *Id.*

587   *R.* c. *Sloan*, (1994) 89 C.C.C. (3d) 97, 105 (C.A. Ont.). Nous sommes d'accord avec cette interprétation. Voir également *R.* c. *Clark*, [2005] 1 R.C.S. 6, 16.

des deux éléments essentiels de l'infraction est nécessaire à sa perfection.

309. Contrairement à la première approche, la seconde interprétation limite le mot « volontairement » au verbe qui soustend l'infraction. Suivant cette position, le ministère public devra prouver (1) la commission volontaire d'une action indécente (intention) et (2) l'intention, l'insouciance ou la négligence quant à la présence d'une ou de plusieurs personnes dans un endroit public. D'après le juge Beauregard de la Cour d'appel du Québec dans l'arrêt *R. c. Srei*[588] :

> [U]n accusé pourrait ne pas être coupable de l'infraction en cause si l'acte indécent, posé dans un endroit public, n'avait pu être constaté autrement que par une personne qui aurait fait exprès pour le faire et qui aurait pris des moyens que normalement personne ne prend. En revanche, celui qui, dans un endroit public, pose un acte indécent qui peut être constaté d'une façon normale et qui, volontairement, ou par négligence ou insouciance, expose son acte à toute personne qui peut normalement arriver est coupable de l'infraction.[589]

310. Bien que nous n'ayons pas à trancher cette question, certains commentaires s'imposent quant à la possibilité de condamner une personne sur la base d'un simple élément de négligence (éventualité qui existe en vertu de la seconde approche soutenue par les tribunaux). Sur ce point, nous sommes en désaccord avec la Cour d'appel du Québec. En effet, la présence d'une ou de plusieurs personnes dans un endroit public est une circonstance pertinente de l'infraction prévue à l'alinéa 173(1)*a*) du

---

588   [1998] A.Q. (Quicklaw) n° 1259 (C.A.).

589   *Id.*, par. 14. Voir également au paragraphe 17 les conclusions suivantes :
       En terminant, je suis d'avis que l'art. 173.(1)*a*) n'exige pas que la poursuite fasse la preuve que l'accusé savait qu'au moment où il a posé son acte, celui-ci était constaté par une ou plusieurs personnes et que l'accusé désirait cela. Il suffit que la poursuite prouve que l'accusé était insouciant quant à la possibilité que son acte fût vu par une autre personne.

Code criminel. Or la preuve d'une circonstance pertinente de l'infraction exige généralement un élément de connaissance quant à cette circonstance. Donc la négligence ne suffit pas en vertu de l'alinéa 173(1)*a*) du *Code criminel*, car l'accusé pourrait être condamné malgré son absence de connaissance quant à une circonstance pertinente du crime.

Deuxième sous-section : « Frauduleusement »

311. L'adverbe « frauduleusement » que l'on retrouve dans le cadre de plusieurs infractions contre les droits de propriété est un autre mot qui pose de sérieux problèmes aux tribunaux. Bien qu'il soit inapproprié et peu souhaitable d'opérer ici une synthèse complète de toutes les infractions comprises dans cette partie, certains commentaires s'imposent quant aux infractions de vol (article 322 C.cr.) et de distraction d'argent contrairement aux instructions reçues (article 332 C.cr).

312. *Le vol* : D'après l'article 322 du *Code criminel*, une personne commet un vol lorsqu'elle prend frauduleusement et sans apparence de droit une chose qui ne lui appartient pas avec l'intention de priver temporairement ou absolument le propriétaire de cette chose. Que signifie l'adverbe « frauduleusement »? Voilà la question! Pour certains, l'ajout du mot « frauduleusement » trahit l'intention du législateur d'exiger « quelque chose de plus » que la connaissance de l'absence d'apparence de droit et l'intention de priver, temporairement ou de façon permanente, le propriétaire de l'objet en question[590]. Pour d'autres, cependant, l'infraction serait

---

590   R. c. *DeMarco*, (1974) 13 C.C.C. (2d) 369, 371 et 372 (C.A. Ont.) :
The Court is of the opinion that the learned trial Judge did not adequately instruct the jury with respect to the mental element which is required to be proved in order to constitute the crime of theft. The Crown was required to establish that the appellant acted fraudulently and without colour of right. If the appellant honestly thought that the complainant would not object to her keeping the car for a longer period than the rental agreement provided for and intended to pay the rental for the car her mere retention of the car did not constitute the crime of theft. [...] Conduct is not fraudulent merely

consommée dès que « la prise de possession [temporaire ou per-
manente] serait faite intentionnellement, sans erreur et en sachant
que l'objet pris est la propriété d'une autre personne »[591]. Pour notre
part, nous croyons que l'adverbe « frauduleusement » suppose
effectivement un élément de faute supplémentaire qui s'exprime
dans la conscience de l'accusé que le comportement reproché risque
de nuire aux intérêts patrimoniaux de la victime. Cette position, qui

---

because it is unauthorized unless it is dishonest and morally wrong: Stephen,
History of the Criminal Law of England (1883), vol. III, p. 124.

R. c. *Ouellette*, [1998] A.Q. (Quicklaw) n° 1230, par. 4-6 (C.A.) :

> Du témoignage de l'appelant dont la crédibilité n'a pas été mise en doute
> par la juge de première instance, se dégagent les éléments suivants. L'appe-
> lant loue un véhicule automobile de la compagnie de location Thrifty's. Au
> cours de la période de location, il abandonne le véhicule au Nébraska, É.U.,
> se sentant dépressif, songeant à attenter à sa vie et craignant ne plus être en
> mesure de faire un usage prudent du véhicule. En raison de son état, il sera
> même hospitalisé pour quelques semaines aux États-Unis. Il revient subsé-
> quemment au Canada mais entre-temps, une plainte de vol du véhicule est
> déposée contre lui. Il a toujours été en mesure de payer les frais de loca-
> tion.

> De l'ensemble de ces éléments de preuve se dégageait la conclusion très
> nette de l'absence de toute intention frauduleuse accompagnant la décision
> de l'appelant de ne pas rapporter le véhicule dans le délai prévu au contrat
> de location. En effet, nous ne retrouvons pas ici cet élément de malhonnê-
> teté qui doit, dans le contexte de l'art. 322 C.cr., caractériser cette intention
> frauduleuse.

> C'est donc à tort que la juge de première instance a conclu à la culpabilité
> sur la seule constatation que l'appelant « était sain d'esprit » et « avait plei-
> nement conscience des gestes qu'il posait », omettant de considérer l'ab-
> sence d'intention frauduleuse sur la base des faits mis en preuve qui n'étaient
> pas contestés.

Voir également les commentaires de Jacques GAGNÉ et Pierre RAIN-
VILLE, *Les infractions contre la propriété : le vol, la fraude et certains
crimes connexes*, Cowansville, Éditions Yvon Blais, 1996, p. 62-66 et
ceux de Pierre RAINVILLE dans *Les humeurs du droit pénal au sujet
de l'humour et du rire*, Québec, Les Presses de l'Université Laval, 2005,
p. 92-106.

591   *R*. c. *Williams*, [1953] 1 B.R. 660, 666; *Boger* c. *La Reine*, [1975] C.A.
       837; *Lafrance* c. *La Reine*, [1975] 2 R.C.S. 201, 214 :

> Je souscris à l'avis de la Cour d'appel que tous les éléments du vol, définis
> à l'article 269, ont été établis en l'espèce. L'intention était présente, il n'y
> a pas eu de méprise et l'on savait que le véhicule à moteur appartenait à un
> tiers. À mon avis, en prenant la voiture dans ces circonstances, on a agi
> frauduleusement [...]. L'appelant a pris le véhicule sans apparence de droit
> et en a temporairement privé son propriétaire.

n'est pas nouvelle, fut magnifiquement exprimée par le professeur
Rainville dans son excellent ouvrage sur les *Humeurs du droit
pénal* :

> La seule intention de s'emparer ou de retenir le bien sans le con-
> sentement d'autrui et sans apparence de droit est donc, à notre
> avis, nettement insuffisante. Celui qui prend ou retient délibéré-
> ment le bien d'autrui en se sachant dépourvu de tout droit d'agir
> ainsi et ayant l'intention d'en priver temporairement le proprié-
> taire ou le détenteur, n'a pas forcément conscience du risque de
> nuire d'une manière quelconque au patrimoine de cette personne.
> Exiger la conscience de risquer de nuire, en agissant de la sorte, aux
> intérêts patrimoniaux de la victime revient à ne sévir que contre
> ceux qui font preuve de turpitude morale. [...] L'état d'esprit du
> voleur devient blâmable dans la mesure où ce dernier sait qu'il
> porte vraisemblablement atteinte aux droits patrimoniaux de la
> victime. L'inculpé peut avoir agi « sciemment » ou « volontaire-
> ment » à un double titre. Il a conscience qu'il s'empare du bien
> d'autrui et non du sien; il sait aussi qu'il se l'accapare sans pou-
> voir espérer bénéficier de l'assentiment de cette personne. Cela
> ne veut pas dire qu'il a conscience de risquer de nuire aux intérêts
> patrimoniaux de cette dernière.[592]

313. On n'a qu'à penser à la jeune actrice qui, pour s'exercer à personnifier une voleuse (pour un rôle ou une audition éven-
tuels), s'empare, sans payer, de quelques articles dans un magasin
avec l'intention de les retourner une fois sortie de l'établissement.
Le geste est stupide? Certes. Mais s'agit-il d'un vol? Cela est moins
évident[593]. S'il est vrai que la jeune fille a agi sans apparence de
droit et avec l'intention de priver temporairement le magasin de
ces articles, il demeure que celle-ci n'avait pas conscience de porter
atteinte aux intérêts patrimoniaux de la victime. L'accusée n'ayant
pas à convaincre le tribunal de ce moyen de défense, un doute raisonnable quant à l'existence de la *mens rea* suffira pour obtenir un

---

592   P. RAINVILLE, *op. cit.*, note 590, p. 100.
593   Voir sur ce point l'arrêt *R. c. Dalzell*, (1983) 6 C.C.C. (3d) 112 (C.A.
       N.-É.).

acquittement. Loin d'être automatique, ce moyen de défense doit être appuyé par certains éléments de preuve. De là la condamnation de l'actrice américaine Winona Ryder qui, après avoir été arrêtée pour vol dans un magasin de Beverley Hills, avait déclaré à l'agent de sécurité avoir agi ainsi dans le but de se préparer pour un rôle au cinéma (rôle qui, en réalité, n'existait pas). En effet :

> Testimony included the fact that Ryder starred in "Girl Interrupted," which earned Angelina Jolie an Oscar for best supporting actress. In that film, which Ryder produced, she plays a girl who steals things to see if she can get away with it.
>
> During the trial, Saks Fifth Avenue security official Ken Evans testified that Ryder told him that she lifted the goods because she was rehearsing for a movie role.
>
> "She was seated and she immediately stood up and took my hand," Evans said about the Dec. 12 incident when Ryder was caught and detained in the Beverly Hills store. "She said, I'm sorry for what I did. My director directed me to shoplift for a role which I was preparing." No director was identified.[594]

314. Bien que nous soyons d'accord avec la position suggérée par la doctrine, nous croyons qu'il est erroné de limiter l'interprétation de l'adverbe « frauduleusement » à la présence d'une intention frauduleuse. Comme l'indique la Cour suprême du Canada dans l'arrêt *R. c. Théroux*, rien ne paraît s'opposer à ce que l'insouciance quant aux conséquences éventuelles d'une action entraîne également la responsabilité criminelle[595]. Or l'insouciance, comme nous le savons, n'est pas une forme d'intention, mais un élément de faute à part entière. Il serait donc plus juste de parler ici d'un élément frauduleux ou de la conscience du risque de nuire au patrimoine de la personne.

---

594   www.courttv.com/trials/ryder/.
595   Précité, note 48, 20.

315. *La distraction de fonds détenus en vertu d'instructions*: Si le vol prévu à l'article 322 C.cr. (vol générique) puise son élément de malhonnêteté dans l'emploi du mot « frauduleusement », l'usage de cet adverbe n'est pas nécessaire dans les cas où l'individu est accusé de distraction de fonds détenus en vertu d'instructions. D'après la Cour suprême du Canada :

> La deuxième question concerne la *mens rea* requise pour prononcer une déclaration de culpabilité en vertu du par. 332(1). Nous sommes d'accord avec le juge Rowles de la Cour d'appel de la Colombie-Britannique pour dire qu'un détournement intentionnel, et non par erreur, est suffisant pour établir la *mens rea* requise en vertu du par. 332(1) : voir *Lafrance* c. *La Reine*, [1975] 2 R.C.S. 201; *R.* c. *Williams*, [1953] 1 Q.B. 660 (C.A.). Le mot « frauduleusement » utilisé dans ce paragraphe ne connote rien de plus. La malhonnêteté inhérente à l'infraction réside dans l'affectation intentionnelle, et non par erreur, de fonds à une fin irrégulière.
>
> Nous sommes également d'accord avec le juge Rowles pour dire que les conclusions de fait du juge du procès établissent l'existence à la fois de l'*actus reus* et de la *mens rea* de l'infraction. L'*actus reus* n'est pas en cause. Quant à la *mens rea*, le juge du procès a conclu ceci :
>
> [TRADUCTION] Je conclus que M. Skalbania était, à toute époque pertinente, l'âme dirigeante de Prime Realty Limited, à qui le chèque de M. Gooch a été versé. Je conclus que M. Skalbania a, par l'intermédiaire de Prime Realty, affecté l'argent de Gooch à une autre fin que celle prescrite par ce dernier.
>
> Bref, le juge du procès a conclu que l'appelant savait que l'argent appartenait à M. Gooch, que l'appelant savait à quelle fin l'argent était censé être affecté, et que l'appelant a sciemment, et non par erreur, affecté cet argent à d'autres fins.
>
> Il s'ensuit que la Cour d'appel n'a commis aucune erreur en statuant que l'existence des éléments nécessaires pour prononcer une déclaration de culpabilité avait été établie.[596]

---

596   *R.* c. *Skalbania*, [1997] 3 R.C.S. 995, par. 6-8.

316. Envisagé concrètement, l'emploi de l'adverbe « frauduleusement » prévu à l'article 332 C.cr. semble superfétatoire, dans la mesure où l'affectation intentionnelle et sans erreur des fonds à des fins irrégulières rencontre le niveau de malhonnêteté nécessaire à la perfection du crime.

Troisième sous-section : « Illégal » ou « illégalement »

317. Les mots « illégal » et « illégalement » que l'on retrouve dans certaines infractions du *Code criminel* peuvent, à l'instar des adverbes « volontairement » et « frauduleusement », causer certaines difficultés aux tribunaux. Ces difficultés sont exacerbées par le fait que la signification de ces mots varie en fonction de l'infraction reprochée. L'enlèvement d'une personne âgée de moins de 14 ans prévu à l'article 281 du *Code criminel* illustre bien cette situation. D'après la juge L'Heureux-Dubé dans l'arrêt *R. c. Chartrand*[597], le terme illégalement contenu dans la version anglaise du texte signifie « sans justification, autorisation ou excuse légitime »[598]. Or, toujours selon la magistrate, « les moyens de défense que le terme « unlawfully » visait sont en fait accessibles et se retrouvent dans d'autres articles du Code »[599]. Donc le terme « unlawfully » du texte anglais est « redondant, et indique seulement l'existence de moyens de défense généraux à l'égard d'un crime »[600].

318. Ceci dit, il serait tout à fait erroné de penser que le mot « illégal » n'est jamais pertinent au point de vue juridique. On n'a qu'à penser à l'article 269 du *Code criminel* consacré à l'infliction « illégale » de lésions corporelles. D'après le juge Sopinka dans l'arrêt *R. c. DeSousa*[601], « l'élément moral exigé par l'art. 269

---

597   Précité, note 436.
598   *Id.*, 895.
599   *Id.*
600   *Id.*
601   Précité, note 180.

présente deux aspects distincts. Le premier est l'exigence qu'une infraction sous-jacente comportant un élément moral suffisant du point de vue constitutionnel ait été commise. [Et le second] que le poursuivant prouve que les lésions corporelles causées par l'acte illégal sous-jacent étaient objectivement prévisibles ».[602]

319. Ce cas n'est pas sans analogie avec l'homicide involontaire coupable résultant d'un acte illégal prévu à l'alinéa 222(5)*a*) du *Code criminel*. Reprenant les propos énoncés par le juge Sopinka dans l'affaire *DeSousa*, la juge McLachlin, dans l'arrêt *R. c. Creighton*[603], affirme que la *mens rea* requise en matière d'homicide involontaire coupable résultant d'un acte illégal est la « prévisibilité objective (dans le contexte d'un acte dangereux) du risque de lésions corporelles qui ne sont ni sans importance ni de nature passagère »[604]. En ce qui concerne finalement les autres infractions comportant le mot « illégal », nous renvoyons à l'analyse fort détaillée de la juge L'Heureux-Dubé dans l'arrêt *R. c. Chartrand*[605] :

> De même, d'autres interprétations du mot « illégalement » ont été avancées dans des contextes particuliers. (Voir : [...] *R. c. Robinson* [1948] O.R. 857 (C.A.), qui portait sur des relations sexuelles illégales, conclut qu'« illégal », signifiait « non autorisé par la loi » [...]; dans *R. c. Patterson* (1930), 55 C.C.C. 218 (C.A. Ont.), à la p. 229, une réunion susceptible de mettre en danger la tranquillité et la paix du voisinage a été jugée illégale; *R. c. Connolly* (1894), 25 O.R. 151 (Ch. Div.), conclut qu'« illégal » signifiait un « méfait public »; *Lyons c. Smart* (1908), 6 C.L.R. 143 (H.C. Aust.), a donné à « illégal » le sens de « mauvais en soi ».)[606]

320. Malgré son absence de lien avec la notion d'intention, le mot « illégal » peut s'avérer fort pertinent au point de vue pénal.

---

602   *Id.*, 962.
603   Précité, note 177.
604   *Id.*, 44 et 45.
605   Précité, note 436.
606   *Id.*, 886 et 887.

Il suffira alors de se référer à l'interprétation suggérée par les tribunaux concernant l'article en question.

Conclusion

321. Ayant défini l'acte intentionnel en fonction de la connaissance et de la volonté qui s'y retrouvent, on peut dire qu'on n'agit intentionnellement que lorsque l'on sait ce que l'on fait ou que l'on connaît les circonstances particulières dans lesquelles l'action a lieu et que l'on fait tendre notre volonté vers la réalisation de cette action (volonté en tant que faculté motrice et non en tant que liberté de choix). L'intention est donc à la fois un acte d'intelligence et de volonté. C'est l'action dont le principe se trouve dans l'agent qui connaît les circonstances entourant sa commission. Tel peut être hâtivement défini l'acte intentionnel. L'infraction est-elle intentionnelle? Il s'agira alors d'un crime punissable par les autorités compétentes. Est-elle, au contraire, dépourvue d'intention? Il s'agira alors d'une action préjudiciable et non d'un crime (si l'infraction repose sur la présence d'un élément intentionnel). De là l'effet négatif de la contrainte physique, de l'automatisme et de l'erreur sur l'intention nécessaire à la constatation du crime. Alors que les deux premiers facteurs liquident la volonté, l'erreur agit sur la connaissance nécessaire à la formation de l'intention.

Chapitre troisième

L'insouciance

322. Malgré l'ambiguïté dont est chargée séculairement la notion d'insouciance, celle-ci n'est pas étrangère aux anciens. L'Exode, par exemple, au chapitre 21, verset 28, discute de la responsabilité du propriétaire d'un taureau à l'origine de la mort d'un tiers :

> Si un taureau frappe de sa corne un homme ou une femme qui en meurt, le taureau devra être lapidé et on n'en mangera pas la chair, mais le propriétaire du taureau ne sera pas puni. Si, par contre, le taureau frappait déjà de la corne auparavant, et que son propriétaire, bien qu'averti, n'ait pas veillé sur lui, le taureau qui aura tué un homme ou une femme sera lapidé et son propriétaire sera puni de mort.[607]

323. Limpide dans sa formulation, ce passage souligne, avec éclat, les deux principales conditions à l'origine de l'état d'insouciance que sont « la connaissance d'un danger ou d'un risque et la persistance dans une conduite qui pourra engendrer le risque que le résultat prohibé se produise »[608]. Ainsi, contrairement à l'aveuglement volontaire, qui se produit lorsqu'une personne refuse délibérément de se renseigner malgré la présence de soupçons[609], l'insouciance désigne le comportement de celui qui est conscient d'un risque et qui, malgré cette connaissance, agit ou s'abstient

---

607   ANCIEN TESTAMENT, *Exode*, 21 : 28.
608   *Sansregret* c. *La Reine*, précité, note 258, 584.
609   *Id.*, 584 et 585.

d'agir tout en acceptant ou en étant indifférent quant au résultat[610].

324. L'objet de ce troisième chapitre consacré à la notion d'insouciance est d'étudier les principes qui gouvernent ce concept en droit pénal canadien. À l'analyse de la structure psychologique de l'insouciance, succèdera un examen de ses paramètres juridiques.

Première section : La structure psychologique de l'insouciance en droit pénal

325. Comme la *mens rea* se rattachant à une infraction criminelle peut être évaluée subjectivement ou objectivement[611], il importe, tout d'abord, de déterminer la norme de faute applicable en matière d'insouciance. Sur ce point, les tribunaux sont catégoriques : l'insouciance repose sur un critère subjectif, sur ce qui s'est véritablement passé dans l'esprit de l'accusé au moment du crime[612]. L'insouciance est donc la troisième forme de faute subjective actuellement reconnue au Canada.

326. Si le caractère subjectif de la faute applicable en matière d'insouciance ne fait plus aucun doute, il en va autrement du degré de prévisibilité requis en semblable matière (*degree of foresight required*)[613]. En effet, doit-il s'agir d'une conséquence possible,

---

610   *Leary* c. *La Reine*, [1978] 1 R.C.S. 29, 34. Voir également *R.* c. *Théroux*, précité, note 48, 20 :

     L'insouciance présuppose la connaissance de la vraisemblance des conséquences prohibées. Elle est établie s'il est démontré que l'accusé, fort d'une telle connaissance, accomplit des actes qui risquent d'entraîner ces conséquences prohibées, tout en ne se souciant pas qu'elles s'ensuivent ou non.

611   *R.* c. *Creighton*, précité, note 177, 58.

612   *Id.*

613   D. STUART, *op. cit.*, note 450, p. 225.

probable (vraisemblable) ou certaine? Sur ce point, les opinions divergent.

327. Pour certains, comme le juge McIntyre dans l'arrêt *Sansregret* c. *La Reine*[614], l'insouciance se limite à la conscience du risque. C'est « l'attitude de celui qui, conscient que sa conduite risque d'engendrer le résultat prohibé par le droit criminel, persiste néanmoins malgré ce risque. En d'autres termes, il s'agit de la conduite de celui qui voit le risque et prend une chance »[615]. Cette interprétation, qui n'est pas nouvelle, nous rappelle les commentaires formulés par le juge Martin dans l'arrêt *R*. c. *Buzzanga*[616]. D'après le magistrat : « [r]ecklessness when used to denote the mental element attitude which suffices for the ordinary *mens rea*, requires actual foresight on the part of the accused that his conduct may bring about the prohibited consequence »[617].

328. Pour d'autres, comme la juge McLachlin dans l'arrêt *R*. c. *Théroux*[618] : « [l]'insouciance présuppose la connaissance de la vraisemblance (*likelihood*) des conséquences prohibées »[619]. Discutant de la responsabilité d'une personne accusée de possession de biens volés, le juge Berger confirme cette appréciation : « [R]ecklessness as to consequences may attract criminal responsibility. It must be remembered, however, that recklessness presupposes

---

614   Précité, note 258.

615   *Id.*, 582. Voir sur ce point SMITH et HOGAN, *op. cit.*, note 447, p. 52 et 53 :

      Recklessness is the deliberate taking of an unjustifiable risk [...] A man is reckless with respect to a consequence of his act, when he foresees that it may occur, but does not desire it or foresee it as virtually certain.

616   *R*. c. *Buzzanga and Durocher*, (1980) 49 C.C.C. (2d) 369 (C.A. Ont.).

617   *Id.* Voir à la page 379 :

      The term "recklessly" is here used to denote the subjective state of mind of a person who foresees that his conduct may cause the prohibited result but, nevertheless, takes a deliberate and unjustifiable risk of bringing it about.

618   Précité, note 48.

619   *Id.*, 20.

knowledge of the *likelihood* of the prohibited consequences ».[620]
En somme, pour les tenants de cette approche : « [l]a *mens rea* subjective exige que l'accusé ait voulu les conséquences de ses actes
ou que, connaissant les conséquences *probables* de ceux-ci, il ait
agi avec insouciance face au risque ».[621]

329. Pour nous, l'insouciance n'exige pas la conscience de
la probabilité ou de la vraisemblance d'une conséquence prohibée, mais la connaissance de la possibilité que cette conséquence
se réalise. La négligence (omission d'envisager un risque qu'une
personne raisonnable aurait envisagé) étant suffisante au point de
vue constitutionnel, nous ne voyons pas pourquoi il faudrait limiter l'insouciance à la conscience de la probabilité des conséquences prohibées.

330. Cette conclusion, une fois admise, appelle deux séries
de commentaires. Tout d'abord, rien n'empêche les tribunaux d'exiger la preuve de la connaissance de la probabilité d'un risque lorsque le texte de l'infraction le commande expressément. On n'a

---

620   *R. c. Vinokurov*, précité, note 368, par. 18. Sur ce point, il y a également
       ceux qui exigent la présence d'une probabilité ou d'une possibilité de
       risque sans nécessairement établir une distinction nette entre les deux.
       Voir, par exemple, les commentaires du juge Dickson dans l'arrêt *Leary*
       c. *La Reine*, précité, note 610, par. 7 :
           L'état mental requis pour qu'il y ait responsabilité pénale consiste dans la
           plupart des cas dans a) [...] ou dans b) le fait que la personne prévoit ou sait
           que son comportement entraînera probablement ou pourra entraîner l'*actus
           reus*, tout en acceptant le risque ou en y étant indifférente alors que, dans
           les circonstances, le risque est considérable ou injustifiable. Cet état d'esprit
           est parfois qualifié d'indifférence à l'égard des conséquences de l'acte.
       Même la juge McLachlin dans l'arrêt *R. c. Théroux*, précité, note 48, 18,
       réfère, à certaines occasions, à la possibilité d'un risque :
           La plupart des auteurs de doctrine et des juristes conviennent qu'à l'excep-
           tion des infractions dont l'*actus reus* est la négligence ou l'inattention et
           des infractions de responsabilité absolue, le critère applicable à la *mens rea*
           est subjectif. Il s'agit non pas de savoir si une personne raisonnable aurait
           prévu les conséquences de l'acte prohibé, mais si l'accusé était subjective-
           ment conscient que ces conséquences étaient à tout le moins possibles.
621   *R. c. Creighton*, précité, note 177, 58.

qu'à penser à l'article 429 du *Code criminel* qui exige de l'accusé qu'il « sache que son acte ou son omission causera *probablement* la production de l'événement », ainsi qu'au sous-alinéa 229*a*)(ii) C.cr. qui oblige, dans sa version anglaise, le ministère public à prouver la connaissance de l'accusé de la probabilité de la mort (« *likely* to cause his death »). Ici, les deux textes sont clairs, il n'y a donc pas lieu de les interpréter autrement.

331. En ce qui concerne, finalement, les crimes qui ne prévoient pas expressément le degré de prévisibilité du risque requis aux termes de l'infraction, disons simplement que, malgré notre préférence pour l'adoption d'un critère fondé sur la connaissance de l'accusé que sa conduite risque d'engendrer le résultat prohibé, les tribunaux demeurent tout à fait libres d'exiger un degré plus élevé de prévisibilité (p. ex : la fraude qui commande la « connaissance de la vraisemblance (*likelihood*) des conséquences prohibées »).[622] Cette possibilité, il convient de le souligner, n'est pas absolue puisque les tribunaux ne peuvent exiger la conscience de la prévisibilité que l'événement (la conséquence) résultera *certainement* ou *presque certainement* de l'acte accompli, car « dans ce cas, la personne est présumée avoir visé intentionnellement la conséquence inévitable de son acte. »[623] Cela étant, voyons, d'un peu plus près, en quoi consistent ces infractions.

Deuxième section : Les infractions qui exigent expressément la preuve d'un élément d'insouciance

332. Ayant préalablement défini la notion d'insouciance, cherché en quoi elle se distingue de l'aveuglement volontaire, du refus délibéré de se renseigner malgré la présence de soupçons, il convient maintenant d'examiner certaines infractions dont la

---

622   *R.* c. *Théroux*, précité, note 48, 20.
623   E.G. EWASCHUK, *op. cit.*, note 440, à la p. 21-65, cité dans *R.* c. *Chartrand*, précité, note 436, par. 60.

structure psychologique repose explicitement sur la présence d'un état d'insouciance. À l'étude du meurtre et du méfait, succèdera une analyse des infractions de cruauté envers les animaux, d'incendie criminel, de harcèlement et de négligence criminelle.

333. *Le meurtre* : Aux termes de l'article 229 du *Code criminel* :

229. [meurtre] L'homicide coupable est un meurtre dans l'un ou l'autre des cas suivants :

a) la personne qui cause la mort d'un être humain :

(i) ou bien a l'intention de causer sa mort,

(ii) ou bien a l'intention de lui causer des lésions corporelles qu'elle sait être de nature à causer sa mort, et qu'il lui est indifférent que la mort s'ensuive ou non;

b) une personne, ayant l'intention de causer la mort d'un être humain ou ayant l'intention de lui causer des lésions corporelles qu'elle sait de nature à causer sa mort, et ne se souciant pas que la mort en résulte ou non, par accident ou erreur cause la mort d'un autre être humain, même si elle n'a pas l'intention de causer la mort ou des lésions corporelles à cet être humain;

c) une personne, pour une fin illégale, fait quelque chose qu'elle sait, ou devrait savoir, de nature à causer la mort et, conséquemment, cause la mort d'un être humain, même si elle désire atteindre son but sans causer la mort ou une lésion corporelle à qui que ce soit.

334. Contrairement au meurtre prévu au sous-alinéa 229*a*)(i) C.cr. – infraction qui «exige que l'accusé ait prévu subjectivement que la mort pourrait être causée, et qu'il ait eu l'intention de la causer»[624] –, le meurtre décrit au sous-alinéa 229*a*)(ii) C.cr. oblige le ministère public à prouver l'intention de l'accusé de cau-

ser des lésions corporelles tellement graves qu'il savait qu'elles étaient de nature à causer la mort de la victime et qu'il lui était indifférent que la mort s'ensuive ou non. Discutant de l'élément mental du crime visé au sous-alinéa 229a)(ii) C.cr., le juge Cory, observe dans l'arrêt *R. c. Nygaard*[625] :

> Cet article exige que le ministère public prouve que l'accusé avait l'intention de causer à la victime des lésions corporelles qu'il savait être de nature à causer sa mort et qu'il lui était indifférent que la mort s'ensuive ou non. L'élément essentiel est celui de l'intention de causer des lésions corporelles tellement graves que l'accusé savait qu'elles étaient de nature à causer la mort de la victime. En regard de l'intention fondamentale, l'aspect de l'insouciance constitue presque une pensée après coup.
>
> Dans l'arrêt *Sansregret c. La Reine*, [1985] 1 R.C.S. 570, on a défini l'insouciance comme l'attitude de celui qui, conscient du danger que risque d'entraîner sa conduite prohibée, persiste néanmoins dans sa conduite malgré la connaissance du risque. Par conséquent, l'article exige que l'accusé ait l'intention de causer les lésions corporelles les plus graves, tellement dangereuses et sérieuses qu'il sait qu'elles risquent de causer la mort, et qu'il persiste dans cette conduite, malgré la connaissance du risque. [...]
>
> À mon avis, l'élément crucial de l'intention requise est l'intention de causer des lésions corporelles que l'auteur sait être de nature à causer la mort et de persister néanmoins dans l'agression.[626]

---

624   *R. c. Vaillancourt*, précité, note 413, 644 et 645. Voir également P. LAPOINTE, « Les infractions criminelles », dans ÉCOLE DU BARREAU DU QUÉBEC, *op. cit.*, note 482, p. 100 :
> L'article 229a)i) traite de l'homicide intentionnel. Celui qui commet un acte illégal dans le but de causer la mort d'une personne et cause effectivement sa mort a évidemment commis un meurtre.

625   Précité, note 519.

626   *Id.*, 1087 et 1088. *R. c. Cooper*, précité, note 444, 154 et 155 :
> L'aspect de l'insouciance peut être considéré comme une pensée après coup car, pour entraîner une déclaration de culpabilité aux termes de cette disposition, il faut démontrer que l'accusé avait l'intention de causer des lésions corporelles si graves qu'il savait qu'elles étaient de nature à causer la mort. La personne qui cause des lésions corporelles qu'elle sait être de

335. Ainsi considérée, la *mens rea* prévue au sous-alinéa 229*a*)(ii) C.cr. constitue donc uniquement « un léger assouplissement des exigences prévues au sous alinéa (i). »[627] Toujours selon le juge Cory dans l'arrêt *R. c. Nygaard*[628] :

Examinons la gravité du crime décrit au sous-al. 212*a*)(ii) [maintenant 229*a*)(ii)] en prenant trois exemples qui, selon cet article, constitueraient des meurtres. Premièrement, une personne a l'intention d'infliger des blessures multiples à sa victime en lui donnant des coups de couteau dans l'abdomen et la poitrine, tout en sachant que les blessures sont de nature à la tuer et, indifférent à l'égard de ce résultat probable connu, commence à lui donner des coups de couteau. Deuxièmement, une personne a l'intention de tuer un ancien associé en lui tirant une balle dans la poitrine sachant que la mort risque de s'ensuivre et, indifférent à ce résultat, tire une balle dans la poitrine de la victime. Troisièmement, deux personnes ont l'intention de frapper à plusieurs reprises et avec violence une personne à la tête avec un bâton de base-ball sachant fort bien que la victime en mourra probablement. Ils continuent néanmoins à lui briser les os et à lui fracasser le crâne. Dans les trois exemples, les accusés ont certainement commis un crime aussi grave que celui qui a l'intention spécifique de tuer. La société, à mon avis, trouverait futile toute distinction dans le degré de culpabilité. La différence de gravité sur l'échelle de la culpabilité est trop infime pour justifier une distinction.[629]

---

nature à causer la mort doit, dans ces circonstances, ignorer délibérément les conséquences fatales qu'elle sait de nature à se produire. C'est à dire qu'elle doit nécessairement se soucier peu que la mort s'ensuive ou non. Notre Cour a examiné la notion d'insouciance dans *Sansregret* c. *La Reine*, [1985] 1 R.C.S. 570. À la page 582, on dit :

[L'insouciance] se trouve dans l'attitude de celui qui, conscient que sa conduite risque d'engendrer le résultat prohibé par le droit criminel, persiste néanmoins malgré ce risque. En d'autres termes, il s'agit de la conduite de celui qui voit le risque et prend une chance.

Les mêmes mots peuvent s'appliquer au sous-al. 212*a*)(ii) avec cet ajout important : il ne suffit pas que l'accusé prévoie simplement un risque de décès, l'accusé doit prévoir la probabilité que le décès résulte des lésions corporelles qu'il inflige à la victime.

627   *R. c. Nygaard, id.*, 1090.
628   Précité, note 519.
629   *Id.*, 1088 et 1089.

336. Le principe est donc simple et bien arrêté : l'insouciance est génératrice de culpabilité en matière de meurtre lorsqu'elle accompagne l'intention subjective de causer des lésions corporelles tellement graves que l'accusé savait qu'elles étaient de nature à causer la mort. Qu'entend-on par « de nature à causer [l]a mort » ? Qu'il est suffisant de prévoir le risque de décès? Non, répond la Cour. L'accusé doit prévoir la probabilité que le décès résulte des lésions corporelles qu'il inflige à la victime[630]. Cette précision,

---

630   *R.* c. *Cooper,* précité, note 444, 155. Voir également *R.* c. *Czibulka,* (2004) 189 C.C.C. (3d) 199, 224 et 225 (C.A. Ont.) :

The second error was in the trial judge's reference to a "danger" that the conduct could bring about death, in his attempt to define recklessness. The definition used by the trial judge was apparently drawn from *R.* v. *Sansregret* at 233, where the court defined recklessness in the context of sexual assault as follows:

In accordance with well-established principles for the determination of criminal liability, recklessness, to form a part of the criminal *mens rea,* must have an element of the subjective. It is found in the attitude of one who, aware that there is danger that his conduct could bring about the result prohibited by the criminal law, nevertheless persists, despite the risk. It is, in other words, the conduct of one who sees the risk and who takes the chance. It is in this sense that the term "recklessness" is used in the criminal law and it is clearly distinct from the concept of civil negligence.

While this definition is appropriate in the sexual assault context, it must be modified when explaining recklessness under s. 229(a)(ii). In *R.* v. *Cooper* at 295, Cory J. set out a portion of the excerpt from *Sansregret* set out above, and then said the following:

The same words can apply to s. 212(a)(ii) with this important addition: it is not sufficient that the accused foresee simply a danger of death; the accused must foresee a likelihood of death flowing from the bodily harm that he is occasioning the victim.

It is for this reason that it was said in *Nygaard* that there is only a "slight relaxation" in the *mens rea* required for a conviction for murder under s. 212(a)(ii) as compared to s. 212(a)(i).

In other words, the risk of death embodied in the terms "danger" and "likelihood" are not of the same magnitude. As indicated, Cory J. thought the difference was "important". It is of considerable significance that the jury was apparently uncertain about the meaning of recklessness and that these misdirections were repeated in answer to a question from the jury. [...]

Crown counsel drew our attention to the Standard Jury Instructions of the Superior Court of Justice Jury Trial Project for the intent for murder and in particular to footnote six to the instructions for murder, which reads as follows: "For those who wish to convert the reference to 'reckless' into plain English, the following may help: '... saw the risk that (NOC) could die from the injury, but went ahead anyway and took the chance.' It might be preferable for the trial judge using the Standard Jury Instructions to employ the

une fois comprise, n'affecte pas l'état d'insouciance qui se cache derrière l'infraction, car si l'insouciance évoque généralement la conscience d'une possibilité que l'acte entraîne une conséquence prohibée, rien n'empêche d'élever le seuil de prévisibilité du risque de manière à limiter cet état d'esprit à la présence d'une probabilité de mort. Cette conclusion serait différente, par contre, si l'on décidait de repousser le seuil de prévision du risque encore un peu plus loin pour englober également la *certitude* ou *quasi certitude*, car ces deux états d'esprits sont synonymes d'intention, avons-nous dit.

337. *Méfait* : Comme nous l'avons déjà expliqué lors de notre analyse de l'intention en droit pénal canadien, l'adverbe « volontairement » prévu à l'article 429 du *Code criminel* suppose la preuve de la connaissance de l'accusé « que l'acte ou l'omission causera probablement la production de l'événement [en cause] ». La culpabilité requise en matière de méfait est donc l'intention ou l'insouciance quant à l'acte prohibé[631]. Ici, l'insouciance n'appa-

---

terms used by Cory J. in Cooper, and to replace the word "risk" with the word "likelihood".

631   *R.* c. *Schmidtke*, (1985) 19 C.C.C. (3d) 390, 394 (C.A. Ont.) :
The mental element on the part of an accused is satisfied by showing that he failed to meet the standards imposed on him by s. 386(1). The introduction of recklessness as an element of the offence results in mischief being properly classified as an offence of general and not of specific intent: Majewski, *supra*, per Lord Elwyn-Jones L. C. at p. 470; Glanville Williams, *Textbook of Criminal Law*, 1st ed. (1978), p. 431; Smith and Hogan, pp. 632-6.
However, apart from the definition extending the meaning of "wilfully", I would reach the same conclusion. On the approach to the designation of specific and general intent crimes prescribed by the Supreme Court in George, *supra*, and affirmed in Leary, *supra*, it appears to me that the requisite mental element for mischief requires proof of no more than an intentional or reckless causing of the *actus reus*.
R. c. *Awde*, [1997] B.C.J. (Quicklaw) n° 2873, par. 33 (S.C.) :
In my view, the trial judge erred in law by holding that negligence is an applicable standard in these criminal circumstances, and by finding that wilful blindness as opposed to recklessness is sufficient for the purposes of finding the necessary "wilfulness". Negligence, which is the failure to take reasonable care, is tested on the objective standard of the reasonable person. Recklessness, as an aspect of the criminal *mens rea*, must have a subjective element. It is found in the attitude of one who is aware that there is

raît pas aussi clairement qu'en matière de meurtre, mais se trahit à travers la définition de l'adverbe « volontairement » contenu à l'article 429 du Code. L'exemple d'un individu accusé d'avoir détruit le mobilier d'une boîte de nuit illustre bien cette situation. Selon la Cour d'appel du Québec :

> L'intimé était en état d'ébriété avancé lorsqu'il brisa le mobilier d'un club de nuit. Le législateur exige moins qu'une intention spécifique pour le méfait. La seule connaissance que le prévenu savait que l'acte qu'il posait causerait probablement la destruction d'un bien et son insouciance quant à ce résultat suffisent pour que l'acte soit considéré comme volontaire. L'intimé, malgré son ivresse qui n'est pas une défense acceptée ici, pouvait anticiper l'effet destructif de sa conduite puisqu'il en prédit les conséquences en disant : « on déboîte le club à soir ». De plus, la preuve démontre clairement son insouciance à l'égard du résultat. Sa conduite étant considérée volontaire, il est déclaré coupable.[632]

338. La *mens rea* requise en matière de méfait est donc l'intention générale ou l'insouciance quant à la réalisation de l'acte prohibé[633]. Résultat : « [c]elui qui pose certains gestes en étant cons-

---

danger that his or her conduct could bring about a result prohibited by criminal law but nevertheless persists despite the risk. In other words it is the conduct of one who sees the risks and who takes the chance. This is the sense that "recklessness" is used in the criminal law, and it is clearly distinct from the concept of civil negligence.

632   *R.* c. *Guillemette*, J.E. 82-157 (C.A.); *R.* c. *Toma*, précité, note 564, 257 (C.A. C.-B.) :
In *R.* v. *Schmidtke* (1985), 19 C.C.C. (3d) 390 (Ont. C.A.), Robins J.A. similarly concluded that the offence of mischief charged under what is now s. 430(1)(a) of the *Criminal Code* is an offence of general rather than specific intent and that the requisite mental element for mischief requires proof of no more than an intentional or reckless causing of the *actus reus*.

633   *R.* c. *L.(K.)*, J.E. 94-186 (C.M.) :
L'intention requise pour perpétrer une infraction de méfait est générale et non spécifique. Suivant la définition du mot « volontairement » qu'on trouve à l'article 429(1) C.Cr., la poursuite doit prouver hors de tout doute raisonnable la connaissance par l'accusée que le fait de frapper dans la vitre causerait probablement le bris de cette vitre de même que son insouciance à cet égard. Il faut distinguer la négligence de l'insouciance. L'accusée ayant

cient du risque de son comportement à l'égard d'un bien, et qui persiste dans sa conduite, pourra être reconnu coupable de méfait ».[634]

339. *Tuer ou blesser d'autres animaux* : Comme l'adverbe « volontairement » suppose la preuve d'une intention ou d'un état d'insouciance relativement à l'acte prohibé et que l'article 445 C.cr. réprime le fait de tuer, mutiler, empoisonner ou estropier « volontairement » des chiens, des oiseaux ou des animaux qui ne sont pas des bestiaux, il s'ensuit que la *mens rea* requise aux termes de cette infraction pourra être établie grâce à la preuve de l'insouciance de l'accusé. Pour s'en convaincre citons le cas de l'individu qui projeta un petit chien à plus de quinze pieds sur le pavé afin de l'empêcher d'uriner sur son terrain[635]. Ici, la condamnation de l'inculpé fut prononcée malgré son absence d'intention de blesser l'animal. En effet, « [w]hen Mr. Schafer tossed the dog onto the road, he expected that it would be shaken up a bit and then run off. So too did Mr. Paterson. Neither expected the dog to suffer any injury. But the dog did not move »[636]. Discutant de l'insouciance en tant que forme alternative de culpabilité, le juge Lampkin écrit :

> There is no question that Mr. Schafer intended to throw the dog onto the road. He was surprised at the injury suffered. But in throwing the dog with such force, he was either wilfully blind as to the consequences or reckless whether harm and injury would result. In *Sansregret* v. *The Queen* [1985] 1 S.C.R. 570, Mr. Justice McIntyre speaking for the Supreme Court of Canada said at page 582:

---

semé un doute dans l'esprit du Tribunal quant à la question de savoir si elle a agi volontairement, elle doit être acquittée de l'accusation de méfait.

Voir également *R.* c. *Chlumsky*, J.E. 99-103 (C.M.).

634   P. LAPOINTE, « Les infractions criminelles », dans ÉCOLE DU BARREAU DU QUÉBEC, *op. cit.*, note 482, p. 112.

635   *R.* c. *Schafer*, [2000] O.J. (Quicklaw) n° 3658 (Ct. of J.).

636   *Id.*, par. 12

"... Recklessness, to form a part of the criminal *mens rea*, must have an element of the subjective ... It is, in other words, the conduct of one who sees the risk and who takes the chance."

Mr. Schafer was dealing with a small, five or six pound animal, fragile to anyone who had eyes to see. There is no suggestion that the animal attempted to bite him so that he had to get rid of it in a hurry and toss it away. In fact, the opposite is true. When he picked up the dog, it was still relieving itself. All he had to do was to take it to the side of the road and put it down gently. He was two feet from the curb when he threw it with the intention that it should land in the centre of the road, some 15 feet away. He tossed it with such force that it suffered severe injuries. Injuries as if it had been hit by a car or dropped from a height. The force used was excessive. While he had a legal justification or a colour of right to remove it from his property, he also had an obligation to take reasonable care to avoid injury. His actions fell well below the standard of taking reasonable care to avoid injury. Exasperating is it may be to the proud homeowner, there is no right to harm a dog wilfully simply because it trespasses on his property – just as there is no right to kill the animal in similar circumstances. *R.* v. *Comber* (1975) 28 C.C.C. (2d) 444.[637]

340. Loin d'être limité à la présence d'une intention malicieuse, l'adverbe « volontairement » recouvre donc également l'insouciance quant aux conséquences prohibées.

341. *Cruauté envers les animaux* : L'infliction inutile de souffrance à un animal prévu au paragraphe 446(1) du *Code criminel* est une autre infraction dont la trame psychologique repose sur la présence de l'adverbe « volontairement ». Or, d'après le juge Rowles dans l'arrêt *R.* c. *Toma*[638], l'adverbe « volontairement » n'est pas synonyme de mauvaise intention, mais d'intention générale ou d'insouciance proprement dite[639]. L'insouciance est donc

---

637   *Id.*, par. 36.
638   Précité, note 564.
639   *Id.*

suffisante pour engager la responsabilité de l'accusé aux fins de l'article 446 du *Code criminel*. C'est ce que confirme d'ailleurs le juge Labrèche, dans l'arrêt *R.* c. *Denis*[640], au moment de condamner une personne pour avoir négligé « volontairement » de fournir à ses animaux les aliments, l'eau et les soins nécessaires à leur préservation. D'après le magistrat :

> L'accusé prétend avoir bien nourri ses animaux à chaque jour. Il explique la présence d'animaux morts sur son terrain par le retard du récupérateur de bêtes mortes qui devait les récupérer depuis plusieurs mois. Quant à la présence de certaines bêtes ensanglantées, dévorées, sur la ferme qu'il opère, il admet que ces animaux lui ont échappé.

> La preuve écrasante de la poursuite démontre hors de tout doute raisonnable que l'accusé a fait preuve d'insouciance vis-à-vis de certains animaux du troupeau. En faisant ainsi preuve d'insouciance, l'accusé a agi volontairement au sens de l'article 429(1) du *Code criminel*, qui s'applique dans le cas d'une infraction visée à l'article 446. Il n'a pas justifié d'avoir agi ainsi. L'accusé est donc déclaré coupable.[641]

342. Le mot « volontairement » étant synonyme de connaissance et d'insouciance, cette dernière sera génératrice de culpabilité en matière de cruauté envers les animaux[642].

---

640   R.J.P.Q. 90-270 (C.Q.).

641   *Id.*

642   Voir également *R.* c. *Radmore*, J.E. 93-33 (C.Q.) :
       L'article 446(1) C.Cr. doit être lu avec l'article 429(1) C.Cr. afin de connaître le sens du mot « volontairement ». Ainsi, une personne peut être réputée agir volontairement, au sens de ces dispositions, si elle est indifférente aux conséquences de ses actes ou de ses omissions. Suivant l'article 446 C.Cr., le fait de causer un simple inconfort à un animal n'est pas une infraction. Il doit être prouvé que l'animal a souffert. L'ampleur de sa douleur est sans importance, du moment qu'il est établi que cette douleur lui a été infligée volontairement au sens de l'article 429(1) C.Cr. Si le propriétaire de l'animal ne se soucie pas du fait qu'une douleur soit causée à l'animal en raison de son omission de faire quelque chose, cette omission peut être considérée comme un acte volontaire ayant causé des souffrances à l'animal, même sans intention du propriétaire de causer une telle douleur.

343. *Incendie criminel* : Aux termes des articles 433 et 434 du *Code criminel* :

> **433. [Incendie criminel : danger pour la vie humaine]** Est coupable d'un acte criminel et passible d'un emprisonnement à perpétuité toute personne qui, intentionnellement ou sans se soucier des conséquences de son acte, cause par le feu ou par une explosion un dommage à un bien, que ce bien lui appartienne ou non, dans les cas suivants :
>
> **a)** elle sait que celui-ci est habité ou occupé, ou ne s'en soucie pas;
>
> **b)** Le feu ou l'explosion cause des lésions corporelles à autrui.
>
> **434. [Incendie criminel : dommage matériels]** Est coupable d'un acte criminel et passible d'un emprisonnement maximal de quatorze ans quiconque, intentionnellement ou sans se soucier des conséquences de son acte, cause par le feu ou par une explosion un dommage à un bien qui ne lui appartient pas en entier.

344. Contrairement au méfait et aux infractions touchant à la vie et à la sécurité des animaux, les crimes prévus aux articles 433 et 434 (et 434.1) du Code ne s'articulent pas sur la présence de l'adverbe « volontairement », mais sur l'inclusion de l'expression « intentionnellement ou sans se soucier des conséquences » dans le texte de l'infraction[643]. Cet élément mental, qui peut être

---

643   *R.* c. *D.(S.D.)*, (2001) 164 C.C.C. (3d) 1, 10 et 21 (C.A. T.-N.) :
> In each of ss. 433(a) and 434 Parliament has used the same words to specify the nature of the *mens rea* required to establish the offence, namely: "intentionally or recklessly". The respondent is, in each count in the indictment, charged specifically with "intentionally or recklessly" causing damage to property, namely: Marie's Mini Mart, 1 Dunnes Road, Mount Pearl. Thus, the *actus reus* having been proven, guilt of the respondent on either charge requires proof that the damage by fire to Marie's Mini Mart was either "intentionally" caused, or "recklessly" caused, by the respondent. [...] To summarize, there is no evidence to support a conclusion that the respondent was aware that her intended conduct of burning a hole in the chip bag could bring about the "damage by fire to property, namely: Marie's Mini

inféré directement des propos de l'accusé ou indirectement de l'acte et des circonstances entourant sa commission, renvoie donc à l'intention ou à l'insouciance de l'accusé à l'égard de la conséquence prohibée. Examinant la culpabilité d'un adolescent accusé de méfait et d'incendie criminel suite au dépôt d'un couvercle de poubelle sur les roches de l'unité chauffante d'un sauna, le juge Demers de la Cour du Québec observe :

> Depuis juillet 1990, les articles 433 et 434 C.cr. prévoient qu'est coupable d'un acte criminel quiconque, « intentionnellement ou sans se soucier des conséquences de son acte, cause par le feu ou par une explosion un dommage à un bien ». Avant l'entrée en vigueur de ces dispositions, les dispositions punissant le crime d'incendie utilisaient le mot « volontairement » plutôt qu'« intentionnellement ». [...] L'insouciance est donc sur un pied d'égalité avec l'intention. [...] L'insouciance se rattache à l'état d'esprit de l'accusé et constitue, avec l'intention et la négligence criminelle, l'une des trois formes possibles de la *mens rea*. L'insouciance peut se manifester à l'égard tant d'un acte proscrit que de conséquences interdites. Elle fait référence à l'état d'esprit réel d'un accusé et sa preuve doit s'effectuer subjectivement. [...] En l'espèce, l'adolescent a pu subjectivement prévoir le risque de causer des dommages au dispositif du sauna et il est donc clairement coupable d'un méfait, mais il existe un sérieux doute qu'il ait pu prendre conscience que son geste causerait un incendie. L'adolescent croyait plutôt que le couvercle allait fondre et non

---

Mart", and that she nevertheless persisted in applying the cigarette lighter to the bag of chips, despite the risk. The evidence of the respondent herself is explicit, that she anticipated only that a hole would be burned in the bag. Neither can it be said that the evidence is sufficient to prove, beyond a reasonable doubt, that the respondent recklessly caused the damage by fire on other bags of chips, and knowing that the probable consequence of which would be damage by fire to Marie's Mini mart. Her evidence is that she attempted to put the fire out and thought she had put it out, and that when she left the store, she "thought the fire was completely put out". While, had I been the trial judge, I may not have believed her for the reasons noted above, I would still have acquitted her on the arson charges, as the trial judge did.

Voir également *R. c. Brain*, (2003) 172 C.C.C. (3d) 203, 210 (C.A. C.-B.).

prendre en feu. La Couronne n'a donc pas réussi à prouver hors de tout doute raisonnable que l'adolescent a, intentionnellement ou sans se soucier des conséquences, causé par le feu un dommage à un bien.[644]

345. Comme l'indique ce passage emprunté à la décision *Protection de la jeunesse – 1127*, l'insouciance comporte un élément subjectif. Il s'agit de la conduite de celui qui «ayant vu le risque, a tenté sa chance et, par son comportement, a persisté dans ce risque»[645].

346. En ce qui concerne, par ailleurs, le degré de prévisibilité du risque requis aux termes de l'infraction, nous croyons, con-

---

644   *Protection de la jeunesse – 1127*, J.E. 2000-724 (C.Q. Ch. J.).

645   Voir sur ce point *Protection de la jeunesse – 657*, J.E. 94-185 (C.Q. Ch. J.):

L'accusé, un jeune contrevenant, est accusé d'avoir allumé un incendie au-dessus de la porte d'entrée qui donne sur la cour arrière d'une école. La preuve a démontré que l'accusé se trouvait sur les lieux en compagnie de trois autres copains au moment où l'incendie a été allumé dans un contenant de plastique. La défense prétend que l'accusé devrait bénéficier du doute raisonnable puisque la Couronne n'a pas su démontrer ni l'insouciance de l'accusé, ni l'élément intentionnel prévu à l'article 434 du *Code criminel* (C.Cr.), ni aucun des éléments énoncés à l'article 21 C.Cr. quant à sa participation. Décision. Bien que l'accusé ne soit pas celui qui a placé le contenant allumé près du foyer d'incendie, c'est lui qui a déclenché le processus en allumant le contenant et en le déposant sur le seuil de la porte arrière de l'école. Le fait qu'il ait tenté de ramener le contenant au bas de la porte ne suffit pas à lui enlever sa responsabilité face à la commission de l'acte criminel. Par ailleurs, il n'a pas été prouvé que l'accusé avait agi de façon intentionnelle. D'autre part, il est établi qu'il a accompli une série de gestes qui démontrent hors de tout doute raisonnable son insouciance. En effet, il n'est pas normal de mettre le feu à un contenant de plastique, pas plus qu'il est normal de poser un contenant enflammé à proximité de la porte d'un bâtiment. Ces gestes ne sont pas purement accidentels et ont été faits de façon délibérée. Contrairement à l'adolescent dans l'arrêt [...], l'accusé n'a pas tenté d'éteindre l'incendie ni les flammes qui s'échappaient du contenant de plastique. Ces agissements de l'accusé constituent une conduite répréhensible d'une personne qui, ayant vu le risque, a tenté sa chance et, par son comportement, a persisté dans ce risque. La preuve est donc faite de l'insouciance prévue à l'article 434 C.Cr.

trairement au juge Wells dans l'arrêt *R. c. D.(S.D.)*[646], que la *mens rea* prévue aux articles 433 et 434 du *Code criminel* se limite à la conscience de l'individu que sa conduite risque d'engendrer le résultat prohibé et non à la connaissance de la probabilité des conséquences prohibées. Comme l'exprime si bien le juge Finch dans l'arrêt *R. c. Brain*[647] :

> What is required to prove recklessness was described Mr. Justice McIntyre in *Sansregret* v. *Queen* (1985), 18 C.C.C. (3d) 223 (S.C.C.) at 233: In accordance with well-established principles for the determination of criminal liability, recklessness, to form a part of the criminal *mens rea*, must have an element of the subjective. It is found in the attitude of one who, aware that there is danger that his conduct could bring about the result prohibited by the criminal law, nevertheless persists, despite the risk. It is, in other words, the conduct of one who sees the risk and who takes the chance. It is in this sense that the term "recklessness" is used in the criminal law and it is clearly distinct from the concept of civil negligence.
>
> [...]
>
> In my opinion, there was evidence to support the trial judge's conclusion that the appellant knew of the risk of fire in the circumstances described, but persisted in his dangerous conduct in spite of that risk. It is no answer to say, as counsel on this appeal argues, that a verdict of not guilty could also be supported by the evidence. It was open to the judge to infer that the fire occurred accidentally, if that was the view he took of the evidence. He did not take that view. He concluded that the appellant's conduct was

---

646   Précité, note 643, par. 25 :

> I conclude, therefore, that absent proof of a specific intent to cause damage by fire to the property specified, an accused can only be found guilty of arson, contrary to either s. 433 or 434, upon proof that the accused actually knew that damage by fire to the property specified was the *probable* consequence of the actions the accused proposed to take, and the accused proceeded to take the actions in the face of the risk.

647   Précité, note 643.

reckless, as that term is used in criminal law, and I am not pre-
pared to say that he erred in reaching that conclusion.[648]

347. Il n'y a plus aucun doute. L'insouciance requise en
matière d'incendie criminelle repose sur la conscience d'un risque
et sur la volonté de persister malgré ce risque.

348. *Harcèlement*: Comme nous le savons[649], le harcèlement criminel est une infraction dont la trame psychologique repose
sur la présence d'un élément cognitif ou d'un état d'insouciance
quant à l'état d'esprit de la victime. En plus de l'*actus reus* de
l'infraction, la Couronne doit donc prouver que l'accusé « savait
que la plaignante se sentait harcelée (ou aveuglement volontaire à
cet égard) ou ne se souciait pas qu'elle se sente harcelée ». D'après
le juge Berger dans l'arrêt *R. c. Sillipp*[650] :

[C]riminal harassment does require proof of a *mens rea* and,
accordingly, does allow for the defence of honest mistake. A conviction under s. 264 requires that the accused have "known" that
his subsection (2) conduct was causing the complainant to be
harassed, or that he was aware of such risk and was reckless or
wilfully blind as to whether or not the person was harassed. The
Appellant's "morally innocent accused" who honestly believed
that his subsection (2) behaviour was not known to the complainant, and who was not reckless or wilfully blind, would escape
criminal liability.[651]

349. Si l'aveuglement volontaire peut être assimilé à la
connaissance, l'insouciance intervient, pour sa part, comme un
élément de faute indépendant dans la constitution de l'infraction

648   *Id.*, par. 13 et 18.
649   Voir sur ce point le chapitre consacré à la connaissance.
650   Précité, note 297.
651   *Id.*, 397 et 398.

reprochée (élément qui est pertinent en raison de son rapport avec une conséquence).

350. *La négligence criminelle ayant causé la mort ou des lésions corporelles* : Comme l'insouciance est un élément de faute qui comporte la connaissance d'un risque et que la négligence criminelle est subordonnée à la présence d'une conduite qui « montre une insouciance déréglée ou téméraire à l'égard de la vie ou de la sécurité d'autrui », on serait porté à croire que cette infraction repose sur la preuve d'une faute subjective. Or il n'en est rien. D'après le mode de pensée dominant en droit pénal canadien, la négligence criminelle repose sur la présence d'un critère objectif et plus précisément sur la preuve d'une « conduite qui révèle une dérogation marquée et importante à ce que l'on est en droit d'attendre d'une personne raisonnablement prudente dans les circonstances ».[652] Examinant la distinction entre les infractions traditionnelles et la négligence criminelle, le juge McIntyre, dans l'arrêt *R. c. Tutton*[653], écrit :

> Dans l'arrêt *Sansregret* c. *La Reine*, j'ai exprimé l'opinion que « l'insouciance doit comporter un élément subjectif pour entrer dans la composition de la *mens rea* criminelle. » J'ai ensuite ajouté que « [c]'est dans ce sens qu'on emploie le terme « insouciance » en droit criminel et il est nettement distinct du concept de négligence en matière civile. » On a soutenu en s'appuyant sur ces mots et sur des commentaires postérieurs sur la nature de la négligence en droit criminel qu'il fallait par conséquent appliquer un critère subjectif pour s'interroger sur l'existence de la négligence criminelle en vertu de l'art. 202 [maintenant 219] du Code. Je suis d'avis de rejeter cet argument au motif que le concept de l'insouciance dont il était question dans cette affaire ne s'applique pas dans un cas visé à l'art. 202 [maintenant 219] du Code. Sansregret était accusé de viol, un crime qui implique de la part de l'accusé une

---

652   *R. c. Tutton*, [1989] 1 R.C.S. 1392, 1431.
653   *Id.*

conduite positive et voulue, qui vise la réalisation d'un résultat particulier. C'est une infraction traditionnelle exigeant la *mens rea* et il faut prouver un certain état d'esprit, dans ce cas-là l'intention de persévérer dans une entreprise en dépit du fait que le consentement de la plaignante a été extorqué par les menaces et la crainte. L'insouciance de la part de l'accusé fait partie de la *mens rea* (l'état d'esprit répréhensible) et elle doit être prouvée selon un critère subjectif comme partie de l'élément moral de l'infraction. En ce sens, les extraits tirés de l'arrêt *Sansregret* c. *La Reine* sont pertinents. L'article 202 [maintenant 219] en revanche, a créé une infraction distincte; une infraction qui fait de la négligence – la manifestation d'une conduite déréglée ou téméraire – un crime en soi et donc définit l'infraction dans ses propres termes. Comme l'a noté le juge Cory dans *R.* c. *Waite*, l'art. 202 [maintenant 219] du Code a été édicté en sa présente forme comme une codification de l'infraction qui était apparue dans la jurisprudence canadienne, et à l'égard de laquelle la *mens rea* nécessaire peut être inférée de façon objective à partir des actes de l'accusé.[654]

351. La *mens rea* requise en matière de négligence criminelle n'implique donc pas la présence d'un état d'esprit positif, comme la connaissance, l'intention ou l'insouciance, mais plutôt l'absence d'un état mental de diligence. Cette absence de soin ou de prudence sera criminelle uniquement lorsque la conduite de l'individu révèlera une dérogation marquée et importante à ce que l'on est en droit d'attendre d'une personne raisonnablement prudente dans les circonstances. « La négligence implique [donc] le contraire de l'acte réfléchi. »[655] C'est la situation de celui qui n'a pas réfléchi au risque alors qu'il pouvait et devait le faire.

---

654   *Id.*, 1431 et 1432.
655   *Id.*, 1430.

Troisième section : Les infractions qui exigent implicitement la preuve d'un élément d'insouciance

352. Si l'utilisation d'expressions telles que « sans se sou-cier de » ou « en étant indifférent à » commandent clairement la présence d'un élément d'insouciance, qu'en est-il des infractions qui ne prévoient pas l'emploi d'un tel langage? Dans ce cas, il se peut, si aucun élément de faute n'est formellement exigé par le législateur, que l'insouciance soit utilisée par les tribunaux afin de parfaire l'infraction reprochée. À l'analyse des infractions exi-geant explicitement la présence d'un état d'insouciance, succède donc un examen de celles qui ne le font qu'implicitement.

353. *La fraude* : D'après la juge McLachlin, dans l'arrêt *R.* c. *Théroux*[656], l'*actus reus* de la fraude sera établi par la preuve : « (1) d'un acte prohibé, qu'il s'agisse d'une supercherie, d'un mensonge ou d'un autre moyen dolosif, et (2) de la privation cau-sée par l'acte prohibé, [privation] qui peut consister en une perte véritable ou dans le fait de mettre en péril les intérêts pécuniaires de la victime. »[657] Quant à la *mens rea* de l'infraction, celle-ci comporte les deux volets suivants : (1) « la connaissance subjec-tive de l'acte prohibé et (2) la connaissance subjective que l'acte prohibé pourrait causer une privation à autrui (laquelle privation peut consister en la connaissance que les intérêts pécuniaires de la victime sont mis en péril) »[658]. Dans la mesure où l'insouciance « présuppose la connaissance de la vraisemblance des conséquen-ces prohibées », celle-ci peut être utilisée afin d'établir l'élément de faute se rapportant à la privation causée par l'acte prohibé. En ce qui concerne la connaissance subjective de l'acte prohibé, celle-

---

656   Précité, note 48.
657   *Id.*, 20.
658   *Id.*; *R.* c. *Pereira et Poulis*, [1990] A.Q. (Quicklaw) n° 2004 (C.A.).

ci ne peut être prouvée que par l'entremise de la connaissance ou de l'intention de l'accusé. Selon Jean-Claude Hébert :

> Est-ce l'acte prohibé qui sera prouvé par l'insouciance de l'inculpé ou si ce sont les conséquences découlant de cet acte prohibé qui seront établies par cette forme d'état d'esprit? Dans la première hypothèse, la charge de preuve du poursuivant s'en trouverait allégée. La juge McLachlin a clairement indiqué que c'est l'insouciance quant aux conséquences d'un acte prohibé qui est source de responsabilité pénale. Selon elle, l'insouciance présuppose la connaissance de la vraisemblance des conséquences prohibées. Si l'accusé, fort d'une telle connaissance, accomplit des actes susceptibles d'entraîner des conséquences prohibées, ne se souciant point du résultat potentiel, l'insouciance est alors établie. Par conséquent, l'exigence d'une preuve établissant la connaissance subjective par l'inculpé de l'acte prohibé reste entière.[659]

354. Pour obtenir une déclaration de culpabilité en matière de fraude, « il suffit [donc, pour reprendre les mots de la juge McLachlin dans l'arrêt *R. c. Théroux,*] de déterminer qu'un accusé a sciemment commis les actes en question et qu'il était conscient que la privation ou le risque de privation représentait une conséquence probable ».[660]

355. *Les voies de fait* : Aux termes du paragraphe 265(1) du *Code criminel* :

> **265.** (1) **[Voies de fait]** Commet des voies de fait, ou se livre à une attaque ou une agression, quiconque, selon le cas :
>
> **a)** d'une manière intentionnelle, emploie la force, directement ou indirectement, contre une autre personne sans son consentement;

---

659   J.-C. HÉBERT, *op. cit.*, note 407, p. 467.
660   *R. c. Théroux*, précité, note 48, 20.

b) tente ou menace, par un acte ou un geste, d'employer la force contre une autre personne, s'il est en mesure actuelle, ou s'il porte cette personne à croire pour des motifs raisonnables, qu'il est alors en mesure actuelle d'accomplir son dessein;

c) en portant ostensiblement une arme ou une imitation, aborde ou importune une autre personne ou mendie.

356. Ici, le texte est clair. L'article 265(1)*a*) du *Code criminel* exige l'emploi *intentionnel* de la force contre une autre personne sans son consentement. L'insouciance n'est donc pas suffisante pour établir l'élément de faute se rapportant à l'acte positif qui sous-tend l'infraction.[661] D'après le juge LeGrandeur dans l'arrêt *R. c. C.K.*[662] :

It seems to me overall that s. 265(1)(a) is clear and unambiguous in the context in which is prescribed in calling for the accused's act of application of force, (touching) to be intentional and nothing less. To interpret it otherwise is not justified given the factors considered aforesaid and would in effect make the use of the word "intentionally" superfluous and there is no reason to believe that Parliament intended it to be so.

I have considered two Canadian cases that Professor Stuart in his text Canadian Criminal Law, *supra*, suggests support the position that an individual may be convicted of an assault if his conduct is reckless as opposed to intentional. These cases are found at (1974) 9 C.R. (3d) 263 and (1981) 24 C.R. (3d) 109. I do not accept that those cases stand for the aforementioned proposition and in any event the case of *R. v. Swietlinski*, (1978) 44 C.C.C. (2d) 267 affirmed by (1980) 55 C.C.C. (2d) 481 (S.C.C.) contradicts these cases and I believe is more persuasive.[663]

---

661   *R. c. Starratt*, précité, note 472; *R. c. Burden*, (1981) 64 C.C.C. (2d) 68 (C.A. C.-B.); *R. c. Wolfe*, (1974) 20 C.C.C. (2d) 382 (C.A. Ont.).
662   [2004] A.J. (Quicklaw) n° 114 (Prov. Ct.).
663   *Id.*, par. 46 et 47.

357. Pour obtenir une condamnation en vertu de l'alinéa 265(1)*a*) C.cr., le ministère public doit donc prouver (1) l'intention d'employer la force sur une autre personne et (2) la connaissance (ou aveuglement volontaire) quant à l'absence de consentement ou l'insouciance à cet égard.[664]

358. En ce qui concerne, finalement, les alinéas *b*) et *c*) du même article, la question semble beaucoup plus difficile. Malgré le silence du législateur, la nature des actes prohibés dans ces deux alinéas nous amène à penser que l'élément mental de l'infraction devrait se limiter à l'intention de commettre les actions prohibées ou à la décision prise sciemment d'accomplir ces gestes (ce qui est la même chose, avons-nous dit). Examinant la responsabilité d'un individu qui avait menacé sa femme et son fils de quatorze ans avec une arme à feu, le juge Limerick de la division d'appel de la Cour suprême du Nouveau-Brunswick écrit dans l'arrêt *R. c. Horncastle*[665] :

> The respondent threatened by act and gesture to apply force to the person of his wife by waving the gun in the air and by loading it after stating he would shoot her, and had, at that time, the present ability to apply such force.
>
> . . . . .
>
> The offence of assault is committed when a threat is intentionally made to apply force to the person of another and there is the present ability to carry out that threat. Neither the degree of alarm felt by the person threatened nor the intent of the accused

---

664   Pour une opinion contraire voir D. STUART, *op. cit.*, note 450, p. 221 :
       There is also now direct authority [*Venna* [1975] 3 W.L.R. 737, [1975] 3 All E.R. 788 (C.A.) and *Vallance* (1961) 108 C.L.R. 56 (Aust. H.C.). See too *Gray* (1981) 24 C.R. (3d) 109 (Sask. Prov. Ct.), but see the contrary obiter of Martin J.A. in *Swietlinski* (1978) 44 C.C.C. (2d) 267 at 290 (Ont. C.A.), affirmed (1980) 55 C.C.C. (2d) 481 (S.C.C.).] for the view that an assault can be committed intentionally or recklessly notwithstanding that the section refers specifically to "intentionally" applying force.

665   (1972) 8 C.C.C. (2d) 253 (S.C. (App. Div.)).

to carry out that threat are involved in the determination of the guilt of the accused.[666]

359. Sans exclure catégoriquement la possibilité d'utiliser l'insouciance comme support psychologique de cette infraction, nous croyons que l'élément mental de l'acte qui sous-tend l'infraction devrait se limiter à l'intention criminelle.

360. *L'agression sexuelle* : Comme nous le savons, « l'agression sexuelle est une agression [...] qui est commise dans des circonstances de nature sexuelle, de manière à porter atteinte à l'intégrité sexuelle de la victime »[667]. Or, d'après le juge Major dans l'arrêt *Ewanchuk*, la *mens rea* de l'agression sexuelle est : (1) l'intention de se livrer à des attouchements sur une personne et (2) la connaissance (ou aveuglement volontaire) quant à l'absence de consentement ou l'insouciance à cet égard[668]. Il est donc faux de prétendre, comme l'a fait le juge Cory dans l'arrêt *Daviault*, que « l'élément moral requis en matière d'agression sexuelle est tout simplement l'intention de commettre l'agression sexuelle ou l'indifférence quant à savoir si les actions peuvent constituer une agression »[669], car si l'insouciance est pertinente au point de vue de l'absence de consentement, elle demeure insuffisante à l'égard de l'intention de procéder aux attouchements.

361. *Les infractions relatives aux stupéfiants* : Comme nous l'avons déjà dit lors de notre analyse de la connaissance en droit pénal canadien, certains tribunaux estiment que l'insouciance peut servir à établir la connaissance coupable requise en matière d'importation ou de trafic de stupéfiants. Dans ce cas, la *mens rea* de l'infraction peut être établie par la preuve de la connaissance, de l'aveuglement volontaire ou de l'insouciance de l'accusé. Nous

---

666   *Id.*, 262 et 263.
667   *R.* c. *Chase*, précité, note 156.
668   *R.* c. *Ewanchuk*, précité, note 320.
669   *R.* c. *Daviault*, précité, note 37, 89.

ne sommes pas d'accord avec cette interprétation. Pour nous, l'insouciance ne devrait pas être utilisée pour prouver la connaissance de l'objet en cause, car l'insouciance, contrairement à l'aveuglement volontaire, n'est pas une forme dérivée de connaissance, mais un élément de faute à part entière (élément de faute se rapportant généralement à une conséquence).

362.   Cette conclusion, qui est reconnue par plusieurs tribunaux et admise par certains auteurs, ne fait pas l'unanimité. La Cour d'appel du Québec, par exemple, semble encore aujourd'hui divisée sur la question. Pour certains, comme les juges Proulx, McCarthy et Otis dans l'arrêt *Rathod* c. *La Reine*[670], « la connaissance coupable peut se fonder autant sur l'insouciance que l'aveuglement volontaire »[671]. Pour d'autres, cependant, comme les juges Rousseau-Houle et Fish [aujourd'hui à la Cour suprême] dans l'affaire *R. c. Hajian*[672], il est difficile de comprendre pourquoi le juge de première instance a insisté sur l'insouciance alors que la couronne désirait prouvé la connaissance coupable de l'accusé[673]. En effet, selon la juge Rousseau-Houle : « [s]ince the crown wanted to prove the accused's culpable knowledge, one could ask oneself what is the relevance of the concept of recklessness wich the judge submitted to the jury. Recklessness and wilful blindness are two concepts which involve different psychological states. »[674]

---

670   [1993] A.Q. (Quicklaw) n°1689 (C.A. Qué.); (1993) 61 Q.A.C. 171.

671   *Id.*, par. 16 (note 1).

672   (1998) 124 C.C.C. (3d) 441 (C.A. Qué.).

673   *Id.*, J.-C. HÉBERT, *op. cit.*, note 407, p. 55 et 56 : « Selon l'opinion majoritaire, dans la mesure où la doctrine d'ignorance volontaire était pertinente au débat, la question d'insouciance aurait dû être évacuée de la discussion. »

674   *R. c. Hajian*, précité, note 672, 446.

Conclusion

363. Si l'insouciance, en s'appuyant sur la connaissance d'un risque et sur la volonté de persister malgré ce risque, n'est pas une forme de connaissance actuellement reconnue en droit pénal canadien, elle n'est pas non plus synonyme d'intention. C'est pourquoi nous croyons, contrairement à certains commentateurs, que l'insouciance ne devrait pas, de façon générale, être associée à l'intention. Malgré quelques similitudes, l'intention et l'insouciance constituent bel et bien deux éléments de faute différents au point de vue psychologique. De là la nécessité, pour le législateur, d'inclure expressément ces deux éléments de faute dans les infractions prévues à la partie XI du *Code criminel*. Sans interdire catégoriquement toute forme de rapprochement, les tribunaux doivent se garder, si possible, d'assimiler inutilement ces deux éléments de faute.

Deuxième partie

La faute objective

364. Il faut maintenant regarder l'autre côté de la faute. Non plus la faute dans son acception subjective, mais la faute dans son expression objective, dans ce qui la rattache à la collectivité toute entière. D'une approche individualiste, centrée sur l'auteur de l'acte, nous passons à une vision collective, fondée sur la substance sociale de l'infraction. À la question traditionnelle : « Que s'est-il passé dans l'esprit de l'accusé? », succède donc la question suivante : « Qu'aurait-il dû se passer dans l'esprit de l'accusé? ». Cette interrogation, qui renvoie directement à la place de l'individu au sein de la société, définit la responsabilité objective en fonction de la normativité qui se rattache au rôle du citoyen. C'est donc par rapport à la société, et uniquement par rapport à elle, que s'organise la notion de faute objective. Résultat : la punition devra faire éclater aux yeux de tous le décalage entre la conduite de l'accusé et celle du citoyen normal. La faute requise en matière de culpabilité objective réside donc dans la négligence ou l'inconscience de l'accusé. Son but est moins de sanctionner l'état d'esprit de l'accusé que de rétablir l'équilibre brisé entre l'agent pénal-citoyen et le groupe auquel il appartient.

365. Malgré son caractère normatif, la faute objective ne s'inscrit pas dans un vide juridique, mais dans le cadre des conditions générales de la responsabilité, conditions au premier plan desquelles figure l'imputabilité (notion qui, depuis des siècles, « garantit la spiritualisation de la responsabilité pénale »[675] en s'assurant que l'individu est capable d'obéir à la loi). À l'étude de la responsabilité subjective, s'ajoute désormais l'examen de la faute objective, seconde forme de responsabilité actuellement reconnue en droit pénal canadien.

---

675   A.-C. DANA, *op. cit.*, note 5, p. 17 et 18.

Chapitre quatrième

La négligence criminelle

366. Contrairement à la responsabilité subjective, qui vise à réprimer l'*hostilité* ou l'*opposition* de l'accusé à l'égard des intérêts sociaux protégés, la responsabilité objective cherche à punir l'*indifférence* des personnes à l'égard de la sécurité d'autrui. Résultat : « [l]a faute morale [en matière de négligence criminelle] tient à l'omission d'envisager un risque dont une personne raisonnable se serait rendu compte »[676]. Cette absence de diligence, soulignent les tribunaux, s'inscrit dans un système de gradation de la faute dont le but est de classer l'état de négligence en fonction de l'écart constaté entre la conduite de l'accusé et celle d'une personne raisonnable placée dans les mêmes circonstances. De la responsabilité stricte à la négligence criminelle, en passant par la négligence pénale, toutes les formes d'imprudence sont désormais reconnues en droit pénal. En traçant la ligne qui circonscrit les hauteurs de la faute objective au Canada, la négligence criminelle établit la limite des différentes formes de négligence en droit pénal. Mieux encore, elle fixe la cime de laquelle découleront les autres degrés d'imprudence tels que la négligence pénale et réglementaire.

367. C'est donc de responsabilité objective qu'il est question dans ce chapitre consacré à la négligence criminelle et plus précisément de responsabilité normative, car si la faute subjective permet de frapper l'individu dans son *for* intérieur, « le rattachement exclusif de la culpabilité à l'individu revient à oublier la coloration sociale du droit pénal, à en négliger "la finalité sociale"[677] », ce que permet, en fait, la négligence criminelle et, avec elle,

---

676   *R.* c. *Creighton*, précité, note 177, 58.
677   A.-C. DANA, *op. cit.*, note 5, p. 281.

toutes les autres formes de négligence actuellement reconnues en droit pénal.

Première section : La négligence criminelle en droit pénal canadien

368. Contrairement à la négligence pénale, qui est un élément de faute propre à la commission de certaines infractions, la négligence criminelle est une infraction lorsqu'elle cause la mort ou des lésions corporelles. Ainsi, d'après les articles 219, 220 et 221 du *Code criminel* :

219. (1) **[Négligence criminelle]** Est coupable de négligence criminelle quiconque :

a) soit en faisant quelque chose;

b) soit en omettant de faire quelque chose qu'il est de son devoir d'accomplir,

montre une insouciance déréglée ou téméraire à l'égard de la vie ou de la sécurité d'autrui.

Définition de « devoir »

(2) Pour l'application du présent article, « devoir » désigne une obligation imposée par la loi.

220. **[Le fait de causer la mort par négligence criminelle]** Quiconque, par négligence criminelle, cause la mort d'une autre personne est coupable d'un acte criminel passible :

a) s'il y a usage d'une arme à feu lors de la perpétration de l'infraction, de l'emprisonnement à perpétuité, la peine minimale étant de quatre ans;

b) dans les autres cas, de l'emprisonnement à perpétuité.

221. [Causer des lésions corporelles par négligence criminelle]
Est coupable d'un acte criminel et passible d'un emprisonnement
maximal de dix ans quiconque, par négligence criminelle, cause
des lésions corporelles à autrui[678].

369.   Pour engager la responsabilité de son auteur, la négligence criminelle suppose donc la présence des deux conditions
impératives que sont : **a**) une action ou une omission d'agir et **b**)
une conduite qui « montre une insouciance déréglée ou téméraire
à l'égard de la vie ou de la sécurité d'autrui ». Regardons brièvement en quoi consistent ces conditions.

370.   **a**) Une action ou une omission d'agir : Aux termes de
l'article 219 C.cr., la négligence criminelle découle soit d'un acte,
soit d'une omission. D'un acte, tout d'abord, puisque la responsabilité de l'agent sera retenue lorsque celui-ci fait quelque chose
qui révèle « une dérogation marquée et importante à ce que l'on
est en droit d'attendre d'une personne raisonnablement prudente
dans les circonstances »[679]. C'est l'exemple du jeune garçon qui
jette de l'essence sur la braise d'un feu qui couve. Son action démontrant « une insouciance déréglée ou téméraire à l'égard de la
vie ou de la sécurité d'autrui », l'accusé fut condamné pour négligence criminelle ayant causé des lésions corporelles :

> It seems to me that throwing gas on a dying bonfire is behaviour
> which is a marked departure from the standard of care expected
> of a reasonable person in all the circumstances. When R.C. began
> throwing gasoline on the fire, he knew it was a dangerous enter-
> prise. He knew, or should have known, that the gasoline vapour

---

678   P. LAPOINTE, *op. cit.*, note 482, p. 55. « En droit criminel canadien, la
       négligence criminelle qui n'entraîne aucune conséquence n'est pas un
       crime. La négligence criminelle devient une infraction lorsqu'elle cause
       la mort ou des lésions corporelles ».
679   *R. c. Tutton*, précité, note 652, 1431.

might ignite. He was unable or unwilling, having created a dangerous situation, to suppress his instinct to throw the gas can. He threw it onto the fire. Does his entire course of behaviour indicate a wanton and reckless disregard for the safety of others? I think it does.

I find him guilty of criminal negligence causing bodily harm[680].

371. Envisagé positivement, le comportement visé à l'alinéa 219(1)a) du *Code criminel* constitue donc une *violation* flagrante d'une norme de conduite évaluée en fonction d'une personne raisonnable placée dans les mêmes circonstances.

372. En ce qui concerne, par ailleurs, l'omission d'agir, celle-ci sera coupable lorsque la conduite de l'individu « montre une insouciance déréglée ou téméraire à l'égard de la vie ou de la sécurité d'autrui »[681]. Dans ce cas, on parlera d'une *omission* à un devoir préexistant. On n'a qu'à penser à la personne qui cesse d'administrer de l'insuline à son enfant diabétique contrairement à son obligation de fournir les choses nécessaires à l'existence d'un enfant de moins de seize ans (art. 215 C.cr.) ou à l'individu qui utilise une arme à feu d'une manière négligente (art. 86(1) C.cr.). Loin d'être limité aux devoirs prévus par un texte législatif, le paragraphe 219(2) C.cr. reconnaît également les obligations découlant de la common law. L'exemple du père de famille qui ne fait rien pour protéger son enfant contre les sévices que l'autre parent lui inflige illustre bien ce principe jurisprudentiel. Dans la mesure où un parent doit se conformer à l'obligation issue du droit commun de prendre les mesures raisonnables pour protéger son enfant contre la violence que lui inflige l'autre parent ou un tiers (*violence which*

---

680   *R.* v. *R.C.*, [2005] O.J. (Quicklaw) n° 1760, par. 18 (Ct of J.).

681   *R.* c. *Leblanc*, [1977] 1 R.C.S. 339, tel que cité dans l'arrêt *R.* c. *Tessier*, [2005] J.Q. (Quicklaw) n° 2096, par. 39 (C.Q.) :

   La simple violation d'une obligation imposée par la loi ne démontre pas en soi une insouciance déréglée ou téméraire à l'égard de la vie d'autrui, laquelle insouciance doit être prouvée par la poursuite.

the parent foresees or ought to foresee)[682], une condamnation pour négligence criminelle serait possible dans les circonstances.

373. Malgré la distinction qui existe entre une action positive et une omission d'agir, il est parfois extrêmement difficile de discerner ces deux modes de responsabilité. Comme l'écrivent si bien les auteurs Côté-Harper, Rainville et Turgeon : « lorsqu'une personne conduit à une vitesse excessive, elle n'omet pas seulement de se conformer à son devoir de conduire à une vitesse ou d'une manière raisonnable, mais elle accomplit également un acte positif »[683]. Ce cas n'est pas sans analogie avec celui du pilote d'avion qui heurte une personne « après avoir décidé [...] de piquer vers

---

682   R. c. *Popen*, (1981) 60 C.C.C. (2d) 232 (C.A. Ont.). Voir également l'arrêt *R.* c. *R.D.*, 2005 QCCA 1167, par. 15-19 (C.A.), dans lequel la poursuite base sa prétention sur l'obligation légale prévue aux articles 38(g) et 39 de la *Loi sur la protection de la jeunesse* :

> Article **39** [...]
> Toute personne autre qu'une personne visée au premier alinéa qui a un motif raisonnable de croire que la sécurité ou le développement d'un enfant est considéré comme compromis au sens du paragraphe *g* de l'article 38 est tenue de signaler sans délai la situation au directeur.
> Article **38 (g)**
> Aux fins de la présente loi, la sécurité ou le développement d'un enfant est considéré comme compromis :
> *g*) s'il est victime d'abus sexuels ou est soumis à des mauvais traitements physiques par suite d'excès ou de négligence;
> Pour établir le premier élément de l'infraction – soit l'existence d'une obligation imposée par la loi –, le ministère public devait prouver que l'intimée avait un motif raisonnable de croire que la sécurité ou le développement de ses enfants était compromis. Il pouvait s'acquitter de ce fardeau en prouvant que l'intimée avait un motif raisonnable de croire que ses filles étaient victimes d'abus sexuels ou étaient soumises à des mauvais traitements physiques par suite d'excès ou de négligence.
> Le second élément de l'infraction était l'omission de l'intimée de se conformer à ce devoir. En l'espèce, il s'agissait de l'omission de signaler la situation au directeur de la protection de la jeunesse.
> Le ministère public devait également prouver que cette omission relevait, de la part de l'accusée, d'une insouciance déréglée ou téméraire à l'égard de la vie ou de la sécurité de ses filles. Il devait, finalement, prouver l'existence de lésions corporelles.

683   G. CÔTÉ-HARPER, P. RAINVILLE et J. TURGEON, *op. cit.*, note 40, p. 282, citant *R.* c. *Forgeron*, (1958) 121 C.C.C. 310, 313.

les deux hommes qui étaient au sol pour les effrayer »[684], ou encore avec celui du chasseur qui tire en direction d'une cible se trouvant près d'un bâtiment. Dans les deux cas, l'accusé commet un acte positif, mais omet également de se conformer à un devoir de diligence. Il sera donc coupable si sa conduite « montre une insouciance déréglée ou téméraire à l'égard de la vie ou de la sécurité d'autrui ».

374. **b**) Une conduite qui « montre une insouciance déréglée ou téméraire à l'égard de la vie ou de la sécurité d'autrui » : La norme de faute applicable en matière de négligence criminelle est une question encore chaudement disputée au Canada[685].

---

684   *R*. c. *Leblanc*, précité, note 681, par. 2.

685   Pour être criminelle, la conduite de l'accusé doit « montrer une *insouciance* déréglée ou téméraire à l'égard de la vie ou de la sécurité d'autrui ». Que signifie cette expression? Voilà la difficulté! D'après le juge Sopinka dans l'arrêt *R*. c. *Anderson*, [1990] 1 R.C.S. 265, par. 11 à 13 :

> L'emploi du mot « négligence » donne à entendre que la conduite reprochée doit s'écarter d'une norme objective. Par ailleurs, l'emploi de l'expression « insouciance déréglée ou téméraire » donne à entendre qu'un élément de l'infraction comprend un état d'esprit ou une certaine qualité morale dont est assortie la conduite qui entraîne les sanctions du droit criminel. L'article dit clairement que la conclusion à l'existence d'une insouciance déréglée ou téméraire doit être tirée de la conduite qui ne respecte pas la norme. Le désaccord principal dans la jurisprudence porte sur la manière dont cette conclusion doit être tirée.
>
> D'une part, il y a les décisions qui concluent que cela doit se faire objectivement. Si la conduite constitue une dérogation marquée à la norme, alors, si on se fonde sur la norme d'une personne prudente ordinaire, l'accusé aurait dû savoir que ses actes pouvaient mettre en danger la vie ou la sécurité d'autrui. D'autre part, il y a les décisions qui appliquent une norme subjective et exigent la preuve que l'accusé a porté une certaine attention au risque. On peut inférer qu'il y a porté attention à partir de la nature de sa conduite dans les circonstances. Une forme plus poussée de ce dernier raisonnement consiste à retenir une dérogation marquée comme une preuve suffisante à première vue de négligence. Le juge des faits peut conclure, sans toutefois être obligé de le faire, à l'existence de l'élément moral nécessaire à partir de la conduite qui, selon lui, constitue une dérogation importante à la norme.
>
> Tant selon les méthodes objective que subjective, la Cour détermine la prévisibilité des conséquences. Dans une affaire de responsabilité civile

Cette controverse, qui résulte de la célèbre trilogie de la Cour suprême dans les arrêts *Waite*[686], *Tutton*[687] et *Anderson*[688], est à l'origine de l'apparition de deux approches différentes de la négligence en droit criminel[689]. D'un côté, les subjectivis-

---

portant sur l'établissement des pertes, le lien entre la conduite et les conséquences est souvent très mince. Aux fins de l'indemnisation de la victime innocente, on a attribué beaucoup de clairvoyance à l'entité imaginaire qu'est la personne raisonnable. En réalité, il arrive souvent que le défendeur n'ait pas prévu les conséquences des actes négligents dont il est tenu responsable objectivement. Dans une affaire criminelle, le lien doit être plus important. Pour établir la témérité, les conséquences doivent être plus évidentes. C'est là la raison d'être de l'exigence d'une dérogation marquée à la norme. Plus grand est le risque créé, plus il est facile de conclure qu'une personne raisonnablement prudente aurait prévu les conséquences. De même, il est plus facile de conclure que l'accusé doit avoir prévu les conséquences. Il appert donc que plus le risque de préjudice augmente, plus l'importance de la distinction entre la méthode objective et la méthode subjective diminue. La limite de ce raisonnement est atteinte lorsque le risque est à ce point élevé que les conséquences sont le résultat normal de la conduite qui crée le risque. Dans de telles circonstances, la conduite peut être qualifiée d'intentionnelle.

Sans trancher définitivement le débat, les propos du juge Sopinka illustrent bien les difficultés qui surplombent la détermination de la norme de faute applicable en matière de négligence criminelle, difficultés qui soulignent la nécessité de bien comprendre les arguments qui s'opposent au moment d'interpréter cette disposition législative.

686   *R.* c. *Waite*, [1989] 1 R.C.S. 1436.
687   *R.* c. *Tutton*, précité, note 652.
688   *R.* c. *Anderson*, précité, note 685.
689   Voir sur ce point *R.* c. *Lafleur*, [2005] A.Q. (Quicklaw) n° 12247, par. 143 et 144 (C.Q.) :
      Le critère objectif
      Selon le critère objectif, l'examen de la conduite de l'accusé, constituant une dérogation marquée à la norme, comparée à celle d'une personne raisonnablement prudente placée dans la même situation, amène à la conclusion que l'accusé aurait dû savoir que ses gestes pouvaient représenter un danger pour la vie ou la sécurité du public.
      Le critère subjectif
      D'autre part, selon le critère subjectif, la preuve doit être faite d'un état d'esprit répréhensible conscient du danger pour la vie ou la sécurité du public ou un aveuglement volontaire à l'égard de l'existence de ce danger. Cette norme subjective donnerait ouverture à une explication relativement à une conduite insouciante ou déréglée, mais incompatible avec un esprit répréhensible.

tes[690]. D'après la juge Wilson dans l'arrêt *R. c. Tutton*[691], la négligence criminelle repose sur la preuve d'une « insouciance déréglée ou téméraire à l'égard de la vie ou de la sécurité d'autrui »[692]. Or l'insouciance suppose la preuve d'un état de conscience quant à la présence d'un danger pour la vie ou la sécurité d'autrui ou d'un aveuglement volontaire à cet égard. Donc, la négligence criminelle « exige un certain degré de conscience du danger pour la vie ou la sécurité d'autrui ou, subsidiairement, un aveuglement délibéré à l'égard de ce danger »[693]. Cette conscience du risque, poursuit la juge Wilson, peut être inférée de la preuve d'une conduite qui « montre une insouciance déréglée ou téméraire à l'égard de la vie ou de la sécurité d'autrui ». En effet, selon la magistrate :

> La conduite qui montre une insouciance déréglée ou téméraire à l'égard de la vie ou de la sécurité d'autrui constitue l'*actus reus* de l'infraction prévue à l'article 202 [maintenant 219], et elle est la preuve *prima facie* de l'état d'esprit répréhensible de l'accusé.

---

690   Voir sur ce point Anne-Marie BOISVERT, « La négligence criminelle, la négligence pénale et l'imprudence en matière réglementaire : quelles différences? », (1997) 5 *Can. Crim. Law Rev.* 247, 248 :
> Pour les subjectivistes, Madame la juge Wilson en tête, la norme de faute applicable à la négligence criminelle devrait s'apprécier subjectivement. Selon elle, la négligence criminelle vise à réprimer la négligence consciente. En d'autres termes, la conscience du danger chez l'accusé, ou son ignorance volontaire à cet égard, constituent un élément de l'infraction. La négligence criminelle exigerait donc une norme de faute plus élevée que la négligence grave, entendue dans le sens objectif du terme. Toutefois en l'absence d'explication de la part de l'accusé ou émanant de la preuve, cette conscience du danger, ou l'aveuglement volontaire, peut s'inférer de la preuve même de la conduite de l'accusé, cette conduite devant vraisemblablement traduire un écart marqué à la norme de conduite de la personne raisonnable. Il faut souligner que cette *mens rea* subjectivement appréciée n'est pas toujours facile à saisir et semble devoir être distinguée de la notion d'insouciance. Il n'est pas nécessaire d'établir que l'accusé a délibérément accepté le risque posé par son comportement. Il suffit qu'il ait été conscient du risque créé par sa conduite ou se soit délibérément fermé les yeux à cet égard. Madame Wilson parle à plusieurs reprises de *mens rea* minimale. Dans ce contexte, il semble que l'erreur de fait doive être raisonnable pour disculper.

691   Précité, note 652.
692   *Id.*, 1406.
693   *Id.*, 1407.

On peut supposer que quiconque est normalement conscient et qui a une conduite représentant une dérogation aussi grave à la norme, est conscient du danger ou refuse délibérément de le voir. En d'autres termes, la preuve de la conduite en question imposera à l'accusé l'obligation d'expliquer pourquoi il n'y a pas lieu d'en arriver à l'inférence normale qu'il était conscient du risque ou qu'il a délibérément refusé de le voir.[694]

375. La négligence criminelle exige donc « quelque chose de plus » que la négligence grave, au sens objectif du terme. C'est la conduite de celui qui, tout en étant conscient d'un risque ou en refusant délibérément de l'envisager, persiste dans son action ou son omission. Il s'agit donc d'un critère subjectif qui tient compte de la gravité de l'infraction et des principes généraux applicables en matière d'interprétation judiciaire.[695]

376. De l'autre côté, l'approche objective, une ligne de pensée selon laquelle la faute doit être envisagée non pas en fonction de l'intention[696] ou de l'insouciance de l'accusé, mais en regard de

---

694 *Id.*, 1408.

695 *Id.*, 1404 : « Devant une ambiguïté aussi fondamentale, j'estime que le tribunal devrait donner à la disposition en cause l'interprétation la plus conforme non seulement à son texte et à son objet, mais aussi, dans la mesure du possible, celle qui s'accorde le mieux avec les concepts et les principes plus larges du droit. »

696 *R.* c. *Waite*, précité, note 686, 1441 :
Les mots-clés dans tout examen de ce paragraphe sont : « montre une insouciance déréglée ou téméraire à l'égard de la vie ou de la sécurité d'autrui ». Le Code définit la notion de négligence criminelle et le point litigieux dans ce pourvoi est de savoir comment appliquer la définition du Code. Plus précisément, quelle directive faut-il donner à un jury qui doit examiner un cas d'accusation de négligence criminelle?
La négligence criminelle, comme d'autres infractions criminelles, exige que le ministère public fasse la preuve de la *mens rea*. Dans ses directives au jury sur cette question, le juge du procès a formulé le critère suivant :
[TRADUCTION] Vous fondant sur toute la preuve, après examen de toutes les circonstances, êtes-vous convaincus que le comportement de l'accusé était tel qu'il équivalait à une insouciance déréglée ou téméraire à l'égard de la sécurité d'autrui?

la conduite de ce dernier[697]. « Ce qui est puni, en d'autres termes, n'est pas un état d'esprit mais les conséquences d'une action irré-fléchie. »[698] D'après le juge McIntyre dans l'arrêt *R*. c. *Tutton*[699] :

> Le critère vise le caractère raisonnable de la conduite en cause, et la preuve d'une conduite qui révèle une dérogation marquée et importante à ce que l'on est en droit d'attendre d'une personne raisonnablement prudente dans les circonstances, justifiera un ver-dict de négligence criminelle.[700]

> Celui qui conduit un véhicule automobile sur une voie publique a l'obliga-tion de prendre soin de le diriger de manière à éviter des blessures à des personnes ou des dommages aux biens d'autrui, et s'il ne respecte pas cette obligation et si ses actes ou ses omissions sont tels qu'ils révèlent cette in-souciance déréglée ou téméraire à l'égard de la vie ou de la sécurité d'autrui, alors, en droit, cette conduite équivaut à de la négligence criminelle.
>
> L'absence d'intention de causer un préjudice n'est pas une défense à une accusation de négligence criminelle. Ce qui vous intéresse, c'est la conduite de l'accusé au moment de l'accident ou immédiatement avant, et si cette conduite, quand vous la considérez objectivement, révèle une insouciance déréglée ou téméraire à l'égard de la vie ou de la sécurité d'autrui, alors, c'est là de la négligence criminelle suivant la définition du *Code criminel*.

Et il a ajouté plus tard :

> [TRADUCTION] Si la preuve vous convainc hors de tout doute raisonnable que le comportement de l'accusé au volant s'écartait de manière flagrante des normes habituelles de la conduite automobile, sans quelqu'explication rationnelle, alors la façon de conduire est correctement qualifiée de négli-gence criminelle. La conduite dangereuse, pour vous donner une distinc-tion entre les deux, se situe à un niveau moins élevé, et elle n'a pas ce haut degré de faute morale requis pour la négligence criminelle.
>
> Jusqu'ici, je suis d'avis que le juge du procès a correctement traité de la question. Il disait au jury que la *mens rea* requise pour prouver la perpétra-tion de l'infraction pouvait se trouver dans le comportement de l'accusé. Il n'a pas mentionné spécifiquement le critère maintenant accepté en cette Cour et dans la plupart des cours d'appel au Canada que la négligence cri-minelle est démontrée lorsque la poursuite prouve que l'accusé a eu un com-portement qui indique une dérogation marquée et importante à la norme de comportement qu'on attend d'une personne raisonnablement prudente dans les circonstances mais, à mon avis, il a transmis dans les passages cités une directive adéquate.

697   A.-M. BOISVERT, *loc. cit.*, note 690, 249.
698   *R*. c. *Tutton*, précité, note 652, 1430.
699   Précité, note 652.
700   *Id.*, 1431.

377. Malgré sa facture purement objective, l'évaluation de la conduite de l'accusé ne se fait pas dans un vide factuel, mais dans le cadre de tous les événements propres à l'espèce. Comme l'indique le juge McIntyre à la page 1432 de la décision :

> L'application d'un critère objectif aux termes de l'art. 202 du Code ne peut cependant se faire dans le vide. Des événements se produisent dans le cadre d'autres événements et actions, et quand il s'agit de déterminer la nature de la conduite reprochée, les circonstances propres à l'espèce doivent être prises en considération. La décision doit se prendre après examen des faits existant à l'époque et par rapport à la perception de l'accusé des faits en question.[701]

378. Malgré l'incertitude entourant le rôle que joue la perception de l'accusé en matière de négligence criminelle (et incidemment pénale) une brèche est maintenant ouverte, une brèche qui ne cessera plus dès lors de s'élargir au profit de l'établissement de la faute objective comme critère dominant en matière de négligence criminelle[702]. Résultat : la négligence criminelle repose désormais sur un critère objectif, et plus précisément sur la preuve d'une conduite qui révèle une dérogation marquée et importante par rapport à celle d'une personne raisonnable placée dans les mêmes circonstances. Malgré la cristallisation du droit applicable

---

701   *Id.*, 1432.

702   *R.* c. *Grimmer*, [1998] N.B.J. (Quicklaw) n° 446, par. 22 (C.A.) :
> In *R.* v. *Gingrich* (1991), 65 C.C.C. (3d) 188 [...] Finlayson J.A., writing the majority decision held that the *mens rea* for criminal negligence involves an objective assessment of the accused's conduct. I agree with Finlayson J.A. in dismissing the argument that the test should be for a subjective intent, he said at p. 199, para. c.:
> In my opinion most of the argument as to the requirement of a subjective intent when dealing with the offence of criminal negligence is misdirected. The crime of criminal negligence is negligence. There is no need to import the concept of a subjective intent in order to obtain a conviction. The crime is the well-recognized tort of civil negligence; the sins of omission and commission that cause injury to one's neighbour, elevated to a crime by their magnitude of wanton and reckless disregard for the lives and safety of others.

en semblable matière, plusieurs questions demeurent sans réponse. Quelle est la structure psychologique à la base de la négligence criminelle? Quelles sont les conditions à l'origine de la formation de l'élément de faute? Comment doit-on envisager l'erreur de fait et les différents moyens de défense touchant à la liberté de l'individu au moment du crime? Telles sont les questions que nous allons aborder dans le cadre de ce chapitre consacré à la négligence criminelle au Canada.

Deuxième section : La faute morale en matière de négligence criminelle

379. On a longtemps cru en doctrine, et on le croit d'ailleurs encore parfois, que la responsabilité objective est une notion étrangère à l'élément de faute. Dans la mesure où la négligence criminelle ne punit pas un état d'esprit, mais bien les conséquences d'une action irréfléchie, on serait porté à croire la même chose[703]. Or il n'en est rien. La faute en matière de négligence criminelle est bel et bien réelle. Sa présence résulte de la combinaison de la capacité de l'individu d'apprécier les risques reliés à sa conduite et du défaut d'entrevoir [ou d'éviter] un risque dont une personne raisonnable se serait rendu compte. En d'autres termes, c'est la responsabilité de celui qui *peut* envisager le danger relié à une conduite et qui *néglige* de le faire. La négligence ainsi comprise est une faute parce qu'on « ne s'applique pas à posséder la prudence » que l'on peut et doit avoir[704].

---

703 *R.* c. *Tutton*, précité, note 652, 1430.
704 Thomas D'AQUIN, *Somme théologique*, t. 3, Paris, Éditions du Cerf, 1999, quest. 53, art. 1, p. 353. « Une telle conceptualisation concorde, à notre avis, avec les points de vue juridiques, moraux et philosophiques traditionnels quant aux types d'actes et de personnes que l'on devrait punir » (*Perka* c. *La Reine*, précité, note 432, 250) et plus précisément avec le principe moral voulant qu'il n'y a pas lieu de punir quiconque n'a pu s'empêcher d'agir autrement.

380. Envisagée du point de vue objectif, la faute en matière de négligence criminelle présuppose donc la présence de deux formes de capacité. La première, qui est commune à l'ensemble des infractions criminelles (qu'elles soient de responsabilité subjective ou objective), renvoie à la capacité de commettre un crime, de répondre pénalement de ses actes, c'est *l'imputabilité au sens traditionnel du terme*. La seconde, qui est spécifique aux infractions de négligence criminelle et pénale (*v.ég.* homicide involontaire coupable), renvoie à la capacité de l'individu d'apprécier les risques inhérents à sa conduite, c'est *la capacité propre aux infractions de négligence*. Voyons brièvement en quoi consistent ces deux formes de capacité.

Première sous-section : La capacité de commettre un crime ou de répondre pénalement de ses actes (imputabilité traditionnelle)

381. « Au Canada, un principe de justice fondamentale veut que seule la conduite volontaire – le comportement qui résulte du libre arbitre d'une personne qui a la maîtrise de son corps, en l'absence de toute contrainte extérieure – entraîne l'imputation de la responsabilité criminelle et la stigmatisation que cette dernière provoque ».[705] Or, d'après Matthew Hale dans son ouvrage *Historia Placitorum Coronæ*[706], la volonté en droit criminel repose sur la présence d'un minimum d'intelligence et de liberté. L'imputation de la responsabilité criminelle (ce qui englobe autant la responsabilité objective que subjective) procède donc d'une volonté libre et réfléchie. En effet, d'après William Hawkins, « the Guilt of offending against any Law whatsoever necessarily supposing a wilful Disobedience thereof, can never justly be imputed to those who are either uncapable of understanding it, or conforming them-

---

705 *R. c. Ruzic*, précité, note 16, 716.
706 M. HALE, *op. cit.*, note 1.

selves to it. »[707] Le principe étant admis, il importe maintenant de bien cerner les causes de non-responsabilité pénale, selon qu'elles affectent la capacité de l'individu d'orienter intelligemment ou librement sa conduite.

A. Les causes qui affectent la capacité de l'individu d'orienter intelligemment sa conduite

382. *1*. La minorité : Aux termes de l'article 13 du *Code criminel* :

> **13. [Enfant de moins de douze ans]** Nul ne peut être déclaré coupable d'une infraction à l'égard d'un acte ou d'une omission de sa part lorsqu'il était âgé de moins de douze ans.

383. Or la négligence criminelle est une infraction lorsqu'elle cause la mort ou des lésions corporelles. La minorité est donc une cause de non-responsabilité pénale dans les cas de négligence criminelle. « La volonté, en effet, observe saint Thomas d'Aquin, désigne l'appétit rationnel. »[708] Or, comme nous l'avons déjà indiqué ailleurs, la raison chez les enfants est imparfaite. Donc leur volonté l'est également[709]. La minorité est donc une cause de non-responsabilité pénale en matière de négligence criminelle.

384. *2*. Les troubles mentaux : À l'image de la minorité, avec laquelle elle entretient certaines affinités historiques, mais dont elle se distingue quant à l'origine de l'incapacité, l'aliénation mentale agit au niveau le plus fondamental de l'infraction, comme une exemption de responsabilité fondée sur l'incapacité

---

707   William HAWKINS, *A Treatise of the Pleas of the Crown*, vol. 1, New York & London, Garland Publishing, 1978, p. 1.

708   T. D'AQUIN, *op. cit.*, note 26, quest. 6, art. 2, p. 68.

709   H. PARENT, *op. cit.*, note 52, p. 56.

de l'individu à répondre pénalement de ses actes. Examinant la relation entre la minorité et la présence de troubles mentaux en droit criminel, l'ancien juge en chef Lamer observe :

> Bien qu'on ne puisse assimiler l'état d'aliéné à celui d'enfant, il y a manifestement un lien entre ces deux conditions aux fins du droit criminel. Ces deux situations ont ceci de commun qu'elles font ressortir que l'individu en cause ne répond pas à certains postulats fondamentaux de notre modèle de droit criminel : savoir que l'accusé est un être autonome et rationnel, capable de juger la nature et la qualité d'un acte et de distinguer le bien du mal. Pour ce qui est de l'enfance, ces postulats fondamentaux sont mis en doute par l'immaturité de l'individu, celui-ci n'ayant pas encore acquis la capacité minimale exigée par la justice et l'équité pour être jugé au regard des normes du droit criminel.[710]

385. Folie, délire et souffrance : l'Homme, tout à coup, s'enfonce dans l'abîme de la démence. « Mais de ce gouffre [immense] dont il souhaiterait remonter les mains pleines, il ne rapporte souvent, pour tout trésor, que le triste désespoir d'une nouvelle chute »[711]. Cette chute, il va de soi, est totale. Elle touche autant la responsabilité subjective, qu'objective. Sur ce point, la juge McLachlin est catégorique :

> [L]es prémisses fondamentales sur lesquelles repose notre droit criminel commandent que les caractéristiques personnelles qui ne se rapportent pas directement à un élément de l'infraction ne servent d'excuses que si elles établissent l'incapacité, que ce soit l'incapacité à comprendre la nature et la qualité de sa conduite dans le contexte des crimes intentionnels, ou celle à apprécier le risque que comporte sa conduite dans le cas de crimes d'homicide involontaire coupable ou de négligence pénale. C'est tout ce qu'exige

---

710   *R.* c. *Chaulk*, [1990] 3 R.C.S. 1303, 1320.
711   Dominique DE VILLEPIN, *Éloge des voleurs de feu*, Paris, Gallimard, 2003, p. 234.

le principe suivant lequel les personnes moralement innocentes ne doivent pas être déclarées coupables d'une infraction.[712]

386. Le principe en semblable matière est donc simple et bien arrêté : là où il y a folie, il y a irresponsabilité, enseignent les pénalistes. « Impossible donc de déclarer quelqu'un à la fois coupable et fou; le diagnostic de folie [s'il est posé ne peut pas] s'intégrer au jugement; il interrompt la procédure et dénoue la prise de la justice sur l'auteur de l'acte. »[713] Une fois pour toutes, Matthew Hale a formulé le principe : « the liberty or choice of the will presupposeth an act of the understanding to know the thing or action chosen by the will, it follows that, where there is a total defect of understanding, there is no free act of the will in the choice of things or actions »[714].

387. *3.* L'automatisme : En droit, « il est injuste de punir une personne dont les actes sont involontaires au sens physique, car cela contredit le postulat de droit criminel selon lequel les individus sont des acteurs autonomes choisissant librement »[715]. Or, d'après la Cour suprême du Canada dans l'arrêt *R. c. Stone*, « c'est le caractère volontaire, et non la conscience, qui constitue l'élément juridique principal du comportement automatique, puisqu'une défense d'automatisme revient à nier l'existence de la composante de l'*actus reus*, qu'est le caractère volontaire [au point de vue physique] »[716]. Donc « il serait contraire à l'article 7 de la Charte de condamner une personne en état d'automatisme car un aspect fondamental de l'*actus reus* serait absent »[717]. Ce principe, de toute évidence, s'applique autant aux infractions de faute subjective, qu'objective. C'est pourquoi il faut acquitter de négligence criminelle ou de conduite dangereuse (tout dépendant de l'écart constaté

---

712   *R. c. Creighton*, précité, note 177, 65 et 66.
713   M. FOUCAULT, *op. cit.*, note 6, p. 27.
714   M. HALE, *op. cit.*, note 1, p. 14.
715   *R. c. Ruzic*, précité, note 16, par. 46.
716   *R. c. Stone*, [1999] 2 R.C.S. 290, 382.
717   *R. c. Daviault*, précité, note 37, 103.

entre la conduite de l'individu et celle d'une personne raisonnable placée dans les mêmes circonstances) l'automobiliste en état de somnambulisme qui roule en sens inverse sur la voie d'accotement[718]. Sa conduite étant inconsciente et involontaire, aucune responsabilité ne peut lui être imputée. D'après la juge McLachlin dans l'arrêt *Hundal* :

> L'exemple donné par le juge Cory du conducteur qui « tout à fait soudainement, souffre d'une crise cardiaque, d'une attaque d'épilepsie ou d'un détachement de la rétine » qui font que l'accusé est incapable de maîtriser son véhicule n'exige pas non plus l'introduction d'un élément de subjectivité. La meilleure analyse, à mon avis, est de dire que la « maladie ou incapacité » soudaine occasionne la perte involontaire du contrôle du véhicule, de sorte qu'il n'y a pas d'*actus reus.*[719]

388. S'il est difficile d'associer une crise cardiaque ou le détachement de la rétine à une défense d'automatisme, il demeure que ces deux situations ont ceci de commun qu'elles enlèvent à l'action préjudiciable son caractère volontaire au point de vue physique. En ce qui concerne finalement la crise d'épilepsie, celle-ci diminue la conscience de l'individu et entrave la formation de l'acte volontaire à la base de l'élément moral de l'*actus reus*. L'accusé n'a donc pas à en supporter la responsabilité pénale.

389. *4.* L'erreur : D'après la Cour suprême du Canada dans l'arrêt *R.* c. *Ruzic*[720], l'imputabilité repose sur la notion d'acte volontaire au point de vue moral ou normatif[721]. Or, selon saint Thomas d'Aquin, « il n'y a pas de volonté sans connaissance, donc rien de volontaire sans un acte de connaissance »[722]. L'erreur (ce qui inclus

---

718   *R.* c. *Hundal*, précité, note 23.

719   *Id.*, 875.

720   Précité, note 705.

721   *Id.*, 716.

722   Thomas D'AQUIN, *Somme théologique – L'âme humaine*, Paris, Desclée, 1949, p. 249 et suiv.

bien entendu l'ignorance) est donc une cause qui détruit la volonté
au point de vue moral ou normatif, car selon Matthew Hale,
« *ignorantia facti* doth excuse, for such an ignorance many times
makes the act itself *morally involuntary* »[723]. Malgré le lien qui
unit l'erreur à la volonté, nous sommes d'accord avec la Cour
suprême du Canada pour dire que l'erreur de fait touche également à l'élément mental du crime (*mens rea*)[724]. En effet, selon le
juge Dickson :

---

723   M. HALE, *op. cit.*, note 1, p. 42.

724   Pour un exemple de la confusion qui existe dans ce domaine, voir les
      commentaires du juge Dickson dans l'arrêt *Pappajohn* c. *La Reine*, pré-
      cité, note 252, 147 et 148. Après avoir démontré le rattachement de la
      défense d'erreur à l'acte volontaire, le juge Dickson arrive à la conclu-
      sion que l'erreur de fait détruit la *mens rea*. Cette conclusion témoigne
      de la confusion qui règne entre la connaissance en tant que composante
      de l'imputabilité et la connaissance en tant qu'élément de faute :
         La croyance qu'a un accusé d'une situation de fait erronée n'a pas toujours
         offert un moyen de défense à une accusation criminelle. Dans le droit cri-
         minel ancien, le seul véritable moyen de défense que pouvait soulever un
         accusé était qu'un acte, n'étant pas volontaire, ne pouvait lui être imputé.
         Il était donc possible dans certains cas d'exonérer un individu qui avait agi
         par erreur, au motif que sa conduite n'était pas véritablement volontaire
         (*Russel on Crime*, Vol. 1 (12e éd.) à la p. 71). Au dix-septième siècle, Hale
         écrit :
         [TRADUCTION] « Mais dans certains cas *ignorantia facti* constitue une
         excuse, car cette ignorance rend souvent l'acte lui-même moralement invo-
         lontaire. » (1 *Pleas of the Crown* 42)
         Les arrêts clés anglais sur l'erreur de fait sont évidemment *R.* v. *Prince* et
         R. v. *Tolson*. Dans l'arrêt *Prince*, le juge Brett cite cet extrait tiré de *Black-
         stone's Commentaires* :
         [TRADUCTION] L'ignorance ou l'erreur est un autre défaut qui affecte la
         volonté, quand un individu avec l'intention d'agir légalement commet un
         acte illégal. Dans ce cas, en effet, comme l'acte et la volonté agissent sépa-
         rément, on ne trouve pas la conjonction qui est nécessaire pour qu'il y ait
         un acte criminel...
         Le juge Brett décide que l'erreur constitue un moyen de défense lorsqu'il
         y a des faits, auxquels l'accusé croit et a des motifs raisonnables de croire,
         qui, s'ils existaient, rendraient son acte licite. L'arrêt *Tolson*, qui a suivi
         l'arrêt *Prince*, examine la mesure dans laquelle une croyance erronée,
         quoique sincère et raisonnable, que la première épouse était décédée, peut
         constituer un moyen de défense à une accusation de bigamie. L'énoncé
         classique est celui du juge Cave :
         [TRADUCTION] On a toujours considéré en common law qu'une croyance
         sincère et raisonnable en l'existence de circonstances qui, si elles existaient,
         rendraient licite l'acte dont le prévenu est accusé, constitue un moyen de
         défense valable. (à la p. 181)

> L'erreur constitue [...] un moyen de défense lorsqu'elle empêche un accusé de former la *mens rea* exigée en droit pour l'infraction même dont on l'accuse. L'erreur de fait est plus justement décrite comme une négation d'intention coupable que comme un moyen de défense positif.[725]

390. L'erreur pouvant être rattachée à la *mens rea* de l'infraction, il importe de bien cerner la norme de faute applicable en semblable matière. Sur ce point, les tribunaux sont de plus en plus unanimes : la faute en matière de négligence criminelle repose sur la présence d'un critère objectif. Dans ce cas, « les intentions de l'accusé et ce qu'il savait n'entrent nullement en ligne de compte »[726]. Au contraire, la faute morale tient à l'omission d'envisager un risque dont une personne raisonnable se serait rendu compte. Pour être exonératoire, l'erreur de fait doit donc être raisonnable, car la

---

Une erreur de fait de bonne foi et fondée sur les motifs raisonnables est comparable à l'absence de faculté de raisonnement, dans le cas de jeunes enfants, ou à son affaiblissement, dans les cas de démence (*Tolson*, à la p. 181). La culpabilité repose sur la perpétration de l'infraction en connaissance des faits et circonstances qui constituent l'acte criminel. Si, compte tenu des faits auxquels un prévenu croit, son acte est criminel, il a alors l'intention et peut-être puni. Si, par contre, son acte est licite compte tenu des faits qu'il croyait exister, il n'a pas la volonté criminelle et ne devrait pas être puni. (Voir E.R. Keedy, « Ignorance and Mistake in the Criminal Law », 22 *Harv. L.R.* 75, 82).

Comme l'a dit le juge Dixon, tel était alors son titre, dans l'arrêt *Thomas* v. *The King* [...] :

[TRADUCTION] Les états d'esprit dépendent nécessairement d'états de fait, et une croyance erronée en l'existence de circonstances ne peut être séparée de la manifestation de volonté qu'elle provoque... la nature d'un acte de volonté peut être d'une nature entièrement différente s'il se fonde sur une erreur de fait. L'état de fait présumé joue souvent un rôle pour déterminer l'état d'esprit. Il serait étrange que notre droit criminel ne contienne pas ce principe et ne le considère pas comme fondamental. (aux pp. 299, 300)

L'erreur constitue donc un moyen de défense lorsqu'elle empêche un accusé de former la *mens rea* exigée en droit pour l'infraction même dont on l'accuse. [...] Un accusé peut l'invoquer lorsqu'il agit innocemment, par suite d'une perception viciée des faits, et qu'il a néanmoins l'*actus reus* d'une infraction. L'erreur constitue cependant un moyen de défense, en ce sens que c'est l'accusé qui le soulève.

725   *Pappajohn* c. *La Reine*, *id.*, 148.

726   *R.* c. *Creighton*, précité, note 177, 58.

mens rea n'a rien à voir avec ce qui s'est passé dans l'esprit de l'accusé, mais plutôt avec ce qui aurait dû s'y passer si ce dernier avait agi raisonnablement[727]. D'après le juge McIntyre dans l'arrêt *R. c. Tutton*[728] :

> Puisque le critère est objectif, la perception des faits par l'accusé ne doit pas être considérée dans le but d'apprécier s'il y a malveillance ou intention de la part de l'accusé, mais seulement pour constituer la base d'une conclusion quant au caractère raisonna-

---

727   Voir sur ce point *R. c. Antunes*, [1994] B.C.J. (Quicklaw) n° 656 (C.A.) où l'inculpé est accusé de négligence criminelle ayant causé la mort après avoir confondu la victime pour un ours lors d'une partie de chasse. L'erreur n'étant pas raisonnable, celle-ci fut rejetée par la Cour :

> There were bears in that area, it was bear season and the appellant had a bear tag (permit). The appellant used his rifle-mounted telescopic sight a number of times to assist in the identification of the object. The appellant had seen bears in the woods before. After viewing the object for a total of twelve or thirteen minutes, and based on the shape, behaviour (i.e., it was motionless), colour, and size of this object, the appellant concluded that what he saw was in fact a bear rather than a human being. He fired one shot. The learned judge found that the appellant honestly believed that he shot at a bear. The appellant then walked up the cut line towards his target. The terrain in the cut line was rolling, and as he neared his target it temporarily disappeared from view. It came back into view on his walking over a knoll some 5 to 6 metres from the target. At this point, the appellant realized his mistake. The appelant found a deceased person, with a gunshot to the head. [...] Ackerman [a conservation officer called by the Crown to give expert evidence on the use of firearms for the purpose of hunting] gave evidence as to what safety measures are taught at the hunting course, specifically, that hunters must always make sure they know what they are shooting at, and that hunters should not use their rifle-mounted telescopic sights to identify targets. [...] Ackerman also testified as to what he would do if he were the hunter at that location. He said he would have used a pair of binoculars. He would not think of shooting unless he could see the whole of the animal and could properly identify and target it. He would make the animal move. If it were a bear, he would be looking for its colour, shape, and characteristics to distinguish a black bear from a grizzly. [...] The inference of the trial judge that the appellant's conduct and killing a misidentified target showed a wanton or reckless disregard for the lives or safety of other persons is an inference well supported by the evidence and one which cannot be said to be unreasonable.

728   Précité, note 652.

ble de la conduite de l'accusé, étant donné sa perception des faits. Cela est particulièrement vrai lorsque, comme en l'espèce, l'accusé oppose le moyen de défense de l'erreur de fait. Si un accusé aux termes de l'art. 202 [maintenant 219] a une croyance sincère et raisonnablement entretenue en l'existence de certains faits, cela peut être une considération pertinente quant à l'appréciation du caractère raisonnable de sa conduite. Prenons par exemple un soudeur engagé pour travailler dans un espace restreint, et qui se fie à la parole du propriétaire des lieux qu'aucune matière combustible ou explosive ne se trouve à proximité; lorsque son chalumeau provoque une explosion qui entraîne la mort d'une personne et qu'il est accusé d'homicide involontaire coupable, il devrait pouvoir faire part au jury de sa perception quant à la présence ou l'absence de matières dangereuses là où il travaillait.[729]

391. Une fois le caractère raisonnable de l'erreur constaté, l'inférence que l'accusé n'a pas réfléchi au risque (donc qu'il était en faute) est écartée et un verdict de non-culpabilité s'impose. Malgré le bien-fondé de cette position, celle-ci n'est plus partagée par la Cour suprême du Canada, laquelle préfère plutôt déplacer l'examen de l'erreur de fait de la culpabilité à l'*actus reus* de l'infraction (évaluation d'un écart marqué (négligence pénale) ou d'un écart marqué et important (négligence criminelle) entre la conduite de l'individu et celle d'une personne raisonnable placée dans les mêmes circonstances)[730]. Reprenant l'exemple du soudeur qui cause une explosion en allumant son chalumeau après s'être renseigné auprès du propriétaire de l'immeuble en question de la présence de gaz explosif, la juge McLachlin, dans l'arrêt *Creighton*, « souligne la nécessité de prendre en considération toutes les circonstances de l'affaire pour décider si l'accusé a fait preuve de diligence raisonnable »[731]. Ces circonstances, précise la magistrate, comprennent tous les renseignements et tous les éléments pouvant appuyer la

---

729   *Id.*, 1432.
730   *R. c. Creighton*, précité, note 177, 71.
731   *Id.*, 71.

croyance erronée de l'accusé[732]. D'après le juge Macklin dans l'arrêt *R. c. Lam*[733] :

> The definition of criminal negligence includes the commission of an act by a person showing a wanton or reckless disregard for the lives or safety of other persons. When determining whether the elements of criminal negligence have been made out, the accused's conduct must be measured against the conduct of a reasonable person in the same circumstances as the accused, that is, with the same information and the same external factors bearing upon him or her (see *R. v. Nette*, [2001] 3 S.C.R. 488; *R. v. Creighton*, (supra); *R. v. Anderson*, [1990] 1 S.C.R. 265).[734]

392. Seront donc condamnés d'homicide involontaire coupable par négligence criminelle, les parents d'un enfant diabétique qui cessent de lui administrer de l'insuline en raison de leur conviction religieuse. Leur croyance en une guérison divine n'étant pas raisonnable, ces derniers ont omis d'envisager [et d'éviter] un risque dont une personne ordinaire se serait rendu compte. Ce cas n'est pas sans analogie avec celui de l'accusé qui manipule de façon négligente un fusil de calibre 20 en pensant que celui-ci n'est pas chargé. Sa croyance n'étant pas raisonnable dans les circonstances, ce dernier ne peut être acquitté de négligence criminelle ayant causé des lésions corporelles. En effet :

---

732   *R. c. Johnson*, [2002] S.J. (Quicklaw) n° 603, par. 37 (Q.B.) :
       The more recent decisions I have cited have emphasized the objective approach tempered by a recognition of all of the circumstances. The approach may be summarized by stating that the accused's conduct must be measured against the conduct of a reasonable person in the same circumstances as the accused, that is to say, with the same information available to him and the same external factors bearing on him. This assessment must consider the nature of the activity undertaken: where the activity involves inherent danger or risk to the lives or safety of others, the more we expect people to exercise caution and avoid mindless action.

733   [2003] A.J. (Quicklaw) n° 1534 (Q.B.).

734   *Id.*, par. 111.

Darren Lawrence knew he should always check a firearm before handling it to see if it is loaded or unloaded. He "broke down" the 12 gauge before handling it. He also knew better than to point a firearm in the direction of any person. According to his evidence, he pointed both the 12 gauge and the 20 gauge at the ceiling before putting them down on the floor. What he didn't do however, was he didn't break the 20 gauge down either before he handed it to John Workman or after John Workman passed it back to him. He assumed the gun was unloaded. He assumed that John Workman had broken down the 20 gauge and that is why he picked it up as he did and pointed it at the ceiling and then put it down on the floor. That is also why he reached for the 20 gauge, while in a seated position and picked it up with one hand. That is why he swung the barrel around in the direction of James Scott, as he was returning it to the corner.

His failure to check the weapon and to handle it safely, in my view, showed a wanton disregard for the dangerousness of the situation, not knowing for sure whether the gun was loaded or not. Darren Lawrence's actions were based on an assumption; an assumption that the gun was unloaded. Those actions were reckless and showed total disregard for the lives and safety of others in that room, particularly for the life and safety of James Scott who sustained severe bodily harm as a result of the gun shot blast. Darren Lawrence did not intend to discharge the firearm and certainly did not intend to injure his friend James Scott. Nonetheless, his actions were reckless. He did not fulfill his legal duty to ensure that the gun was unloaded and he did not handle it in a careful manner, nor did he ensure that the barrel was not pointed in anyone's direction. As a result of the foregoing, I find Darren Lawrence guilty of criminal negligence causing bodily harm.[735]

393. En sens contraire, fut acquitté de négligence criminelle ayant causé la mort, l'individu qui heurta trois personnes avec une automobile en tentant d'échapper à une foule hostile. L'arrivée soudaine d'une seconde voiture sur les lieux du crime ayant fait

---

[735] *R.* c. *Lawrence*, [2004] N.S.J. (Quicklaw) n° 159, par. 42 et 43 (Prov. Ct.).

croire à l'accusé qu'il ne pourrait s'échapper autrement, ce facteur fut considéré par la Cour lors de l'évaluation du critère objectif :

> In my view, the arrival on the scene of the blue Grand Am adds a
> new dimension to the reasonable person analysis of the accused's
> conduct from that point on. The accused mentioned that this
> intervening factor signalled to him that they were now being pre-
> vented from leaving. Some might argue that to factor into the
> equation matters of thought and belief runs afoul of any objec-
> tively based analysis.
>
> However, in Tutton and Tutton, *supra*, Mr. Justice McIntyre con-
> sidered the question and recognized that in certain situations the
> accused's perception of the facts is relevant. At page 141 he
> describes the use that can be made of that evidence.
>
> "Since the test is objective, the accused's perception of the facts
> is not to be considered for the purpose of assessing malice or
> intention on the accused's part but only to form a basis for a con-
> clusion as to whether or not the accused's conduct, in view of his
> perception of the facts, was reasonable. This is particularly true
> where, as here, the accused have raised the defence of mistake of
> fact. If an accused under s. 202 has an honest and reasonably
> held belief in the existence of certain facts, it may be a relevant
> consideration in assessing the reasonableness of his conduct."
>
> In my opinion the accused's perception that he was being pre-
> vented from leaving, although mistaken, was reasonably held at
> the time, and is a relevant consideration for the limited purpose
> mentioned above.
>
> Recall the earlier testimony of Michael Savoie where someone
> was heard yelling: "We told them to leave and they didn't leave
> and now they ain't leaving." The accused was aware of this and
> it serves to lend credibility and reasonableness to his perception
> that the sudden appearance of the Grand Am was a deliberate
> attempt to block their exit. I therefore believe it is an added fea-
> ture with which to infuse our reasonable person.

Has the Crown demonstrated that the conduct of the accused,
viewed objectively at that point, constituted criminal negligence?
Again, I am obliged to answer in the negative. In my view it has
not been shown that a reasonable person in similar circumstances
would have acted any differently. The accused cannot therefore
be convicted of criminal negligence in relation to any of the three
counts before the Court.[736]

394.   Pour être alléguée avec succès, l'erreur de l'accusé doit
donc être raisonnable compte tenu des circonstances de l'affaire[737].
Puisque cette question vise à déterminer la responsabilité de l'agent
à l'égard d'une infraction de négligence, la Cour ne tiendra pas
compte des caractéristiques personnelles de l'individu, autres que
l'incapacité.

B. Les causes qui affectent la capacité de l'individu d'orienter librement son action

395.   Si l'intelligence est une condition essentielle à la constatation de l'imputabilité, encore faut-il que l'acte de l'accusé « soit
la traduction d'une volonté libre et sans contrainte ».[738] Car sans

---

736   *R.* c. *I.R.*, [2005] N.B.J. (Quicklaw) n° 213, par. 75-79 (Prov. Ct.).

737   *R.* c. *Tutton*, précité, note 652, 1433, 1434 :

En l'espèce, l'assertion des Tutton qu'ils croyaient qu'une guérison avait
été effectuée par l'intervention divine et que l'insuline n'était pas nécessaire
à la préservation de la vie de leur enfant, devait donc être examinée par le
jury. Celui-ci devait se demander si une telle croyance était sincère et si elle
était raisonnable. Ce faisant, il devait considérer tout l'historique de l'affaire.
Il devait prendre en considération l'expérience des Tutton de la maladie de
leur fils; le fait qu'ils avaient constaté les conséquences du retrait de l'insuline
en une occasion et qu'ils avaient été avisés de sa nécessité dans la prestation
des soins à donner à leur enfant; et le fait que Mme Tutton avait bénéficié
d'une formation ou de cours réguliers sur la façon de soigner le diabète et
les diabétiques. Le jury devait aussi se demander si la croyance en une guérison miraculeuse menant à la conclusion que l'insuline et les soins médicaux n'étaient pas nécessaires, si sincère que puisse être cette croyance, était
raisonnable.

738   A.-C. DANA, *op. cit.*, note 5, p. 138.

volonté, sans liberté de choix, l'acte de l'accusé ne peut être porté
à son compte, faute d'imputabilité.

396. *1.* La nécessité : En droit, il est injuste de punir une
personne qui a agi d'une manière moralement involontaire[739]. Or,
d'après le juge Dickson dans l'arrêt *Perka*, la nécessité s'attaque
à la liberté de l'agent et détruit sa volonté au point de vue moral ou
normatif[740]. Il est donc injuste de punir une personne qui a agi en
état de nécessité. En effet, « depuis très longtemps, on considère
que dans certaines situations la force des circonstances fait qu'il
n'est ni réaliste ni juste d'attacher une responsabilité criminelle à
des actes qui à première vue enfreignent la loi. »[741] Dans ce cas,
le choix de l'accusé « n'est nullement un choix véritable; [mais un
choix dicté] par les instincts normaux de l'être humain »[742]. L'exemple de l'automobiliste qui frappe un piéton en conduisant à l'hôpital une personne qui vient d'avoir une crise cardiaque illustre bien ce
principe. La situation étant urgente et le danger imminent, l'accusé
pourra soulever une défense de nécessité à l'encontre d'une accusation de négligence criminelle ayant causé la mort[743].

397. *2.* La contrainte : Malgré l'altérité qui caractérise leur
mode d'intervention respectif – circonstances versus menaces –
la nécessité et la contrainte constituent deux versions de la même
approche visant à excuser les personnes qui ne peuvent orienter

---

739   *R.* c. *Ruzic*, précité, note 16, par. 46.

740   *Perka* c. *La Reine*, précité, note 432, 250.

741   *Id.*, 241.

742   *Id.*, 249.

743   Voir sur ce point *R.* c. *Creighton*, précité, note 177, 72 et 73 :

     Il y a deux façons dont une personne peut ne pas satisfaire à une norme de
     diligence qui est sévère dans son application. Premièrement, elle peut en-
     treprendre une activité qui nécessite une prudence particulière alors même
     qu'elle n'est pas compétente pour exercer cette prudence. En l'absence
     d'excuses spéciales comme la nécessité, cela peut constituer une négli-
     gence coupable. C'est le genre de violation de la norme que pourrait com-
     mettre une personne qui, sans avoir reçu la formation voulue, pratiquerait
     une intervention chirurgicale au cerveau.

librement (et donc volontairement) leur action au moment du crime. Comme la nécessité, la contrainte est donc une cause de non-responsabilité pénale qui s'appuie sur l'absence de volonté au point de vue moral ou normatif. Résultat : une personne ne pourra être punie pour un acte ou une omission commis sous l'emprise de la contrainte, car la crainte incline la volonté en direction du fait dommageable, ce qui est agir involontairement, avons-nous dit. Comme le fait remarquer Lord Hailsham of Marylebone dans l'arrêt *R. c. Howe*[744] :

> Il y a bien sûr une distinction évidente entre la contrainte et la nécessité en tant que moyens de défense possibles; la contrainte découle des menaces illicites ou de la violence d'un autre être humain, et la nécessité résulte de tout autre danger objectif menaçant l'accusé. Toutefois, il s'agit, à mon sens, d'une distinction dépourvue de pertinence car, à ce point de vue, la contrainte ne représente qu'un genre de nécessité qui est causée par des menaces illicites.[745]

398. On n'a qu'à penser à la femme qui, sous la crainte de menaces de mort provenant de son mari, cesse d'administrer de l'insuline à son enfant diabétique ou à l'individu qui cause un accident après avoir brûlé plusieurs feux rouges alors qu'il avait un revolver braqué sur la tempe. Le péril étant à la fois *imminent, irrésistible* et *proportionnel*, la contrainte pourra être soulevée avec succès.

399. Étroitement rattachés à l'*imputabilité*, les moyens de défense se rapportant à la liberté de l'individu au moment du crime peuvent également influer sur l'évaluation du caractère raisonnable de la conduite en question. Cette situation est particulièrement

---

744   [1987] 1 A.C. 417.

745   *Id.*, 429. (cité en français dans *R. c. Hibbert*, [1995] 2 R.C.S. 973, 1013).

évidente en matière de nécessité et de contrainte morale[746]. L'évaluation de la diligence raisonnable devant se fonder sur l'examen
de toutes les circonstances en l'espèce, il est évident que le péril
allégué ou les menaces proférées devront être pris en compte au
moment d'appliquer le critère objectif. L'exemple de l'automobiliste accusé de négligence criminelle ayant causé la mort après
avoir renversé trois personnes en tentant d'échapper à une foule
hostile illustre bien ce principe. Son acquittement fut prononcé
car sa conduite ne constituait pas un écart marqué et important par
rapport à celle d'une personne raisonnable placée dans les mêmes
circonstances. D'après le juge Arsenault de la Cour provinciale
du Nouveau-Brunswick :

It is useful at this point to recall some of the more salient facts
and to draw certain conclusions in regard thereof.

*At no time during the whole evening did the accused or any of
his friends who were with him do anything whatsoever to pro-
voke the kind of treatment and attention they received culminat-
ing in the "mob-like" atmosphere near his car.

*In my view it is not overstating the facts to describe the prevail-
ing atmosphere in the vicinity of the car as chaotic and disorderly.

*The passenger was being struck repeatedly by Craig Walsh (after
being assaulted by E.M., young person) and the accused himself
had been assaulted by Sam Martin although not to the same
extent.

*The pair was also the target of a great deal of psychological dis-
tress. A crowd of some 100 people had congregated around the
car and many behaved in a very hostile fashion towards its occupants. The car was being pounded and kicked with hands and
feet, some were rocking it from side to side and many still were

---

746   R. c. I.R., précité, note 736, par. 83 : "In my view, excuse based defences
       such as necessity or duress are conceptually difficult to apply in penal
       negligence cases."

yelling encouragements, particularly to Craig Walsh, that he continue to assault Michael Savoie.

*From the evidence I can only conclude that no one who was present at the time was likely or had the capacity to restore order and the police had not even been called.

*The accused had asked to be left alone and was basically pleading, according to some of the evidence, to be allowed to leave.

*Prior to going forward the accused yelled for people to move out of the way but given the noise level it is unlikely he was heard although one person (E.M., young person) said she did.

*The initial rate of speed was not great.

After carefully considering those circumstances I have come to the conclusion that the Crown has not proven beyond a reasonable doubt that the conduct of the accused at that point amounted to criminal negligence. I cannot conclude that the fictitious reasonable person would have behaved any differently in similar circumstances and, as I have attempted to show, that is the yardstick by which the accused's conduct must be measured.[747]

400. Bien que les conditions à l'origine de la nécessité et de la contrainte morale fassent généralement partie des circonstances entourant la commission du crime, celles-ci agissent, selon nous, à un niveau encore plus fondamental de l'infraction, comme une exemption de responsabilité pénale fondée sur l'absence de liberté. Nous nous expliquons.

401. En droit, les défenses de nécessité et de contrainte morale exigent une évaluation à la fois subjective et objective de leurs conditions d'ouverture. Or en fusionnant complètement la nécessité et la contrainte morale aux circonstances de l'affaire, les tribunaux empêchent le jury de prendre en considération « les

---

747 *Id.*, par. 73 et 74.

caractéristiques personnelles de l'accusé qui touchent légitimement à ce qu'on peut s'attendre de lui »[748]. Il importe donc de ne
pas confondre les causes de non-imputablité et les circonstances à
l'origine de la constatation de l'absence de diligence de l'accusé,
car une conduite qui montre une dérogation marquée et importante
à ce que l'on est en droit d'attendre d'une personne raisonnablement prudente dans les circonstances (*analyse purement objective*)
peut néanmoins être innocente « une fois que l'on tient compte de
la situation particulière de l'accusé, y compris sa capacité de prévoir d'autres solutions possibles » (*analyse à la fois subjective et
objective des conditions d'ouverture de la défense de nécessité et
de contrainte morale*).[749]

Deuxième sous-section : La capacité d'apprécier les risques reliés à l'activité en cause

402. Si la faute en droit pénal intervient uniquement après
avoir vérifié les conditions à la source de l'imputabilité, les infractions de négligence criminelle et pénale obligent la constatation

---

748   *R.* c. *Latimer*, [2001] 1 R.C.S. 3, par. 33.

749   De ce qui précède, nous pouvons tirer les conclusions suivantes :

(1) Si les circonstances ou les menaces proférées ne répondent pas aux
conditions d'ouverture de la nécessité ou de la contrainte morale, celles-
ci doivent être prises en compte dans l'évaluation du caractère raisonnable de la conduite en question.

(2) Si les circonstances ou les menaces proférées répondent aux conditions d'ouverture de la nécessité ou de la contrainte morale, un verdict
d'acquittement s'impose, car l'individu n'a pas la liberté (absence d'acte
volontaire au point de vue moral ou normatif) nécessaire à la constatation de l'imputabilité. Cette conclusion n'empêche pas toutefois les
tribunaux de considérer les circonstances périlleuses ou les menaces
proférées dans le cadre de l'évaluation de l'*actus reus* lorsque celles-ci
dévoilent également l'absence de négligence de la part de l'accusé (absence d'un écart marqué et important entre la conduite de l'individu et
celle d'une personne raisonnable placée dans les mêmes circonstances).
Dans ce dernier cas, nous préférons tout de même une analyse fondée
sur l'imputabilité.

d'une seconde forme de capacité propre aux crimes de négligence. Cette capacité, qui est préalable à la constatation de l'élément de faute en matière de négligence criminelle et pénale, renvoie à l'aptitude que possède l'individu d'apprécier les risques reliés à sa conduite. D'après la juge McLachlin dans l'arrêt *R. c. Creighton*[750] :

> [L]a justification sociale d'une norme uniforme de diligence ne joue plus du moment qu'il y a incapacité. En effet, il ne sert à rien de déclarer coupable et de punir une personne qui n'a pas la capacité de faire ce que, du point de vue juridique, elle aurait dû faire. Comme l'explique le juge Wilson dans l'arrêt *Perka c. La Reine*, précité, à la p. 273, le droit criminel fait des distinctions dans des situations où « l'imposition d'une peine est complètement injustifiable ». D'après le juge Wilson, l'acquittement s'impose dans ces situations « parce qu'aucune fin inhérente à la responsabilité criminelle et à l'imposition d'une peine, c.-à-d. la réparation d'un acte mauvais, ne peut être réalisée pour un acte qu'aucune personne raisonnable n'éviterait de commettre ». Pour ces raisons, le droit criminel n'*impute* aucune responsabilité si la conduite coupable de l'accusé a été causée par des facteurs extrinsèques indépendants de sa volonté.
>
> Il semble ressortir de ces considérations que la meilleure façon de tenir compte des préoccupations tant pratiques que théoriques du droit criminel dans le domaine de la négligence pénale [et criminelle] consiste à imposer à tous une norme uniforme de conduite, sauf dans les cas où l'accusé n'avait pas la capacité de reconnaître et d'éviter le risque que comportait l'activité en question.[751]

403. Après avoir subordonné l'imposition de la norme de diligence à la capacité de l'individu de reconnaître et d'éviter le risque que comporte l'activité en question, la juge McLachlin déplace l'analyse de la capacité après que l'*actus reus* et la *mens rea* de l'infraction ont été établis au moyen d'une preuve suffisante à

---

750   Précité, note 177.
751   *Id.*, 67.

première vue[752]. Nous ne sommes pas d'accord avec cette interprétation. Pour nous, l'incapacité de l'accusé à apprécier les risques reliés à sa conduite agit au niveau le plus fondamental de l'infraction, comme une exemption de responsabilité pénale fondée sur son incapacité à obéir à la norme de diligence[753]. Pour reprendre, avec modifications bien sûr, les propos tenus par le juge Lamer dans l'arrêt *Chaulk* : « Lorsqu'une personne plaide son [incapacité à apprécier les risques reliés à son activité], elle peut fort bien nier l'existence de la *mens rea*, mais cette personne peut également faire une allégation plus fondamentale qui va au-delà de la *mens rea* ou de l'*actus reus* [de l'infraction], savoir qu'elle échappe [aux conditions fondamentales de la responsabilité en matière de crimes de négligence, parce qu'elle n'a pas la capacité de reconnaître et d'éviter le risque que comporte l'activité en question]. Cette allégation peut être ou non jugée valable. Mais si l'incapacité est telle qu'elle [empêche l'accusé de se conformer à la norme de diligence], elle empêchera une déclaration de culpabilité »[754].

---

752   *Id.*, 74.

753   Que l'incapacité « rende impossible la constatation de la faute, nul ne pourrait le contester », car celle-ci est à l'image de l'imputabilité traditionnelle, « une condition *préalable* à l'examen de la culpabilité ». (A.-C. DANA, *op. cit.*, note 5, p. 192).

754   *R. c. Chaulk*, précité, note 710, par. 23. Comme l'indique la juge McLachlin dans l'arrêt *Creighton*, il ne sert à rien d'imposer une norme de diligence à une personne qui n'a pas la capacité de s'y conformer. Il est donc faux de dire que la question de la capacité de l'individu d'apprécier les risques inhérents à sa conduite ne se pose qu'après que l'*actus reus* et la *mens rea* de l'infraction ont été établis à première vue, car s'il est vrai que cette question peut être envisagée à ce stade du procès, il demeure que l'absence de capacité agit au niveau le plus fondamental de l'infraction comme une cause de non-imputabilité pénale.

Malgré cette controverse doctrinale, un fait est là qui ne peut être ignoré : la personne qui n'est pas capable d'apprécier les risques inhérents à sa conduite ne peut être coupable de négligence criminelle. Que l'incapacité soit envisagée en amont de la responsabilité, *comme une exemption de responsabilité fondée sur l'incapacité à obéir à la norme*, ou au coeur de la culpabilité, *comme un facteur empêchant l'inférence normale de négligence découlant de la commission d'un acte manifestement dangereux*, importe peu dans la mesure où l'individu qui n'est pas capable d'observer une norme de diligence n'est pas capable de faute.

404. Après avoir souligné l'importance de la capacité de l'individu d'apprécier les risques inhérents à sa conduite, il convient maintenant d'examiner quelques circonstances pouvant annihiler cet élément, circonstances au premier rang desquelles figurent les troubles mentaux non exonératoires ou demi-folies. Quant aux convictions religieuses, celles-ci ne sont généralement pas suffisantes pour entraîner ce type d'incapacité.

A. Les troubles mentaux non exonératoires ou demi-folies (déficience intellectuelle, etc.)

405. Si le retard mental grave ou profond entraîne la disqualification automatique du malade en droit pénal, il en va autrement des formes mineures ou intermédiaires de déficiences intellectuelles, lesquelles laissent généralement intacte la responsabilité de l'agent. Développé en matière d'infractions de responsabilité subjective, ce principe n'est toutefois pas applicable en matière d'infractions de négligence, puisque le retard mental léger ou moyen, en liquidant la capacité de l'individu à apprécier les risques reliés à sa conduite, peuvent porter ombrage à la responsabilité objective. La capacité d'apprécier les risques reliés à certaines activités dangereuses vient donc se superposer à la capacité traditionnelle pour permettre un meilleur découpage de la responsabilité morale de l'accusé en matière de crimes de négligence. Discutant de la possibilité de produire de nouveaux éléments de preuve tendant à démontrer l'immaturité intellectuelle de l'accusé au moment de l'accident reproché, la Cour d'appel de la Colombie-Britannique, dans l'arrêt *R*. c. *Ubhi*[755], reconnaît l'incidence possible du retard mental de l'accusé sur sa capacité d'apprécier les risques inhérents à sa conduite :

> The jury might have concluded that the appellant, functioning at the level of a six- or seven-year-old child, lacked the capacity to understand the necessity of consistently ensuring that the brakes

---

755   (1994) 27 C.R. (4th) 332 (C.A. C.-B.).

of a complicated trucking system should be maintained in proper working order.

The opinions expressed by the clinical psychologist in regard to the consequences of the mental deficits from which the appellant suffers do touch on the very issue in contention, that is, whether those deficits rendered the appellant incapable of being aware of or appreciating the risk of harm to others he was creating without adjusting the brakes.[756]

---

756   *Id.*, 342. Le jury ne semble toutefois pas avoir accepté l'argument de la défense à l'effet que l'accusé ne possédait pas la capacité d'apprécier les risques reliés à sa conduite. En effet, voir *R.* c. *Ubhi*, [1995] B.C.J. (Quicklaw) n° 3021, par. 21-29 (S.C.):

During the course of this second trial the jury heard evidence going to the issue of Mr. Ubhi's lack of mental capacity to understand the risk that flowed from his failure to check the air brake adjusters. That evidence came from two psychologists and one neurologist. One of the psychologist, Dr. Cohen, who was then a staff psychologist with the Worker's Compensation Board testified that, in his opinion, at the time of the collision and for a considerable time prior thereto, Mr. Ubhi was suffering from a major brain disfunction, and that he was either mentally retarded or just on the borderline of mental retardation.

Dr. Cohen testified that, in his opinion, Mr. Ubhi would have had great difficulty in carrying out daily inspection procedures and that he lacked the mental ability to appreciate that he did not understand what he had been taught about those procedures and their importance during his training programme.

The second psychologist, Mr. Qureshi, testified that due to a low level of intellectual functioning that certain visual spatial perception problems, Mr. Ubhi was unable to appreciate consequences of failing to regularly perform the tasks required of a person operating the commercial vehicle, in particular, of failing to regularly carry out the inspection and adjustment of the air brake slack adjusters.

Mr. Qureshi also opined that Mr. Ubhi would not have appreciated the consequences of not performing that task regularly in accordance with the procedure described in the operating manuals and taught to him during the training programme.

The neurologist, Dr. Rees, testified that an E.E.G. test and the CAT scan performed on Mr. Ubhi showed "an abnormal degree of cortical atrophy", that is a shrinking of the brain within the skull. That led him to conclude that Mr. Ubhi was likely functioning at a less than normal intellectual level. [...]

The jury was instructed that the accused, Mr. Ubhi, did not have to prove the defence of lack of mental capacity, rather that the onus rested on the Crown to prove beyond a reasonable doubt that it did not apply. They were told that if they were left with the reasonable doubt as to whether Mr. Ubhi

406. En reconnaissant l'effet exonératoire de certaines affections psychiques dont le degré de sévérité ne rencontre pas celui exigé aux termes de l'article 16 C.cr., les tribunaux proposent un élargissement considérable des limites traditionnelles de la capacité en matière de négligence criminelle. Parmi les troubles non exonératoires (ou demi-folies) susceptibles d'altérer la capacité de l'individu d'apprécier les risques reliés à sa conduite, mentionnons le retard mental léger ou moyen et certaines formes de démence.

B. Les croyances religieuses, surnaturelles et mystiques

407. En ce qui concerne, par ailleurs, les convictions religieuses et autres croyances surnaturelles, celles-ci sont rarement, sinon jamais, retenues par les tribunaux comme source d'incapacité pénale. L'exemple de la jeune mère de famille d'origine haïtienne qui procéda à un exorcisme sur sa petite fille illustre bien ce principe[757]. Dans cette affaire, la grand-mère amena l'enfant à la cuisine où elle commença à prier et à forcer l'introduction d'eau dans la gorge de la victime. Celle-ci résista énergiquement. Après quelques minutes, la victime décéda d'asphyxie causée par l'obstruction des voies respiratoires et par l'accumulation d'eau dans ses poumons. Condamnée pour homicide involontaire coupable résultant de la négligence criminelle, l'accusée souleva en appel la conclusion « du juge de première instance voulant que celle-ci était supposément incapable d'apprécier les risques découlant de

---

possessed the capacity to appreciate, that is, to understand the risk flowing from his conduct, the Crown would have failed to prove its case beyond a reasonable doubt and that they must acquit Mr. Ubhi, not only of the offences charged, but of the included dangerous driving offences as well. The jury did not acquit Mr. Ubhi. They convicted him, not of criminal negligence but of the lesser dangerous driving offences. [...]
In my view, all that I can properly conclude from the verdicts returned by the jury is that they found that the Crown had failed to prove beyond a reasonable doubt that Mr. Ubhi showed a wanton and careless disregard for the safety of others. And thus, the Crown had failed to establish that necessary element of the criminal negligence offences.

757   *R.* c. *Canhoto*, (1999) 140 C.C.C. (3d) 321 (C.A. Ont.).

l'exorcisme en question en raison de ses convictions religieuses »[758].
D'après le juge Doherty de la Cour d'appel de l'Ontario :

> Viewed in their entirety, the reasons demonstrate that the trial
> judge did not find that the appellant was incapable of appreciat-
> ing the risks. To the contrary, he said:
>
>> I have no hesitation in concluding that Maria [the appellant]
>> knew or ought to have known that what her mother was doing
>> to Kira was capable of putting her child's life or safety at risk.
>
> The trial judge also dealt directly with the role played by the
> appellant's religious beliefs:
>
>> ... However, what is clear to me on the evidence is that Maria
>> [the appellant] was so convinced that her child was possessed
>> by evil spirits, of her mother's ability to rid the child's body of
>> those spirits by force feeding and of the critical importance of
>> doing so that her concern for Kira's health or safety was sec-
>> ondary.
>
> Read in their entirety, the reasons negate any suggestion that the
> trial judge found that the appellant was incapable of appreciating
> the risk to Kira on account of her religious beliefs. As Crown
> counsel put it in her factum, the trial judge saw this "not as a case
> of incapacity but as a case of subjugating awareness of risk to
> religious beliefs."[759]

408. En plus de ne pas être considérées comme une source
d'incapacité pénale, les croyances religieuses et mystiques ne
constituent généralement pas des facteurs pouvant appuyer une
croyance erronée mais raisonnable en la présence d'une guérison
possible.

---

758   *Id.*, par. 14.
759   *Id.*, par. 16 à 18.

Troisième section : L'élément matériel de la négligence criminelle (*actus reus*)

409. Après avoir fixé les limites de la capacité nécessaire en matière de négligence criminelle, il convient maintenant d'étudier l'élément matériel de cette infraction. Sur ce point, nous sommes catégorique : l'*actus reus* de la négligence criminelle exige la preuve d'une conduite qui représente une « dérogation marquée et importante à ce que l'on est en droit d'attendre d'une personne raisonnablement prudente dans les circonstances »[760]. Il s'agit donc d'un critère objectif qui vise à comparer la conduite de l'accusé à celle d'une personne raisonnable placée dans les mêmes circonstances. Pour être criminelle, la conduite de l'accusé doit non seulement être négligente, mais également s'écarter largement de celle d'une personne raisonnable. La dénivellation entre la conduite de l'accusé et celle de l'individu moyen doit donc être marquée et importante (« écart marqué et important », « écart plus que

---

[760] Pour un aperçu de l'application de la négligence criminelle en matière de conduite automobile, voir notamment : *R. c. Menezes*, [2002] O.J. (Quicklaw) n° 551, par. 72 (S.C.) :

> Criminal Negligence: Criminal negligence amounts to a wanton and reckless disregard for the lives and safety of others: *Criminal Code*, s.219(1). This is a higher degree of moral blamerwitheness than dangerous driving: *Anderson v. The Queen* (1990), 53 C.C.C. (3d) 481 (S.C.C.) at 486 per Sopinka J.; *Regina v. Fortier* (1998) 127 C.C.C. (3d) (Que. C.A.) at 223 per LeBel J.A. (as he then was). This is a marked and substantial departure in all the circumstances from the standard of care of a reasonable person; *Waite v. The Queen* (1989) 48 C.C.C. (3d) 1 (S.C.C.) at 5 per McIntyre J.; *Regina v. Barron* (1985) 48 C.R. (3d) 334 (Ont. C.A.) at 350 per Goodman J.A.

Voir également *R. c. Lahey*, [1998] N.J. (Quicklaw) n° 362, par. 85 (Prov. Ct.) :

> In summary then, I am satisfied that the actions of the accused in the operation of the vehicle demonstrated a wanton and reckless disregard for the lives and safety of other persons. He was operating his vehicle at a high rate of speed across the entire length of a major thoroughfare within the City of St. John's while under the influence of alcohol. He failed to stop at intersections and refused to stop for the police despite being continuously signalled to do so. During the course of the pursuit he narrowly missed striking one vehicle and caused another to go partially off the road.

marqué », « écart substantiel », « écart marqué et substantiel »,
« écart marqué et significatif », etc.), faute de quoi le caractère criminel de la négligence s'effacera au profit de l'apparition d'une
négligence pénale (p. ex. : conduite dangereuse, usage négligent
d'une arme à feu) ou civile[761]. La règle étant établie, examinons

---

761   *R*. c. *Lawrence*, précité, note 735, par. 23 :
       Central to the issue is the conduct of the accused at the time of the incident
       or immediately prior thereto, and if that conduct, when viewed objectively,
       shows a wanton or reckless disregard for the lives or safety of others, it is
       criminal negligence. In other words, criminal negligence is shown where
       the Crown proves conduct on the part of the accused which shows marked
       and substantial departure from the standard of behaviour expected of a rea-
       sonably prudent person in the circumstances. The required *mens rea* may
       be objectively determined from the actions or conduct of an accused :
       Waite v. *The Queen* (1989), 48 C.C.C. (3d) 1 (S.C.C.).
       R. c. *L.(J.)*, (2005) 204 C.C.C. (3d) 324, 329 et 330 (C.A. Ont.) :
       I turn now to the question of whether the trial judge erred in his assessment
       of the level of the appellant's culpability. The offence of criminal negli-
       gence causing death is at the high end of a continuum of moral blamewor-
       thiness. A lesser offence along the same continuum is the dangerous
       operation of a motor vehicle in s. 249 of the *Criminal Code* which requires
       that the vehicle be driven, "in a manner that is dangerous to the public, hav-
       ing regard to all the circumstances . . .". At the lower end of the continuum
       is careless driving under the Highway Traffic Act, R.S.O. 1990, c. H.8, s.
       130. See *R*. v. *Hundal* (1993), 79 C.C.C. (3d) 97 (S.C.C.) at 106, Cory J.
       Whether specific conduct should be categorized as criminal negligence is
       one of the most difficult and uncertain areas in the criminal law : Anderson,
       supra, at 484-485. The lesser offence of dangerous driving requires that the
       accused's conduct amounted to a marked departure from the standard of
       care that a reasonable person would observe in the accused's situation. If
       an explanation is offered by the accused for his driving, "the trier of fact
       must be satisfied that a reasonable person in similar circumstances ought to
       have been aware of the risk and of the danger involved in the conduct man-
       ifested by the accused." Hundal, *supra*, at 108. The standard is the modi-
       fied objective standard. Criminal negligence requires a more elevated
       standard. The departure from the norm must be more marked in both the
       physical and the mental elements of the offence. See *R*. v. *Palin* (1999),
       135 C.C.C. (3d) 119 (Que. C.A.), leave to appeal refused [1999] C.S.C.R.
       no 106 (QL) at 126-27, 134 C.C.C. (3d) vi (S.C.C.), Deschamps J.A. The
       requirement for a greater marked departure in both the physical and mental
       elements is consistent with the higher level of moral blameworthiness
       associated with criminal negligence, namely, wanton or reckless disregard
       for the life or safety of others. See *R*. v. *Fortier* (1998), 127 C.C.C. (3d) 217
       (Que. C.A.). The trial judge did not make a specific finding that the appel-
       lant's driving represented a marked departure from the norm. This omis-
       sion in this case means that the trial judge failed to analyze the extent to

en quoi consiste son fonctionnement, seconde question impliquée dans l'analyse de l'*actus reus* de la négligence criminelle.

410. Comme nous l'avons déjà souligné, la négligence criminelle repose sur un critère objectif. Or, d'après la juge McLachlin dans l'arrêt *R. c. Creighton*,[762] la faute objective est indifférente aux données psychologiques de l'accusé qui n'ont pas pour effet de miner sa capacité à apprécier les risques reliés à sa conduite[763].

---

which the appellant's physical act was a marked departure from the norm. Deschamps J.A. in *Palin* is clear that both the physical and mental elements of the offence must meet a higher standard than that of dangerous driving. This higher standard has been described as a marked and substantial departure from the standard of care of a reasonable person: *Waite* v. *The Queen* (1989), 48 C.C.C. (3d) 1 (S.C.C.) at 5. It is not self-evident that the appellant's act of putting the car in gear with a person on the hood satisfies this higher standard.

R. c. Brown, [2000] O.J. (Quicklaw) n° 2588, par. 10 (C.A. Ont.) :
"The test that you must follow is an objective one; that is, the Crown does not have to prove that Mr. Brown knew or foresaw the consequences of his act or omission in either letting the phone go or taking the child with him. The act of leaving the child alone near a hot tub in order to answer a phone will have to speak for itself. If this act constitutes a marked and substantial departure from what we might expect of a reasonable person in the circumstances in question, then the conduct of Mr. Brown constitutes criminal negligence regardless as to whether or not he recognized the obvious and serious risk to the safety of Lindsay."

R. c. Tarpey, [2001] O.J. (Quicklaw) n° 525, par. 63 (Ct. of J.) :
The test is that of reasonableness, and proof of conduct which reveals a marked and significant departure from the standard which could be expected of a reasonably prudent person in the circumstances will justify a conviction of criminal negligence.

R. c. Buchanan, [2002] O.J. (Quicklaw) n° 2593, par. 20 (S.C.) :
To prove criminal negligence, the Crown must show the accused exhibited a wanton or reckless disregard for the lives and safety of others. As with all offenses, the Crown's onus includes proving the accused performed the conduct prohibited by the section and that he had the necessary mental state at the time. Here, as I have said, the parties agree Mr. Buchanan's driving was such a marked departure from the norm as to constitute the *actus reus* of criminal negligence.

762   Précité, note 177.

763   *R. c. Brown*, précité, note 761, par. 3-5, 11 et 14 :
The facts are not complex. By agreement, after an afternoon of shopping, the appellant took home to have dinner with himself and his sixteen year

Donc, l'évaluation de la conduite de l'accusé ne doit pas tenir compte des facteurs propres à l'agent comme sa jeunesse, son développement intellectuel ou son niveau d'instruction[764]. Toujours selon la juge McLachlin dans l'arrêt *R. c. Creighton*[765] :

> Pourquoi une personne omet-elle de tenir compte du risque inhérent à l'activité qu'elle entreprend? Les explications sont légion. Il y en a tout un éventail, à partir de la simple distraction jusqu'à des particularités comme l'âge, le degré d'instruction et la culture. Permettre une appréciation à ce point subjective reviendrait

---

old son, the twenty-three month old daughter of his girlfriend. He decided she needed a bath and after getting her mother's permission, took her into the bathroom turned on the hot water in the bath tub and undressed her. Then the telephone rang and after turning off the tap and telling her to stay where she was, he went to answer the telephone some twenty feet away. While on the phone he heard her jump, fall or otherwise get into the tub. The water was extremely hot. He had run only hot water as was his habit and he had the thermostat altered so that when showering he would not have to wait a long time for hot water. He got her out of the tub by means of cold towels and rushed he to the hospital.

The victim suffered very serious injuries to sixty percent of her body. They were life threatening. [...] She remains grossly scarred. The appellant was not charged until over thirteen years after the event.

[...] Counsel for the appellant at trial objected to this approach [objective test] and argued that a subjective approach was more appropriate. This objection was not accepted. The majority of the Supreme Court of Canada has stated that the objective test does not require a consideration of personal factors except to the point where those personal characteristics establish an incapacity to appreciate the risk in a course of conduct. None of the factors suggested on behalf of the appellant could have established such an incapacity.

[...] The appeal from conviction is therefore dismissed.

764　　*R. c. Lafleur*, précité, note 689, par. 148 :
> Alors que règle générale, la poursuite doit prouver, pour réussir à obtenir un verdict de culpabilité, que l'accusé a commis l'acte reproché de façon intentionnelle, l'article 219 du *Code criminel*, pour sa part, s'attaque à la conduite insouciante ou déréglée de l'accusé à l'égard de la vie ou de la sécurité d'autrui, indépendamment de toute intention de produire les conséquences intervenues et sans tenir compte des facteurs personnels à l'accusé sauf, bien entendu, le cas de l'incapacité à apprécier la nature du risque encouru. D'où l'importance d'une seule et uniforme norme juridique de diligence : « Qu'aurait fait une personne raisonnable en pareille situation ? »

765　　Précité, note 177.

à admettre un critère [TRADUCTION] « correspondant exactement au jugement de chacun, lequel jugement serait aussi variable que la longueur du pied de chacun; la ligne de démarcation serait en conséquence tellement floue qu'il n'existerait en fait absolument aucune règle, vu l'infinie variété de degrés de jugement que possèdent les êtres humains ».[766]

411. Si les caractéristiques personnelles de l'accusé, autres que l'incapacité, ne sont pas pertinentes au plan de la détermination de la norme applicable, il en va autrement de la nature de l'activité pratiquée, laquelle amènera une fluctuation de « la norme effectivement appliquée »[767]. Participer à une poursuite policière dans un quartier résidentiel « exige [en effet] une plus grande prudence »[768] que faire de la soudure dans un entrepôt désaffecté[769]. C'est pourquoi : « [a] police officer who [responds to an emergency call] is held to an elevated standard of care consistent with the conditions of his inherently more dangerous driving conduct »[770]. Certaines activités étant réservées à certaines catégories d'individus, l'appréciation *in abstracto* du comportement de l'accusé devra se faire dans le cadre de l'activité, de l'occupation, de la profession que celui-ci exerçait alors[771]. Résultat : la conduite d'un policier accusé de négligence criminelle à la suite d'un accident survenu lors d'une poursuite automobile devra être comparée avec celle d'un policier généralement prudent et diligent, dans les mêmes circonstances. Aussi, « bien que certaines activités appellent une plus

---

766   *Id.*, 70 et 71.

767   *Id.*, 71.

768   *Id.*, 73.

769   *Id.* :

      Certaines activités pourront dans les faits commander une norme plus sévère que d'autres; pratiquer une intervention chirurgicale au cerveau exige une plus grande prudence que l'application d'un antiseptique. Mais, je le répète, cela découle des circonstances dans lesquelles s'exerce l'activité et ne tient nullement à la compétence de l'auteur de l'acte.

770   *R.* c. *Blackwell*, (1994) 3 M.V.R. (3d) 161 (C.A.Ont.), tel que cité dans *R.* c. *Brander*, [2003] A.J. (Quicklaw) n° 1112, par. 67 (Q.B.).

771   Jean-Louis BAUDOUIN et Patrice DESLAURIERS, *La responsabilité civile*, 5ᵉ éd., Cowansville, Éditions Yvon Blais, 1998, p. 114.

grande prudence que d'autres »[772], « la norme juridique de diligence
[sera] toujours la même : ce qu'aurait fait une personne raisonnable dans les mêmes circonstances. »[773] De là les commentaires
des auteurs Salmond et Heuston dans leur ouvrage sur la responsabilité civile :

> La norme de diligence diffère d'une affaire à l'autre, car une per-
> sonne raisonnable ne manie pas un parapluie avec la même pru-
> dence anxieuse qu'elle apporte au maniement d'une arme à feu
> chargée. [...] Mais cela n'équivaut aucunement à la reconnais-
> sance de différentes normes de diligence juridiques; le critère de
> négligence est le même dans tous les cas. Ainsi, les candidats au
> permis de conduire doivent respecter la même norme objective et
> impersonnelle que tout autre conducteur.[774]

412. Interdit donc d'élever ou d'abaisser la norme de diligence en fonction de l'expérience ou de l'inexpérience de l'accusé.
La responsabilité objective vise à établir des standards de conduite
(conduite modèle), des normes de comportement qui s'adressent
à tous les citoyens indépendamment de leur connaissance ou de
leur compétence. Il s'agit donc d'une appréciation *in abstracto* et
non *in concreto* du comportement de l'accusé :

> De même que l'adoption d'une norme de diligence uniforme qui
> fait abstraction des caractéristiques personnelles de l'accusé autres
> que l'incapacité exclut toute baisse de la norme en raison de
> l'inexpérience et de défauts de caractère, de même, son adoption
> interdit que cette norme soit rendue plus sévère en raison d'une
> expérience ou d'une formation spéciales. Puisque le droit crimi-
> nel se préoccupe de la fixation de normes minimales applicables
> à la conduite humaine, il ne conviendrait pas de soumettre un accusé
> à une norme plus sévère de diligence du fait qu'il peut être mieux
> renseigné ou plus compétent qu'une personne d'une prudence

---

772   *R.* c. *Creighton*, précité, note 177, 72.
773   *Id.*, 71.
774   Tel que cité dans *R.* c. *Creighton*, *id.*, 71 et 72.

raisonnable. Certaines activités pourront dans les faits commander une norme plus sévère que d'autres; pratiquer une intervention chirurgicale au cerveau exige une plus grande prudence que l'application d'un antiseptique. Mais, je le répète, cela découle des circonstances dans lesquelles s'exerce l'activité et ne tient nullement à la compétence de l'auteur de l'acte.[775]

413. Malgré son caractère objectif, l'évaluation de l'écart constaté entre la conduite de l'accusé et celle de la personne raisonnable ne se fait pas dans un vide factuel, mais dans le cadre de toutes les circonstances propres à l'espèce. En effet, « un acte, considéré comme fautif dans des circonstances ordinaires, peut être tenu pour non fautif dans des circonstances exceptionnelles »[776]. Il faut donc se demander ce qu'aurait fait une personne raisonnablement prudente dans les circonstances. C'est ainsi qu'il faut envisager la condamnation d'un individu accusé de négligence criminelle ayant causé la mort après avoir laissé sa remorque stationnée sur une partie de la voie publique[777]. La noirceur s'étant installée, l'accusé avait l'obligation de prendre des mesures raisonnables pour signaler la présence de la remorque et éviter ainsi tout accident. Le défaut de ce faire constituait un écart marqué et important par rapport à la conduite d'une personne raisonnable placée dans les mêmes circonstances. D'après le juge Toupin :

Ainsi, mis à part la présence d'un ou deux drapeaux rouges accrochés aux poteaux à l'arrière de la remorque, une fois la lumière du jour disparue, rien ne permettait d'attirer l'attention d'un conducteur circulant sur la route 344. Tout était en place pour qu'un incident, tel que celui qui a entraîné la mort de monsieur Lalonde, arrive. Étant donné la limite de vitesse permise de 90 km/h, il existait peu ou pas de temps de réaction à un conducteur au moment où ses phares éclairaient la remorque, à preuve dans la présente affaire, l'absence de traces de freinage, indiquant que la victime est entrée de plein fouet dans la remorque. La situation était

---

775 *Id.*, 73
776 J.-L. BAUDOUIN et P. DESLAURIERS, *op. cit.*, note 771.
777 *R. c. Boivin*, [2004] A.Q. (Quicklaw) n° 6091 (C.Q.).

très dangereuse. Les témoins entendus, ayant circulé à cet endroit par temps clair, ont pu éviter le pire en contournant l'obstacle. Rappelons-nous, le témoin, mère de famille, qui circulant en sens inverse, a demandé la collaboration de ses enfants pour rappeler au conducteur, lors du retour, la présence de cette remorque.[778]

414.   En sens contraire, fut relaxé, l'automobiliste qui a participé à une «course de rue» avec le conducteur d'une autre voiture qui a perdu le contrôle et percuté un lampadaire. Accusé de négligence criminelle et de conduite dangereuse ayant causé la mort, l'accusé fut acquitté de l'infraction la plus grave malgré le fait qu'il roulait à 100-120km/h dans un quartier résidentiel où la limite de vitesse était de 60 km/h. La visibilité étant bonne, le chemin relativement droit et le nombre de voitures étant plutôt restreint, l'accusé fut acquitté de négligence criminelle mais déclaré coupable de conduite dangereuse ayant causé la mort[779]. Discu-

---

778   *Id.*, par. 75

779   *R.* c. *Menezes*, précité, note 760. Sur ce point, il ne fait aucun doute que la négligence criminelle en matière de conduite automobile est réservée aux conduites les plus négligentes. Voir, par exemple, l'arrêt *R.* c. *Gauthier*, [2003] A.Q. (Quicklaw) n° 19314, par. 18 à 21, 45 et 46 (C.Q.):

Le module était en bon état de fonctionnement ce jour-là vu le mécanisme intégré d'auto-vérification, et dans les cinq dernières secondes, les vitesses constatées ont été de 96 milles à l'heure, 98, 98, 94 et 82, soit: 154 km/heure, 157, 157, 151 et finalement 131 km/heure. Afin d'évaluer la vraisemblance des données enregistrées particulièrement la vitesse, monsieur Dufort prend en considération les éléments matériels de la collision: selon lui les dommages causés donnent une bonne estimation de la vitesse.

En ce qui concerne le pourcentage de dépression de l'accélérateur, à cinq et quatre secondes précédant l'impact, il était de 100%, indiquant que l'accélérateur est enfoncé complètement par rapport à la vitesse constatée, de 16% à trois secondes de l'impact, et complètement relâché immédiatement avant l'impact.

Il s'agit en l'espèce d'une méthode différente d'établir la vitesse comparativement aux méthodes habituelles ou usuelles. Cependant, les explications de monsieur Dufort, jointes à ses qualifications professionnelles m'amènent à conclure que ces données sont suffisamment fiables pour y ajouter foi.

Son témoignage analysé avec tous les autres éléments de la preuve me permet de conclure que l'accusé conduisait à une vitesse beaucoup plus élevée que la vitesse permise de 50 km/heure à l'approche de l'intersection ainsi qu'au moment de l'impact, soit plus ou moins 131 km/heure, compte tenu de la marge d'erreur possible. [...]

tant des circonstances entourant les événements en question, le juge Hill proposa les conclusions suivantes :

> There were lane changes at excessive speed endangering other motorists and the two racers. Doris Waddell was sufficiently alarmed by the approach of the cars behind her that she nearly drove into oncoming traffic. Heather Waddell recalled one car pulling over to get out of the way of the two Hondas. Tina Khan reported the two drivers weaving in and out of traffic for a stretch of Derry Road. Ms. Doan's testimony identified lane changes by the vehicles entirely consistent with a contest of speed. Mr. Menezes' interview statement indicates a recall that he "flew" by one or two other motorists.
>
> On January 17th, Derry Road was dry and well illuminated. Visibility was good. The route was relatively straight. There was little vehicle traffic. The accused's vehicle and the deceased's auto did not fishtail or straddle lanes or veer into oncoming traffic. No other motorists were cut off or forced to take evasive action.
>
> Considering the totality of the circumstances, I am not satisfied, beyond a reasonable doubt, that the accused's conduct amounted to a wanton and reckless disregard for the lives and safety of others.[780]

415. Si la preuve de l'*actus reus* de la négligence criminelle exige la violation d'une norme de diligence, telle que caractérisée par les circonstances de l'affaire, encore faut-il que la conduite de

---

En l'espèce, l'accusé circule à une vitesse de plus ou moins 131 km/heure au moment où il s'engage dans l'intersection sur un artère important. La rue est large, bien éclairée, et rien ne peut obstruer la visibilité. En s'engageant dans cette intersection à cette vitesse, il a fait preuve d'un comportement consistant à un écart marqué par rapport à une personne raisonnable placée dans les mêmes circonstances.

Cet écart, néanmoins, compte tenu de toutes les circonstances en l'espèce, n'atteint pas le degré nécessaire pour constituer une négligence criminelle, mais rencontre celui d'une conduite dangereuse.

780 *R. c. Menezes*, *id.*, par. 111 et 112.

l'accusé « montre une insouciance déréglée ou téméraire à l'égard de la vie ou de la sécurité d'autrui ». La simple méconnaissance de la norme sociale n'est donc pas suffisante au point de vue criminel. La dérogation doit, en effet, révéler un écart marqué et important à ce que l'on est en droit d'attendre d'une personne raisonnablement prudente dans les circonstances. On n'a qu'à penser à la gardienne d'enfants qui secoue brutalement un bébé, ou à celle qui laisse tomber un enfant de sept mois au sol, avec force[781]. Poursuivie pour négligence criminelle ayant causé la mort, l'accusée fut reconnue coupable de cette infraction car sa conduite constituait un écart marqué et important avec celle d'une personne raisonnable placée dans les mêmes circonstances. En effet : « [a] reasonable person, in the same circumstances as Ms. Lam, a mother and childcare provider, would have known that her conduct would create a risk to the life or safety of an infant, in this case Nicole. Her conduct amounted to a marked and substantial departure from what one would expect of a reasonable person in such circumstances »[782].

416. En exigeant la présence d'un écart marqué et important entre la conduite de l'accusé et celle d'une personne raisonnable placée dans les mêmes circonstances, les tribunaux canadiens intègrent les infractions de négligence au sein d'un continuum juridique à l'intérieur duquel s'échelonnent les différents degrés d'imprudence[783]. Depuis la responsabilité stricte jusqu'à la négligence

---

781   *R. c. Lam*, précité, note 733.

782   *Id.*, par. 136.

783   *R. c. Mandamin*, [1997] O.J. (Quicklaw) n° 3899, par. 33 (Ct. of J. (Gen. Div.)) :

> This is a case where there may very well have been a contravention of the *Highway Traffic Act* in that the victim, Dorothy Henry, was being transported as a passenger in the back of the truck without there being seat belts in that area of the vehicle. And it may very well be that the accused's omission to ascertain the exact whereabouts of the victim prior to putting his vehicle in motion might constitute a departure from the standard of care to be expected from a prudent driver. However, this court, in the circumstances, does not view the conduct of the accused as amounting to criminal negligence. It cannot be said that his conduct was so undisciplined, indifferent or rash, so as to demonstrate a wanton or reckless disregard for the lives or safety of other persons.

criminelle, en passant par la négligence pénale, tous les niveaux de négligence sont désormais reconnus en droit pénal. La négligence criminelle, qui se situe à l'échelon supérieur de la hiérarchie pénale, exige donc « quelque chose de plus » que la négligence pénale qui, à son tour, exige « quelque chose de plus » que la responsabilité stricte. Sur ce point, le juge Weiler de la Cour d'appel de l'Ontario, dans l'arrêt *R. c. A.E.*[784], est catégorique :

> Criminal negligence has been defined as behaviour which shows "wanton or reckless disregard for the safety of other persons" [...]. The Crown does not have to prove that the accused knew or foresaw the consequences of his actions with respect to the baby. If the act constitutes a marked and substantial departure from what we might expect of a reasonable person in the circumstances in question, then the conduct of the accused constitutes criminal negligence. Personal factors pertaining to the accused do not require consideration except when those personal characteristics amount to an incapacity to appreciate the risk in the course of conduct in question.[785]

417. En réclamant « une conduite qui montre une insouciance déréglée ou téméraire à l'égard de la vie ou de la sécurité d'autrui », le législateur manifeste sa volonté. Il indique aux tribunaux l'intensité, le degré de négligence nécessaire afin d'enclencher les mécanismes à la base de la négligence criminelle[786]. Malgré

---

784   [2000] O.J. (Quicklaw) n° 2984 (C.A. Ont.).

785   *Id.*, par. 20

786   Voir *R. c. Baird*, [1994] N.T.J. (Quicklaw) n° 37, par. 33 et 34 (S.C.) :
       Would a reasonable person keeping these dogs as Mr. Baird did, have known or foreseen the danger which the dogs, as events proved, in fact presented to Amelia Debogorski? On the whole of the evidence, including the evidence of their previous escapes to run at large, but without injury to anyone, I have reasonable doubt on that point. Mr. Baird has not been shown to have acted with a wanton disregard for the lives or safety of other persons, including Amelia Debogorsky, as declared in s. 219 of the *Criminal Code*. Dogs running at large may well have been a public nuisance to be restrained under a municipal by-law; but that is by no means the same thing as dogs running at large who present a recognized danger to the life or safety of other persons, including small children.

cette indication, le geste qui vise à tracer les limites entre les différents niveaux de négligence en droit pénal n'est ni simple ni facile. Son traitement exige une évaluation de la conduite de l'accusé qui tient compte des circonstances en l'espèce et de l'activité en question.

Quatrième section : La *mens rea* applicable en matière de négligence criminelle

418. Après avoir traité de l'*actus reus* de la négligence criminelle, qui est la conduite qui montre un écart marqué et important avec celle d'une personne raisonnable placée dans les mêmes circonstances, il nous faut maintenant étudier la *mens rea* de cette infraction. Sur ce point, la juge McLachlin est sans détour : « la faute morale [dans les cas de négligences criminelle et pénale] tient à l'omission d'envisager un risque dont une personne raisonnable se serait rendu compte »[787]. Discutant de la responsabilité d'un indi-

---

Negligence of a non-criminal or "civil" kind there may have been. I offer no comment on that, since such negligence is not in law sufficient of itself to ground a conviction for criminal negligence. Civil negligence may give rise to an award of damages and is subject to a less stringent standard of proof. Criminal negligence having penal consequences is subject to the criminal standard of proof beyond a reasonable doubt.

787   *R.* c. *Creighton*, précité, note 177, 58. *R.* c. *M.D.*, [2005] O.J. (Quicklaw) nº 1795, par. 105 (Ct. of J.) :

The *mens rea* for criminal negligence offences is the objective foreseeability of the risk of bodily harm. The standard is that of a reasonable person in the accused's circumstances. The *mens rea* is usually inferred from the accused's behaviour. The greater the risk of harm, the easier it is to determine that a reasonable person would have foreseen the consequences (*R.* v. *Menezes, supra,* at paras. 73-75).

R. c. *Menezes*, précité, note 760, par. 73, 75 et 77 :

In the context of a dangerously negligent act, the *mens rea* for the offence charged is objective foreseeability of the risk of bodily harm which is neither trivial nor transitory: *Creighton* v. *The Queen* (1993), 83 C.C.C. (3d) 346 (S.C.C.) at 370, 391-2 per McLachlin J. (as she then was); *Nette* v. *The Queen* (2002), 158 C.C.C. (3d) 486 (S.C.C.) at 518 per Arbour J.; Waite v. The Queen, (S.C.C.) *supra* at 6 per McIntyre J; *The Queen* v. *Tutton and*

vidu qui avait laissé son amie dans un champ, par temps froid, en raison d'une panne de motoneige, le juge Seaborn de la Cour suprême
de Terre-Neuve souligne l'absence de prévisibilité objective du risque de lésions corporelles découlant des circonstances en question :

> Certainly the fact that they were in a field on a cold winter night,
> that her boot was off and that she was somewhat impaired, were
> all indicators of possible danger to her safety. However, she was
> not injured when he left and it was not stormy. She had at her dis-
> posal good winter clothing and accessories. She was in an area
> where she had often been before, in the community she had lived
> in for the past three years and visited for the previous six and was
> not far from housing, trails and streets. In the circumstances,
> Rodney Payne's assumption, both when he left and later, that she
> would walk home or to safety does not establish a wanton or rec-
> kless disregard for her safety.

> Using the objective approach of an ordinarily prudent individual,
> it has not been established beyond a reasonable doubt that Rodney
> Payne ought to have known that his actions and omissions could
> endanger her life or safety.[788]

Tutton (1989), 48 C.C.C. (3d) 129 (S.C.C.) at 140 per McIntyre J. [...] Ordi-
narily then, the *mens rea* or guilty mind for the crime of criminal negligence can be determined objectively from the conduct of the accused – the
driver either recognized and ran an obvious and serious risk to the lives and
safety of others, or alternatively, gave no thought to the risk involved:
Regina v. *Nelson* (1990), 54 C.C.C. (3d) 285 (Ont. C.A.) at 290 per curiam;
Regina v. Sharp, *supra* at 434, 436; Regina v. Waite, (Ont. C.A.) *supra* at
329, 333, 338. The consequence of death is an element of the *actus reus* –
the mental element only requires objective foresight of bodily harm:
Creighton v. *The Queen, supra* at 370-2, 376-383; Regina v. Pinski, *supra*
at 32-3. The greater the risk of harm created, the easier it is to conclude that
a reasonably prudent person would have foreseen the consequences: Anderson v. The Queen, *supra* at 486. [...] The *mens rea* of negligence offences,
where the accused's driving conduct is objectively dangerous, is measured
by an objective standard – whether, in the context of all the circumstances,
the accused ought to have known, without proof of a subjective state of
mind on the part of the particular accused.

788   R. c. *Payne*, [2004] Nfld. (Quicklaw) n° 129, par. 49 et 50 (C.S.).

419. Envisagée du point de vue de la faute, la négligence criminelle est donc une infraction objective dont la constatation trahit une certaine *indifférence* de l'accusé par rapport à la norme sociale protégée. Cette absence de soin, d'exactitude ou de prudence sera génératrice de faute uniquement lorsque l'individu était en mesure d'exercer la prudence qui convenait à l'activité en question. Résultat : « [s]i une personne a commis un acte manifestement dangereux, il est raisonnable, en l'absence d'indications du contraire, d'en déduire qu'elle n'a pas réfléchi au risque et à la nécessité de prudence. »[789] Toujours selon la juge McLachlin :

> L'inférence normale peut toutefois être écartée par une preuve qui fait naître un doute raisonnable quant à l'absence de capacité d'apprécier le risque. Ainsi, si l'*actus reus* et la *mens rea* sont tous deux établis au moyen d'une preuve suffisante à première vue, il faut se demander en outre si l'accusé possédait la capacité requise d'apprécier le risque inhérent à sa conduite. Dans l'hypothèse d'une réponse affirmative à cette dernière question, la faute morale nécessaire est établie et un verdict de culpabilité peut à bon droit être rendu contre l'accusé. Dans l'hypothèse contraire, c'est un verdict d'acquittement qui s'impose.[790]

420. Bien que nous croyons que l'incapacité de l'individu à apprécier les risques inhérents à sa conduite devrait plutôt intervenir *en amont* de la culpabilité, comme une exemption de responsabilité pénale fondée sur l'incapacité à obéir à la norme de diligence, nous estimons que le schéma proposé par la juge McLachlin dans l'arrêt *Creighton* constitue un guide efficace au moment d'évaluer la responsabilité pénale d'un individu en matière de négligence criminelle [et pénale][791]. Pour reprendre, avec certaines modifica-

---

789   *R.* c. *Creighton*, précité, note 177, 74.
790   *Id.*
791   Voir par exemple *R.* c. *Boivin*, précité, note 777, par. 79 à 81 :
      Lorsque le camion a été déplacé et que la lumière du jour s'est éteinte, l'accusé avait l'obligation d'aller vérifier la sécurité des lieux. En ne le faisant pas, il a démontré une insouciance déréglée et téméraire à l'égard de la vie d'autrui.

tions, le raisonnement qu'elle avait tenu en matière d'aliénation mentale, on peut dire que :

> [L]e fait que [la capacité d'apprécier les risques inhérents à sa conduite] soit une condition préalable et fondamentale de la responsabilité pénale n'est pas contredit par le fait que [cette capacité] puisse être aussi jugée pertinente lorsqu'il faut décider si les éléments essentiels de l'infraction criminelle ont été établis ou s'il existe un moyen de défense exonératoire. [...] Le fait que [la capacité d'apprécier les risques reliés à sa conduite] pourrait être pertinente à ces questions n'élimine pas l'idée acceptée depuis l'époque d'Aristote que la question de la culpabilité ou de l'innocence ne se pose que lorsque l'agent est sain d'esprit, responsable et capable de discerner le bien du mal [liste à laquelle nous ajoutons en matière de négligence criminelle et pénale, capable d'apprécier les risques reliés à sa conduite].[792]

421. Loin de nier l'importance de la capacité au moment d'imposer la norme de diligence, l'approche soutenue par la juge McLachlin souligne, en fait, le lien important qui unit depuis toujours la négligence à la capacité de l'individu d'apprécier les risques reliés à sa conduite. Interdit donc de punir quelqu'un sans avoir vérifié, au préalable, sa capacité d'apprécier les risques, car l'incapacité, une fois constatée, empêche l'imposition de la norme de diligence à l'individu mis en cause (*imputabilité*) ou l'inférence normale de négligence découlant de la commission d'un acte qui révèle une dérogation marquée et importante par rapport à la con-

---

En voulant en attribuer la responsabilité à son employé Fontaine, il cherche un bouc émissaire pour couvrir son irresponsabilité. Il est le propriétaire de la remorque, il était le conducteur du camion, il est celui qui a placé la remorque et il n'a pris aucune mesure pour protéger le public. À *posteriori*, il a tenté, sans succès, de convaincre le tribunal qu'il avait pris les mesures nécessaires, mais il est contredit de façon convaincante sur tout. Cette attitude mensongère explique bien que l'accusé constate les conséquences de ses gestes et nous sommes convaincus, hors de tout doute raisonnable, qu'il avait le 14 août 2001, la capacité d'apprécier les gestes qu'il a posés.
EN CONSÉQUENCE, il est déclaré coupable de l'infraction telle que libellée.

792   *R. c. Chaulk*, précité, note 710, 1397 et 1398.

duite d'une personne raisonnable placée dans les mêmes circonstances (*mens rea*).

422. En ce qui concerne finalement la gravité de la faute
nécessaire à l'intervention de la négligence criminelle, disons simplement que la présence d'une « insouciance déréglée ou téméraire à l'égard de la vie ou de la sécurité d'autrui » implique un
degré de faute supérieur aux infractions de négligence pénale[793].
Dans les deux cas, il s'agit bel et bien de négligence, mais la faute,
en tenant pour acquis qu'elle découle d'une conduite qui révèle
une dérogation marquée et importante par rapport à celle d'une personne raisonnable placée dans les mêmes circonstances, semble
plus répréhensible dans le premier cas en raison de la prévisibilité
évidente du risque de lésions corporelles découlant des circonstances en question[794]. On peut donc dire qu'il s'agit d'une faute
lourde. La négligence criminelle et pénale étant consubstantielle,
cette distinction est basée sur la gravité de la négligence, et non
sur sa nature (gravité qui provient de l'ampleur de l'écart constaté
entre la conduite de l'individu et celle d'une personne raisonnable
placée dans les mêmes circonstances).

---

793   Voir, par exemple, en matière de conduite automobile *R.* c. *Palin*, [1999]
      A.Q. (Quicklaw) n° 33, par. 24 (C.A.) :
      Je retiens donc que sur une échelle de gravité qui va de la responsabilité
      civile à la négligence criminelle, la négligence criminelle se situe à un éche-
      lon supérieur à celui de la conduite dangereuse, c'est-à-dire que l'écart doit
      être plus marqué, cette norme imprégnant tant l'élément matériel que l'élé-
      ment moral.

794   *R.* c. *Colby*, (1989) 52 C.C.C. (3d) 321, 328 (C.A. Alta.) :
      The distinction between criminal negligence and dangerous driving, though
      the offences are defined in widely different terms in the *Criminal Code*, is
      often difficult to apply in practice. Nevertheless, the task is not made sim-
      pler by using different adjectives to paraphrase the terms used in the sec-
      tions of the Code. A greater moral fault is required for criminal negligence
      than for dangerous driving often exemplified by some gross feature in the
      manner of driving such as greatly escessive speed or impairment by alco-
      hol or drugs. From this gross feature it can be inferred that the offender was
      thoughtless about the risk or was prepared to impose it anyway on other
      users of the highway.

423. Souvent confondue avec l'*actus reus* de l'infraction, la faute en matière de négligence criminelle « provient [donc] d'un relâchement de la volonté, par l'effet duquel la raison manque de la sollicitude qu'elle *peut* et *doit* avoir »[795]. Ce qui est puni, en d'autres mots, n'est pas un état d'esprit, ni une conduite, mais l'absence d'un état d'esprit ou, pour s'exprimer plus correctement, le défaut de considération accordée aux risques de lésions corporelles que l'on *pouvait* et se *devait* d'envisager[796]. La culpabilité se rattache donc à une attitude négative : l'absence de diligence raisonnable, absence de diligence qui constitue une faute seulement lorsque la personne était capable de « reconnaître et d'éviter le risque que comportait l'activité en question »[797]. Sur ce point, citons un extrait de l'arrêt *R. c. Lortie*[798], dans lequel le juge Turpin examine avec attention les différentes étapes menant à la culpabilité de l'accusé en matière de négligence criminelle :

La preuve démontre que madame Lortie, naturopathe agréée a conseillé de cesser l'insuline de Lisanne Manseau connaissant sa condition diabétique. Elle a conseillé un traitement naturel et thérapeutique sachant que l'insuline est vitale et essentielle pour la survie d'un diabète insulinodépendant. Entre le 23 mars 1994 et le 28 mars 1994, elle surveille la démarche donnant plusieurs consignes précises à madame Fortin. Malgré les signes de détresse manifestés par l'enfant, elle conseille toujours de poursuivre avec sa méthode donnant d'autres instructions.

Son comportement démontre une négligence en raison de l'insouciance téméraire dont elle a fait preuve à l'égard de la vie et

---

795   T. D'AQUIN, *op. cit.*, note 704, quest. 53, art. 1, p. 353.
796   G. CÔTÉ-HARPER, P. RAINVILLE et J. TURGEON, *op. cit.*, note 40, p. 541 :
      On pourrait penser que la notion de faute objective a pour effet de nier un principe fondamental en droit criminel qui veut qu'une personne n'est pas coupable d'un crime lorsqu'elle est moralement innocente. Or, tel n'est pas le cas. Une personne n'aura pas d'esprit coupable si elle est incapable d'apprécier le risque de sa conduite. La faut morale de l'accusé provient de son défaut de se servir de ses capacités d'appréciation du risque qu'il a couru.
797   *R. c. Creighton*, précité, note 177, 67.
798   C.Q. (Chambre criminelle et pénale), nº 550-01-001438-953.

de la sécurité de Lisanne Manseau. Ce manque de diligence raisonnable se déduit manifestement de sa conduite. Le décès de
Lisanne Manseau est imputable à l'accusée qui a agi de façon
dangereuse, téméraire, irresponsable et irréfléchie en conseillant
que l'on cesse de lui administrer de l'insuline. Il était prévisible
de conclure que la démarche thérapeutique proposée par l'accusée aurait comme conséquence de causer la mort. Dans les circonstances, le Tribunal conclut que le poursuivant a démontré hors
de tout doute raisonnable le bien-fondé de l'accusation de négligence criminelle causant la mort.[799]

424. Le principe ne fait plus aucun doute : la faute impliquée en matière de négligence criminelle est bel et bien réelle. Sa
constatation découle de la capacité de l'individu d'apprécier les
risques reliés à sa conduite et du défaut de ce faire. Si l'accusé est
capable d'apprécier les risques inhérents à son activité et fait
quelque chose ou omet de faire quelque chose qui révèle un écart
marqué et important avec la conduite d'une personne raisonnable
placée dans les mêmes circonstances, il est normal, en l'absence
d'indications du contraire, de conclure qu'il a omis « d'envisager
[ou d'éviter] un risque dont une personne raisonnable se serait
rendu compte »[800] (soit l'individu n'a pas envisagé le risque qu'il
pouvait et devait entrevoir, soit il n'a pas évité le risque qu'il avait
envisagé).

Cinquième section : L'uniformité du critère objectif appliqué en matière de négligence criminelle

425. Comme nous le savons, la négligence criminelle au
Canada découle soit d'un acte, soit d'une omission résultant d'un
devoir légal d'agir. Or les crimes d'omission impliquent généralement un degré inférieur de turpitude morale. Il est donc à propos

---

799   *Id.*, par. 107-111.
800   *R.* c. *Creighton*, précité, note 177, 58.

de s'interroger sur l'uniformité de l'application du critère objectif en matière d'action et d'omission. En effet, doit-on soumettre les crimes de négligence résultant d'une omission à la même norme de faute que ceux émanant d'un acte positif? Cette question, qui est très intéressante, fut abordée par la Cour suprême du Canada dans l'arrêt *R. c. Tutton*[801]. D'après le juge McIntyre, le critère applicable en matière de négligence criminelle ne varie pas en fonction de la conduite reprochée. Il s'agit d'un critère fixe dont le but est de vérifier la présence ou l'absence d'un état mental de diligence. Il n'est donc pas question de moduler le critère applicable en fonction de la nature de la conduite reprochée :

> [E]n Cour d'appel, le juge Dubin a considéré le critère objectif comme étant d'application générale, mais il a fait une exception dans les cas où la conduite reprochée consiste en une ou des omissions par opposition à un acte concret. Dans de tels cas, il s'est dit d'avis qu'il se présenterait des situations où un critère subjectif devrait être appliqué quand il s'agirait de juger des omissions. Il a considéré que tel était le cas en l'espèce. J'estime toutefois que l'on ne peut faire la distinction que préconise le juge Dubin. Je suis totalement incapable de voir une différence de principe entre les affaires mettant en cause une omission et celles qui mettent en cause un acte concret. En effet, l'article 202 [maintenant 219] du Code dit clairement qu'est coupable de négligence criminelle quiconque, en faisant quelque chose ou en omettant de faire quelque chose qu'il est de son devoir d'accomplir, montre une insouciance déréglée ou téméraire à l'égard de la vie ou de la sécurité d'autrui. Le critère objectif doit par conséquent être appliqué en matière de négligence criminelle, car c'est la conduite de l'accusé, par opposition à son intention ou son état d'esprit, qui est étudiée dans le cadre de cet examen.[802]

---

801   Précité, note 652.

802   *Id.*, 1429. Voir également ces commentaires dans l'arrêt *R. c. Waite*, précité, note 686, 1444 :

> En limitant l'application du critère objectif aux cas visant des actions et en concluant qu'un critère objectif sera insuffisant pour les cas visant des omissions, le juge Cory a fait erreur, à mon avis. Il semble qu'il suivait en cela l'arrêt de la Cour d'appel de l'Ontario *R. v. Tutton and Tutton* (1985), 18 C.C.C. (3d) 328, dans lequel le juge Dubin établit une distinction entre les actions et les omissions, et conclut, à la p. 345, qu'il faudrait utiliser un

426. S'il est de plus en plus clair que la négligence criminelle repose sur l'application d'un critère objectif – facteur excluant
tout argument voulant que la négligence criminelle qui découle
d'une omission soit évaluée en fonction d'un critère subjectif –, il
est permis de s'interroger sur la nature du critère objectif applicable dans les cas d'omission. D'après l'avocat de la défense dans
l'arrêt *R. c. Canhoto*[803], la négligence criminelle découlant d'une
action doit être distinguée de celle résultant d'une omission, dans
la mesure où la première commanderait un critère objectif qui ne
tiendrait pas compte des caractéristiques personnelles de l'accusé
autres que l'incapacité, alors que la seconde exigerait un critère objectif modifié dont la structure tiendrait compte de facteurs propres
à l'accusé comme sa jeunesse, son inexpérience, son développement intellectuel, son niveau d'instruction, etc. Cette interprétation fut rejetée catégoriquement par la Cour d'appel de l'Ontario.
S'exprimant au nom du tribunal, le juge Doherty observe :

> The determination of fault based on a failure to direct one's mind
> to a risk can be applied equally to acts and omissions. The need
> for a uniform standard for the determination of criminal culpa-
> bility is as important where the law imposes a duty to act and no
> action is taken, as it is in cases where a person engages in conduct
> which creates that same risk. It would run contrary to the princi-
> ple of uniformity and the values underlying that principle if the
> criminal law were to distinguish between a parent who chooses
> not to administer a life saving drug to his child, thereby risking
> the life of that child, and a parent who actually removes the nee-
> dle containing the drug from the arm of the child, thereby creat-
> ing the very same risk. The nature of culpability where fault is
> conduct-based and the rationale underlying the objective approach
> to crimes of negligence support the view expressed by McIntyre
> J. in R. v. Tutton, *supra*. The fault element for crimes of criminal
> negligence should be the same, regardless of whether liability

---

critère subjectif dans les affaires fondées sur les omissions. Je rejette cependant cette opinion pour les motifs formulés dans l'arrêt *R. c. Tutton*, [1989]
1 R.C.S. 1392, et je conclus qu'il faut appliquer un critère objectif dans les
affaires fondées sur une allégation de négligence criminelle, que ce soit par
action ou par omission.

803   Précité, note 757.

arises out of a failure to act where there was a duty to act or out of actions which create a risk[804].

427. La question est désormais réglée. Le critère de faute applicable en matière de négligence criminelle ne varie pas en fonction de la qualification de la conduite à l'origine du dommage allégué. Après tout, la négligence n'est-elle pas toujours une omission de faire diligence…

Conclusion

428. Envisagée d'un point de vue strictement objectif, la négligence criminelle possède plusieurs points en commun avec la responsabilité civile. Comme elle, la négligence criminelle puise sa source dans la constatation d'un manquement à un devoir de diligence, dans la transgression d'une norme particulière de conduite. Malgré ce rapprochement, la négligence criminelle et la responsabilité civile demeurent deux entités tout à fait distinctes dans la mesure où la norme impliquée en droit criminel ne s'étend pas à tous les comportements socialement répréhensibles (devoir général de ne pas nuire à autrui) mais uniquement à ceux qui comportent un danger pour la sécurité d'autrui. Au-delà de cette distinction importante – distinction qui touche au contenu du devoir de diligence –, il convient de rappeler que la négligence criminelle s'écarte de la responsabilité civile dans la mesure où elle exige une dérogation *marquée* et *importante* avec la conduite d'une personne raisonnable placée dans les mêmes circonstances. Pour engager la responsabilité criminelle de l'individu, la négligence observée doit donc être *substantielle* faute de quoi la coloration criminelle de la négligence s'effacera au profit d'une négligence pénale (conduite dangereuse, usage négligent d'une arme à feu, etc.) ou civile (responsabilité civile délictuelle).

---

804   *Id.*, par. 32 et 33.

Chapitre cinquième

La négligence pénale

429. Si la négligence criminelle oscille depuis quelques années entre la faute subjective et la faute objective, l'introduction récente de la négligence pénale au Canada marque le début d'une ère nouvelle, fondée sur la reconnaissance de la faute objective comme fondement suffisant de culpabilité en matière criminelle. L'intervention de la justice punitive, qui était autrefois dominée par les notions d'intention et d'insouciance, « se double désormais d'une relation d'objet »[805] dans laquelle figurent non seulement l'accusé en tant qu'individu à juger, mais la société en tant que groupe à protéger. Derrière l'avènement de la négligence pénale au Canada, une autre vérité est donc à l'œuvre; une vérité qui, une fois combinée aux dispositions applicables en matière de négligence criminelle, fait de la culpabilité non seulement un système d'interdictions multiples, mais un réseau d'obligations normatives dont le but, ouvertement affiché, est de protéger la société contre les risques découlant de certaines activités dangereuses[806]. À l'*hostilité* traditionnelle de l'accusé succède donc l'*indifférence* du citoyen à l'égard de la norme sociale protégée, car :

> [S]i la Morale se donne pour mission de rendre l'homme parfait, de le purifier, si elle le considère dans ce but par rapport à ce qu'il est, le droit pénal lui, plus pragmatique et plus utilitariste, a pour seule tâche d'assurer l'ordre social en sauvegardant les valeurs sociales reconnues comme telles. Dans l'accomplissement de cette mission, et s'il y va de l'intérêt de la société, il lui est tout à fait possible de juger le citoyen par rapport à ce qu'il a fait, c'est-à-

---

805   Formulation empruntée à M. FOUCAULT, *op. cit.*, note 6, p. 120.
806   *Id.*, p. 27.

dire pour ne pas avoir eu un comportement normal, celui qui respecte les valeurs sociales[807].

430. L'objet de ce cinquième chapitre consacré à la négligence pénale au Canada est d'étudier les principes qui gouvernent ce concept en droit criminel. Alors que la première section s'intéresse à l'objet de la négligence pénale au Canada, la deuxième se préoccupe de la capacité requise en semblable matière, la troisième de ses conditions d'ouverture puis la quatrième des principales infractions qu'elle abrite.

Première section : L'objet de la négligence pénale au Canada

431. L'objet de la négligence pénale au Canada est de promouvoir la prudence et la bonne conduite en matière d'activités dangereuses. Discutant de la norme de faute applicable à l'article 86(2) [maintenant 86(1)] du *Code criminel*, l'ancien juge en chef Lamer écrit dans l'arrêt *R. c. Gosset*[808] :

> Quoique l'expression « d'une manière négligente » ne soit pas utilisée ailleurs dans le *Code criminel*, il existe un certain nombre de dispositions analogues au par. 86(2) [maintenant 86(1) C.cr.]. Par exemple, les art. 79 et 80 créant une infraction qui rend passible d'une peine une personne qui, ayant sous ses soins ou son contrôle une substance explosive, manque à l'obligation de prendre des précautions pour que cette substance explosive ne cause ni blessures corporelles ni dommages à la propriété. L'article 436 crée une infraction qui entraîne une peine pour une personne qui s'écarte de façon marquée du comportement normal qu'une personne raisonnablement prudente adopterait pour prévoir les incendies ou en limiter la propagation ou pour prévenir les explosions,

---

807   A.-C. DANA, *op. cit.*, note 5, p. 283 et 284.
808   [1993] 3 R.C.S. 76.

dans les cas où l'incendie ou l'explosion cause des lésions corporelles à une personne ou la détérioration de biens. Ces dispositions indiquent l'intention du législateur d'informer les personnes qui ont sous leurs soins ou leur contrôle des substances fondamentalement dangereuses que la société leur impose une obligation spécifique de diligence.[809]

432. Désormais, le droit criminel change de rouages[810]. D'une responsabilité fondée sur l'état d'esprit de l'accusé au moment du crime, nous passons à une responsabilité centrée sur son absence de diligence. Ce changement d'orientation, il va de soi, opère une transformation dans la fonction punitive; transformation dans la manière d'envisager la peine, glissement de son point d'application, reconfiguration de ses mécanismes d'intervention, etc. Dorénavant, ce n'est plus la dissuasion qui compte, mais l'exemplarité, entendue non pas dans son sens traditionnel de souffrance et d'horreur, mais dans son expression plus contemporaine de prudence et de diligence. Dans son document de travail intitulé *L'omission, la négligence et la mise en danger*, la Commission de réforme du droit du Canada souligne la vocation sociale qui sous-tend la notion de négligence en droit pénal :

> L'autre erreur consiste à considérer la dissuasion comme la seule fonction de la loi pénale. N'y a t-il pas également place pour la réforme, la prévention et la défense des valeurs admises? Même si la sanction d'une imprudence n'a aucun effet dissuasif, ne pourra-t-elle pas avoir un effet préventif et rappeler aux délinquants qu'ils doivent prendre leurs précautions à l'avenir? Ne pourra-t-elle pas prévenir la commission d'autres imprudences et affirmer publiquement la valeur accordée à la prudence?[811]

---

809   *Id.*, 89 et 90.

810   Formulation empruntée à M. FOUCAULT, *op. cit.*, note 6.

811   COMMISSION DE RÉFORME DU DROIT DU CANADA, *L'omission, la négligence et la mise en danger*, (1985), document de travail n° 46, p. 26, cité dans *R. c. Gosset*, précité, note 808, 90.

433. Déplacement d'objet, peut-être. Changement d'attitude, à coup sûr[812]. « Que la punition regarde vers l'avenir, et qu'une au moins de ses fonctions majeures soit de prévenir, c'était depuis des siècles une des justifications courantes du droit de punir. Mais la différence, écrit Michel Foucault, c'est que la prévention qu'on attendait comme un effet du châtiment et de son éclat, – donc de sa démesure –, tend à devenir maintenant le principe de son économie, et la mesure de ses justes proportions. Il faut punir maintenant non plus seulement pour dissuader mais pour prévenir. »[813] Aux valeurs traditionnelles de punition s'ajoutent donc celles de l'orientation sociale et de la protection publique.

Deuxième section : La capacité en matière de négligence pénale

434. Au Canada, l'étude de la capacité en matière de négligence pénale comprend deux considérations, selon qu'elle est envisagée du point de vue de l'imputabilité, *c'est la capacité de commettre un crime, de répondre pénalement de ses actes*, ou du risque anticipé, *c'est la capacité propre aux crimes de négligence criminelle et pénale ainsi qu'à l'homicide involontaire coupable.*

Première sous-section : La capacité de commettre un crime ou de répondre pénalement de ses actes (imputabilité traditionnelle)

435. Comme il n'y a pas de crime sans volonté et que la volonté repose sur la capacité d'orienter intelligemment et librement sa conduite, c'est de ce côté qu'il faut commencer notre analyse de la capacité en matière de négligence pénale.

---

812   M. FOUCAULT, *op. cit.*, note 6, p. 24.
813   *Id.*, p. 111.

436. En ce qui concerne, tout d'abord, l'intelligence, celle-ci sera génératrice de responsabilité à partir de l'âge de 12 ans. L'article 13 C.cr. étant clair, il n'y a pas lieu de l'interpréter autrement. Loin d'être limité à la minorité, l'absence de discernement intellectuel et moral de l'individu s'étend également à la présence de troubles mentaux. Incapable de diriger sa conduite, de réfléchir rationnellement sur la signification morale de ses actes, l'accusé s'engouffre dans l'abîme de la démence. « À chaque pas [qu'il fait], la faille s'entrouve et se creuse »[814]. « Et du gouffre où il plonge, le [fou] retombe dans un autre quand, du présent évanoui, [la réalité glisse hors de son esprit] »[815]. L'aliéné n'est donc pas responsable de ses actes en matière d'infractions de négligence pénale.

437. Si une personne âgée de 12 ans et douée d'une intelligence minimale peut engager sa responsabilité au point de vue pénal, encore faut-il que son acte soit la traduction d'une volonté libre et sans contrainte, car sans volonté, sans liberté de choix, l'action n'est pas un crime, mais un simple dommage, avons-nous dit. C'est dans cette perspective qu'il faut envisager l'effet exonératoire de la contrainte, de la nécessité et de l'impossibilité en droit pénal canadien; dans un contexte dominé par l'anéantissement de la volonté et la destruction du libre arbitre.

438. De ce qui précède, on peut conclure que l'homme est au centre de la responsabilité pénale, au cœur de sa manifestation au point de vue éthique. « Là où un être humain s'est manifesté, agissant en tant que tel, conscient des ses actes et libres de les vouloir, là le droit pénal interviendra. »[816]

---

814 D. DE VILLEPIN, *op. cit.*, note 711, p. 237.
815 *Id.*, p. 233.
816 A.-C. DANA, *op. cit.*, note 5, p. 49.

Deuxième sous-section :   La capacité de l'accusé
d'apprécier les risques reliés
à sa conduite (capacité propre
aux crimes de négligence)

439. Si la négligence, pour être attribuable à son auteur, suppose la présence d'un minimum d'intelligence et de liberté, encore faut-il que l'individu soit capable d'apprécier les risques reliés à son activité, car l'incapacité, une fois constatée, empêchera l'imposition de la norme de diligence à l'agent mis en cause[817]. En effet, on parle d'imprudence au sens privatif, écrit saint Thomas d'Aquin, « lorsqu'un sujet manque de prudence, alors qu'il *peut* et *doit* en avoir. L'imprudence ainsi comprise est péché en raison de la négligence, parce qu'on ne s'applique pas à posséder la prudence qu'il faudrait dans les circonstances »[818]. Ce principe, issu de la philosophie classique, fut repris par la juge McLachlin dans l'arrêt *R. c. Creighton*[819] :

Pour résumer, les prémisses fondamentales sur lesquelles repose notre droit criminel commandent que les caractéristiques person-

---

817   *R. c. Creighton*, précité, note 177, 65 :
     La règle d'une norme minimale uniforme pour les crimes auxquels s'applique un critère objectif ne connaît qu'une seule exception : l'incapacité à apprécier le risque. Le juge Holmes, en parlant de l'omission de faire preuve d'une diligence raisonnable, l'a exprimé dans les termes suivants :
     [traduction] Le principe selon lequel chacun est présumé posséder la capacité ordinaire de nuire à ses semblables souffre certaines exceptions, lesquelles viennent confirmer la règle ainsi que le fondement moral de la responsabilité en général. Quand un homme a un défaut en particulier de telle nature que tous peuvent reconnaître qu'il rend impossibles certaines précautions, cet homme ne sera pas jugé responsable de l'omission de les prendre.
     Voir également les commentaires de la juge McLachlin à la page 70 de la décision : « Le droit criminel prescrit une unique norme minimale que doivent observer tous ceux qui se livrent à l'activité en question, pourvu qu'ils jouissent de la capacité requise pour se rendre compte du danger. »

818   T. D'AQUIN, *op. cit.*, note 704, quest. 53, art. 1, p. 353.

819   Précité, note 177.

nelles qui ne se rapportent directement à un élément de l'infraction ne servent d'excuses que si elles établissent l'incapacité, que
ce soit l'incapacité à comprendre la nature et la qualité de sa conduite dans le contexte de crimes intentionnels, ou celle à apprécier le risque que comporte sa conduite dans le cas de crimes
d'homicide involontaire coupable ou de négligence pénale. C'est
tout ce qu'exige le principe suivant lequel les personnes moralement innocentes ne doivent pas être déclarées coupables d'une
infraction.

Ce critère découle, je crois, des prémisses fondamentales qui sous-
tendent notre système de justice criminelle. Mais fixer l'incapacité comme limite de la responsabilité criminelle résultant d'une
conduite négligente se justifie également sur le plan social. En
effet, dans une société qui expressément ou implicitement, autorise les gens à se livrer à une large gamme d'activités dangereuses
qui risquent de compromettre la sécurité d'autrui, il est raisonnable d'exiger que les personnes qui choisissent de participer à ces
activités et qui possèdent la capacité fondamentale d'en comprendre le danger se donnent la peine de se servir de cette capacité.
Non seulement l'omission de ce faire dénote-t-elle une faute
morale, mais c'est à bon droit que la sanction du droit criminel
est appliquée afin de dissuader les autres personnes qui choisissent de se lancer dans de telles activités d'agir sans prendre les
précautions qui s'imposent.[820]

440. C'est donc par rapport à la faute ou à la *mens rea* que
la capacité est envisagée en matière de négligence pénale. Sans
nier l'impact que peut avoir l'incapacité sur la constatation de la
faute, nous estimons que cette question devrait plutôt intervenir
en amont de la responsabilité, comme un facteur empêchant l'imposition de la norme de diligence à l'agent mis en cause[821]. Ainsi,

---

820   *Id.*, 66.
821   *Id.*, 61 :

> À mon avis, des considérations de principe et d'intérêt public commandent
> le maintien, pour le genre d'infractions dont il est question, d'une seule et
> uniforme norme juridique de diligence, sauf dans le cas de l'incapacité à
> apprécier la nature du risque que comporte l'activité en question.

« lorsqu'on estime que [l'incapacité de l'individu à apprécier les risques reliés à son activité] écarte la culpabilité [en matière de négligence], la vérité est qu'elle le fait non pas en détruisant l'une de ses composantes, mais en interdisant, d'une manière plus radicale, d'en examiner la réalisation »[822]. « Que [l'incapacité à apprécier les risques] empêche la constatation d'une faute, nul ne pourrait le contester. Mais elle le fait au même tire que l'[incapacité] sous sa forme classique et reconnue parce qu'elle écarte l'imputabilité pénale propre à la négligence, condition préalable à l'examen de la culpabilité. »[823] Résultat : l'incapacité d'une personne à apprécier les risques reliés à son activité agit au niveau le plus fondamental de l'infraction, comme une exemption de responsabilité pénale fondée sur son *incapacité à obéir à la norme de diligence*. Malgré son rapport avec l'imputabilité, l'incapacité se traduira habituellement au procès par une négation de la *mens rea*. Il s'agit là d'une conséquence de l'arrêt *Creighton* à laquelle nous ne pouvons déroger.

441. Une fois la capacité définie, il importe d'examiner les facteurs pouvant empêcher sa constatation. Sur ce point, il ne fait aucun doute que les troubles mentaux non exonératoires, ou demi-folies, occupent le premier rang des facteurs incapacitants. On n'a qu'à penser au retard mental léger ou moyen qui, tout en n'étant pas assez puissant pour entraîner l'acquittement de l'individu en

---

Voir également les commentaires du juge Manson dans l'arrêt *R.* c. *Blanchard*, [1994] Y.J. (Quicklaw) n° 135, par. 24 (Terr. Ct.), lorsqu'il souligne l'antériorité de la question de la capacité sur l'analyse de la conduite de l'accusé par rapport à celle d'une personne raisonnable placée dans les mêmes circonstances :

> *Accordingly, if there is no issue of incapacity*, it appears that a two step analytical process is required:
> **A.** How should the reasonably prudent owner of a truck deal with a rifle in a cloth case and live ammunition when parking during the evening in a hotel parking lot?
> **B.** If that standard has not been met, can it be said that the default is a marked departure?

822   A.-C. DANA, *op. cit.*, note 5, p. 192.
823   *Id.*

vertu de l'article 16 C.cr., mine sa capacité d'apprécier les risques reliés à sa conduite. Discutant de la responsabilité d'un jeune garçon, souffrant de déficience intellectuelle, qui était accusé d'homicide involontaire coupable suite à l'utilisation négligente d'une arme à feu, le juge Coppleman dans l'arrêt *R. c. K.J.L.*[824], souligne l'importance de ce facteur dans l'appréciation de la faute de l'accusé :

There is no doubt that the *actus reus* is established. The accused was carrying the rifle in a careless manner and acted unlawfully contrary to Section 86(2) of the *Criminal Code* of Canada. There is no evidence that he pointed the weapon at his friend, but neither is there evidence that the bullet fired from the weapon ricocheted off something else before it struck the victim. The "unlawful act" is therefore established and an affirmative answer must be given to the first test.

In my opinion the question of whether or not a responsible person would foresee the risk of harm must also be answered affirmatively. The accused was handed a weapon, and did not check to see if it was loaded or cocked. If it wasn't cocked then before he pulled the trigger, he must have cocked it himself. Any reasonable person could foresee the risk of harm in those actions.

The third question must be addressed – did the accused possess the requisite capacity to appreciate the risk inherent in his actions? The evidence is that he was markedly behind in his mental development by as much as two years. He was however aware of the effects of firing a rifle at small animals. He had been playing with a rifle on at least one previous occasion.

[...]

When considering the boy's capacity to appreciate risk, the evidence is that it was significantly diminished. His mental age at the time was around nine years four months to ten years three months. During cross-examination the witness agreed that it was possible he possessed the skills of an eleven-year-old when this event occurred. In this case, the significantly reduced ability to

---

824   [1999] M.J. (Quicklaw) n° 279 (Prov. Ct.).

appreciate the risk involved and diminished capacity for problem solving led me to conclude that the accused, at the time of the event, did not have the capacity to appreciate the risk inherently involved in his actions.[825]

442. Les maladies cognitives, comme la démence et le *delirium*, sont d'autres pathologies qui, en raison de leurs symptômes incapacitants, peuvent freiner l'attribution de la responsabilité en matière de négligence pénale. Parmi les autres causes d'incapacité formellement reconnues par la Cour suprême du Canada, mentionnons l'analphabétisme – c'est l'exemple de la personne qui manipule une bouteille portant la mention « nitroglycérine » – et certains troubles de perception[826]. En ce qui concerne finalement les croyances religieuses, l'inexpérience et la jeunesse, disons simplement que ces facteurs ne sont généralement pas reconnus comme source d'incapacité pénale.

Troisième section : La structure matérielle et psychologique à la base de la négligence pénale

Première sous-section : L'élément matériel (*actus reus*)

443. Au Canada, l'*actus reus* de la négligence pénale est la conduite qui révèle une dérogation marquée par rapport à la norme

---

825   *Id.*, par. 20-24.
826   *R.* c. *Creighton*, précité, note 177, 69 :

    Il se peut que dans certains cas des lacunes dans l'instruction, comme l'analphabétisme chez une personne qui manipule une bouteille portant la mention « nitroglycérine » dans l'exemple du Juge en chef, puissent mettre une personne dans l'impossibilité d'apprécier le risque inhérent à sa conduite. Il pourrait en être de même des troubles de perception et, à ce moment-là, indépendamment de la diligence dont elle a pu faire preuve, la personne en question aurait été incapable d'apprécier le risque, ce qui lui aurait valu en conséquence l'acquittement.

d'une personne raisonnable placée dans les mêmes circonstances. D'après la juge McLachlin dans l'arrêt *R. c. Creighton*[827] :

> Suivant le premier de ces concepts, quiconque se livre à des activités risquées peut légitimement se voir soumis en droit criminel à une norme minimale de diligence établie en fonction de ce qu'aurait fait une personne raisonnable dans les mêmes circonstances. Ce concept suppose une norme uniforme applicable à toutes les personnes qui se livrent à une activité donnée, indépendamment de leurs antécédents, de leur degré d'instruction ou de leur état psychologique.[828]

> [...] La norme juridique de diligence reste toujours la même : ce qu'aurait fait une personne raisonnable dans les mêmes circonstances. La norme effectivement appliquée peut toutefois varier en fonction de l'activité dont il s'agit et des circonstances en l'espèce.[829]

444. Si les caractéristiques personnelles de l'individu, autres que l'incapacité, ne sont pas pertinentes au stade de l'évaluation de la conduite de l'accusé, celle-ci doit cependant démontrer un écart marqué par rapport à la conduite d'une personne raisonnable placée dans les mêmes circonstances. L'examen de la conduite de l'accusé ne se fait donc pas dans un vide factuel, mais dans le cadre de « toutes les circonstances de l'affaire, y compris les événements imprévus[830] et les renseignements erronés auxquels le destinataire

---

827 *Id.*

828 *Id.*, 60.

829 *Id.*, 71.

830 Voir sur cepoint *R. c. Brosseau*, [2003] J.Q. (Quicklaw) n° 3857, par. 64-67 (C.Q.) :

> D'abord, il actionne les freins, diminue sa vitesse et bifurque vers l'accotement. Cette triple manoeuvre laisse clairement à penser qu'il se prépare à se ranger pour laisser place au véhicule d'urgence qui s'approche de lui. C'est d'ailleurs la première déduction que Brosseau a faite, tout en continuant de ralentir au maximum, mais avec précaution. Déduction, d'ailleurs, tout à fait raisonnable dans les circonstances. L'ambulancier doit aborder sa propre manoeuvre en tenant compte de ce qui est alors prévisible, comme

a raisonnablement ajouté foi »[831]. Ces circonstances, précise la juge McLachlin, doivent être envisagées au moment d'appliquer le critère objectif :

> Ainsi un soudeur qui cause une explosion en allumant son chalumeau peut se voir excuser si, d'après les renseignements qu'il a demandés et auxquels il pouvait raisonnablement ajouter foi, il n'y avait pas de gaz explosif à l'endroit en question. La nécessité de prendre en considération toutes les circonstances en appliquant le critère objectif à des infractions de négligence pénale a été confirmée dans l'arrêt *R. c. Hundal*[832].

ce fut le cas jusqu'à ce que l'autre conducteur modifie radicalement la sienne, probablement par nervosité, en s'immobilisant complètement dans la voie de circulation.

Bien que la mauvaise réaction d'un conducteur soit généralement prévisible, à partir du moment où tout laisse croire, de façon objective, qu'il ralentit pour se ranger et libérer le passage, on ne peut certes exiger, de l'ambulancier, qu'il prévoit, comme ce fut le cas ici, que soudainement le conducteur changera complètement sa manoeuvre. Agissant ainsi, il vient fausser la perception que l'ambulancier s'est faite de son intention. Exiger plus, équivaudrait à obliger un conducteur de véhicule d'urgence qu'il s'immobilise, ou presque, à chaque fois qu'un véhicule circulant devant lui roule plus lentement, ce qui entraînerait une perte de temps précieux, chose à éviter dans des cas d'urgence.

Le Tribunal en arrive donc à la conclusion que, du point de départ jusqu'à l'accrochage, la conduite du prévenu ne constitue pas un écart marqué ou important par rapport à la norme que respecterait une personne, raisonnablement prudente, et se trouvant dans la même situation que lui.

La prévision objective que sa conduite pouvait être dangereuse n'a pas été établie.

831   *R. c. Creighton*, précité, note 177, 70.

832   *Id.*, 71. Voir également *R. c. Gougeon*, 2006 QCCA 432, par. 20 et 21 (C.A.) :

> L'appelant a, à l'évidence, perdu son sang froid à la suite des propos perturbateurs tenus par son frère en un moment de grande tension. L'objet que l'on était incapable d'identifier devient, sans que l'on s'en soit rapproché, non seulement un orignal mais un « buck » portant panache qui tente même de se sauver! L'affolement a remplacé la raison, le mirage la réalité.
>
> L'appelant a certes cru voir un orignal, à une distance fort éloignée, et il ne s'est pas assuré, comme il aurait dû le faire, de bien identifier la cible avant de tirer. Un chasseur doit faire preuve de beaucoup prudence. L'appelant n'a pas été prudent, son comportement constitue un écart marqué par rapport à la norme de diligence qu'aurait observée une personne raisonnablement prudente et son erreur sur l'identité de la cible, bien qu'elle fût honnête, ne constitue pas une excuse légitime.

445. Avant de terminer cette analyse consacrée à l'*actus reus* de la négligence pénale, il importe de bien distinguer cet élément de faute de la négligence criminelle prévue à l'article 219 C.cr. Alors que la première forme de négligence exige un écart *marqué* par rapport à la norme de la personne raisonnable, la seconde suppose la « preuve d'une conduite qui révèle une dérogation *marquée et importante* (insouciance déréglée ou téméraire) à ce que l'on est en droit de s'attendre d'une personne raisonnablement prudente dans les circonstances »[833]. La négligence pénale et la négligence criminelle partagent donc le même élément de faute; l'absence de diligence, mais se distinguent quant à l'écart observé entre la conduite de l'accusé et celle de la personne raisonnable. Résultat : sur une échelle de gravité, « la négligence criminelle se situe à un échelon supérieur à celui de la [négligence pénale], c'est-à-dire que l'écart doit être plus marqué, cette norme imprégnant tant l'élément matériel que l'élément moral »[834]

Deuxième sous-section : L'élément de faute (*mens rea*)

446. Après avoir défini l'élément matériel des infractions de négligence pénale, il nous faut maintenant examiner l'élément de faute applicable en semblable matière, voir en quoi il se distingue des autres formes de *mens rea* telles que l'intention et l'insouciance. Sur ce point, la Cour suprême du Canada est catégorique : « la faute morale [dans les cas de *mens rea* objective] tient à l'omission d'envisager [ou d'éviter] un risque dont une personne raisonnable se serait rendu compte (absence de réflexion quant au risque et à la nécessité de prudence) »[835]. Cette absence de réflexion suppose,

---

833   *R.* c. *Tutton*, précité, note 652, 1431. Il s'agit d'une différence de degré et non de nature. Voir sur ce point *R.* c. *Champagne*, [1995] O.J. (Quicklaw) n° 2995 (Ct. of J. (Gen. Div.)).

834   *R.* c. *Palin*, précité, note 793, par. 24.

835   *R.* c. *Creighton*, précité, note 177, 58 et 59 :

   La *mens rea* objective n'a rien à voir avec ce qui s'est passé effectivement dans l'esprit de l'accusé, mais concerne ce qui aurait dû s'y passer si ce dernier avait agi raisonnablement. Il est maintenant établi qu'une personne peut, sur le fondement du critère objectif, voir sa responsabilité criminelle

bien entendu, un certain niveau de capacité chez l'individu. Capacité d'orienter intelligemment et librement sa conduite, tout d'abord, puis capacité d'apprécier les risques reliés à sa conduite, car « la justification sociale d'une norme uniforme de diligence ne joue plus du moment qu'il y a incapacité. En effet, il ne sert à rien de déclarer coupable et de punir une personne qui n'a pas la capacité de faire, ce que du point de vue juridique, elle aurait dû faire »[836]. « Ce qui est puni, en d'autres mots, n'est pas un état d'esprit mais les conséquences d'une action irréfléchie. »[837] La faute n'est donc pas préalable à la violation de la norme, elle est cette violation de la norme dans un contexte où l'individu *pouvait* et *devait* prévenir ce risque.

447.   Une fois la faute définie, voici, selon la Cour suprême du Canada, les étapes qu'il faut franchir au moment d'évaluer la responsabilité pénale d'un individu accusé d'une infraction de négligence pénale :

> On doit se demander en premier lieu si l'*actus reus* a été prouvé. Il faut pour cela que la négligence représente dans toutes les circonstances de l'affaire un écart marqué par rapport à la norme de la personne raisonnable. Cet écart peut consister à exercer l'activité d'une manière dangereuse ou bien à s'y livrer alors qu'il est dangereux de le faire dans les circonstances.

> Se pose ensuite la question de savoir si la *mens rea* a été établie. Comme c'est le cas des crimes comportant une *mens rea* subjective, la *mens rea* requise pour qu'il y ait prévision objective du risque de causer un préjudice s'infère normalement des faits. La norme applicable est celle de la personne raisonnable se trouvant dans la même situation que l'accusé. Si une personne a commis

---

engagée pour une conduite négligente, sans qu'il y ait de ce seul fait violation du principe de justice fondamentale selon lequel la faute morale de l'accusé doit être proportionnelle à la gravité de l'infraction et à la peine qui s'y rattache : *R.* c. *Hundal*, [1993] 1 R.C.S. 867.

836   *Id.*, 67.

837   *R.* c. *Tutton*, précité, note 652, 1430.

un acte manifestement dangereux, il est raisonnable, en l'absence d'indications du contraire, d'en déduire qu'elle n'a pas réfléchi au risque et à la nécessité de prudence. L'inférence normale peut toutefois être écartée par une preuve qui fait naître un doute raisonnable quant à l'absence de capacité d'apprécier le risque. Ainsi, si l'*actus reus* et la *mens rea* sont tous deux établis au moyen d'une preuve suffisante à première vue, il faut se demander en outre si l'accusé possédait la capacité requise d'apprécier le risque inhérent à sa conduite. Dans l'hypothèse d'une réponse affirmative à cette dernière question, la faute morale nécessaire est établie et un verdict de culpabilité peut à bon droit être rendu contre l'accusé. Dans l'hypothèse contraire, c'est un verdict d'acquittement qui s'impose.[838]

448. Loin d'être une réalité insaisissable, la *mens rea* en matière de négligence pénale correspond donc à « une faute psychologique de prévision »[839]. « L'auteur de l'acte serait coupable car il n'a pas prévu les conséquences dommageables de son acte, ou bien parce qu'il n'a pas pris les précautions nécessaires pour les empêcher de survenir. »[840]

449. Cela étant, existe-t-il une distinction entre la négligence criminelle et les infractions de négligence pénale? Pour répondre à cette question, il faut regarder, tout d'abord, la nature de la faute impliquée dans ces deux catégories d'infractions. Sur ce point, il ne fait aucun doute que la distinction est inexistante. En effet, les deux types de négligence punissent exactement la même chose : l'omission « d'envisager un risque dont une personne raisonnable se serait rendu compte »[841]. Si la distinction entre la négligence pénale et la négligence criminelle ne tient pas à la nature de la faute impliquée, alors sur quel élément repose-t-elle? Sur l'intensité du relâchement de la volonté, répondons-nous. La faute étant rattachée au reproche qui peut être adressé à l'accusé au

---

838   *R. c. Creighton*, précité, note 177, 73 et 74.
839   A.-C. DANA, *op. cit.*, note 5, p. 279 et suiv.
840   *Id.*
841   *R. c. Creighton*, précité, note 177, 58.

moment du crime, celle-ci variera en fonction de la gravité du comportement allégué. Rouler à 130 km/h dans une zone scolaire n'est-il pas, après tout, plus négligent que brûler un feu rouge en raison de l'utilisation d'un téléphone cellulaire? Certes, il s'agit toujours de négligence, mais la faute, tenant pour acquis que les deux individus étaient en mesure d'entrevoir les risques reliés à leur activité, est, selon nous, plus grande dans le premier cas. Le risque étant plus visible, le fait de ne pas l'avoir vu (ou de ne pas l'avoir considéré) dans des conditions aussi manifestes démontre une faute encore plus importante. Il s'agit donc d'une différence de *degré* et non de *nature*.

Quatrième section : Étude des infractions de négligence pénale

450. Ayant, dans un premier temps, précisé l'objet de la né-gligence pénale au Canada, puis cerné ses différentes conditions d'ouverture, il convient maintenant d'examiner l'application de ses critères dans le cadre des principales infractions de négligence pénale que sont la conduite dangereuse, l'omission de fournir les choses nécessaires à l'existence, l'utilisation négligente d'une arme à feu, l'incendie criminel par négligence et le manque de précau-tions à l'égard d'explosifs.

451. *Conduite dangereuse* : Aux termes de l'article 249(1) du *Code criminel* :

249. (1) **[Conduite dangereuse]** Commet une infraction quicon-que conduit, selon le cas :

a) un véhicule à moteur d'une façon dangereuse pour le public, eu égard aux circonstances, y compris la nature et l'état du lieu, l'utilisation qui en est faite ainsi que l'intensité de la circulation à ce moment ou raisonnablement prévisible dans ce lieu; [...].

452. D'après la Cour suprême du Canada, dans l'arrêt *R. c. Hundal*[842], la conduite dangereuse repose sur un critère objectif. Parmi les facteurs militant en faveur de l'emploi d'un tel critère au Canada, mentionnons l'exigence d'un permis de conduire[843], la nature automatique et réactive de la conduite d'un véhicule automobile[844], le libellé de l'article 249 C.cr.[845] et les statistiques

---

842   Précité, note 23.

843   *Id.*, 884 :

> Premièrement, seuls les titulaires d'un permis sont autorisés à conduire. Cette exigence quant à la possession d'un permis a pour effet de démontrer que ceux qui conduisent en sont mentalement et physiquement capables. Elle sert en outre à confirmer que les personnes qui conduisent connaissent les normes de diligence auxquelles sont soumis tous les conducteurs. De plus, vu l'exigence d'un permis de conduire, il faut tenir compte de ce que les titulaires de permis choisissent de se livrer à l'activité réglementée qu'est la conduite d'un véhicule automobile. Ils assument ainsi une responsabilité envers tous les autres membres du public qui circulent sur les chemins.
>
> Dès lors, un tribunal n'est pas tenu d'établir que l'accusé a voulu les conséquences de sa façon de conduire ou qu'il en était conscient. Cela est rendu superflu par la norme minimale quant à la santé physique et mentale ainsi que par la connaissance de base de la norme de diligence que doivent avoir les titulaires de permis de conduire. En règle générale, la prise en considération des facteurs personnels, essentielle pour la détermination de l'intention subjective, n'est tout simplement pas nécessaire compte tenu des normes fixes auxquelles doivent satisfaire les titulaires de permis de conduire.

> Voir également *R. c. Lane*, [2001] B.C.J. (Quicklaw) n° 300 (C.A. C.-B.).

844   *R. c. Hundal, id.*, 884 et 885 :

> Deuxièmement, de par sa nature même, la conduite d'un véhicule automobile présente souvent un aspect habituel et automatique, à tel point en fait qu'il est presque impossible de déterminer quel pouvait être l'état d'esprit d'un conducteur à un moment donné. La plupart des adultes canadiens savent conduire. Certes, nul ne contesterait que dans une très grande mesure on conduit sans beaucoup y penser. Il s'agit d'une activité de caractère essentiellement réactif où ne joue pas la réflexion. Elle est tout aussi habituelle et familière que peut l'être le fait de prendre une douche ou de se rendre au travail. Dans bien des cas, le conducteur se trouve dans l'impossibilité de dire ce qu'a été son intention précise à un moment particulier au cours d'un voyage, si ce n'est le désir d'arriver à destination.
>
> Il serait contraire au bon sens d'acquitter au motif qu'il ne pensait pas lors de l'accident à sa façon de conduire, un conducteur qui a agi d'une manière objectivement dangereuse.

845   *Id.*, 885 :

> Troisièmement, le libellé même de l'article, qui parle de la conduite d'un véhicule à moteur « d'une façon dangereuse pour le public, compte tenu de

dramatiques concernant le nombre de personnes tuées ou blessées chaque année sur les routes du Canada[846]. Dans ces circonstances :

> La question à se poser n'est pas de savoir ce qu'a été l'intention subjective de l'accusé mais bien de savoir si, du point de vue objectif, il a satisfait à la norme appropriée de diligence. Il n'y a rien de particulièrement difficile à déterminer si un conducteur a manqué de façon palpable à la norme acceptable de diligence. Sans aucun doute, la plupart des canadiens comprennent bien et reconnaissent facilement le concept de négligence.[847]

453. La faute étant objective, « la question ne porte pas sur ce qui s'est passé dans l'esprit de l'accusé, mais sur l'absence d'un état mental de diligence. »[848] Ce manque de diligence, poursuit la Cour, se déduit de la présence d'un écart marqué entre la conduite de l'individu et celle d'une personne raisonnable placée dans les mêmes circonstances[849]. L'inattention momentanée (qui

---

toutes les circonstances », porte à croire à une norme objective. On ne peut comparer la « façon de conduire » qu'à une norme de comportement raisonnable. Cette norme se prête aisément à un jugement et à une appréciation par quiconque est appelé à devenir juré.

846   *Id.*, 885 et 886 :

Quatrièmement, les statistiques qui démontrent que bien trop de décès tragiques et de blessures invalidantes résultent de la conduite de véhicules automobiles, témoignent de la nécessité de contrôler le comportement des conducteurs. Il s'agit d'une nécessité manifeste et urgente.

847   *Id.*, 885.

848   *Id.*, 872.

849   *R.* c. *Brander*, précité, note 770, par. 87-90 :

It might be argued that Constable Brander should have activated his emergency lights or siren as he was coming out of the dip and saw the Tempo in the left turn lane. However, the evidence demonstrates that for Constable Brander to do so in this particular police car would require him to take one hand off the steering wheel, turn his body to the right, and reach back to the switches on the panel in the console somewhat behind him. To do so might well have jeopardized his control of his vehicle. Moreover, the evidence is that at that same point in time, Constable Brander was aware that Constable Lavoie was "referencing" (ie. placing his hands on) those same emergency switches and indeed, the understanding reached earlier that morning between them was that Constable Lavoie would operate the emergency

entraîne la responsabilité civile) et la conduite imprudente (qui est
prévue dans le Code de la route de chaque province) ne sont donc

---

equipment if it became necessary. Given those circumstances, I cannot
conclude that a reasonable police officer driving in those circumstances
would have activated the emergency equipment at that point in time.
Accordingly, I cannot conclude that Constable Brander was unreasonable
in not activating the emergency equipment at the point where he saw the
Tempo as he was coming out of the dip.

Finally, the evidence satisfies me that, as soon as the Tempo commenced its
turn, Constable Brander did all that anyone could reasonably do to try and
avoid the collision.

However, as I dissect Constable Brander's driving between 127th Street
and 121st Street, there is one point where the emergency equipment could
and should have been activated. I am satisfied that a reasonable police
officer in these circumstances would, having regard to his speed and the
fact that he was in an unmarked police car, have activated or told his part-
ner to activate, the emergency equipment at the point in time after the road
ahead was clear and he was beginning his significant acceleration as he
headed down into the dip. At that point, he could do so easily and with minimal risk of loss of control. He would have kept it activated at least until he
had cleared the intersection which he knew was ahead. He would do so as
a precautionary measure to alert any persons who might be at the intersection that he was coming. He could, if he wished to reduce the chance of
precipitating a chase, turned the emergency equipment off once he had
cleared the intersection. Constable Brander did not do this. In my opinion,
Constable Brander's failure to activate the emergency equipment at this
point was negligent.

In the final analysis, I conclude that Constable Brander's manner of operating the Crown Victoria was negligent only in the particular manner I have
just described. It was, thus, a departure from the standard of driving of a
reasonable police officer in these circumstances. Constable Brander made
an error in judgment. However, I am not convinced that such a departure
can be described as a "marked" departure such as is required by the law in
order to elevate Constable Brander's negligent driving to the level of the
crime of dangerous driving.

R. c. *Thériault*, 2005 QCCA 583, par. 4 (C.A.):

La conduite de l'appelant qui, selon les conclusions de fait du premier juge,
a, sur une voie rapide, coupé sans avertissement la trajectoire de l'automobile de la victime, tenté de lui bloquer le chemin à plusieurs reprises pour
ensuite, sans que le flot de la circulation ne le justifie de quelque façon, freiner brusquement, causant ainsi l'embardée de l'automobile qui le suivait,
constitue manifestement un « écart marqué » par rapport à la norme de diligence au sens de l'arrêt *R.* c. *Hundal*, [1993] 1 R.C.S. 867.

Voir également *R.* c. *DeGoey*, (2005) 197 C.C.C. (3d) 24 (C.A. Ont.) et
R. c. *Bilodeau*, (2005) 204 C.C.C. (3d) 99 (C.A. C.-B.).

pas suffisantes pour engager la responsabilité du conducteur en vertu de l'article 249(1) du *Code criminel*.[850]

454. En ce qui concerne, par ailleurs, l'analyse de la conduite de l'accusé, celle-ci exige une évaluation contextuelle qui tient compte de tous les événements entourant l'incident en question[851]. Résultat :

> [L]e juge des faits peut conclure à la responsabilité s'il est convaincu hors de tout doute raisonnable que du point de vue objectif, l'accusé, pour reprendre les termes de l'article en cause, conduisait « d'une façon dangereuse pour le public, compte tenu de toutes les circonstances y compris la nature et l'état de cet endroit, l'utilisation qui en est faite ainsi que l'intensité de la circulation à ce moment ou raisonnablement prévisible à cet endroit ».[852]

---

850   *R. c. Bartlett*, [1998] O.J. (Quicklaw) n° 1608, par. 20 (C.A. Ont.) :
      Civil negligence occurs when there is an absence of reasonable care by the driver of the motor vehicle that may cause some damage to someone else. The next more serious degree of negligence in the operation of a motor vehicle is dangerous driving and that is a criminal act and while the definition of dangerous driving under s. 249 of the Code does not actually use the word "negligence" the conduct described by that section illustrates a pattern of driving that comes from the definition of negligence, but under s. 249 the driving must amount to more than an absence of reasonable care in the circumstances. It must be dangerous to the public. In other words, as I indicated, it must be a marked departure from what you would expect as a reasonable person in the driving that must be dangerous to the public.
      Voir également *R. c. Lane*, précité, note 843, par. 34 :
      In my judgment, the actions of Mr. Lane in creating the dust cloud which contributed to the collision with Mr. Akselson's vehicle and Mr. Koch's vehicle may have been and likely were negligent on the civil standard but not on the standard for criminal liability under Section 249 of the *Criminal Code*. It will be for the civil court to determine the relative responsibility of Mr. Lane, H.M.C. Services Incorporated, Mr. Akselson or others for the injuries suffered in this collision.
      In the result, I find that the Crown has not discharged the burden upon it of proving the charge against Mr. Lane under Section 249 of the *Criminal Code* beyond a reasonable doubt and I accordingly direct that the charges against him be dismissed.

851   *R. c. Hundal*, précité, note 23, 886.

852   *Id.*, 888.

455. C'est dans cette perspective qu'il faut envisager la culpabilité d'un chauffeur de camion surchargé qui a percuté mortellement une automobiliste après avoir brûlé un feu rouge, à un moment où la chaussée était humide et la circulation particulièrement dense, celle d'un individu qui, après s'être engagé dans une courbe raide à une vitesse excessive, dévia dans la voie de gauche causant ainsi la mort de deux jeunes personnes qui s'en venaient en sens inverse sur une mobylette[853] et, enfin, celle d'un policier qui s'était engagé à grande vitesse dans une zone scolaire située à une intersection achalandée, sans avoir diminué sa vitesse[854]. Dans tous ces cas, la conduite de l'accusé représentait un écart marqué par rapport à la conduite d'une personne raisonnable placée dans les mêmes circonstances[855]. En sens contraire, fut acquitté l'individu

---

853   R. c. *Guggisberg*, [1996] A.Q. (Quicklaw) n° 4427 (C.A.).

854   R. c. *Markovic*, [1998] A.Q. (Quicklaw) n° 466, par. 22 (C.A.) :
En l'espèce, avant même de s'engager dans l'intersection, l'appelant devait réaliser que rouler à vive allure sur une artère principale en milieu urbain en plein après-midi, au milieu de la semaine, comportait tant pour lui que pour les autres des risques sérieux. Alors qu'il devait tout mettre en oeuvre pour signaler sa présence suffisamment à temps et ajuster sa vitesse en conséquence lorsqu'il s'est engagé dans l'intersection, il n'a même pas vérifié les feux de circulation indiqués à trois endroits distincts : c'était pourtant là le premier réflexe qu'on était en droit d'attendre de tout patrouilleur prudent dans ces circonstances et cela est inexcusable, d'autant plus qu'il avait alors circulé sur une distance amplement suffisante pour lui donner tout le temps nécessaire pour, d'une part, constater au moins l'un des trois endroits qui indiquaient les feux de circulation et, d'autre part, signaler à temps sa présence par les coups de sirène appropriés. Rien dans la preuve ne laisse supposer que l'appelant n'a pas été en mesure de se rendre compte du risque ou du danger que tout patrouilleur raisonnable aurait reconnu inévitablement.

855   Voir également R. c. *Lane*, précité, note 843, par. 16 et 25; R. c. *Thériault*, précité, note 849; R. c. *Blackburn*, (2004) 186 C.C.C. (3d) 51 (C.A. Ont.); R. c. *Reid*, (1997) 124 C.C.C. (3d) 258 (C.A. C.-B.); R. c. *Quesnel*, [1999] J.Q. (Quicklaw) n° 5025(C.A.) :
The trial judge concluded, on his appreciation of the evidence, that appellant's speed constituted a marked departure from the standard of care of a reasonable person in the circumstances. In coming to that conclusion, he took into account all of the relevant circumstances including the nature, condition and use of the road where the accident happened, the fact that the road was an unlit country road with very little traffic at night, the fact that the maximum speed permitted was 80 km/hour, and the fact that the appellant was travelling very much faster than the speed permitted by law when he lost control of his automobile.

qui s'était engagé lentement dans une intersection au moment où le feu de circulation était jaune[856]. La cour ayant conclu que le piéton (la victime) était caché de la vue de l'accusé par une autre voiture, sa conduite ne pouvait objectivement être qualifiée de dangereuse[857].

456. Après avoir déterminé la nature exacte de la faute requise en matière de conduite dangereuse, il convient maintenant d'aborder la distinction entre la négligence criminelle (art. 219, 220 et 221 C.cr.) et la conduite dangereuse (art. 249 (1) C.cr.). Sur ce point, la jurisprudence est unanime : la conduite négligente d'un véhicule automobile est définie par rapport à l'écart observé entre la conduite de l'accusé et celle de la personne raisonnable placée dans les mêmes circonstances. Est-il marqué et important? Il s'agira alors de négligence criminelle. Au contraire, il s'agira de conduite dangereuse si l'écart, bien que palpable, n'est pas assez important pour constituer « une insouciance déréglée ou téméraire à l'égard de la vie ou de la sécurité d'autrui »[858]. Cette distinction, qui est fort importante, fut retenue par la Cour d'appel du Québec dans l'arrêt *R. c. Landreville*[859] :

> [B]oth the offence of dangerous operation of a motor vehicle causing bodily harm (Art. 249(1)) and the offence of causing harm by criminal negligence (Art. 219) appear to be characterized by a marked departure from the norm or standard of a reasonable person. In both cases, consideration must be given to adapting this criterion to particular circumstances of the case.
>
> Traditionally, the offence of dangerous operation of a motor vehicle causing bodily harm was considered less serious than offences involving criminal negligence. If we maintain this line of thought, the constituent elements of the two offences cannot be identical,

---

856   *R. c. Graindler*, [2001] A.Q. (Quicklaw) n° 1761 (C.A.).
857   *Id.*, par. 7 et 10.
858   *R. c. Palin*, précité, note 793, par. 127.
859   [1994] A.Q. (Quicklaw) n° 297 (C.A. Qué.).

and the marked departure from the standard or norm must be even greater in the case of causing bodily harm by criminal negligence. In other words, the continuum described by Cory J. in *Hundal* as ranging from negligent driving giving rise to civil liability and passing through careless driving under a provincial Highway statute to dangerous driving under the criminal Code continues even further to encompass criminal negligence.[860]

457. Ainsi, seront condamnés pour négligence criminelle ayant causé la mort, la conductrice qui a tenté de dépasser une autre voiture dans une côte, malgré la présence d'une ligne double et d'une mauvaise visibilité à cet endroit[861] et le conducteur au volant d'une voiture volée qui, après avoir brûlé plusieurs feux rouges à une vitesse excessive, heurta mortellement un policier qui venait de déposer un tapis clouté sur la chaussée[862]. En sens contraire, fut relaxé l'individu qui roula accidentellement sur le corps d'une personne qui venait de chuter de la boîte du camion dans lequel elle prenait place[863].

458. Quant à l'infraction de conduite dangereuse prévue à l'article 249(1) du Code, celle-ci est à l'origine de la condamnation de l'individu qui, sans aucune raison apparente, dévia de sa trajectoire dans une courbe pour empiéter sur la voie inverse, causant ainsi un accident mortel[864]. Ce cas n'est pas sans analogie avec celui de l'automobiliste qui décida d'emprunter la voie de gauche et d'y rester afin de rouler plus vite que les autres[865]. Bien que l'accusé n'ait pas démontré « une insouciance déréglée ou téméraire à l'égard de la vie ou de la sécurité d'autrui », le « fait de conduire dans la mauvaise voie à une vitesse légèrement au-dessus de la moyenne constituait nettement un danger pour le public au sens

---

860   *Id.*, par. 47 et 48.
861   *R.* c. *Fortier*, (1998) 127 C.C.C. (3d) 217, 223 et 224 (C.A. Qué.).
862   *R.* c. *Yazlovasky*, [1995] A.J. (Quicklaw) n° 1101, par. 16 (Alta. Q.B.).
863   *R.* c. *Mandamin*, précité, note 783, par. 33 et 34.
864   *R.* c. *Lang*, [1993] B.C.J. (Quicklaw) n° 2859, par. 24 (Prov. Ct.).
865   *R.* c. *Champagne*, précité, note 833.

de l'article 249 du Code »[866]. Discutant de la croyance sincère de l'individu quant à la présence d'un chemin à double voie, le juge Charron de la Cour de justice de l'Ontario écarta l'erreur de l'accusé pour absence de motif raisonnable :

> Dans son témoignage, M. Champagne a élaboré sur le fondement de son erreur quant à son droit de rouler sur la voie de gauche. Il a décrit et présenté des photos en démonstration d'endroits et de situations où des voies de circulation dans un même sens étaient démarquées d'une ligne double interdisant le changement de voie. Somme toute, une appréciation de la preuve dans son ensemble me porte à croire à la sincérité de l'erreur décrite par M. Champagne. De fait, cette erreur explique bien son comportement tel que décrit par tous les témoins. Il ne semblait pas ici s'agir, par exemple, d'un véhicule qui passait constamment d'une voie à l'autre afin de dépasser mais plutôt de quelqu'un qui conduisait, bien qu'un peu plus vite que les autres, en apparence tout à fait normale tout comme s'il roulait de plein droit dans cette voie. Par contre, je suis convaincue, compte tenu de toutes les circonstances, que l'erreur de M. Champagne était parfaitement déraisonnable.[867]

459. La condamnation d'un conducteur qui circulait à une vitesse élevée au volant d'une voiture munie de pneus usés à l'entrée d'une courbe sinueuse et étroite avec une vue obstruée par des arbres s'explique pour les mêmes considérations[868]. Dans la mesure où sa conduite représentait un écart marqué avec celle d'une per-

---

866   *Id*., par. 28

867   *Id*., par. 13. Voir également le paragraphe 15 :
> Pour lui de conclure qu'il se retrouvait à nouveau sur l'autoroute et que les deux voies étaient destinées à la circulation en direction ouest constituait en soi un écart marqué par rapport à la conduite qu'on peut s'attendre d'une personne raisonnable. De plus, compte tenu de toutes ces mêmes circonstances, il était imprudent de sa part de rouler plus vite que tous les autres comme il l'a fait.

868   *R*. c. *Adam*, [1995] A.Q. (Quicklaw) n° 769 (C.A. Qué.). Sur la vitesse comme facteur attributif de responsabilité en matière de conduite dangereuse, voir *R*. c. *Richards*, (2003) 174 C.C.C. (3d) 154 (C.A. Ont.).

sonne raisonnable placée dans la même situation[869], sa responsabilité fut retenue en vertu de l'article 249 du *Code criminel*. Nous reprenons à notre compte l'analyse proposée par la juge Otis pour évaluer la culpabilité de l'accusé :

> En l'espèce, la preuve démontre que l'appelant circulait à une vitesse très élevée, environ 60 km heure, dans un véhicule qu'il savait muni de pneus usés. Pour déterminer s'il y a conduite dangereuse, il faut considérer toutes « les circonstances, y compris la nature et l'état du lieu, l'utilisation qui en est faite... » (art. 249(1) C.cr.).
>
> Les éléments factuels qui font partie des circonstances dont il faut tenir compte sont les suivants :
>
> – La vitesse à laquelle circulait l'appelant soit environ 60 km heure;
> – La vitesse maximale permise est de 30 km heure;
> – La signalisation indique : « DANGER CHEMIN ÉTROIT »;
> – Des arbres situés en bordure de la route gênent la visibilité d'un conducteur circulant en direction est comme l'appelant;
> – La route est sinueuse, très étroite, et n'a pas d'accotement;
> – Les pneus avants de la voiture de l'appelant étaient usés et ce, à la connaissance de l'appelant qui en témoigne;

---

869   Voir sur ce point *R. c. Menezes*, précité, note 760, par. 76 :
      The crime of dangerous driving, on the other hand, is established where the prosecution proves a marked departure from the standard of conduct of a reasonably prudent driver in all the circumstances: *Criminal Code*, s. 249(1)(a); *Regina* v. *Rajic* (1993), 80 C.C.C. (3d) 533 (Ont. C.A.) at 537-8 per Carthy J.A. (leave to appeal refused, [1993] S.C.C.A. No. 265, [1993] 3 S.C.R. viii); *Regina* v. *Bartlett and Monk* (1998), 124 C.C.C. (3d) 417 (Ont. C.A.) at 423-6 per Laskin J.A. Viewed objectively, did the accused exercise the appropriate standard of care? (*Hundal* v. *The Queen* (1993), 79 C.C.C. (3d) 97 (S.C.C.) at 106 per Cory J.). All of the circumstances must be examined in the context of the nature, condition and use of the highway by the accused and the reasonably anticipated use by others without "conducting a frame-by-frame, tomographic-slice analysis of the evidence": *Regina* v. *F.(D.)* (1989), 52 C.C.C. (3d) 357 (Alta. C.A.) at 363 per McClung J.A. There must be danger to the public actually present or which might reasonably be expected in the vicinity when the driving occurred: *Regina* v. *Mueller* (1976), 29 C.C.C. (2d) 243 (Ont. C.A.) at 246 per Evans J.A.

– Suivant le témoignage de l'appelant, le recouvrement bitumineux bon marché devenait glissant par temps chaud, comme c'était le cas lors de l'accident;
– L'appelant connaissait très bien l'état de dangerosité de cette route qu'il empruntait souvent;
– Il semble que la route soit si dangereuse à cet endroit que la limite de vitesse doive être abaissée pendant l'hiver, pour éviter que des voitures ne plongent dans le lac;

Pour toutes ces raisons, j'estime que la conduite de l'appelant avait un écart marqué par rapport à celle d'une personne raisonnable placée dans la même situation. À mon avis, l'*actus reus* de l'infraction a été prouvé hors de tout doute raisonnable, et la *mens rea* nécessaire peut s'inférer des faits, conformément aux enseignements de l'arrêt *Creighton*. Par ailleurs, il n'y a aucune preuve susceptible de démontrer que l'appelant n'avait pas la capacité d'évaluer le risque qu'il courait en conduisant comme il l'a fait.[870]

460. À l'inverse, mentionnons l'acquittement de la jeune conductrice qui, à la suite d'une distraction momentanée causée par son téléphone cellulaire, tourna à gauche au feu vert au moment où une voiture s'approchait en sens inverse. L'écart entre la conduite de l'accusée et celle d'une personne raisonnable placée dans la même situation n'étant pas marqué, le tribunal prononça un verdict de non-culpabilité. Après un examen exhaustif de la preuve, le juge Pothercary de la Cour provinciale de la Colombie-Britannique arriva à la conclusion suivante :

In this case, I find that the accident occurred because Ms. Oughton was not paying full attention to her driving. She was distracted by a couple of things: the argument and its resolution with her boyfriend and, more particularly, by her cell phone. On her own evidence, her eyes left the road at a critical point in this turn because of the ringing of the cell phone, and it would seem likely that she looked away for perhaps as long as two seconds. That time took away her opportunity to assess, recognize and avoid

---

870   *R.* c. *Adam*, précité, note 868, par. 24-26.

the accident. Here, she was clearly distracted momentarily while making the turn. She had not left herself any significant margin for error and whatever margin there had been was taken away by the cell phone ringing.

In my view, her driving was certainly careless and imprudent. Her driving departed from the norm. I am unable to say, however, because of the momentary nature of the distraction and the errors made, that her driving constituted a marked departure from the norm. In my view, her driving would certainly have constituted an offence under section 149 of the *Motor Vehicle Act*, driving without due care and attention or driving without reasonable consideration for others using the road. However, in this case, I cannot find that her driving is such that the conduct in issue is of such a degree that it warrants criminal sanctions. That being the case, I find you not guilty with respect to those counts as well.[871]

461. Bien que nous ne sommes pas d'accord avec l'appréciation des faits en l'espèce, les arrêts qui subordonnent la responsabilité du conducteur à la présence d'un écart marqué avec la conduite d'une personne raisonnable placée dans les mêmes circonstances « sont suffisamment nombreux et éloquents pour fixer le droit positif sur ce point »[872].

---

871   *R.* c. *Oughton*, [2001] B.C.J. (Quicklaw) nº 1181, par. 78 et 79 (Prov. Ct. (Gen. Div.)).

872   A.-C. DANA, *op. cit.*, note 5, p. 141. C'est ainsi qu'il faut envisager la culpabilité de l'automobiliste qui a causé la mort de deux piétons après s'être endormi au volant de sa voiture. Sa décision de conduire malgré son état de fatigue constituait un écart marqué avec la conduite d'une personne raisonnable placée dans les mêmes circonstances. D'après le juge O'Connor dans l'arrêt *R.* c. *Buchanan*, précité, note 761, par. 23, 29 et 30:

> Mr. Buchanan knew he was tired. He had just completed a forty five minute nap, he took steps to refresh himself by rolling down the windows and he contemplated getting a coffee to keep himself awake. He insisted to the police and to the court he thought he was "alright" to drive. He rolled up the windows when he became cold, choosing his comfort over the beneficial alerting effect of the cool air. And he passed by the Tim Hortons, foregoing the restorative coffee. Thus, he knew or ought to have known he was still sleepy and not fully refreshed. He had several other options open to

462. Avant de terminer cette rubrique consacrée à l'article 249 du *Code criminel*, il convient de dire quelques mots sur une activité de plus en plus répandue au Québec : le « street racing ».

---

him – the continued cool air, a coffee, or simply not driving until fully awake and alert. Yet he chose to drive. Therein lies his negligence. [...]
While recognizing that all cases are to a great extent fact specific, many "falling asleep at the wheel" cases result in convictions for dangerous driving. I have reviewed the following which have assisted in the decision I have reached in this matter. *R. v. Zavitz*, [1972] 1 O.R. 628 (O.C.A.), *R. v. Mason* (1990), 60 C.C.C. (3d) 338, *R. v. May*, [1990] M.J. No. 667, *R. v. Webb*, [1995] O.J. No. 827 O.C.J. (G.D.), *R. v. Jackson*, [1994] B.C.J. No. 2595, *R. v. Edwards* (1996), [1996] A.J. No. 815, 32 W.C.B. (2d) 186, *R. v. Robinson*, [1999] O.J. No. 3805 (O.C.A.), *R. v. Areco*, [1999] O.J. No. 4351 (O.C.A.), *R. v. Arts* (2000), [2000] B.C.J. No. 1826, 47 W.C.B. (2d) 320.
I find the Crown has proven beyond a reasonable doubt Mr. Buchanan's guilt of the offence included with criminal negligence of dangerous driving causing the deaths of Margaret Ambler and Abdool Adam, contrary to section 249 of the *Criminal Code*.

Ici, la négligence n'était pas assez grave pour constituer de la négligence criminelle. *Id.*, par. 24 :

However, Mr. Buchanan's negligence does not reach the level of wanton or reckless disregard for the lives or safety of others. To reach these levels the consequences had to have been more obvious to him. To drive when one is sleepy, as many people do, is not a sufficiently marked departure from the standard wherein it would be apparent to a reasonably prudent person that the consequences that occurred here would actually occur. He will be found not guilty of this offence.

Voir également *R. c. Garzon*, [2003] O.J. (Quicklaw) n° 5220, par. 42-44 (Ct. of J.) :

The fact remains however that long before Mr. Garzon arrived at the accident scene he was tired, drowsy and sleepy. This was not a sudden and unexpected attack of drowsiness. The signs were there and Mr. Garzon recognised them. In his videotaped statement it sounded as if he said that after dropping off his female friend, he slept for five minutes because he was really tired. Subsequently he said he spoke to her for two or three minutes before leaving. On his way along Major Mackenzie Drive, he pumped up the volume of his radio and had all his windows down to help keep him awake. These measures did not help. There was no sudden onset of illness over which he had no control. As Lord Goddard said in *Hill* v. *Baxter*, his obligation was to stop.
Mr. Justice Cory said at p. 106 of Hundal, *supra*, that "the operation of a motor vehicle is ... automatic and with little conscious thought". Notwithstanding that statement, the operation of a motor vehicle does require a certain level of skill and alertness. Just as how that level of skill and alertness is impaired by alcohol, in the same manner it is impaired by drowsiness.
I am satisfied that a reasonable jury, properly instructed, could return a verdict of guilty on the counts of dangerous driving causing bodily harm and he will be committed for trial on those counts.

Fortement condamnées par les tribunaux, les courses de rues constituent un danger extrêmement élevé pour la population canadienne[873]. D'après le juge Hill dans l'arrêt *R. c. Menezes*[874] :

What then are the foreseeable risks associated with the coordinated instances of racing on public roads as each participant, at excessive speed, reacts to the stimulus and apparent excitement of the other's behaviour while seeking to show off muscle car prowess, aggressively out-match the competitor, or champion a contest of speed? Because pedestrians, cyclists, and other motorists, presuming lawful use of the public thoroughfare, conduct themselves accordingly in terms of their judgments and timing as to entry to the road, turns and lane changes, there is necessarily dangerous conflict with racers misusing the roadway operating as they do in a different time and speed dimension. Not infrequently, hand-in-hand with the high speed feature of the racing conduct, the participating drivers engage in unsafe lane changes, tailgating, jockeying for position, tagging and horseplay, high-risk passing manoeuvres, and other assorted stunts endangering non-participating members of the public. In-tandem travel on the streets at speeds well above the posted limit, especially at night, as one can easily imagine, increases the prospects of split-second misjudgment, misreaction, and miscalculation by the participants as to steering, braking, and safe curve speed and time-distance estimates – these are motorists, not professional racecar drivers,

---

873   *R. c. M.D.*, [2005] O.J. (Quicklaw) n° 1795, par. 110 et 114 (Ct. of J.) :
I find beyond a reasonable doubt that Mr. M.D.'s driving was dangerous. Mr. M.D. was an inexperienced driver. He was driving at night, which reduces visibility to some extent. He was driving at very high speeds. He was also racing the other vehicles. Racing itself carries with it an increased risk as the driver is focused on beating the speeds of the others, as opposed to concentrating on driving responsibly. All of the evidence shows that the traffic was lighter towards Highway 7 than towards Finch Avenue. "Lighter" is a relative term, however. Highway 400 is one of the busiest highways in the city. The traffic was light enough to allow the cars to move freely, but there were clearly numerous cars on the highway around Highway 7, with an increasing number towards Finch Avenue. A reasonably prudent driver in these circumstances should know that racing at such high speeds on a busy highway is dangerous to those on the highway. [...]
I find Mr. M.D. [...] guilty of the lesser and included offence of dangerous driving simpliciter.

874   Précité, note 760.

unlawfully using normal thoroughfares for purposes entirely at odds with safe passage.

Expected outcomes at safe speeds, become the unexpected and the unmanageable at excessive speeds.

[...]

Those at risk from the unreasonable and unjustified danger of an escapade of competitive driving, whether a spontaneous or planned event, include the occupants of other vehicles, cyclists, pedestrians, passengers in the racers' autos, and the co-participants themselves. There is one danger. Each driver bears equal responsibility for its continued lifespan subject to withdrawal or intervening event. As each driver in effect induces the other to drive in an unlawfully unsafe manner, each is taken to assume any consequential risk objectively within the ambit of the danger created. This surely includes a risk of bodily harm or death to a co-principal arising out of miscalculation or other judgment error by that individual in the course of, and related to, pursuing the jointly maintained, and unlawfully conducted, dangerous activity. So, for example, where one of the race participants over-corrects in a curve at the excessive speed of the venture and loses control resulting in his own death, that consequence is a reasonably foreseeable result in the context of the hazardous course of conduct jointly undertaken and not simply an unconnected fortuitous or coincidental event. The consequence was, in legal contemplation, as a result of the act of both.[875]

463. La dangerosité inhérente aux courses de rue rejaillit, bien entendu, sur l'évaluation de la responsabilité des principaux intervenants. Ainsi dans l'hypothèse suivante : **A** fait une course avec **B**. **A** percute la voiture de **C** qui fait une sortie de route mortelle. **B** et **A** sont à l'origine de la mort de **C**[876]. Deuxième hypo-

---

875   *Id.*, par. 84, 85 et 105.
876   *Id.*, par. 102 :

     Where two motorists knowingly undertake the dangerous course of rac-
     ing on a public thoroughfare, and driver A's car strikes the auto of C., an
     innocent motorist, resulting in C.'s death, driver B.'s participation in the

thèse : **A** fait une course avec **B**. **B** perd le contrôle de sa voiture et percute un lampadaire. **C**, une passagère de la voiture décède. **A** et **B** partagent la responsabilité de cet accident[877]. Troisième possibilité : **A** et **B** font une course. **B** perd le contrôle de sa voiture et se blesse mortellement. **A** peut être condamné[878] pour conduite dangereuse[879] ou négligence criminelle ayant causé la mort.[880]

---

unlawful venture can be a cause of C.'s death: *Regina* v. *Rotundo* (1993), 47 M.V.R. (2d) 90 (Ont. C.A.) at 90-1 per curiam (affirming (1991), 35 M.V.R. (2d) 30 (Ont. Ct. - Gen. Div.)) even though there was no physical contact between B.'s car and that of the victim(s):

In our opinion, the law, consistent with common sense, does not require that there be physical contact between the appellant's car and that of his victims. The appellant's participation in the race, whether viewed objectively or subjectively, created a grave risk of death or injury to other users of the highway. What happened came within the ambit of that risk.

This is entirely consistent with the prevailing authorities in the United Kingdom: Attorney General's Reference Nos. 17 and 18 of 1996 Under Section 36 of the *Criminal Justice Act*, *Regina* v. *Iseton and Wardle*, [1996] E.W.J. No. 3268 (C.C.A.).

877 *Id.*, par. 103 :
We recognize, from mere participation in the dangerous racing endeavour, causative responsibility in both racers for the death of a passenger in one racer's vehicle when control is lost or that car is otherwise involved in an accident during the course of the race : *Regina* v. *Elphick, supra*. The English authorities accord with this view : *Regina* v. *Morley*, [2001] E.W.J. No. 4940 (C.C.A.); *Regina* v. *Burke*, [2001] E.W.J. No. 1096 (C.C.A.); *Regina* v. *Padley*, [2000] E.W.J. No. 431 (C.C.A.).

878 *Id.*, par. 104 :
In my view, there is no reason rooted in law or policy not to identify the same degree of moral blameworthiness in the surviving racer when it is the driver of the second vehicle, and not the passenger therein, who loses his or her life or is injured. This is an approach in the United States exemplified most eloquently by the case of *State of Tennessee* v. *Farner* discussed above. In England, on a number of occasions, the surviving driver has been convicted of dangerous driving causing death of the co-participant in the race by virtue only of being engaged in the risky hazard of racing behaviour. The relevant English cases arrive at this view of criminal responsibility without analytical discussion : *Regina* v. *Arthur*, [2001] E.W.J. No. 423 (C.C.A.); *Regina* v. *Atkins*, [1998] E.W.J. No. 2710 (C.C.A.); *Regina* v. *M.M.E.*, [1993] E.W.J. No. 3412 (C.C.A.).

879 *R. c. Aguiar*, [2002] O.J. (Quicklaw) n° 4756 (S.C.J.).

880 *R. c. Bhalru*, [2002] B.C.J. (Quicklaw) n° 3157, par. 49-51 (S.C.) :
In this case, Mr. Khosa was ahead of Mr. Bhalru as they left Oak Street. By around 70th, near A & B Sound, Mr. Bhalru was "going quite a bit faster." By the time they reached Mr. Calvez and passed on either side of his vehicle, they were more or less neck and neck. Then Mr. Bhalru slowed down

464. *Devoir de fournir les choses nécessaires* : Aux termes de l'article 215(1) du *Code criminel* :

215. (1) **[Devoir de fournir les choses nécessaires à l'existence]** Toute personne est légalement tenue :

a) en qualité de père ou mère, de parent nourricier, de tuteur ou de chef de famille, de fournir les choses nécessaires à l'existence d'un enfant de moins de seize ans;
b) de fournir les choses nécessaires à l'existence de son époux ou conjoint de fait;
c) de fournir les choses nécessaires à l'existence d'une personne à sa charge, si cette personne est incapable, à la fois :
(i) par suite de détention, d'âge, de maladie, de troubles mentaux, ou pour une autre cause, de se soustraire à cette charge,
(ii) de pourvoir aux choses nécessaires à sa propre existence.

(2) **[Infraction]** Commet une infraction quiconque, ayant une obligation légale au sens du paragraphe (1) omet, sans excuse légitime, dont la preuve lui incombe, de remplir cette obligation, si :

a) à l'égard d'une obligation imposée par l'alinéa (1)*a*) ou *b*) :
(i) ou bien la personne envers laquelle l'obligation doit être remplie se trouve dans le dénuement ou dans le besoin,
(ii) ou bien l'omission de remplir l'obligation met en danger la vie de la personne envers laquelle cette obligation doit être remplie, ou expose, ou est de nature à exposer, à un péril permanent la santé de cette personne;

---

before the bend in the road, just east of the raised median between Yukon and Manitoba, and two seconds later Mr. Khosa's Z-28 struck the median, ran out of control onto the sidewalk and killed Irene Thorpe. Mr. Khosa and Mr. Bhalru drove in a city thoroughfare at freeway speeds that caused Mr. Moreno and Mr. Calvez to be frightened for their lives. I find they drove recklessly, irresponsibly and mindless of the consequences that could ensue in total disregard for others, especially law abiding citizens using the sidewalks and the roads.
I have addressed my mind to the question of whether Mr. Bhalru, at the point he slowed down, just before the median about two seconds before the collision, had withdrawn from the race. I find he did not. He was still in the race.
I have no hesitation in concluding that Mr. Khosa and Mr. Bhalru showed wanton or reckless disregard for the safety of other persons and find them both guilty as charged.

b) à l'égard d'une obligation imposée par l'alinéa (1)*c*), l'omission de remplir l'obligation met en danger la vie de la personne envers laquelle cette obligation doit être emplie, ou cause, ou est de nature à causer, un tort permanent à la santé de cette personne.

465. Lorsqu'on considère cette définition, en ayant à l'idée l'imposition d'une obligation légale, il devient alors vraiment difficile de ne pas admettre la présence d'une faute de négligence. Celle-ci étant définie par rapport à la conduite d'une personne raisonnable placée dans les mêmes circonstances, l'obligation de fournir les choses nécessaires à l'existence prévue à l'article 215(1) du *Code criminel* doit être appréciée objectivement. Cette approche, qui fut retenue par la Cour suprême du Canada, dans l'arrêt *R. c. Naglyk*[881], est magnifiquement exprimée par l'ancien juge en chef Lamer à la page 141 de la décision :

> En ce qui concerne le texte de cet article, bien qu'on n'y retrouve aucune expression du genre « aurait dû savoir » indiquant l'intention du législateur d'établir une norme objective de faute, le fait qu'il y est question de l'omission de remplir une « obligation » donne à entendre que la conduite de l'accusé dans des circonstances particulières est à apprécier selon une norme objective, c'est-à-dire une norme de la société. La notion d'obligation évoque une exigence sociale minimale fixée à l'égard d'une conduite donnée : comme dans le domaine de la négligence civile, une obligation serait vide de sens si chacun en définissait le contenu selon ses croyances et ses priorités personnelles. La conduite de l'accusé devrait en conséquence s'apprécier en fonction d'une norme objective ou d'une norme de la société afin de donner effet à la notion d'« obligation » à laquelle a recouru le législateur.[882]

466. Après avoir défini la nature exacte de la faute requise en matière de fourniture de soins nécessaires, il convient maintenant de déterminer les éléments de l'infraction qui doivent être évalués

---

881   [1993] 3 R.C.S. 122.

882   *Id.*, 141.

objectivement. Sur ce point, le juge Lamer est catégorique : « [L]e sous-al. 215(2)*a*)(ii) frappe d'une sanction un écart marqué par rapport à la conduite d'un parent raisonnablement prudent dans des circonstances où il était objectivement prévisible que l'omission de fournir les choses nécessaires à l'existence risquerait de mettre en danger la vie de l'enfant ou d'exposer sa santé à un péril permanent. »[883] Le ministère public doit donc prouver l'écart marqué entre la conduite de l'accusé et celle d'une personne raisonnable placée dans les mêmes circonstances ainsi que la prévisibilité objective que l'omission de remplir ce devoir risquerait de mettre en danger la vie de la personne visée par l'obligation ou d'exposer sa santé à un péril permanent[884]. Discutant de la responsabilité de deux employés en charge d'un groupe de personnes souffrant de troubles mentaux et qui étaient accusés d'avoir laissé sans surveillance un jeune homme dont certains doigts furent amputés à la suite d'engelures, le juge Clarke de la Cour de justice de l'Ontario affirme[885] :

> In my judgment, the Canadian contemporary community standard of conduct would find the conduct of the accused, in their treatment of Mr. Kireto, to be intolerable and unacceptable. Although there is no evidence as to what a societal minimum standard of conduct should be in the circumstances of this case, it was nevertheless not met in my judgment. Whatever that societal minimum standard of conduct is, it should be conduct which does not result in serious or any harm to a person to whom a duty of care is owed, particularly in circumstances where a risk of harm is foreseeable.

---

883   *Id.*, 143 :

> Les circonstances mentionnées au sous-al. (2)*a*)(ii) ne sont pas des conséquences aggravantes, mais forment des éléments essentiels de l'*actus reus* de l'infraction. D'où l'obligation du ministère public de prouver hors de tout doute raisonnable à la fois que les circonstances exposées au sous-al. (2)*a*)(ii) étaient objectivement prévisibles dans les circonstances et que la conduite de l'accusé représentait un écart marqué par rapport à la norme de diligence devant être respectée dans ces circonstances.

884   Sur la constitutionnalité de l'article 215(2) et (4), voir *R.* c. *Middleton*, [1997] O.J. (Quicklaw) n° 2758 (Ct. of J.).

885   *R.* c. *Swereda*, [2000] O.J. (Quicklaw) n° 2537 (Ct. of J.).

I have found that the conduct of the accused is a marked departure from the conduct of a reasonably prudent person in the circumstances of this case. Both accused were very knowledgeable with respect to Mr. Kireto's disabilities and afflictions. He was not a stranger to either of them. Because of this knowledge, from an objective point of view, and given the helplessness and incapability of Mr. Kireto to appreciate the situation he was in, and to communicate, it is inconceivable, in my judgment, that they could not have foreseen some harm befalling Mr. Kireto. One, or other of them, and both of them, had been outside to have a cigarette from time to time while Mr. Kireto was outside. They knew it was very cold. It is beyond my ken as to why these professional caregivers would treat a person such as Douglas Kireto in this manner.[886]

467. Bien que l'article 215 du *Code criminel* ait pour but l'établissement de normes uniformes de soins à fournir[887], l'appréciation de la conduite de l'accusé ne se fait pas dans un vide factuel, mais dans le cadre de toutes les circonstances propres à l'espèce. Pour le démontrer, il suffit de citer l'arrêt *R. c. Devereaux*[888] dans lequel deux agents correctionnels furent accusés de ne pas avoir cherché à obtenir des soins médicaux pour une personne qui venait d'être arrêtée. Examinant la décision de première instance, le juge Orsborn de la Cour suprême de Terre-Neuve conclut :

---

886   *Id.*, par. 43 et 46.

887   *R. c. Naglyk*, précité, note 881, 141 et 142 :

> L'article 215 a en effet pour but l'établissement d'un niveau minimal uniforme de soins à fournir pour les personnes auxquelles il s'applique. Or, cela ne peut se réaliser que si ceux auxquels incombe l'obligation sont tenus de respecter dans leur conduite une norme de la société plutôt qu'une norme personnelle. Cet article ne va certes pas jusqu'à prescrire comment élever les enfants ou donner des soins, mais il établit en ce qui concerne la fourniture des choses nécessaires à l'existence un seuil que constituent, par exemple, les circonstances exposées au sous-al. (2)*a*)(ii). L'omission par négligence de remplir l'obligation en question aura des effets aussi graves que le refus intentionnel de le faire.

888   [1999] N.J. (Quicklaw) nº 25 (S.C.).

Much of the argument on appeal was directed to the trial judge's conclusion that the conduct of Devereaux and Whitty represented a marked departure from the standard required. However, because of the view that I take, it is not necessary to reach a final conclusion on this aspect. But I am inclined to view that the trial judge erred in this conclusion. Nowhere in the transcript is there any evidence on what the reasonable correctional officer would have done. The testimony of the appellant's superiors – including the Director of Adult Corrections – did not suggest that either Devereaux or Whitty had in any sense departed from what was expected from them, much less markedly departed. Neither was the evidence of the medical professionals critical of the appellants. While it may be open to the trial judge to establish, in this case, and for this occupation, a standard of conduct, it would have been helpful for the trial judge to explain why he felt that he should set a higher standard than that required by the appellant's superiors. In any event, as I have indicated, I have some difficulty with the trial judge's conclusion that the conduct of Devereaux and Whitty deviated markedly from the standard of care required.

More fundamentally, however, the trial judge erred in his lack of consideration of the second necessary element of the offence – that in the circumstances, it must be established beyond a reasonable doubt that it was objectively foreseeable that a failure to provide the necessaries of life would lead to a risk of danger to the life of Smith, or a risk of permanent injury to his health. Looking at the approximately three hours that Smith spent in the Lockup, the evidence does not support the conclusion that it was objectively foreseeable that a failure to seek medical attention for Smith would lead to a risk of danger to his life.[889]

468. Cette situation doit être distinguée de celle d'une jeune mère de famille qui avait attendu plus de deux jours avant de conduire son bébé grièvement blessé à l'hôpital. Soulignant l'obligation de la mère d'obtenir des soins médicaux pour son enfant[890]

---

889   *Id.*, par. 40, 41 et 46.
890   *R. c. Barry*, (2004) 187 C.C.C. (3d) 176, 184 et 185 (C.A. T.-N.) :
       Counsel for Ms. Barry admits, and I agree, that providing necessaries of life
       under s. 215(1)(a) includes obtaining prompt medical attention (R. v. Naglik,

ainsi que la nécessité de tenir compte de toutes les circonstances en l'espèce – circonstances parmi lesquelles figurait, au premier plan, le fait que son conjoint, qui avait été laissé seul avec la victime, avait déjà été poursuivi pour agression sur un enfant –, le juge Welch confirma la condamnation de l'accusée :

> The appeal is concerned, then, with the application of s. 215(2)(a) of the Code and the twofold analysis identified in *Naglik*. This involves: (1) the application of s. 215(2)(a)(ii), the issue being whether it was objectively foreseeable in the circumstances that Ms. Barry's failure to obtain prompt medical attention for the baby was likely to put the infant at risk of permanent harm to her health, and (2) whether that conduct represented a marked departure from the standard of care required by those circumstances. [...]
>
> There was ample evidence on which to conclude that it was objectively foreseeable in the circumstances that Ms. Barry's failure to obtain prompt medical attention for the baby was likely to put the infant at risk of permanent harm to her health. The symptoms the baby was exhibiting were particularly telling. [...]
>
> These symptoms, which must have been obvious to Ms. Barry, without knowing the precise nature of the injury, would be sufficient to satisfy the first element of the offence. That is, based on the symptoms, it was objectively foreseeable that Ms. Barry's failure to obtain prompt medical attention for the baby was likely to put the infant at risk of permanent harm to her health. It was obvious from the symptoms that this was an unusual and potentially serious situation requiring prompt medical attention. Clearly, Ms. Barry's failure to act was likely to put the baby at risk of suffering permanent harm. [...]
>
> The uncontradicted evidence of the physicians is that the injury would have been painful. If Ms. Barry was present when the injury occurred, acting as a reasonably prudent parent, she would have

---

supra). Counsel also admits, and there was ample evidence to support the trial judge's conclusion, that Ms. Barry did not obtain prompt medical attention for her infant. She first took steps to obtain medical care on Sunday, December 9, 2001. The trial judge concluded that the injury to the baby's left arm occurred prior to the family gathering on Friday, December 7th.

sought medical assistance without delay. If she was not present, a reasonably prudent parent in her position would have soon recognized the likelihood the baby had been injured, given the baby's crying, the lack of mobility in the arm, the clammy condition of her skin, and the presence of Shawn Sheppard whom child care workers had advised her could not be left alone with the baby. In the circumstances, a heightened level of awareness and vigilance was appropriate and, indeed, required.

The inferences the trial judge drew are well supported when the evidence is considered in its totality. There is no basis on which to conclude that the judge erred in his determination that the conduct of the accused represented a marked departure from the standard of care required in the circumstances.[891]

469. Ces exemples, auxquels il serait possible d'en substituer bien d'autres, montrent le caractère particulier de la faute en matière de négligence pénale, ainsi que l'importance des circonstances entourant l'évaluation de la conduite de l'accusé.

470. *Usage négligent d'une arme à feu* : L'usage négligent d'une arme à feu est, à l'image des deux infractions précédentes, une infraction de responsabilité objective[892]. Cette interprétation, qui est fidèle au libellé de l'article 86(1) du *Code criminel*, est également conforme à l'intention du législateur[893]. D'après D. Hawley, dans *Canadian Firearms Law* :

---

891   *Id.*, 185, 187, 189.

892   *R.* c. *Gosset*, précité, note 808, 94 :

       Le paragraphe 86(2) [maintenant 86(1)] punit comme type de faute criminelle une conduite qui constitue un écart marqué par rapport à la norme de diligence. Toutefois, cette disposition ne vise pas le cas où une personne décide par insouciance d'ignorer un risque dont elle s'est rendu compte, mais plutôt celui d'une personne qui ne prend pas les précautions raisonnables qu'elle aurait dû prendre face à l'obligation qui lui est imposée; le manquement à cette obligation est établi par le risque de préjudice auquel la conduite donne lieu. En conséquence, le par. 86(2) punit les personnes qui n'agissent pas de façon raisonnable.

893   *Id.*, 89 et 90.

Cette disposition vise à protéger les personnes contre les actes de négligence, susceptibles d'entraîner des lésions corporelles pour autrui. Parce que les armes à feu et les munitions peuvent occasionner des blessures graves ou une perte de vie, le législateur a reconnu qu'il importe que les personnes en possession de ces articles aient l'obligation de les utiliser, de les porter, de les manipuler, de les expédier ou de les entreposer d'une manière prudente et sûre.[894]

471. La prudence étant synonyme de diligence, la conduite de l'accusé devra s'apprécier au regard d'une norme objective dont le contenu est ciselé en fonction de l'activité dont il s'agit et des circonstances en l'espèce[895] :

En conséquence, on ne peut soutenir que le par. 86(2) du *Code criminel* vise à punir un état d'esprit; en fait, cette disposition crée plutôt une infraction de négligence, qui, comme l'intention et l'insouciance, peut constituer un fondement de faute valide en droit criminel. Pour déclarer une personne coupable en vertu de cette disposition, il faut établir qu'il y a eu une conduite qui constitue un écart marqué par rapport à la norme de diligence qu'observerait une personne raisonnablement prudente dans les circonstances. S'il existe un doute raisonnable que la conduite en question ne constitue pas un écart marqué par rapport à cette norme de diligence ou encore que des précautions raisonnables ont été prises

---

894   D. HAWLEY, *Canadian Firearms Law*, 1998, p. 46, cité dans *R. c. Gosset*, précité, note 808, 90.

895   Voir sur ce point *R. c. Hinter*, [2002] A.J. (Quicklaw) n° 91, par. 19-21 (Prov. Ct.); *R. c. Gougeon*, précité, note 832, par. 16 :

> Ici, le premier juge retient somme toute de la preuve que l'appelant n'a pas réfléchi à son obligation de diligence ni au risque de préjudice que sa conduite comportait pour autrui. Il n'a pas pris des précautions raisonnables. Au contraire, il a tiré trop rapidement et à l'aveuglette sur une cible floue observée sur une section de la rivière que devaient emprunter de nouveau leurs compagnons chasseurs, alors que la journée tirait à sa fin. La conduite de l'appelant constitue hors de tout doute raisonnable, une fois les circonstances de cette affaire prises en compte, « un écart marqué par rapport à la norme de diligence qu'aurait observée une personne raisonnablement prudente ».

pour s'acquitter de l'obligation de diligence dans les circonstances, un verdict d'acquittement doit être prononcé.[896]

472. Limpide dans sa formulation, cette conclusion ne prive
pas le critère objectif de son caractère « utilitaire », car en tenant
compte des circonstances de l'infraction et de la capacité de l'individu d'apprécier les risques reliés à sa conduite, la Cour suprême
du Canada évite la stigmatisation des personnes qui se trouvent
dans l'impossibilité de respecter la norme de diligence (*incapacité
d'agir autrement*). Ces considérations, une fois admises, tendent
à démontrer que la faute de négligence n'est pas un mythe, mais
une réalité psychologique dont la fonction sélective vise à sanctionner les personnes qui ne sont pas moralement innocentes.

473. C'est dans cette perspective qu'il faut envisager la
culpabilité d'un policier qui a laissé son arme, sans surveillance,
dans une maison habitée par trois jeunes enfants et un informateur
connu des milieux criminalisés[897], ou encore celle d'un policier
qui a tiré un coup de feu en direction d'une personne « qui refu-
sait d'obéir à l'ordre qu'il lui donnait d'arrêter et qui s'enfuyait à
bord d'une camionnette dans une rue résidentielle de la ville de

---

896   *R.* c. *Gosset*, précité, note 808, 92 et 93. Voir également *R.* c. *Gunning*,
      [2005] 1 R.C.S. 627, par. 21 :
          L'élément essentiel de l'infraction est la conduite qui constitue un écart
          marqué par rapport à la norme de diligence qu'observerait une personne
          raisonnablement prudente. Une personne ne peut pas être déclarée coupa-
          ble de l'infraction s'il existe un doute raisonnable soit que la conduite en
          question ne constituait pas un écart marqué par rapport à cette norme de
          diligence, soit que des précautions raisonnables ont été prises pour satis-
          faire à l'obligation de diligence dans les circonstances : *R.* c. *Finlay*, [1993]
          3 R.C.S. 103, p. 117.

897   *R.* c. *Diminie*, [1998] O.J. (Quicklaw) n° 4963, par. 48 (Ct. of J.) :
          I am satisfied that there is evidence on which a jury instructed could con-
          vict. The evidence of a police officer leaving unattended his gun in the cir-
          cumstances of this case, unattended with a proposed informant in a house
          where three children reside, and where people such as Paul Lepage fre-
          quent her home, is evidence which a jury could consider as being a marked
          departure from the norm. The application is therefore dismissed.

Beloeil »[898]. Après avoir examiné soigneusement la preuve soumise par la Couronne, le juge Provost énonce les principes suivants :

> Le tribunal conclut que la preuve, dans son ensemble, démontre hors de tout doute raisonnable que dans les circonstances particulières de la présente affaire, l'accusé Larouche a utilisé son arme à feu d'un manière négligente ou sans prendre suffisamment de précautions pour la sécurité d'autrui.
>
> Le tribunal conclut, [...] qu'en tirant un coup de feu sur le véhicule en mouvement de M. Ouellette, l'accusé Larouche a omis de considérer la présence possible de tierces personnes ainsi que le milieu environnant dans lequel se déroulait l'intervention.
>
> De façon plus précise, pour arriver à cette conclusion, le Tribunal tient compte de l'ensemble des éléments suivants :
>
> 1. l'heure de la journée : 19 heures par une belle journée de printemps.
> 2. la présence de plusieurs personnes sur les lieux et non loin des lieux.
> 3. la nature résidentielle du quartier.
> 4. la proximité des résidences l'une par rapport aux autres.
> 5. l'exiguïté des lieux.
> 6. le fait que la voiture de M. Ouellette était en mouvement.
> 7. le fort calibre de l'arme utilisée.
> 8. la longue portée du projectile tiré.
> 9. le fait que le policer n'était pas en situation de légitime défense.
> 10. le fait que le danger à neutraliser n'était pas immédiat ou imminent.
>
> La preuve démontre hors de tout doute raisonnable que l'agent Larouche a utilisé une arme à feu alors qu'il était dangereux de le faire dans les circonstances.

---

898   R. c. *Larouche*, précité, note 109, par. 2.

La preuve démontre hors de tout doute raisonnable que l'agent
Larouche n'a pas réfléchi au risque que sa conduite pouvait entraîner [...].[899]

474. En ce qui concerne par ailleurs l'évaluation de l'écart
marqué entre la conduite de l'accusé et celle d'une personne raisonnable placée dans les mêmes circonstances, celle-ci, comme
nous l'avons déjà dit, tient compte de toutes les circonstances en
l'espèce. Or, d'après Cicéron, les actes humains comportent sept
circonstances : « Qui, quoi, où, par quels moyens, pourquoi, comment, quand. » Donc, il faut considérer, en matière de négligence
pénale, qui l'a fait, sa fonction, « par quels moyens ou instruments
il l'a fait, où, pourquoi, comment, quand il l'a fait »[900]. C'est en
ayant ces principes à l'esprit qu'il faut envisager la condamnation
de l'individu qui a laissé sur le siège avant de sa camionnette, stationnée dans un endroit public, son arme sans surveillance, dans
un étui, avec des munitions sur le plancher du véhicule[901], ou encore
celle du policier qui a entraîné la mort d'un fuyard après avoir
tenté de l'immobiliser avec une seule main, alors que l'autre main
tenait fermement l'arme, le doigt sur la gâchette[902]. La conduite
de l'accusé devant être appréciée dans le cadre de tous les événements en question, le juge Watt observa :

The accused determined to put Howell at a position of disadvantage by physically handling him. The area was dark. The footing
was uneven, as well uncertain. The accused had his service revolver
out, in one hand, with his finger on the trigger. He commenced to

---

899   *Id.*, par. 137-141.
900   T. D'AQUIN, *op. cit.*, note 26, quest. 7, art. 3, p. 77.
901   *R.* c. *Blanchard*, précité, note 821, par. 38 :
       [I]n this case, we have a rifle with ammunition left visible in the front seat
       of an unlocked truck parked in the evening outside a hotel which serves
       alcoholic beverages. Given the extent of the risk that the firearm might fall
       into irresponsible, inexperienced, undisciplined or criminal hands in these
       circumstances, I have no doubt that it constituted a marked departure. There
       will be a conviction.
902   *R.* c. *Sokolowski*, [1994] O.J. (Quicklaw) n° 728 (Ct. of J. (Gen. Div.)).

manhandle Howell who was seated on the ground. Howell had made no abrupt movement. The movement attempted by the officer required bending forward and downward and lifting or pulling upwards. The whole of the circumstances signalled the utmost of caution to a reasonably prudent person. The service revolver nonetheless remained drawn. The finger nonetheless remained on the trigger. No thought was given to reholstering it. No thought was given nor attempt made to put Howell in a position of disadvantage in any other way. Reinforcements were at hand.

In my respectful view, the conduct of the accused constituted a marked departure from the standard of care of a reasonably prudent person in the circumstances.[903]

475. Comme l'indique ce passage emprunté à l'arrêt *Sokolowski*, la culpabilité de l'accusé doit être évaluée en fonction de toutes les circonstances en l'espèce. Ces circonstances comprennent généralement les évènements imprévus, les renseignements inexacts et tous les autres facteurs pouvant appuyer la croyance erronée de l'accusé. L'exemple du propriétaire d'une arme à feu dont le mécanisme s'était enrayé lors d'une pratique de tir illustre bien cette situation. Croyant que l'arme n'était pas chargée – en raison des huit cartouches qu'il avait récupérées au pas de tir – l'individu ramena le fusil à son appartement pour tenter de libérer le mécanisme défectueux. Malgré toutes ses précautions, un coup de feu partit et une balle se logea dans le mur de son appartement. Accusé d'usage négligent d'une arme à feu, l'individu fut acquitté en raison des circonstances et des précautions qu'il avait prises avant l'accident. Selon le juge McMeekin de la Cour provinciale de l'Alberta :

The Crown's position in the case at bar is tantamount to catagorizing an accidental discharge of a firearm as an absolute liability offence. It seems to this Court the foregoing passages of Lamer, C.J.C. from *Gosset* make clear that though Parliament has cre-

---

903   *Id.*, par. 112 et 113.

ated a crime of "penal negligence" even when the actions of an accused have been inadvertent fundamental justice prohibits punishing those thought to be morally innocent. All particulars not just the discharge of the gun in the apartment, must therefore be assessed before determining guilt or innocence.

In the case at bar it is noted the accused
– tried to free the jam on the range though having no tools to do so and believed the weapon to be empty
– put a trigger guard on
– packed the gun in its carrying case and took it home
– obtained additional information about field stripping the weapon to free the jam
– set out to free the jam on his work bench at home and with his tools
– an expert witness would have acted in a similar fashion

These factors do not establish a marked departure from the high standard of care required when handling firearms.

The discharge of the pistol was an unfortunate accident, but not in the view of this Court, the "penal negligence" required by the section for a criminal conviction.

The accused is found not guilty.[904]

476. Sans être un facteur automatique d'attribution de responsabilité, la violation des quatre règles fondamentales de sécurité dans le maniement des armes à feu (règles qui sont enseignées dans le cours obligatoire menant à l'obtention d'un permis pour la possession et l'acquisition d'une arme à feu) exige la présence de circonstances qui enlèveront au comportement reproché son caractère négligent. Ces quatre règles sont :

1. Traitez toute arme à feu comme si elle était chargée;

2. Pointez toujours votre arme dans une direction sécuritaire;

---

904   *R.* c. *Hinter*, précité, note 895, par. 19-23.

3. Tenez le doigt éloigné de la détente, sauf pour faire feu;

4. Ouvrez le mécanisme et assurez-vous que l'arme ne contient aucune munition.[905]

477. Loin d'être limitées à ces quatre principes fondamentaux, les règles de sécurité dans le maniement des armes à feu prévoient d'autres précautions qui obligent l'individu à faire preuve de diligence au moment d'entreposer, de charger, de décharger, d'utiliser ou de tirer au moyen d'une arme à feu[906]. Ce manque de diligence, une fois constaté, sera générateur de responsabilité dans les cas où la conduite de l'accusé représente un écart marqué avec celle d'une personne raisonnable placée dans les mêmes circonstances. C'est dans cette optique qu'il faut envisager la condamnation d'un chasseur autochtone qui déchargea son arme à feu en direction d'un chevreuil qui se trouvait en bas d'une côte, devant un bosquet. Les résidences n'étant pas visibles du haut de la montagne, la balle passa à côté de l'animal, traversa le mur d'une roulotte, puis frappa le poignet d'une personne qui se trouvait à cet endroit. D'après le juge Mandamin de la Cour provinciale de l'Alberta :

---

905 MINISTÈRE DE LA JUSTICE DU CANADA, *Cours canadien de sécurité dans le maniement des armes à feu*, Ottawa, Ministère de la justice, 1998, ch. 2-1.

906 *Id.*, ch. 2-3 :
> Assurez-vous d'avoir bien identifié la cible et vérifié ce qu'il y a derrière elle. Pour cela : repérez bien la cible. Assurez-vous qu'il s'agit effectivement de l'objet sur lequel vous voulez tirer. Évitez de tirer en cas de doute. Ne tirez jamais simplement parce que vous avez vu un mouvement, une couleur ou une forme ou simplement entendu un bruit; assurez-vous que votre champ de vision est dégagé; et assurez-vous, avant de tirer, que l'espace se trouvant derrière la cible ne présente aucun danger. [...] Par conséquent, si vous n'êtes pas certain : ne tirez jamais si le projectile risque de frapper une surface dure ou de l'eau. Il pourrait se fragmenter ou ricocher dangereusement; ne tirez pas sur une cible dont vous n'apercevez que la silhouette; ne tirez pas sur une cible se trouvant près d'un bâtiment; ne tirez pas sur une cible située sur une colline; et ne tirez qu'après vous êtes assuré que personne ne se trouve devant vous.

What was the duty of care that Mr. Red Gun had to observe when hunting on the Siksika Indian Reserve?

[...]

Indian hunters must exercise care not to endanger the residents of the reserve in the course of a hunt. Hunters have to be aware of the location of residences when they are hunting on the reserve especially since the population of the reserve can be expected to increase over time. Hunters should not fire a rifle in the direction of residences.

Mr. Red Gun had a duty to be aware of the location of Siksika residences and not fire in the direction of those residences when hunting on the Siksika Indian Reserve.

Was Mr. Red Gun careless in his use of the firearm or did he fail to take reasonable precautions for the safety of other persons?

Approximately 250 Siksika Nation members resided in the Chicago area. Mr. Red Gun himself resided in that area and should know that a residence could be in his line of fire.

The evidence of Mr. Brass indicates that the young hunters became excited when the deer was spotted. Although Mr. Red Gun took aim at the deer in a deliberate manner, I am satisfied that, in the excitement of the moment, Mr. Red Gun forgot to consider the possibility that a Chicago residence could be in his line of fire.

The test is whether a reasonably prudent person, who was in the same position of Mr. Red Gun, would have been mindful of the possibility that a Chicago residence was in the line of fire and would have taken reasonable precautions to ensure the discharge of the firearm did not present a risk to others.

Constable Solway, himself a member of the Siksika Nation, said that he would not have shot at the deer because of the proximity of the Chicago residences.

The evidence does not disclose that Mr. Red Gun had any disability or lack of knowledge that would have prevented him from appreciating the risk of his bullet striking a residence and injuring an occupant. Mr. Red Gun, in his statement, expressed his own concern over the possibility that someone was injured as a result of his firing the rifle as he did.

Considering the foregoing, I find Mr. Red Gun used the firearm in a careless manner having not taken reasonable precautions to ensure the safety of other persons.[907]

478. Si l'usage négligent d'une arme à feu peut être à l'origine d'une condamnation en vertu de l'article 86(1) du *Code criminel*, «d'autres dispositions indiquent l'intention du législateur d'informer les personnes qui ont sous leurs soins ou leur contrôle des substances fondamentalement dangereuses que la société leur impose une obligation spécifique de diligence »[908]. Voyons en quoi consistent ces dispositions.

479. *Incendie criminel par négligence* : Aux termes de l'article 436(1) du *Code criminel* :

436. (1) **[Incendie criminel par négligence]** Est coupable d'un acte criminel et passible d'un emprisonnement maximal de cinq ans le responsable d'un bien – ou le propriétaire de la totalité ou d'une partie d'un tel bien – qui, en s'écartant de façon marquée du comportement normal qu'une personne prudente adopterait pour prévoir ou limiter la propagation des incendies ou prévenir les explosions, contribue à provoquer dans ce bien un incendie ou une explosion qui cause des lésions corporelles à autrui ou endommage des biens.

(2) **[Inobservation des lois et règlements]** Le fait qu'une personne accusée de l'infraction visée au paragraphe (1) n'a pas observé une règle de droit concernant la prévention ou la maîtrise

---

907   *R. c. Red Gun*, [2005] A.J. (Quicklaw) n° 1426, par. 38-45 (Prov. Ct.).

908   *R. c. Gosset*, précité, note 808, 90.

des incendies et des explosions ainsi que la limitation des conséquences de ces dernières à l'égard du bien en question est un fait
dont le tribunal peut conclure à l'écart de comportement visé à
ce paragraphe.

480. Pour établir la responsabilité de l'agent en vertu de
cet article, le ministère public doit démontrer (1) que la conduite
de l'individu constituait, à la lumière de toutes les circonstances
en l'espèce, un écart marqué par rapport au comportement normal
qu'une personne raisonnable aurait adopté pour prévoir ou limiter
la propagation des incendies ou prévenir les explosions et (2) que
ce manquement a contribué à provoquer dans ce bien un incendie
ou une explosion qui cause des lésions corporelles à autrui ou des
dommages à un bien. L'obligation étant de prévenir ou de limiter
la propagation des incendies [ou prévenir les explosions], l'accusé
n'a pas nécessairement à être à l'origine du feu ayant donné naissance à l'obligation de diligence. L'exemple de l'individu qui,
après avoir constaté une explosion dans son garage, avait tenté
sans succès d'appeler à l'aide, pour ensuite commencer à sortir
ses biens, illustre clairement cette situation[909]. Le feu s'étant pro-
pagé à toute la maison, l'individu fut accusé d'incendie criminel

---

909   *R.* c. *Harricharan*, (1995) 98 C.C.C. (3d) 145, 147 et 148 (C.A. Ont.) :
      On April 30, 1992, at the end of a two-and-a-half weeks' vacation and on
      the day he was to return to work, the then 38-year-old appellant, Rawl Har-
      richaran, was awakened in his home at 4:00 a.m. by a loud bang. He ran to
      a window and saw smoke and flames coming through the garage, then
      rushed to the kitchen phone to call for help. His home, located in East
      Gwillimbury, is not in an area in which 911 is available as an emergency
      telephone number. In his newly but incompletely renovated kitchen, the
      appellant looked for, but could not find, the card containing the applicable
      seven-digit emergency number. Because the kitchen was attached to the
      garage, it started to fill up with smoke. The appellant ran back upstairs to
      the bedrooms, collected some clothing, put them in a suitcase and boxes,
      threw them through the window, and jumped out. He put the bags in the
      barn, which was about 100 ft. from the house.
      He decided to try to get more items from the burning house, so he used a
      ladder from the barn to climb back into the house through the window he
      had jumped out of. This time he collected important personal papers, a
      framed photograph, a porcelain doll belonging to his daughter, and some
      more clothing. When the smoke started to enter the bedroom he climbed
      out of the window and walked around the yard a few more times.

par négligence. Discutant de la prétention voulant que la négligence de l'accusé devait avoir contribué à provoquer dans ce bien un incendie ou une explosion et non seulement la propagation du feu[910], le juge Morden écrit :

> This provision imposes a duty to prevent or control the spread of fires. This carries with it the clear implication that the fire may have been originally caused by some agency other than that of the accused. The act or omission which is part of the *actus reus* must be something that is a breach of this duty. The section provides that where, as a result of the breach of this duty on the part of the accused, the accused is "a cause" (emphasis added) of a fire in property owned or controlled by the accused which, in turn, causes bodily harm to another person or damage to property, he or she is guilty of the offence. The section is concerned with "a

---

> The trial judge found that the appellant was, at this point, ... totally out of his mind, running around getting stuff. He was confused, annoyed and mad. After he had taken all the stuff to the barn he was so tired, he just collapsed right there. He just lay there until he heard the fire trucks arrive... The house is in a rural area on a gravel road. The appellant's nearest neighbour lived "a five minute run" away. At 5:30 a.m., when she was driving to work, the neighbour noticed that the appellant's house was in flames, and that the roof was burned out. She called the fire department from her father's house in nearby Queensville. By the time the fire trucks arrived, only the brick walls of the house remained. The barn and a small shed were untouched by the fire, but the two vehicles in the garage, a 1990 Dodge Caravan and a small tractor, were completely destroyed. No cause of the fire was ever determined.

910   *Id.*, 154 :
> The words "spread of fires" do not appear in the provision except as part of what defines the "marked departure". The standard of care from which an accused's conduct must represent a marked departure is one a reasonably prudent person would use to prevent or control the spread of fires or prevent explosions. That marked departure must in turn have been a cause of a fire or explosion, not a spread of a fire. The inclusion of the words "spread of fires" as part of what constitutes a breach of the standard of care does not, however, mean that Parliament also intended that they be read into the definition of what that breach causes. This interpretation, like *McIntosh*, involves reading in words "which are simply not there", and whose deemed inclusion would preclude the appellant from relying on the face of the provision. Had Parliament intended such a result, it could have done so very easily. But even if it is appropriate to read the words into the phrase, there must still be a connection between the marked departure, the spread, and the resulting damage.

fire" which, through spreading, causes bodily harm or damage to property. The term "a cause" is significant. It recognizes that other "causes" may be contributing factors to the origin or spread of the fire.[911]

481. Le devoir étant de prévoir ou de limiter la propagation des incendies, il devient alors très difficile d'exclure parmi les conséquences prohibées la propagation du feu. Cette disposition exige donc du ministère public la preuve d'un lien entre l'absence de diligence (écart marqué), l'incendie ou la propagation du feu et la présence de lésions corporelles à autrui ou de dommages aux biens. Parmi les situations visées par cet article, mentionnons le cas de la personne qui échappe sa cigarette sur son matelas et qui décide tout simplement de sortir de son appartement ou encore celui de l'individu qui, après avoir constaté le début d'un incendie dans sa fournaise, quitte les lieux sans tenter d'appeler les pompiers ou de prévenir ses voisins.

482. *Manque de précautions à l'égard d'explosifs*: Le manque de précautions à l'égard d'explosifs prévu à l'article 80 du *Code criminel* est une autre infraction dont la trame repose sur une obligation de diligence. Cette obligation, qui est prévue à l'article 79 C.cr., s'applique lorsqu'une personne se trouve en possession d'une substance explosive (ou a sous ses soins ou son contrôle une telle substance). Dans ce cas, il ne fait aucun doute que la personne doit prendre des précautions raisonnables pour que cette substance explosive ne cause ni blessures corporelles, ni dommages à la propriété, ni la mort de personnes. Une fois constaté, le manquement à cette obligation sera coupable si l'explosion qui en résulte cause la mort (ou est susceptible de causer la mort d'une personne) ou cause des blessures corporelles ou des dommages à la propriété (ou est susceptible d'entraîner ce résultat)[912]. Pour établir la cul-

---

911   *Id.*, 156 et 157.

912   Voir sur ce point *R.* c. *Yanover and Gerol*, (1985) 20 C.C.C. (3d) 300, 332 (C.A. Ont.):

      The section is somewhat awkwardly worded, but I think the effect of it is that if, as a result of the failure to discharge the legal duty of care imposed

pabilité de l'accusé en vertu de cette disposition, le ministère public doit donc prouver (1) le défaut de l'accusé de s'acquitter de l'obligation de diligence prévue à l'article 79 C.cr. (écart marqué par rapport au comportement normal qu'une personne raisonnable adopterait pour empêcher que cette substance explosive ne cause ni blessures corporelles, ni dommages à la propriété, ni la mort de personnes) et (2) le lien entre ce manquement et l'explosion qui cause la mort, des blessures corporelles ou des dommages à la propriété (ou est susceptible de causer la mort d'une personne ou de causer des blessures corporelles ou des dommages à la propriété). On n'a qu'à songer à la personne qui procède à une opération de dynamitage à proximité d'une école et qui, à la suite d'une explosion qui projette des roches sur une grande distance, cause des blessures corporelles à des écoliers.

Cinquième section : La négligence pénale envisagée du point de vue constitutionnel

483. Ayant considéré la négligence pénale sous un angle à la fois général et particulier, nous sommes maintenant amenés à envisager la constitutionnalité de la faute applicable en semblable matière. Sur ce point, la Cour suprême du Canada est catégorique : la négligence est le degré de faute minimal dans les cas où une déclaration de culpabilité peut entraîner l'emprisonnement (sauf quant à certaines infractions, comme le meurtre)[913]. Or l'élément de faute en matière de négligence pénale est l'absence d'un état mental de diligence. La négligence pénale satisfait donc à l'exi-

---

by s. 77, an explosion results, the person failing to discharge the legal duty is liable (a) to imprisonment for life if the explosion causes death or is likely to cause death to any person, or (b) to imprisonment for 14 years if the explosion causes bodily harm or damage to property. I do not think it contains an included offence of failing to discharge the duty to take reasonable care when no explosion results.

913   *R. c. Wholesale Travel Group Inc.*, [1991] 3 R.C.S. 154, 186.

gence minimale de faute dans les cas où une déclaration de culpabilité peut entraîner l'emprisonnement.

484. En plus de respecter le critère de faute applicable en matière d'emprisonnement, la négligence pénale rencontre les exigences établies dans le cadre des crimes de négligence, «à savoir que les actes de négligence ordinaire peuvent ne pas suffire pour justifier l'emprisonnement. Pour reprendre la formule employée dans l'arrêt *Hundal*, il doit s'agir d'une négligence qui constitue un écart marqué par rapport à la norme d'une personne raisonnable. En droit, nul n'est inconsidérément qualifié de criminel »[914]. C'est pourquoi la négligence ordinaire n'est pas suffisante dans les cas de «crimes véritables». En effet, d'après les auteurs Côté-Harper, Rainville et Turgeon :

> Le fondement constitutionnel de la faute objective repose sur le fait qu'en vertu des principes de justice fondamentale prévus à l'article 7 de la Charte, il est possible, pour plusieurs infractions criminelles et l'ensemble des infractions réglementaires, de condamner une personne en raison de son comportement négligent sans égard à son propre état d'esprit blâmable. En matière criminelle, il existe cependant une protection plus grande dans la mesure où la négligence doit provenir d'un écart marqué par rapport à la norme de diligence qu'aurait eue une personne raisonnable. Celle-ci doit être prouvée par le ministère public.[915]

485. Dans la mesure où la négligence pénale exige la présence d'un écart marqué entre la conduite de l'individu et celle d'une personne raisonnable placée dans les mêmes circonstances, la négligence pénale satisfait à la norme de faute applicable en matière criminelle.

---

914   *R.* c. *Creighton*, précité, note 177, 59.
915   G. CÔTÉ-HARPER, P. RAINVILLE et J. TURGEON, *op. cit.*, note 40, p. 510.

Conclusion

486. Comme nous l'avons déjà dit, la faute en droit criminel peut être divisée en deux parties distinctes, selon qu'elle porte
sur l'état d'esprit de l'accusé au moment du crime (*faute subjective*)
ou sur son absence de diligence (*faute objective*). Malgré l'altérité
qui caractérise leur mode d'intervention respectif, les fautes subjective et objective partagent un point en commun : la volonté.
Volonté positive, tout d'abord, qui s'affiche en matière de responsabilité subjective dans la conscience d'une circonstance pertinente,
dans la formation d'une intention ou dans l'indifférence qui caractérise la notion d'insouciance. Volonté négative, enfin, qui se tra-
duit en matière de faute objective dans le défaut d'envisager un
risque qu'une personne raisonnablement prudente aurait envisagé
dans les circonstances. Tels peuvent être reconstitués brièvement
les principes qui gouvernent depuis quelques années l'élément de
faute en droit pénal canadien...

Chapitre sixième

La négligence réglementaire
(responsabilité stricte)

487. À l'analyse de la négligence criminelle et pénale succède maintenant l'examen de la responsabilité stricte (négligence réglementaire), troisième forme de faute objective actuellement reconnue en droit pénal. De toute évidence, cette dérive n'est pas sans signification ni importance. Elle s'accompagne d'une translation d'objet et d'une modification dans l'opération même de punir. Aux infractions traditionnelles, fondées sur la poursuite des comportements « qui violent les normes humanitaires imposées par le sens commun »[916], s'ajoute désormais un réseau de sanctions pénales dont le but, ouvertement affiché, est de protéger les intérêts sociaux par l'imposition de normes de diligence et de prudence. Comment doit-on interpréter ce nouveau partage? Comme un changement d'attitude, comme un retour à l'ancienne distinction entre les crimes *mala in se* et *mala prohibita*, peut-être, mais surtout, et plus immédiatement encore, comme un effort visant à équilibrer les intérêts sociaux en fonction des droits individuels[917]. Le geste qui vise à tracer la ligne entre les infractions criminelles et les infractions réglementaires n'est ni simple ni facile. Il exige une évaluation attentive des termes de la loi qui crée l'infraction et de l'objet qu'elle poursuit.

488. Infractions criminelles, infractions réglementaires. Voilà donc deux régimes de responsabilité totalement distincts. Ils ne sanctionnent pas les mêmes infractions ni les mêmes individus,

916　*Thomson Newspapers Limited* c. *Canada (directeur des enquêtes et recherches, commission sur les pratiques restrictives du commerce)*, [1990] 1 R.C.S. 425, 509.

917　Expression empruntée à M. FOUCAULT, *op. cit.*, note 6, p. 93.

mais participent, à leur manière, à une nouvelle organisation du champ de la responsabilité, dont le paysage est désormais fragmenté en deux parties distinctes[918] : (1) les infractions criminelles au sens véritable du terme, et (2) les infractions créées afin de « réglementer la conduite des citoyens dans l'intérêt de l'hygiène, de la commodité, de la sécurité et du bien-être public »[919]. Née de ce partage à la fois stratégique et symbolique, la responsabilité stricte occupe une portion importante du domaine de la responsabilité réglementaire. C'est pourquoi nous allons consacrer le sixième chapitre de cet ouvrage à l'étude de la négligence réglementaire. À l'analyse historique de la responsabilité stricte au Canada succédera un examen de la distinction entre les infractions criminelles et les infractions réglementaires au point de vue du partage des compétences et de la faute.

Première section : Histoire de la responsabilité stricte au Canada

Première sous-section : La naissance de la responsabilité réglementaire au Canada

489. L'infraction de nature réglementaire est une création judiciaire propre à la seconde moitié du XIXe siècle. Son ascension vertigineuse à l'horizon du paysage juridique anglo-saxon débuta en 1846, date à laquelle fut rendu le célèbre arrêt *Regina* c. *Woodrow*[920]. Dans cette affaire, l'inculpé, un négociant de tabac, fut condamné par la Cour de l'Échiquier de Grande-Bretagne pour possession de tabac adultéré. Cette condamnation, il importe de le préciser, fut prononcée malgré la bonne foi du marchand et son ignorance de la nature exacte du produit en cause (la preuve révélait que l'adultération du tabac s'était produite au cours de la manufacturation et non après sa prise de possession, que le mar-

---

918   *Id.*, p.14.
919   *R.* c. *Pierce Fisheries Ltd.*, [1971] R.C.S. 5, 13.
920   (1846) 15 M. & W. 404 (Exch. 1846).

chand croyait qu'il s'agissait de tabac de qualité certifiée et, enfin, qu'il n'avait aucune raison de soupçonner que la composition du produit acheté avait été modifiée suite à l'ajout de saccharine). Soulignant la nature particulière de la disposition en cause et l'importance des intérêts protégés par la loi, le juge Baron Parke déclara : « It is very true, that it may produce mischief because an innocent man may suffer from his want of care in not examining the tobacco he has received, and not taking a warranty; but the public inconvenience would be much greater, if in every case the officers were obliged to prove knowledge. They would be very seldom able to do so. »[921] Les principes énoncés dans cette décision furent repris et développés quelques années plus tard dans l'arrêt *Regina* c. *Stephens*[922]. Historiquement, cette décision est extrêmement importante puisqu'elle confirme le bien-fondé des infractions contre le bien-être public. Devant se prononcer sur la responsabilité d'un chef d'entreprise dont les employés avaient obstrué le cours d'une rivière avoisinante, le tribunal confirma la culpabilité de l'accusé en dépit du fait que ses employés avaient agi « without his knowledge and against his general orders »[923].

---

921 *Id.*, 417.

922 [1866] 1 B.R. 702.

923 *Id.* Voir aussi *Cundy* c. *Le Cocq*, (1884) 13 B.R. 207; *Sherras* v. *De Rutzen*, [1895] 1 B.R. 918 : « [TRADUCTION] Il y a une présomption que la *mens rea*, intention répréhensible ou conscience de la criminalité de l'acte, est un élément essentiel de toute infraction; mais cette présomption est susceptible d'être écartée soit par les termes de la loi qui crée l'infraction ou par son objet et il faut tenir compte de ces deux éléments [...] les principales catégories d'exceptions peuvent sans doute être ramenées à trois. L'une est une catégorie d'actes qui, d'après le juge Lush dans *Davies* v. *Harley*, L.R. 9 Q.B. 433, sans être criminels au sens véritable du terme, sont, dans l'intérêt public, prohibés sous peine de sanction pénale ». Cité dans *R.* c. *Pierce Fisheries Ltd.*, précité, note 919, 14; *Hobbs* c. *Winchester Corporation*, [1910] 2 B.R. 471; *Provincial Motor Cab Co.* c. *Dunning*, [1922] 2 B.R. 599 : "Art. 11 of the Motor Car (Registration and Licensing) Order n°1903, [...] was for the protection of the public. A breach of that regulation is not to be regarded as a criminal offence in the full sense of the word; that is to say, there may be a breach of the regulation without a criminal intent or *mens rea*. [...] The doctrine that there must be a criminal intent does not apply to criminal

490. Au Canada, la distinction entre les infractions criminelles au sens véritable du terme et celles prohibées uniquement
dans l'intérêt public fut abordée par la Cour suprême dans les
arrêts *Beaver*[924], *Pierce Fisheries Ltd.*[925] et *Hill*[926]. De ces trois
décisions, l'arrêt *Pierce Fisheries Ltd.* est probablement le plus
important. Dans cette affaire, la société Pierce Fisheries Ltd. fut
accusée de possession de homards immatures (homards d'une
taille inférieure à trois pouces et trois-seizièmes), contrairement à
l'alinéa 3(1)*b*) du *Règlement sur la pêche du homard*. Discutant
de la nature particulière de cette disposition, la Cour arriva à la
conclusion que celle-ci appartenait à la catégorie des actes qui,
sans être criminels au sens véritable du terme, sont « dans l'intérêt
public, prohibés sous peine de sanction pénale »[927]. La présomption de *mens rea* n'étant pas applicable, la Cour suprême accueil-
lit l'appel et renvoya l'affaire au magistrat provincial pour qu'il
puisse en disposer conformément à la décision. En exposant ses
motifs au nom de la majorité, le juge Ritchie a fait remarquer :

---

offences of that particular class which arise only from the breach of a statutory regulation". Aux États-Unis, voir les décisions suivantes : *Myers* v.
State, (1849) 19 Conn. 398; *State* v. *Presnell*, (1851) 34 N.C. 103; *Commonwealth* v. *Boynton*, (1861) 2 Allen 160 (Mass.); *Commonwealth* v.
Farren, (1864) 9 Allen 489 (Mass.).

924   *Beaver* c. *La Reine*, précité, note 82, 531. Discutant de la nature crimi-
       nelle ou non de l'infraction créée par l'alinéa *d*) du paragraphe (1) de
       l'article 4 de la *Loi sur l'opium et les drogues narcotiques*, le juge Car-
       twright a déclaré : « [TRADUCTION] ... [J]e vois peu de ressemblance
       entre une loi qui, en interdisant la vente de viande avariée, vise à assurer
       la salubrité de la marchandise offerte au public, et une loi qui fait de la
       possession ou du trafic des narcotiques un crime grave. La première
       vise à assurer l'exercice d'un commerce légitime et nécessaire, de
       manière à ne pas menacer l'hygiène publique, l'autre interdit absolu-
       ment une conduite considérée comme dangereuse en elle-même. » Cité
       dans *R*. c. *Pierce Fisheries Ltd.*, précité, note 919, 16.

925   *R*. c. *Pierce Fisheries Ltd*, *id.*

926   *R*. c. *Hill*, [1975] 2 R.C.S. 402. Voir sur ce point les commentaires du
       juge Dickson dans l'arrêt *R*. c. *Corporation de la ville de Sault Ste-
       Marie*, précité, note 253, 1324.

927   *Sherras* v. *De Rutzen*, précité, note 923, 921.

[Q]ue le Règlement sur la pêche du homard a clairement pour but d'éviter le dépeuplement des bancs de homards et donc de conserver les ressources d'une importante industrie de la pêche qui est d'intérêt public.

Je ne crois pas qu'on ait allongé la liste des crimes prévus dans notre droit pénal en interdisant par règlement d'avoir en sa possession des homards immatures, et je ne crois pas non plus que les contrevenants seraient ici stigmatisés par une condamnation pour infraction criminelle. L'affaire *Beaver* c. *La Reine*, précitée, est un cas où l'on a décidé que les dispositions d'une loi fédérale autre que le *Code criminel* avaient créé une infraction criminelle proprement dite; mais, dans la présente affaire, pour suivre la formule employée par la majorité de cette Cour dans l'affaire *Beaver*, je vois peu de ressemblance entre une loi qui, en interdisant la possession de homards immatures, vise à protéger l'industrie du homard, et une loi qui fait de la possession ou du trafic des narcotiques un crime grave.

Si l'ignorance des employés responsables constituait un moyen de défense légitime pour une compagnie à responsabilité limitée inculpée en vertu de l'alinéa (b) du par. (1) de l'art. 3 du Règlement, alors je crois qu'il serait dans bien des cas pratiquement impossible d'obtenir une condamnation. [...]

En toute déférence pour ceux dont l'opinion est différente, je suis d'avis que la violation de l'alinéa (b) du par. (1) de l'art. 3 du *Règlement sur la pêche du homard* est une infraction relevant de la responsabilité inconditionnelle, où la *mens rea* n'est pas un élément essentiel.[928]

491. Bien qu'elle ne soit pas incompatible avec la recherche d'une « solution intermédiaire »[929], cette décision confirma la « tendance [qui existait alors en matière réglementaire] à ne voir qu'un choix entre deux solutions rigides : (i) la *mens rea* proprement dite ou (ii) la responsabilité absolue. »[930] N'étant pas assu-

---

928   *R.* c. *Pierce Fisheries Ltd.*, précité, note 919, par. 30, 31, 49 et 51.
929   *R.* c. *Corporation de la ville de Sault Ste-Marie*, précité, note 253, 1313.
930   *Id.*, 1312.

jetties à la présomption de *mens rea*, les infractions réglementaires devaient prévoir expressément la présence d'un élément de faute pour exiger la preuve de la *mens rea* (p. ex. : en utilisant des termes tels que « sciemment », « volontairement », « avec l'intention de »).[931] Dans le cas contraire, c'est-à-dire lorsque le texte de l'infraction était muet, l'infraction était de responsabilité absolue ou sans faute.

492. Comme on peut le constater à la lecture de ce bref résumé consacré à la jurisprudence antérieure à l'arrêt *Sault Ste-Marie*, il n'existait pas à l'époque de compromis entre la *mens rea* proprement dite et la responsabilité absolue. Aussi, malgré la montée irrésistible de la responsabilité stricte en Australie[932], en Nouvelle-Zélande[933],

---

931   *R. c. Pierce Fisheries Ltd.*, précité, note 919, par. 34 :
       Sur ce dernier point, l'art. 55 offre un exemple remarquable; le par. (1) décrète que c'est une infraction pour quiconque n'est pas muni d'un permis du ministre (a) de quitter un port ou [un] endroit du Canada « avec l'intention de pêcher » ou « de faire pêcher toute autre personne avec un vaisseau muni d'un chalut à vergue ou de tout autre chalut de même nature ... » et (b) « sciemment » d'apporter au Canada du poisson capturé dans la mer au-delà des eaux territoriales du Canada au moyen d'un vaisseau muni d'un chalut à vergue ou de tout autre chalut de même nature. Finalement, le par. (6) de l'art. 55 décrète qu'« il incombe à la personne accusée d'établir la preuve de son absence d'intention ou de connaissance, lorsque l'intention ou la connaissance est nécessaire pour constituer une infraction visée par le présent article, et l'intention ou la connaissance doit être présumée à moins qu'elle soit niée par la preuve ».
932   *Proudman v. Dayman*, (1941) 67 C.L.R. 536, 540 et 541 :
       [TRADUCTION] C'est une chose de nier qu'un élément essentiel de l'infraction est la connaissance du fait que le conducteur ne détient pas un permis valable. C'en est une autre de dire qu'une croyance de bonne foi, pour des motifs raisonnables, que quelqu'un possède un permis ne peut pas disculper celui qui l'a autorisé à conduire. Règle générale, la croyance de bonne foi pour des motifs raisonnables à un état de faits qui, eut-il existé, aurait rendu innocent l'acte du défendeur, constitue une excuse pour ce qui autrement aurait été une infraction [...]. Cité dans *R. c. Corporation de la ville de Sault Ste-Marie*, précité, note 253, 1314.
933   *The Queen v. Strawbridge*, [1970] N.Z.L.R. 909; *The King v. Ewart*, [1970] N.Z.L.R. 709.

en Angleterre[934] et même au Canada[935], celle-ci n'arrivait pas à s'intégrer pleinement au régime gouvernant les infractions réglementaires au Canada. Il faudra donc attendre encore quelques années avant de voir le plus haut tribunal du pays reconnaître, une fois pour toutes, l'existence de la responsabilité stricte en droit pénal.

Deuxième sous-section : La reconnaissance de la responsabilité stricte au Canada

493. Au Canada, la responsabilité stricte fut reconnue officiellement par la Cour suprême dans l'arrêt *R.* c. *Corporation de la ville de Sault Ste-Marie*[936]. Dans cette affaire, le prévenu, la

---

934   *Sweet* v. *Parsley*, [1970] A.C. 132, 164 :
  [TRADUCTION] [...] [L]'arrêt Woolmington ne décide pas, ce qui serait illogique, qu'il incombe à la poursuite d'apporter la preuve de l'absence de croyance erronée de la part de l'accusé en l'existence de faits qui, eussent-ils existé, auraient rendu l'acte innocent, pas plus qu'il décide que la poursuite doit apporter la preuve de l'absence d'apparence de droit dans une accusation de vol. Le jury est en droit de supposer que l'accusé a agi en connaissance de cause, à moins que celui-ci ne prouve le contraire, car lui seul peut savoir sur la foi de quoi il a agi et, s'il a fait erreur, sur quoi était fondée sa croyance. Cité dans *R.* c. *Corporation de la ville de Sault Ste-Marie*, précité, note 253, 1315 et 1316.

935   *R.* c. *McIver*, [1965] 2 O.R. 475, 441 :
  [TRADUCTION] Dans une accusation portée en vertu de l'art. 60 de *The Highway Traffic Act*, l'accusé peut en défense démontrer l'absence de négligence de sa part. Par exemple, en prouvant que sa conduite a été causée par la négligence d'un tiers ou que la cause en était une défaillance mécanique ou toute autre circonstance qu'il ne pouvait raisonnablement prévoir... En l'espèce, il était loisible à l'accusé de démontrer, s'il le pouvait, que la collision de sa voiture avec la voiture stationnée sur l'accotement, s'était produite sans faute ni négligence de sa part. Comme il n'a pas réussi à le faire, c'est à bon droit qu'il a été déclaré coupable. Cité dans *R.* c. *Corporation de la ville de Sault Ste-Marie*, *id.*, 1316 et 1317.
  Voir également : *R.* c. *Larocque*, (1958) 120 C.C.C. 246, 247 (C.A. C.-B.); *R.* c. *Regina Cold Storage & Forwarding Co.*, (1923) 41 C.C.C. 21 (C.A. Sask.); *R.* c. *A. O. Pope Ltd.*, (1972) 10 C.C.C. (2d) 430 (C.A. N.-B.); *R.* c. *Hyckey*, (1976) 30 C.C.C. (2d) 416 (C.A. Ont.); *R.* c. *Servico Limited*, (1977) 2 Alta. L. Rev. (2d) 388, 397 et 398.

936   Précité, note 253.

ville de Sault Ste-Marie, était accusé d'avoir déchargé ou fait décharger, ou permis que soient déchargées ou déposées dans le ruisseau
Cannon et la rivière Root ou sur les rives, ou le long de leurs berges, des matières qui peuvent altérer la qualité de l'eau des deux
cours d'eau, contrairement à l'article 32(1) du *Ontario Water
Resources Commission Act*. Discutant de la dichotomie traditionnelle entre les infractions exigeant la preuve de la *mens rea* et celles
reposant uniquement sur la constatation de l'*actus reus*, le juge
Dickson souligna l'importance d'une solution intermédiaire et, plus
précisément, d'une position qui serait « compatible avec le but des
infractions contre le bien-être public, sans toutefois punir la personne qui est absolument irréprochable »[937]. Ce nouveau régime
est la responsabilité stricte. Issue du croisement entre les objectifs
poursuivis par les infractions réglementaires et les principes fondamentaux de la responsabilité pénale, l'introduction de cette nouvelle forme de responsabilité entraîna un éclatement du domaine
juridique et une réorganisation en profondeur de l'espace pénal. Aux
deux catégories traditionnelles d'infractions s'ajoutait désormais
une troisième voie : la responsabilité stricte[938]. Avec sa finesse
habituelle, le juge Dickson décrivit les trois formes d'infractions
désormais reconnues en droit pénal :

> 1. Les infractions dans lesquelles la *mens rea* qui consiste en
> l'existence réelle d'un état d'esprit, comme l'intention, la con-
> naissance, l'insouciance, doit être prouvée par la poursuite soit
> qu'on puisse conclure à son existence vu la nature de l'acte com-
> mis, soit par preuve spécifique.

---

937   *Id.*, 1313
938   *R.* c. *Wholesale Travel Group Inc.*, précité, note 913, 218 :
      Dans l'arrêt *Sault Ste-Marie*, la Cour a donc non seulement confirmé la
      distinction faite entre les infractions réglementaires et les infractions cri-
      minelles, mais elle a également subdivisé les infractions réglementaires en
      infractions de responsabilité stricte et de responsabilité absolue. La nou-
      velle catégorie d'infractions de responsabilité stricte représentait un com-
      promis qui reconnaissait l'importance et les objectifs essentiels des infractions
      réglementaires tout en visant à atténuer la sévérité de la responsabilité
      absolue que l'on a jugé (à la p. 1311) « viole[r] les principes fondamentaux
      de la responsabilité pénale ».

2. Les infractions dans lesquelles il n'est pas nécessaire que la poursuite prouve l'existence de la *mens rea*; l'accomplissement de l'acte comporte une présomption d'infraction, laissant à l'accusé la possibilité d'écarter sa responsabilité en prouvant qu'il a pris toutes les précautions nécessaires. Ceci comporte l'examen de ce qu'une personne raisonnable aurait fait dans les circonstances. La défense sera recevable si l'accusé croyait pour des motifs raisonnables à un état de faits inexistant qui, s'il avait existé, aurait rendu l'acte ou l'omission innocent, ou si l'accusé a pris toutes les précautions raisonnables pour éviter l'événement en question. Ces infractions peuvent être à juste titre appelées des infractions de responsabilité stricte. C'est ainsi que le juge Estey les a appelées dans l'affaire *Hickey*.

3. Les infractions de responsabilité absolue où il n'est pas loisible à l'accusé de se disculper en démontrant qu'il n'a commis aucune faute.[939]

494.   Après avoir résumé les principales caractéristiques qui gouvernent ces trois catégories d'infractions en droit pénal canadien, le juge Dickson procéda à une analyse exhaustive des mécanismes qui sous-tendent leur application au point de vue juridique. D'après l'ancien juge en chef:

Les infractions criminelles dans le vrai sens du mot tombent dans la première catégorie. Les infractions contre le bien-être public appartiennent généralement à la deuxième catégorie. Elles ne sont pas assujetties à la présomption de *mens rea* proprement dite. Une infraction de ce genre tombera dans la première catégorie dans le seul cas où l'on trouve des termes tels que « volontairement », « avec l'intention de », « sciemment » ou « intentionnellement » dans la disposition créant l'infraction. En revanche, le principe selon lequel une peine ne doit pas être infligée à ceux qui n'ont commis aucune faute est applicable. Les infractions de responsabilité absolue seront celles pour lesquelles le législateur indique clairement que la culpabilité suit la simple preuve de

---

939   *R. c. Corporation de la ville de Sault Ste-Marie*, précité, note 253, 1325 et 1326.

l'accomplissement de l'acte prohibé. L'économie générale de la réglementation adoptée par le législateur, l'objet de la législation, la gravité de la peine et la précision des termes utilisés sont essentiels pour déterminer si l'infraction tombe dans la troisième catégorie.[940]

495. En introduisant la notion de responsabilité stricte au Canada, le juge Dickson restaure pleinement le paradigme de l'infraction liée à l'homme et à la faute morale. Sans liquider totalement les infractions de responsabilité absolue, le magistrat réduit la portée de ce type d'infraction à un droit d'exception, faisant ainsi de la responsabilité stricte le principe général applicable en matière d'infractions réglementaires.

Deuxième section : Les objectifs poursuivis par les infractions de nature réglementaire

496. Historiquement, l'apparition et l'évolution des infractions de nature réglementaire au Canada, en Angleterre et aux États-Unis « partagent une chronologie qui n'est pas l'effet du hasard »[941], mais bien le produit des nombreuses transformations qui marquèrent le paysage social au cours des XIXe et XXe siècles. Comme l'indique Francis B. Sayre dans son article sur les infractions réglementaires : « The interesting fact that the same development took place in both England and the United States at about the same time strongly indicates that the movement has been not merely an historical accident but the result of the changing conditions and beliefs of the day. »[942] L'introduction des infractions de nature réglementaire en droit pénal, loin d'être un fait purement juridique, est donc un processus lié à l'évolution des sociétés modernes, au

---

940   *Id.*, 1326.
941   Expression empruntée à M. FOUCAULT, *op. cit.*, note 6.
942   Francis B. SAYRE, « Public Welfare Offenses », (1933) 33 *Columbia L. Rev.* 55, 67.

développement de l'industrialisation et à la multiplication des échanges commerciaux. Parmi les nombreux facteurs ayant contribué à l'inflation des infractions de nature réglementaire au cours des dernières années, mentionnons les deux éléments que sont : (1) la protection du public contre les dangers découlant d'activités légitimes et (2) le pouvoir dissuasif inhérent aux sanctions pénales.

Première sous-section : La protection du public contre les dangers découlant d'activités légitimes

497. Depuis longtemps, très longtemps, le droit criminel oscille entre la protection publique et la sauvegarde des droits individuels[943]. Cette polarisation des pratiques pénales n'échappe

---

943   Pour un aperçu du contexte sociojuridique à l'origine de l'apparition des infractions réglementaires aux États-Unis, voir l'excellente analyse de F.B. SAYRE, *id.*, 68 :

> All criminal law is a compromise between two fundamentally conflicting interests, that of the public, which demands restraint of all injure or menace to the social well-being and that of the individual, which demands maximum liberty and freedom from interference. The history of criminal law shows a constant swinging of the pendulum so as to favor now the one, now the other, of these opposing interests. During the nineteenth century it was the individual interest which held the stage; the criminal law machinery was overburdened with innumerable checks to prevent possible injustice to individual defendants. The scales were weighted in his favor, and, as we have found to our sorrow, the public welfare often suffered. In the twentieth century came reaction. We are thinking today more of the protection of social and public interests; and coincident with the swinging of the pendulum in the field of legal administration in this direction modern criminologists are teaching that the objective underlying correctional treatment should change from the barren aim of punishing human being to the fruitful one of protecting social interests. As a direct result of this new emphasis upon public and social, as contrasted with individual interests, courts have naturally tended to concentrate more upon the injurious conduct of the defendant than upon the problem of his individual guilt. In the case of true crimes, however, although the emphasis may shift, courts can never abandon insistence upon the evil intent as a prerequisite to criminality, partly because individual interests can never be lost sight of and partly because the real menace to social interests is the intentional, not the innocent, doer

pas à la responsabilité réglementaire. Au contraire, si on interroge la responsabilité stricte « au niveau de ce qui archéologiquement l'a rendue possible »[944], on s'aperçoit rapidement que cette forme de responsabilité se situe exactement à la couture de l'intérêt public et des droits individuels. D'après le juge Dickson dans l'arrêt *Sault Ste-Marie* :

> [L]es infractions contre le bien-être public mettent manifestement en jeu des valeurs contradictoires. Il est essentiel que la société maintienne, par un contrôle efficace, un haut niveau d'hygiène et de sécurité publique. Il faut sérieusement prendre en considération les victimes potentielles de ceux qui exercent des activités comportant un danger latent. En revanche on répugne généralement à punir celui qui est moralement innocent.[945]

498. Protéger le public contre les dangers découlant d'activités légales et assurer le maintien de conditions propices au fonctionnement de la société; tels sont les objectifs poursuivis par les infractions de nature réglementaire. Ces objectifs, écrit le juge Cory, « implique[nt] que la protection des intérêts publics et sociaux passe avant celle des intérêts individuels et avant la dissuasion et la sanction d'actes comportant une faute morale »[946]. Toujours selon le magistrat :

> Il est difficile de penser à un aspect de nos vies qui n'est pas réglementé pour notre propre avantage et pour la protection de la société dans son ensemble. Du berceau à la tombe, nous sommes protégés par des dispositions réglementaires; elles s'appliquent

---

of harm. But the new emphasis being laid upon the protection of social interests fostered the growth of a specialized type of regulatory offense involving a social injury so direct and widespread and a penalty so light that in such exceptional cases courts could safely override the interests of innocent individual defendants and punish without proof of any guilty intent.

944   L'expression est de M. FOUCAULT, *op. cit.*, note 6, p. 77.
945   *R.* c. *Corporation de la ville de Sault Ste-Marie*, précité, note 253, 1310.
946   *R.* c. *Wholesale Travel Group Inc.*, précité, note 913, par. 129.

tant aux médecins qui nous mettent au monde qu'aux entrepreneurs de pompes funèbres présents à notre départ. Chaque jour, du lever au coucher, nous profitons de mesures réglementaires que nous tenons souvent pour acquises. À notre réveil, nous employons diverses formes d'énergie dont l'utilisation et la distribution sans danger sont réglementées. Les trains, les autobus et les autres véhicules que nous utilisons pour nous rendre au travail font l'objet de dispositions destinées à assurer notre sécurité. Les aliments et les boissons que nous consommons sont soumis à une réglementation visant à protéger notre santé.

En bref, les mesures réglementaires sont absolument essentielles pour assurer notre protection et notre bien-être en tant qu'individus et pour permettre le fonctionnement efficace de la société. Elles sont justifiées dans tous les aspects de notre vie.[947]

499. Maintenir l'objectif des infractions réglementaires, mais alléger ses coûts individuels. Trouver une nouvelle façon d'assurer l'efficacité de la peine tout en ajustant ses conséquences. Ainsi peuvent être résumées brièvement les raisons qui ont poussé les tribunaux à reconnaître l'existence de la responsabilité stricte en droit pénal canadien.

Deuxième sous-section : Le pouvoir dissuasif du droit pénal

500. Le deuxième facteur ayant contribué à l'accroissement des infractions de nature réglementaire au cours des dernières années est l'efficacité de la sanction pénale par rapport à la sanction civile ou administrative[948]. De nature coercitive, le recours à

---

947   *Id.*, par. 136.

948   *R.* c. *Corporation de la ville de Sault Ste-Marie*, précité, note 253, 1322 :

    Il est vital qu'il y ait un élément de contrôle, particulièrement dans les mains de ceux qui ont la responsabilité d'activités commerciales qui peuvent mettre le public en danger, pour promouvoir l'observation de règlements

l'arme répressive permet aux autorités publiques d'exercer une pression « sur les insouciants et les incapables pour qu'ils se déchargent de tout leur devoir dans l'intérêt de la santé, de la sécurité ou
de la morale publiques »[949]. S'il faut punir, ce n'est pas pour mar-
quer « l'offenseur du signe univoque et infamant de la condamnation »[950], mais pour l'obliger à observer les règles qui surplombent
la vie en société. Punitive, la responsabilité réglementaire l'est certainement. Pragmatique, elle l'est également. Car en se rapportant
à nos activités quotidiennes, la responsabilité réglementaire ne vise
pas à proscrire une activité, mais à la prescrire. En somme, la responsabilité réglementaire comporte à la fois ce qu'il y a de plus
négatif et de plus *positif* dans la peine : le *négatif*, c'est la punition,
la sanction qui découle de la transgression de la norme préfixée;
le *positif*, c'est la capacité d'orienter la conduite des individus au
moyen de l'imposition de normes de comportement[951]. La négligence étant définie comme l'absence de prudence, celle-ci va à
l'encontre des normes de comportement et s'impose donc comme
la norme de faute généralement applicable en matière de responsabilité réglementaire.

---

conçus pour éviter ce danger. Ce contrôle peut être exercé par [TRADUC-
TION] « la surveillance ou l'inspection, par l'amélioration des méthodes
commerciales ou par des recommandations à ceux qu'on peut espérer
influencer ou contrôler » (Lord Evershed dans *Lim Chin Aik* v. *The Queen*,
à la p. 174). [...] Comme le juge Devlin l'a fait remarquer dans l'arrêt *Rey-
nolds* v. *Austin & Sons Limited*, à la p. 139 : [TRADUCTION] « ...une personne peut être tenue responsable des actes de ses préposés, ou même des
carences de son organisation commerciale, car on peut dire en toute justice
que ces sanctions incitent les citoyens et leurs organisations à rester à la
hauteur de la situation ».

949   *Id.*
950   Expression empruntée à M. FOUCAULT, *op. cit.*, note 6, p. 16.
951   Expression empruntée à M. FOUCAULT, *Histoire de la folie à l'âge
      classique*, Paris, Gallimard, 1972.

Troisième section : La distinction entre les infractions criminelles et les infractions réglementaires au point de vue du partage des compétences

501. Au Canada, le domaine des infractions pénales est fragmenté en trois parties distinctes, lesquelles peuvent être distribuées de la manière suivante : (1) les infractions criminelles proprement dites, infractions adoptées par le Parlement fédéral en vertu du paragraphe 91(27) de la Constitution; (2) les infractions pénales fédérales adoptées par le Parlement dans le but d'assurer l'application de ses lois non criminelles et enfin; (3) les infractions pénales provinciales, mises de l'avant afin de sanctionner les lois adoptées en vertu de l'article 92 de la Constitution. La distinction est importante, car elle détermine, en juxtaposition avec d'autres facteurs, l'élément de faute applicable en matière d'infractions criminelles et réglementaires. Voyons en quoi consiste cette distinction. À l'analyse des infractions criminelles, succédera un examen des infractions pénales provinciales et fédérales.

Première sous-section : Les infractions criminelles proprement dites

502. Bien que nous sommes tous, d'une manière ou d'une autre, capables d'identifier certaines infractions criminelles, bien peu sont en mesure de définir précisément les limites de ce concept. « Il y a donc une certaine évidence [du crime], une détermination immédiate de ses traits, qui semble corrélative justement de sa non-détermination. »[952] Le droit criminel, en effet, est « plus facile à reconnaître qu'à définir »[953]. Sa détermination, pour reprendre

---

952 *Id.*
953 *Knox Contracting Ltd.* c. *Canada*, [1990] 2 R.C.S. 338, 347.

une expression de l'ancien juge en chef Lamer dans l'arrêt *R.* c. *Hydro-Québec*[954], « relève plus d'un art que d'une science »[955]. Malgré les difficultés entourant cette question, celle-ci est nécessaire. Elle a donné lieu à plusieurs explications dont la plus importante et la plus controversée est sans contredit l'approche moraliste énoncée par William Blackstone dans ses *Commentaires sur la loi anglaise.*

503. Issue de la philosophie aristotélicienne et de la pensée thomiste, l'approche moraliste développée par William Blackstone repose sur la dichotomie traditionnelle entre les infractions *mala in se* et *mala prohibita*. Tout d'abord, les crimes *mala in se*. D'après Blackstone, les crimes *mala in se* interdisent certaines actions parce qu'elles sont mauvaises en soi. Il s'agit d'infractions extrêmement graves dont la nature va à l'encontre de la justice divine[956]. Quant aux infractions *mala prohibita*, elles ne contreviennent pas au droit naturel, mais à la loi positive. En somme, elles sont mauvaises parce qu'elles sont interdites par le législateur. « The lawfulness therefore of punishing such criminals is founded upon this principle, that the law by which they suffer was made by their own consent; it is part of the original contract into

---

954   [1997] 3 R.C.S. 213.
955   *Id.*, 248.
956   William BLACKSTONE, *Commentaries on the Laws of England*, vol. 1, New York & London, Garland Publishing,1978, p. 40 :
    Considering the creator only as a being of infinite power, he was able unquestionably to have prescribed whatever laws he pleased to his creature, man, however unjust or severe. But as he is also a being of infinite wisdom, he has laid down only such laws as were founded in those relations of justice, that existed in the nature of things antecedent to any positive precept. These are the eternal, immutable laws of good and evil, to which the creator himself in all his dispensations conforms; and which he has enabled human reason to discover, so far as they are necessary for the conduct of human actions.
    Voir également aux pages 42 et 43 :
    Upon these two foundations, the law of nature and the law of revelation, depend all human laws; that is to say, no human laws should be suffered to contradict them. [...] If any human law should allow or injoin us to commit it (murder), we are bound to transgress that human law, or else we must offend both the natural and the divine.

which they entered, when first they engaged in society; it was calculated for, and has long contributed to, their own security. »[957] Alors que les crimes *mala in se* s'opposent à l'idée d'une morale unique, immuable et universelle, les infractions *mala prohibita* contreviennent au droit positif, tel que promulgué par l'autorité publique.

504. En raison de l'idéalisme moral qui anime son application, la distinction entre les infractions *mala in se* et *mala prohibita* fut l'objet de sévères critiques[958]. En effet : « [C]omment faire la preuve d'un précepte moral? Comment prouver qu'un acte donné est objectivement mauvais du point de vue moral? Peut-on faire plus qu'exprimer une opinion? »[959] Difficile à dire. Si ce n'est plus

---

957   W. BLACKSTONE, *op. cit.*, note 8, p. 8.

958   Voir sur ce point la COMMISSION DE RÉFORME DU DROIT DU CANADA, *Études sur la responsabilité stricte*, Ottawa, Information Canada, 1974, p. 209 et suiv. :

> En fait, cette contestation s'engage sur trois fronts, tous marqués par l'empreinte de Bentham : (1) la différence entre les deux types d'infractions en est une de degré et non de nature; (2) il est impossible de démontrer qu'un acte est mauvais en soi; (3) il est impossible de démontrer qu'un acte est simplement illégal et non mauvais en soi.

Sur ce point, les auteurs J. FORTIN, P.J. FITZGERALD et T. ELTON proposent notamment les réponses suivantes :

> D'abord, les crimes véritables sont des maux d'une nature plus fondamentale. Le meurtre, par exemple, cause un tort à une personne en particulier; le stationnement illégal nuit à la collectivité en général. Ensuite, le meurtre inflige un mal manifeste, direct et immédiat, alors que le stationnement illégal cause un dommage moins évident, moins direct et moins immédiat. Enfin, le stationnement illégal enfreint des règles établies pour le bien-être de la société. Il va sans dire qu'en raison de l'individualisme de l'homme, une société motorisée qui ne réglementerait pas le stationnement serait moins attrayante que celle que nous avons; mais une société dépourvue de règles interdisant la violence perdrait vite ses attributs de société, étant donné l'instinct agressif et la vulnérabilité physique de l'homme.
> Donc les crimes comme le meurtre enfreignent des règles fondamentales et les infractions comme le stationnement illégal enfreignent des règles non fondamentales. Ceci est mis en relief par la terminologie parfois utilisée afin d'établir une différence entre les deux types d'infractions, « crimes véritables » et « quasi-crimes » ou « infractions civiles ». (p. 210)

959   *Id.*, p. 211.

autour de la justice naturelle que s'organise le droit criminel, alors sur quoi peut-il établir ses prises? Sur les valeurs fondamentales qui sous-tendent le fonctionnement de la société, répond le plus haut tribunal du pays. Sur la présence d'un « objectif public d'une importance supérieure »[960]. D'une définition fondée sur la morale, nous passons à une approche centrée sur les valeurs fondamentales de la société. Selon le juge Cory dans l'arrêt *R. c. Wholesale Travel Group* [961] :

> La common law fait depuis longtemps une distinction entre la conduite criminelle proprement dite et la conduite qui, bien que licite par ailleurs, est interdite dans l'intérêt du public. Autrefois, on utilisait les expressions *mala in se* et *mala prohibita*; aujourd'hui, les actes prohibés sont généralement classés en deux catégories, les crimes et les infractions réglementaires. [...]
>
> On estime depuis toujours qu'il existe une raison logique de faire une distinction entre les crimes et les infractions réglementaires. Des actes ou des actions sont criminels lorsqu'ils constituent une conduite qui, en soi, est si odieuse par rapport aux valeurs fondamentales de la société qu'elle devrait être complètement interdite. Le meurtre, l'agression sexuelle, la fraude, le vol qualifié et le vol sont si répugnants pour la société que l'on reconnaît universellement qu'il s'agit de crimes. Par ailleurs, une certaine conduite est interdite, non pas parce qu'elle est en soi répréhensible mais parce que l'absence de réglementation créerait des conditions dangereuses pour les membres de la société, surtout pour ceux qui sont particulièrement vulnérables.[962]

---

960   *R. c. Hydro-Québec*, précité, note 954, 293, tiré dans *Reference re Validity of Section 5(a) of the Dairy Industry Act*, [1949] R.C.S. 1. (Ci-après : « Renvoi sur la Margarine »)

961   *R. c. Wholesale Traveal Group Inc.*, précité, note 913.

962   *Id.*, par. 121 et 128.

505. Bien que la référence à la nécessité d'une conduite odieuse soit, à notre avis, excessive[963], il est vrai que le droit criminel vise à interdire des actes ou des omissions qui, en plus d'être préjudiciables, enfreignent une valeur fondamentale de la société.[964] Résultat : ce n'est plus du rivage de la morale qu'il faut aborder le droit criminel, mais bien du haut de sa transcendance sociale, de sa fonction publique. À la notion de *mala in se*, nous préférons désormais celle de *mallum publicum* (« public wrong »).

506. Une fois cette distinction établie, « il peut être utile d'examiner [d'un peu plus près] en quoi consiste le droit criminel »[965]. Sur ce point, la Cour suprême du Canada est catégorique : pour être criminelle, une loi doit, tout d'abord, être adoptée par le Parlement fédéral et, ensuite, contenir une interdiction assortie d'une peine visant un « objectif public légitime ». Examinons brièvement en quoi consistent ces conditions.

A. La compétence du Parlement fédéral en matière de droit criminel

507. Aux termes de l'article 91(27) de la *Loi constitutionnelle de 1867*, le Parlement canadien possède une compétence

---

963 *Renvoi relatif à la loi sur les armes à feu (Can.)*, [2000] 1 R.C.S. 783, par. 55 :
    La deuxième faille est que le droit criminel ne se limite pas à interdire les actes immoraux : voir *Proprietary Articles Trade Association* c. *Attorney-General for Canada*, [1931] A.C. 310 (C.P.). Bien que la plupart des activités criminelles soient également considérées comme immorales, le Parlement peut utiliser le droit criminel pour interdire des activités peu liées à la moralité publique. Par exemple, le droit criminel a été utilisé pour interdire certaines restrictions à la libre concurrence : voir *Attorney-General for British Columbia* c. *Attorney-General for Canada*, précité. Par conséquent, même si le contrôle des armes à feu ne comportait pas d'aspect moral, il pourrait néanmoins relever de la compétence fédérale en matière de droit criminel.

964 G. CÔTÉ-HARPER, P. RAINVILLE et J. TURGEON, *op. cit.*, note 40, p. 53 et suiv.

965 *Knox Contracting Ltd.* c. *Canada*, précité, note 953, 347.

exclusive en matière de droit criminel. Cette compétence, précise la Cour suprême du Canada, n'est pas une pièce de musée, mais un concept dynamique dont les contours doivent s'ajuster constamment à l'évolution de la technique, des moeurs et des valeurs sociales. Loin d'être figé dans la pierre, le profil de la justice criminelle s'élargit donc de manière à englober des sujets qui n'étaient pas prévus, ou ne pouvaient être prévus, en 1867. Comme l'a souligné le juge Estey dans l'arrêt *Scowby* c. *Glendinning*[966], « les termes du par. 91(27) de la Constitution doivent être interprétés comme attribuant au Parlement la compétence exclusive en matière de droit criminel dans le sens plus large du terme »[967]. Notre Cour, poursuit le juge La Forest dans l'arrêt *RJR-MacDonald*[968], « a pris soin de ne pas geler la définition à une époque déterminée ni de la restreindre à un domaine d'activités »[969]. C'est pourquoi l'on a depuis longtemps reconnu que la compétence fédérale de légiférer en matière de droit criminel comprend nécessairement celle de définir de nouveaux crimes.

508. Malgré son caractère évolutif, la plasticité du droit criminel n'est pas absolue. Sa légalité est assujettie, au point de vue constitutionnel, à la présence de deux autres conditions, à savoir (1) l'existence d'une interdiction assortie d'une sanction visant (2) un « objectif public légitime »[970].

1. La loi contient une interdiction assortie d'une sanction

509. Pour être criminelle, la loi doit tout d'abord prévoir une interdiction assortie d'une sanction. Énoncée en 1931 par le

---

966   [1986] 2 R.C.S. 226.

967   *Id.*, 238.

968   *R.J.R.-MacDonald Inc.* c. *Canada (Procureur Général)*, [1995] 3 R.C.S. 199.

969   *Id.*, 240.

970   *R.* c. *Hydro-Québec*, précité, note 954, 244. Voir également *Renvoi relatif à la Loi sur les armes à feu (Can.)*, précité, note 963.

Conseil privé dans l'arrêt *Proprietary Articles Trade Association (PATA)*[971], cette exigence a, maintes fois, été reconnue par les tribunaux. Comme l'a souligné le juge Rand dans le *Renvoi sur la margarine* :

> [TRADUCTION] Le crime est l'acte que la loi interdit et auquel elle attache une peine; les interdictions portant sur quelque chose, l'on peut toujours trouver à leur base une situation contre laquelle le législateur veut, dans l'intérêt public, lutter. La situation que le législateur a voulu faire cesser ou les intérêts qu'il a voulu sauvegarder peuvent être autant du domaine social que du domaine économique ou politique; et la législature avait à l'esprit de supprimer le mal ou de sauvegarder les intérêts menacés.
>
> La prohibition est-elle alors adoptée en vue d'un objectif public qui peut la faire considérer comme relative au droit criminel? La paix publique, l'ordre, la sécurité, la santé, la moralité : ce sont là des buts habituels, bien que non exclusifs, que poursuit ce droit...[972]

510. Comme l'indique cet extrait emprunté au *Renvoi sur la margarine*, la définition classique du droit criminel repose sur la présence d'une interdiction assortie d'une sanction. Cette première condition est importante mais non suffisante, puisque la plupart des lois adoptées par le Parlement fédéral et les provinces prévoient également des interdictions assorties de sanctions. Autant dire que la notion de droit criminel ne peut être entièrement saisie à travers la présence d'une sanction punitive. D'où la nécessité d'une seconde condition venant préciser la nature du droit criminel. Cette seconde exigence est la poursuite d'un « objectif public légitime ».

---

971 *Proprietary Articles Trade Association* c. *Attorney-General for Canada*, [1931] A.C. 310.

972 *Renvoi sur la margarine*, précité, note 960, 49 et 50 (cité dans *RJR-MacDonald Inc.* c. *Canada (Procureur Général)*, précité, note 968, 241).

2. La poursuite d'un « objectif public légitime » (« public wrong »)

511. Après avoir relevé la présence d'une interdiction assortie d'une sanction, la seconde étape consiste à vérifier si cette interdiction « est dirigée contre un "mal" ou un effet nuisible pour le public. »[973] En effet, pour être criminelle, la loi doit poursuivre un « objectif public légitime »[974]. Tout en ayant le mérite de souligner les préoccupations d'ordre public qui se profilent derrière le droit criminel, l'expression « objectif public légitime », utilisée par la Cour suprême du Canada dans le *Renvoi sur la margarine*[975] et par certains juges dans les arrêts *R. c. Hydro-Québec*[976] et *RJR-MacDonald*[977], nous semble trop étroite pour rendre compte de la réalité de ce phénomène. Après tout, le stationnement interdit, la vente illégale de boissons enivrantes et la prohibition de la pêche hors-saison ne visent-ils pas un objectif public légitime? Et « si une loi interdit un acte parce qu'il serait contraire à l'intérêt public de l'accomplir, l'acte est sûrement antisocial; [donc socialement nuisible] »[978]. L'impasse est évidente. Sa solution passe par une analyse qui met l'accent sur l'importance de l'intérêt protégé. L'interdiction vise-t-elle un « objectif public d'une importance supérieure »? Si oui, alors le Parlement fédéral pourra « exercer son plein pouvoir en matière de droit criminel pour protéger cet intérêt et supprimer les maux qui lui sont associés au moyen d'interdictions pénales appropriées »[979]. Il n'est pas question ici de limiter la compétence du Parlement fédéral aux intérêts traditionnellement rattachés au droit criminel, mais de reconnaître sa nature plénière, en étendant la liste des objets traditionnellement protégés (paix publique, ordre, sécurité, santé, moralité) à d'autres intérêts fon-

---

973   *Renvoi sur la margarine, id.*
974   *Scowby* c. *Glendinning*, précité, note 966, 237.
975   Précité, note 960, 49 et 50.
976   Précité, note 954, 244.
977   Précité, note 968.
978   COMMISSION DE RÉFORME DU DROIT DU CANADA, *op. cit.*, note 958, p. 179.
979   *R.* c. *Hydro-Québec*, précité, note 954, 293.

damentaux, tels que la protection de l'environnement. D'après le juge Gonthier dans l'arrêt *Ontario* c. *Canadien Pacifique Ltée*[980] :

> Il est clair qu'au cours des deux dernières décennies, les citoyens se sont fortement sensibilisés à l'importance d'assurer la protection de l'environnement et au fait que des conséquences pénales peuvent découler d'une conduite qui nuit à l'environnement. [...] Nous savons tous que, individuellement et collectivement, nous sommes responsables de la préservation de l'environnement naturel. J'abonde dans le sens de la Commission de réforme du droit du Canada qui, dans son document *Les crimes contre l'environnement*, a conclu à la p. 10 : ... certains faits de pollution représentent effectivement la violation d'une valeur fondamentale et largement reconnue, valeur que nous appellerons le droit à un environnement sûr. [...] Non seulement la protection de l'environnement est-elle devenue une valeur fondamentale au sein de la société canadienne, mais ce fait est maintenant reconnu dans des dispositions législatives.
>
> Le droit criminel «ayant pour objectif de mettre en relief et de protéger nos valeurs fondamentales», il est normal que sa compétence soit rattachée à la poursuite de cet objectif.[981]

---

980   [1995] 2 R.C.S. 1031.

981   *Id.*, par. 55. Voir également *R.* c. *Hydro-Québec*, précité, note 954, par. 127 :

> Le droit criminel a pour objectif de mettre en relief et de protéger nos valeurs fondamentales. Bien que des sanctions pénales puissent être attachées à beaucoup de questions relatives à l'environnement en ce qui concerne la protection de la vie ou de la santé humaine, je ne puis accepter que le droit criminel se limite à cela parce que « la pollution de l'environnement, sous certaines formes et à certains degrés, peut, directement ou indirectement, à court ou à long terme, être gravement dommageable ou dangereuse pour la vie et la santé humaines », comme on le fait remarquer dans le document que le juge Gonthier cite et approuve dans l'arrêt *Ontario* c. *Canadien Pacifique*, précité. Mais le stade auquel cela peut être découvert n'est pas facile à identifier, et je suis d'accord avec le document pour dire que la responsabilité de l'être humain envers l'environnement est une valeur fondamentale de notre société, et que le Parlement peut recourir à sa compétence en matière de droit criminel pour mettre cette valeur en relief. Le droit criminel doit pouvoir s'adapter à nos nouvelles valeurs et les protéger.

512. La poursuite d'un « objectif public d'une valeur fondamentale » étant au cœur de la compétence du Parlement fédéral,
celle-ci peut être suffisante pour justifier son intervention en droit
criminel. En effet, « la forme de l'interdiction, écrivent les auteurs
Chevrette et Marx, n'est pas un critère déterminant de sa validité
comme loi criminelle »[982]. C'est pourquoi une telle disposition peut
parfois revêtir des aspects réglementaires. Bien que cette caractéristique n'affecte pas la qualification de la disposition au point de
vue du partage des compétences, « cela ne signifie pas que pour
l'application de la Charte [et plus particulièrement pour la détermination de la faute] cette infraction est "purement" de nature criminelle ou qu'elle constitue du droit criminel dans "sa forme la
plus pure" »[983].

513. En ce qui concerne, finalement, les limites du pouvoir
conféré au Parlement canadien en vertu du paragraphe 91(27) de
la *Loi constitutionnelle de 1867*, celui-ci semble restreint uniquement par l'interdiction « d'empiéter spécieusement sur des domai-
nes de compétence législative provinciale exclusive »[984]. Cette
réserve mise à part, il « relève entièrement du pouvoir discrétionnaire du Parlement de décider quel mal il désire supprimer au
moyen d'une interdiction pénale et quel intérêt menacé il souhaite
ainsi sauvegarder »[985].

---

982   François CHEVRETTE et Herbert MARX, *Droit constitutionnel*,
      Montréal, P.U.M., 1982, p. 744.
983   *R.* c. *Jarvis*, [2002] 3 R.C.S. 757, 791.
984   *Scowby* c. *Glendinning*, précité, note 966, 237. Voir sur ce point Henri
      BRUN et Guy TREMBLAY, *Droit constitutionnel*, 3ᵉ éd., Cowansville,
      Éditions Yvon Blais, 1997, p. 503 :
           Au surplus, ici comme ailleurs, la législation « déguisée » n'est pas per-
           mise. Ainsi, le Conseil privé a jugé qu'une disposition insérée dans le *Code
           criminel* en vue de régir le commerce de l'assurance (qui relève de la com-
           pétence provinciale) était invalide : *A.-G. Ontario* c. *Reciprocal Insurers*,
           [1924] A.C. 328. On peut faire tomber dans la même catégorie l'*Affaire de
           la margarine*, où le Conseil privé déclara *ultra vires* la prohibition fédérale
           en l'espèce, qui s'avérait de nature commerciale plutôt que criminelle; le
           tribunal reconnut que le droit criminel pouvait s'appliquer aux produits dan-
           gereux pour la santé, mais en fait, le gouvernement fédéral, en prohibant la
           margarine, avait voulu favoriser l'industrie laitière.
985   *R.* c. *Hydro-Québec*, précité, note 954, par. 119.

Deuxième sous-section : Les infractions pénales provinciales et fédérales

A. Les infractions pénales provinciales

514. L'article 92(15) de la *Loi constitutionnelle de 1867* confère à la législature provinciale la compétence d'infliger des « sanctions, par voie d'amende, de pénalité ou d'emprisonnement, en vue de faire exécuter toute loi de la province sur des matières rentrant dans l'une quelconque des catégories de sujets énumérés au présent article ». Sans diminuer l'importance de cette disposition, celle-ci nous semble quelque peu superfétatoire dans la mesure où une loi ne peut se passer d'un mécanisme de sanction visant à assurer son application. En effet, il est de « l'essence [même] d'une loi de pourvoir à la sanction de sa violation »[986]. Aussi, même si les provinces ne peuvent adopter d'infractions criminelles proprement dites, elles peuvent et doivent, d'une certaine manière, sanctionner les contraventions aux lois touchant leur secteur d'attribution.

515. Malgré l'altérité des sources législatives invoquées au soutien de leur adoption respective, il arrive parfois – souvent même –, d'observer un certain chevauchement entre les infractions pénales et les infractions criminelles. Ce chevauchement, qui n'est pas illégal en soi[987], permet d'assurer une couverture quasi

---

986   H. BRUN et G. TREMBLAY, *op. cit.*, note 984, p. 499.

987   *Renvoi relatif à la Loi sur les armes à feu (Can.)*, précité, note 963, par. 28 et 30 :

> Avant de déterminer si les trois critères de droit criminel sont respectés par cette loi, il y a lieu de faire quelques observations générales sur la compétence en matière de droit criminel. Comme notre Cour l'a indiqué dans de nombreux arrêts, c'est un vaste domaine de compétence fédérale : *RJR-MacDonald*, *Hydro-Québec*, et *Renvoi sur la margarine*, précités. Le droit criminel a une place à part comme chef de compétence fédérale. Malgré des chevauchements multiples avec la compétence provinciale en matière de propriété et de droits civils, il ne résulte pas d'un « découpage » de la compétence provinciale, contrairement à l'opinion du juge Conrad de la Cour d'appel. Il englobe aussi la procédure pénale, qui régit plusieurs aspects

complète des dangers que comportent certaines conduites réglementées. Discutant de la complémentarité du droit pénal et criminel en matière de circulation routière, la Commission de réforme
du droit du Canada, dans son étude sur la responsabilité stricte,
écrit :

> Dans une optique, un seul et même acte peut tomber à la fois sous
> la compétence fédérale et sous la compétence provinciale. C'est
> le cas des lois routières. La réglementation de la circulation rou-
> tière est avant tout une matière « d'intérêt local et privé » dans la
> province et à ce titre, elle tombe sous le paragraphe 16 de l'arti-
> cle 92 de la Constitution. Les provinces ont donc le pouvoir de
> légiférer en matière de circulation routière et de créer des infrac-
> tions à partir des actes contraires à leur législation routière. Mais
> bien que la circulation routière soit surtout un sujet de compé-
> tence provinciale, elle se prête aussi à d'autres considérations. Par
> exemple, étant donné les dommages réels ou éventuels auxquels
> elle peut donner lieu, la conduite dangereuse devient un mal con-
> tre lequel le Parlement doit protéger le citoyen. Une province peut
> créer une infraction routière dans le but de réglementer la circu-
> lation; le Parlement peut créer un crime dans le but de protéger
> le citoyen contre un préjudice.[988]

---

de son application, comme l'arrestation, la fouille, la perquisition et la saisie d'éléments de preuve, la réglementation de l'écoute électronique et la
confiscation des biens volés. [...]
La compétence en matière de droit criminel est vaste, mais elle n'est pas
illimitée. Certaines parties ont exprimé devant notre cour la crainte que
cette compétence soit utilisée de façon illégitime pour envahir un domaine
provincial et usurper des pouvoirs provinciaux. Une perception dûment
pondérée de la compétence en matière de droit criminel exclut cette éventualité.

[988]   COMMISSION DE RÉFORME DU DROIT DU CANADA, *op. cit.*,
note 958, p. 217. Voir sur ce point les excellents commentaires de F. CHE-
VRETTE et H. MARX, *op. cit.*, note 982, p. 756 et 757 :
> Les provinces peuvent assortir leurs lois de sanctions pénales, car la simple
> sanction civile d'annulation ou de réparation est dans de nombreux cas
> inappropriée. Pour ne prendre qu'un exemple, elle l'est dans le cas de celui
> qui, sans causer de dommage, enfreint la législation routière. Et même si
> un recours en dommage était ouvert, la poursuite pénale provinciale devrait
> demeurer possible, au motif que la circulation routière est matière de com-
> pétence provinciale et que celui qui enfreint les règles de droit à ce sujet

516. Il y a donc ici un seul sujet, mais deux formes de responsabilité. Elles ne sanctionnent pas les mêmes actions ni les mêmes acteurs, mais font partie d'un réseau d'interdictions multiples, dont l'une a pour but de réglementer une activité et l'autre, de l'interdire. En d'autres mots, les interdictions, en droit pénal provincial, « sont accessoires au régime de réglementation, et non l'inverse »[989]. Pour un exemple d'infraction provinciale de nature réglementaire, voir l'article 184 de la *Loi sur l'assurance automobile*[990]. D'après cette disposition :

184. Personne ne doit sciemment obtenir ou recevoir, directement ou indirectement, le paiement d'indemnités ou le remboursement de frais qu'il n'a pas droit d'obtenir ou de recevoir en vertu de la présente loi ou des règlements.

Quiconque enfreint le présent article est passible d'une amende d'au moins 325 $ et d'au plus 2 800 $.

517. Le législateur s'étant inscrit dans la norme qu'il a rédigée – en utilisant un code juridiquement rattaché à la preuve d'un état d'esprit coupable –, les tribunaux devront respecter son intention et obliger le ministère public à prouver la connaissance (intention) de l'accusé. Parmi les autres lois relatives au bien-être public reconnues au Québec, mentionnons la *Loi sur la conservation et la mise en valeur de la faune*[991], le *Code de la sécurité routière*[992],

---

doit pouvoir être puni. Il existe donc un ordre public provincial, garanti par un ensemble de prohibitions et de peines qui s'apparentent en tous points à celles établies par la législation criminelle fédérale, à cette différence toutefois que le droit criminel a pour objet, pour reprendre l'expression du juge Fauteux dans l'arrêt *Birks*, [1975] R.C.S. 799, 810-811, reproduit plus haut, « le bien commun, la sécurité ou l'ordre moral » en tant que tels, alors que le droit pénal provincial poursuit « une fin d'ordre réglementaire » et n'est qu'un accessoire visant au respect de normes provinciales.

989   *R.* c. *Hydro-Québec*, précité, note 954, par. 53.
990   L.R.Q., c. A-25.
991   L.R.Q., c. C-61.1.
992   L.R.Q., c. C-24.2.

la *Loi sur la qualité de l'environnement*[993], la *Loi sur le ministère du revenu*[994], etc.

B. Les infractions pénales fédérales

518. Aux termes de la *Loi constitutionnelle de 1867*, le Parlement fédéral peut adopter des lois sur toutes les matières prévues à l'article 91 (voir également compétence de légiférer pour la paix, l'ordre et le bon gouvernement). Cette compétence, il va de soi, s'accompagne de la possibilité de prévoir des sanctions pénales en vue de faire exécuter ces lois. Or, contrairement aux provinces, il ne s'agit pas ici d'un pouvoir explicite, mais d'une obligation inhérente à la fonction législative, car la *Loi constitutionnelle de 1867* ne prévoit aucun article conférant expressément au Parlement fédéral le pouvoir d'infliger des punitions par voie d'amende, de pénalité ou d'emprisonnement. C'est donc de biais, par une sorte de raisonnement inductif, qu'il faut envisager le pouvoir du Parlement fédéral en matière de droit pénal réglementaire.

519. Ce pouvoir, il convient de le préciser, présente une difficulté supplémentaire, car le Parlement fédéral étant le détenteur du pouvoir de légiférer en droit criminel, il peut s'avérer extrêmement difficile de déterminer la nature exacte de certaines dispositions particulières. Cette difficulté est exacerbée par la présence de lois de nature criminelle qui ne figurent pas dans le *Code criminel*. On n'a qu'à penser à la *Loi réglementant certaines drogues et autres substances*[995] et à la *Loi sur les armes à feu*[996]. Ainsi, selon la Cour suprême du Canada :

---

993   L.R.Q., c. Q-2.
994   L.R.Q., c. M-31.
995   L.R.C. (1996), c. 19.
996   L.R.C. (1995), c. 39.

Non seulement le droit criminel se situe-t-il à part comme chef de compétence, mais il s'exprime aussi dans une vaste gamme de lois. Le *Code criminel* est la quintessence même d'un texte législatif fédéral en matière de droit criminel, mais il n'est pas le seul. La *Loi sur les aliments et drogues*, la *Loi sur les produits dangereux*, la *Loi sur le dimanche* et la *Loi réglementant les produits du tabac* ont toutes été jugées constituer un exercice valide de la compétence en matière criminelle : *Standard Sausage Co. c. Lee*, [1933] 4 D.L.R. 501 (B.C.C.A.); *R. c. Cosman's Furniture (1972) Ltd.* (1976), 73 D.L.R. (3d) 312 (C.A. Man.); *Big M Drug Mart*, précité (dispositions législatives annulées pour d'autres motifs); et *RJR-MacDonald*, précité (dispositions législatives annulées pour d'autres motifs). Par conséquent, le fait que certaines dispositions de la *Loi sur les armes à feu* ne se retrouvent pas dans le *Code criminel* n'est pas pertinent pour les fins de la qualification constitutionnelle.[997]

520. En plus des lois criminelles qui se retrouvent ailleurs que dans le *Code criminel*, certaines lois fédérales de nature non criminelle peuvent contenir également des sanctions de nature criminelle. C'est le cas notamment de l'article 239(1) de la *Loi de l'impôt sur le revenu*[998], article qui vise à interdire les opérations frauduleuses en matière fiscale. D'après cette disposition :

239. (1) Toute personne qui, selon le cas :

a) a fait des déclarations fausses ou trompeuses, ou a participé, consenti ou acquiescé à leur énonciation dans une déclaration, un certificat, un état ou une réponse produits, présentés ou faits en vertu de la présente loi ou de son règlement;

b) a, pour éluder le paiement d'un impôt établi par la présente loi, détruit, altéré, mutilé, caché les registres ou livres de comptes d'un contribuable ou en a disposé autrement;

---

997   *Renvoi relatif à la Loi sur les armes à feu (Can.)*, précité, note 963, par. 29.

998   L.R.C. (1985), c. 1 (5ᵉ suppl.).

c) a fait des inscriptions fausses ou trompeuses, ou a consenti ou acquiescé à leur accomplissement, ou a omis, ou a consenti ou acquiescé à l'omission d'inscrire un détail important dans les registres ou livres de comptes d'un contribuable;

d) a, volontairement, de quelque manière, éludé ou tenté d'éluder l'observation de la présente loi ou le paiement d'un impôt établi en vertu de cette loi;

e) a conspiré avec une personne pour commettre une infraction visée aux alinéas a) à d), commet une infraction et, en plus de toute autre pénalité prévue par ailleurs, encourt, sur déclaration de culpabilité par procédure sommaire :

f) soit une amende de 50 % à 200 % de l'impôt que cette personne a tenté d'éluder;

g) soit à la fois l'amende prévue à l'alinéa f) et un emprisonnement d'au plus 2 ans.

[...]

(2) Toute personne accusée d'une infraction visée aux paragraphes (1) ou (1.1) peut, au choix du procureur général du Canada, être poursuivie par voie de mise en accusation et, si elle est déclarée coupable, encourt, en plus de toute autre pénalité prévue par ailleurs :

a) d'une part, une amende de 100 % à 200 % des montants suivants :

(i) dans le cas de l'infraction visée au paragraphe (1), l'impôt que cette personne a tenté d'éluder,

(ii) dans le cas de l'infraction visée au paragraphe (1.1), l'excédent du montant du remboursement ou du crédit obtenu ou demandé sur le montant auquel elle ou l'autre personne, selon le cas, a droit;

b) d'autre part, un emprisonnement maximal de cinq ans.

521. Bien que la « *Loi de l'impôt sur le revenu* [ait] été adoptée conformément au pouvoir fédéral de taxation »[999], le paragraphe 239(1) de la loi « constitue du droit criminel sous sa forme la plus pure »[1000]. Aussi, dans la mesure où « l'article parle de fraude, de tromperie, de destruction et d'altération de documents, de déclarations fausses, de faux documents et d'évasion fiscale volontaire, il est facile de constater que ceux qui commettent ces infractions ont délibérément commis des actes qui, de par leur nature même, s'inscrivent bien dans la définition de ce qui constitue du droit criminel »[1001].

---

999 *Knox Contracting Ltd.* c. *Canada*, précité, note 953, par. 32.

1000 *Id.*

1001 *Id.*, par. 32 et 33 :

Se fondant sur l'arrêt *Procureur général du Canada* c. *Transports Nationaux du Canada*, Ltée, précité, le juge L'Heureux-Dubé a conclu, dans l'arrêt *Thomson*, que la loi relative aux coalitions était justifiable en vertu de la compétence fédérale en matière d'échanges et de commerce. Dans la présente affaire, le juge Sopinka affirme de la même façon que la *Loi de l'impôt sur le revenu* a été adoptée conformément au pouvoir fédéral de taxation. Je partage l'avis de mes collègues quant au pouvoir législatif d'adopter ces lois. Toutefois, cela ne signifie pas que les dispositions y contenues qui créent des infractions et imposent des peines ne constituent pas du droit criminel. Par exemple, la *Loi de l'impôt sur le revenu*, dans la mesure où elle crée un régime réglementaire de calcul et de paiement d'impôts par les contribuables et autorise des vérifications ponctuelles pour assurer qu'il y a respect spontané de la Loi, ne constitue pas du droit criminel. Il s'agit nettement de droit fiscal. Mais dans la mesure où la Loi fait de la présentation d'une déclaration frauduleuse et malhonnête une infraction punissable d'une amende ou d'emprisonnement, il semble tout aussi clairement s'agir d'une loi relevant du droit criminel. Ces dispositions reconnaissent qu'on ne peut pas se fier que tous les contribuables déclareront exactement leurs revenus, et que le régime d'auto-déclaration et d'auto-cotisation doit avoir des dents pour pouvoir corriger les fraudeurs. Bien qu'il soit évidemment possible de considérer ces dispositions comme faisant partie de l'administration ou de la réglementation parce qu'elles peuvent avoir un effet dissuasif sur ceux et celles qui, à l'avenir, peuvent être enclins à s'écarter du droit chemin, elles sont plus que cela. Elles visent l'inconduite délibérée dont on s'est déjà rendu coupable en la qualifiant d'infraction punissable sur déclaration sommaire de culpabilité ou par voie de mise en accusation. Elles ont pour objet de supprimer un fléau et un préjudice causé à l'intérêt public. En ce sens, elles constituent du droit criminel sous sa forme la plus pure. J'estime qu'il n'y a rien d'exceptionnel ou d'illogique à avoir une mesure législative par ailleurs surtout réglementaire qui contient des interdictions et des sanctions criminelles, et une contestation de dispositions précises de la Loi, fondée sur le partage des pouvoirs,

522. Comme l'indique cette étude consacrée aux infractions pénales et criminelles, « il est parfois difficile de distinguer la nature criminelle ou réglementaire d'une infraction fédérale, car le législateur renvoie à la procédure et aux sanctions criminelles pour la plupart des infractions créées par des textes de loi »[1002]. Cette difficulté, une fois comprise, ne devrait pas, toutefois, empêcher les tribunaux de rechercher les indices d'un partage plus précis et plus juste des régions de la peine. Car si le geste qui vise à tracer la frontière entre le droit criminel et le droit pénal n'est ni simple, ni facile, ses conséquences demeurent importantes au point de vue de la faute...

---

doit à mon avis être dirigée contre les dispositions en question et non contre l'ensemble de cette loi.

En l'espèce, la question est de savoir si, en l'absence, dans la *Loi de l'impôt sur le revenu* ou dans le *Code criminel*, d'un droit d'interjeter appel contre la décision d'un juge d'une cour supérieure de ne pas annuler un mandat de perquisition décerné conformément à l'art. 231.3 de la *Loi de l'impôt sur le revenu*, la province peut conférer ce droit conformément à sa compétence en vertu du par. 92(14). Il semble assez clair que la perquisition envisagée à l'art. 231.3 de la *Loi sur l'impôt sur le revenu* a pour objet de recueillir des éléments de preuve d'une infraction à l'art. 239. Une telle infraction est punissable sur déclaration sommaire de culpabilité en vertu du par. 239(1) ou par voie de mise en accusation en vertu du par. 239(2), au choix du procureur général du Canada. Il est irréaliste, selon moi, aux fins de décider si un appel peut être interjeté contre un refus d'annuler un mandat de perquisition, de dissocier l'art. 231.3 des infractions que la perquisition vise à découvrir et de qualifier la première disposition de question de procédure civile et la deuxième, de droit criminel. Ainsi, bien que les art. 231.3 et 239 puissent se justifier constitutionnellement en vertu du pouvoir général de taxation, il n'est pas nécessaire, aux fins de l'espèce, d'examiner cet aspect. Ces articles sont vraiment de nature criminelle et la procédure en matière criminelle est expressément soustraite à la compétence provinciale; voir l'arrêt *Procureur général du Canada* c. *Transports Nationaux du Canada*, Ltée, précité, aux pp. 216 à 223.

1002 Alain MORAND, « Les infractions relatives au bien-être public », dans BARREAU DU QUÉBEC, *op. cit.*, note 482, p. 27 et 28.

Quatrième section : La distinction entre les infractions criminelles et les infractions réglementaires au point de vue de la faute

523. Après avoir distingué les infractions criminelles des infractions réglementaires, il nous faut maintenant étudier le régime de faute applicable en semblable matière. À l'étude de la norme de faute applicable dans les cas d'infractions criminelles succédera un examen du régime applicable en matière d'infractions réglementaires.

Première sous-section : La norme de faute applicable en matière criminelle

524. La norme de faute applicable en matière criminelle comprend deux considérations, selon qu'elle est envisagée du point de vue de la Constitution ou des règles générales d'interprétation judiciaire. Dans le premier cas, c'est-à-dire lorsqu'il s'agit « d'apprécier le contenu d'un texte législatif en fonction des garanties contenues dans notre Charte et plus particulièrement des exigences reliées aux principes de justice fondamentale »[1003], la Cour suprême reconnaît l'existence de certaines infractions (p. ex. : meurtre, tentative de meurtre, complicité pour meurtre, vol) qui, « en raison de la nature spéciale des stigmates qui se rattachent à une déclaration de culpabilité [...] ou des peines qui peuvent être imposées, [...] commandent une *mens rea* [subjective] »[1004]. Discutant de la faute requise en matière de meurtre, le juge Lamer, dans l'arrêt *R. c. Vaillancourt*[1005], formule les commentaires suivants :

1003 *R.* c. *Martineau*, précité, note 338, par. 8.
1004 *R.* c. *Vaillancourt*, précité, note 413, par. 28.
1005 *Id.*

De nombreuses dispositions du Code n'exigent que la prévisibilité objective du résultat ou même seulement l'existence d'un lien de causalité entre l'acte et le résultat. Comme je préférerais en l'espèce éviter de mettre en doute la validité de telles dispositions, je vais présumer, mais pour les fins du présent pourvoi seulement, qu'en général un état d'esprit moindre que la prévision subjective du résultat peut parfois suffire pour entraîner la responsabilité criminelle de celui qui a provoqué ce résultat au moyen d'une conduite criminelle intentionnelle.

Cependant, quelle que soit la *mens rea* minimale requise pour l'acte ou le résultat, il existe, quoiqu'ils soient très peu nombreux, des crimes pour lesquels, en raison de la nature spéciale des stigmates qui se rattachent à une déclaration de culpabilité de ceux-ci ou des peines qui peuvent être imposées le cas échéant, les principes de justice fondamentale commandent une *mens rea* qui reflète la nature particulière du crime en question. Tel est le cas du vol dont, selon moi, on ne peut être déclaré coupable que s'il y a preuve d'une certaine malhonnêteté. Le meurtre en est un autre exemple. La peine imposée pour le meurtre est la plus sévère que l'on trouve dans notre société et les stigmates qui se rattachent à une déclaration de culpabilité de meurtre sont tout aussi extrêmes. En outre, le meurtre ne se distingue de l'homicide involontaire coupable que par l'élément moral concernant la mort. Il est ainsi évident qu'il doit exister quelque élément moral spécial concernant la mort pour qu'un homicide coupable puisse être considéré comme un meurtre. Cet élément moral spécial engendre la réprobation morale qui justifie les stigmates et la sentence liés à une déclaration de culpabilité de meurtre. Je suis présentement d'avis qu'en vertu d'un principe de justice fondamentale la déclaration de culpabilité de meurtre ne saurait reposer sur quelque chose de moins que la preuve hors de tout doute raisonnable de la prévision subjective.[1006]

525. Dans les cas où la *mens rea* subjective n'est pas requise aux termes de la Constitution, la faute, en matière criminelle, peut être appréciée subjectivement ou objectivement, le cas échéant.

1006 *Id.*, par 27 et 28.

La combinaison des deux étant possible[1007] (p. ex. : voies de fait avec lésions corporelles), l'interprétation judiciaire révèlera la structure psychologique à la source de l'infraction reprochée. Pour découvrir l'intention du législateur, les tribunaux distinguent généralement les crimes graves ou « proprement dits », des infractions criminelles « qui reposent de façon importante sur des aspects réglementaires ».

526. Dans le cas des crimes graves ou « proprement dits », le ministère public devra faire la preuve soit d'une faute subjective, comme la connaissance (aveuglement volontaire), l'intention ou l'insouciance, soit d'une faute objective, comme la négligence criminelle (art. 219, 220 et 221 C.cr.), la négligence pénale ou la prévisibilité objective de lésions corporelles[1008]. La responsabi-

---

1007   *R. c. Hinchey*, précité, note 271, 1171 : « En fait, la *mens rea* d'une infraction comportera très souvent à la fois un élément objectif et un élément subjectif. »

1008   *R. c. Raglon*, précité, note 403, par. 49 :

The are no phrases within s. 95(1) that are particularly helpful to discern the type of *mens rea* applicable to the section. The essence of possession crimes is that there is no crime unless there is knowledge of the character of the forbidden substance: R. v. Beaver, *supra*; R. v. the City of Sault Ste. Marie, *supra*. The inclusion in the *Criminal Code* at common law was by that very fact taken to import *mens rea* in the sense of a guilty mind: R. v. Prue, *supra*. Charter cases have elevated *mens rea* from a presumed element applicable to categories of offences in Sault Ste. Marie, *supra* to a constitutionally required element of fault for offences where risk of imprisonment existed. Absolute liability cannot exist where imprisonment is available as a sanction. Thus, irrespective of whether the offence was regulatory or criminal in nature the minimum requirement was negligence in which at least a defence of due diligence was required: Re B.C. Motor Vehicles, supra; R. v. Vaillancourt, *supra* at p. 652; R. v. Wholesale Travel, *supra* at p. 236. Negligence measures the conduct of an individual on the basis of an objective standard irrespective of the accused's subjective mental state: *R. v. Wholesale Travel* p. 238. The *mens rea* of a criminal offence can be either subjective or objective and still meet the requirements of fundamental justice for the purpose of s. 7: R. v. Creighton, *supra* p. 382. In some regulatory offences the mental element of blameworthiness can be negligence or an objective *mens rea*: R. v. Wholesale Travel, *supra*. Objective *mens rea* for criminal offences has been held to not infringe s. 7. Dangerous driving (R. v. Hundal, *supra*); careless use of a firearm (R. v. Gosset, *supra*, R. v. Finlay, *supra*); and manslaughter (R. v. Gosset, *supra*, R. v. Creighton, *supra*) are offences where objective *mens rea* was found sufficient by the

lité absolue n'étant pas suffisante au point de vue constitutionnel, la prévisibilité objective devra s'insérer dans le cadre d'une infraction comportant déjà un élément de faute subjectif ou objectif. Quant à l'élément de faute objectif, « il doit s'agir d'une négligence qui constitue un "écart marqué" par rapport à la norme d'une personne raisonnable. En droit, nul n'est inconsidérément qualifié de criminel »[1009]. Ce principe, une fois compris, nous amène à nous interroger sur la possibilité d'utiliser la responsabilité stricte comme support d'une infraction criminelle. Est-ce qu'une infraction de responsabilité stricte peut, par exemple, être à l'origine d'une condamnation pour homicide involontaire coupable résultant d'un acte illégal? La réponse, à notre avis, dépend de la nature intrinsèquement dangereuse ou non de l'activité en question (infraction sous-jacente). Est-elle objectivement dangereuse? Alors l'individu sera condamné pour homicide involontaire coupable, car une « personne raisonnable se rendrait inévitablement compte que l'acte illégal sous-jacent ferait courir à autrui le risque de lésions corporelles »[1010]. Le défaut d'entrevoir le risque ou de l'éviter dans ces circonstances constitue, à notre avis, un écart suffisant au point de vue constitutionnel (« écart marqué »). Si, par contre, l'activité n'est pas dangereuse, si elle n'est pas de nature à causer à une autre personne des blessures qui ne sont ni sans importance ni de nature passagère, alors aucune responsabilité criminelle ne sera retenue, car les tribunaux, pour reprendre les termes du juge Sopinka

---

same court. However, there may be offences where the blameworthy aspect must be assessed subjectively. Murder, attempted murder, and theft are examples of such offences: R. v. Finlay, *supra* per Lamer C.J. Often this requires subjective foresight of consequences. For example no one can be convicted of murder without subjective foresight of death: R. v. Martineau, *supra*, R. v. Vaillancourt, *supra*. Even where the offence is one which requires a subjective intent there may be elements or consequences of the act that are not subject to that requirement: R. v. DeSousa, *supra*.

1009   R. c. *Creighton*, précité, note 177, 59. *Ville de Lévis* c. *Tétreault*, [2006] 1 R.C.S. 420, par. 14 :

The system of criminal liability in Canadian criminal law is essentially founded on the recognition and application of the concept of fault. Fault usually consists in the deliberate intention to commit a given act or in serious forms of negligence or carelessness. The prosecution must prove the *actus reus* and the *mens rea* (*Sault Ste. Marie*, at pp. 1309-10).

1010   R. c. *DeSousa*, précité, note 180, 962.

dans l'arrêt *DeSousa*, « doivent s'efforcer d'éviter de frapper de sanctions [criminelles] la simple inadvertance »[1011].

527. D'application générale, la présomption de *mens rea* que l'on retrouve en matière criminelle peut être écartée par le législateur lorsque l'interdiction en question repose de façon importante sur des aspects réglementaires. On n'a qu'à penser à l'ancien article 125(1) de la *Loi canadienne sur la protection de l'environnement* qui, malgré son rattachement au paragraphe 91(27) de la *Loi constitutionnelle de 1867*, s'articulait sur un régime de responsabilité stricte. En effet, d'après le juge La Forest dans l'arrêt *R. c. Hydro-Québec*[1012] :

> Contrairement à l'argument de l'intimée, aux termes du par. 91(27) de la *Loi constitutionnelle de 1867*, il relève également du pouvoir discrétionnaire du Parlement de déterminer le degré de culpabilité qu'il souhaite attacher à une interdiction criminelle. Il peut ainsi déterminer la nature de l'élément moral relatif à divers crimes, telle que la défense de diligence raisonnable comme celle qui figure au par. 125(1) de la loi en cause. Cela découle du fait que le Parlement a été investi du plein pouvoir d'adopter des règles de droit criminel au sens le plus large du terme. Ce pouvoir est assujetti, naturellement, aux exigences de la « justice fondamentale » prescrites à l'art. 7 de la *Charte canadienne des droits et libertés*, qui peuvent dicter un degré plus élevé de *mens rea* dans le cas des crimes graves ou « proprement dits ».[1013]

528. Loin d'être confiné aux interdictions criminelles adoptées dans le cadre de législation fédérale autre que le *Code criminel*, le principe énoncé par le juge La Forest, dans l'arrêt *R. c. Hydro-Québec*, peut également s'étendre – quoique cela soit excessivement rare – aux infractions du *Code criminel* qui reposent, de façon

---

1011   *Id.*, 961.
1012   Précité, note 954.
1013   *Id.*, 291.

importante, sur des aspects réglementaires[1014]. Examinant la responsabilité d'un individu accusé d'avoir entreposé une arme à feu en contravention du règlement adopté en application de l'article 116(1)(g) [aujourd'hui 117(h)] de la *Loi sur les armes à feu*, le juge Ryan, au nom de la Cour d'appel de la Colombie-Britannique, arrive à la conclusion que le paragraphe 86(3) [aujourd'hui 86(2)] du Code est une infraction criminelle dont la facture réglementaire milite en faveur de l'imposition d'un régime de responsabilité stricte :

> In my view *Finlay* reflects a recognition that the minimum fault requirements of any offence are contextually flexible and will depend on a number of factors. "True" criminal offences are presumed to require full *mens rea*, but as the offence moves down the continuum to acquire a regulatory aspect, that is, to impose sanctions for the prevention of harm rather than to punish for past conduct, the requirement for full *mens rea* diminishes.
>
> The offence in question can be categorized as "quasi-regulatory". Although it is found in the *Criminal Code*, it is essentially a regulatory measure in the interest of public safety. [...] The Crown is required to prove all of the ingredients of the offence beyond a reasonable doubt. A defence of due diligence is permitted with respect to the efforts by the accused to meet the prescribed stand-

---

1014 *R. c. Porter*, (2004) 193 C.C.C. (3d) 254, par. 74 et 75 (S.C.) :

As to the requisite *mens rea*, I am satisfied that, notwithstanding Mr. Porter was voluntarily operating in a regulated area, the stigma which attaches to this offence and in particular, the minimum sentence of one year in jail, requires proof of subjective *mens rea*. This finding is consistent with the helpful and extensive analysis of the *mens rea* requirement undertaken by Allen Prov. Ct. J. in *R. v. Raglon*, [2001] A.J. No. 872 (QL), [2002] 2 W.W.R. 385.

This is distinct from the facts in R. v. Smillie, *supra*, where Ryan J.A. held for the court that the charge there did not constitute a "true" criminal offence requiring proof of full *mens rea*. In *Smillie* the charge was unlawful storage of restricted firearms; an offence which carried no minimum punishment and a maximum of two years' imprisonment.

ards. [...] I am of the view that this offence does not violate s. 7 of the Charter.[1015]

529.　Bien qu'il « relève du pouvoir discrétionnaire du Parlement de déterminer le degré de culpabilité qu'il souhaite attacher à une interdiction criminelle »[1016], l'utilisation de la responsabilité stricte dans les cas d'infractions criminelles « reposant de façon importante sur des aspects réglementaires » [surtout dans le *Code criminel*] demeure une exception qu'il faut limiter au maximum.

Deuxième sous-section : La norme de faute applicable en matière d'infractions réglementaires ou contre l'ordre public

530.　Comme nous l'avons déjà mentionné lors de notre analyse de l'arrêt *Sault Ste-Marie*, les infractions contre l'ordre public appartiennent généralement à la seconde catégorie d'infractions, c'est-à-dire à la catégorie des infractions de responsabilité stricte[1017].

1015　*R.* c. *Smillie*, (1998) 129 C.C.C. (3d) 414, 429 et 430 (C.A. C.-B.). Voir également *R.* c. *Porter*, *id.*, par. 33 :

> The present s. 86(2) creates an offence of contravening regulations made under s. 117(h), and neither this section nor the regulation in question require that storage in contravention of the regulation be "careless". This court is bound on this question by R. v. Smillie, *supra*, and the "careless storage" cases do not apply. As a result, my view is, the offence is one of strict liability, with a defence of due diligence open to the accused.

1016　*R.* c. *Hydro-Québec*, précité, note 954, 291.

1017　*Ville de Lévis* c. *Tétreault*, précité, note 1009, par. 16 :

> Le classement de l'infraction dans l'une des trois catégories désormais reconnues par la jurisprudence devient alors une question d'interprétation législative. Le juge Dickson souligne que les infractions réglementaires ou de bien-être public se retrouvent habituellement dans la catégorie des infractions de responsabilité stricte, plutôt que dans celle des infractions de *mens rea*. En effet, on présume, en règle générale, qu'elles appartiennent à la catégorie intermédiaire, pour respecter le principe de droit reconnu par la common law selon lequel, ordinairement, l'imposition d'une responsabilité pénale suppose l'existence d'une faute.

Cette catégorie d'infractions, qui n'est pas assujettie à la présomption de *mens rea*, oblige le ministère public à faire la preuve de l'*actus reus* de l'infraction, laquelle déclenchera automatiquement l'application d'une présomption de faute (négligence), pouvant être écartée par la preuve que l'accusé a pris toutes les précautions raisonnables dans les circonstances ou qu'il a agi sous l'emprise d'une erreur de fait raisonnable (preuve selon la balance des probabilités).

531. Malgré leur caractère réglementaire, certaines infractions contre l'ordre public tombent dans la première catégorie d'infractions[1018]. Résultat : le ministère public devra faire la preuve de l'élément de faute exigé aux termes de l'infraction. En droit, les infractions contre l'ordre public tombent dans la première catégorie d'infractions lorsque l'élément de faute découle *explicitement* des termes utilisés ou *implicitement* de la nature de l'acte prohibé.

A. L'élément de faute découle explicitement de la rédaction de l'infraction

532. C'est la situation la plus facile. Le législateur s'étant inscrit directement dans la norme qu'il a rédigée, le ministère public

---

1018   *Strasser* c. *Roberge*, [1979] 2 R.C.S. 953, 986 :
Une infraction donnée peut tomber dans la première catégorie, dite de *mens rea*, de deux façons : (i) si elle constitue clairement une infraction « proprement criminelle », ou (ii) s'il s'agit d'une infraction contre le bien-être public et qu'une disposition de la loi ou la constitution de l'infraction permettent de considérer que l'infraction ne relève pas de la deuxième catégorie à laquelle elle appartiendrait généralement. Dans le premier cas, il existe une présomption de *mens rea*. Dans le second, il n'existe aucune présomption, mais une possibilité de *mens rea*, lorsque la législature provinciale emploie des expressions appropriées. Une province peut validement introduire la *mens rea* comme élément d'une infraction pénale qui relève de sa compétence constitutionnelle, même si l'infraction ainsi créée ne peut être considérée comme un « acte criminel ». Dans *In re McNutt*, le juge Duff a clairement indiqué que même si une législature provinciale peut adopter des lois créant des interdictions, imposant des devoirs dans l'intérêt public et leur rattachant des sanctions pénales, elle n'a néanmoins pas compétence pour adopter des lois ayant l'effet de faire d'un acte ou d'une omission un acte criminel en droit.

devra prouver l'élément de faute requis aux termes de l'infraction. L'emploi de mots tels que « volontairement », « avec l'intention de », « sciemment » ou « intentionnellement » étant rattaché à l'existence d'un état d'esprit coupable, leur présence suffira pour faire tomber l'interdiction dans la première catégorie d'infractions, dites de *mens rea*. Pour un exemple d'infraction contre l'ordre public qui repose expressément sur la présence d'un élément de faute, voir l'article 139 de la *Loi sur les normes du travail*[1019]. D'après cette disposition :

139. Commet une infraction et est passible d'une amende de 600 $ à 1200 $ et, pour toute récidive, d'une amende de 1 200 $ à 6 000 $, l'employeur qui :

1° sciemment, détruit, altère ou falsifie
a) un registre;
b) le système d'enregistrement; ou
c) un document ayant trait à l'application de la présente loi ou d'un règlement.

2° omet, néglige ou refuse de tenir un document visé au paragraphe 1°.

533. Bien que l'utilisation de termes tels que « volontairement », « avec l'intention de », « sciemment » ou « intentionnellement » renvoie directement à la présence d'un élément de faute, d'autres expressions, telles que « en sachant que » *(aware)*[1020],

---

1019 L.R.Q., c. N-1.1.
1020 *R.* c. *Ford Motor Co. of Canada Ltd.*, (1980) 49 C.C.C. (2d) 1, 25 et 26 (C.A. Ont.) :
  The legislation, it seems to me, falls clearly within what has been described as "public welfare" legislation. As Dickson, J., speaking for the Court, pointed out in *R.* v. *Sault Ste. Marie* (p. 362): "It is essential for society to maintain, through effective enforcement, high standards of public health and safety". There can, at times, be no more lethal weapon in the hands of man than a motor vehicle – if the vehicle or the driver is "defective" the results on a highway can be catastrophic. The Act in its preamble indicates that its purpose is to provide for safety standards for cars manufactured in

« dans le but de » (*for the purpose*)[1021], etc., peuvent également constituer des « indications claires et non équivoques »[1022] de la nécessité d'un état d'esprit coupable[1023].

B. L'élément de faute découle implicitement de la nature de l'acte prohibé

534. C'est la situation la plus difficile, la présence de mots tels que « volontairement », « avec l'intention de », « sciemment »

Canada or imported into Canada. The Act seeks to establish means of enforcing those standards and protecting the public from personal injury, impairment of health or death. It is preventive legislation and it contains within s. 8 all the elements of the offence, including the element of *mens rea* as described therein which is required to be established by the Crown. The section is a self-contained code establishing all the ingredients or elements of the offence, and the required mental element is found in the words "of which he is aware". [...]
I repeat that the mental element required under the section is "awareness" of the problem; to hold otherwise would be to frustrate the clear intent of the legislation.

1021   *R.* c. *Brown and Ballman*, (1983) 69 C.C.C. (2d) 301, 307-309 (C.A. Alta.) :
I do not interpret the judgments in the cases referred to above as stating that a province may not create an offence falling within any of the three categories, that is, an absolute, strict liability or full *mens rea* offence. If the legislation is clear and unambiguous, the court will give effect to the legislative intent as found in the words used in the particular enactment. I do not take the statement : "An offence of this type would fall in the first category only if such words as 'wilfully', ''with intent', 'knowingly', or 'intentionally' are contained in the statutory provision creating the offence" as a code requiring the use of those words but merely as an expression of the nature of the mental element that must be found in the words used by the Legislature in the particular enactment. [...]
In my view, by the use of the words "for the purpose of hunting" in s. 45(1)(b) the Legislature has set out the nature of the mental element that must accompany the prohibited acts of setting out, using or employing bait to support a conviction. It has created a full *mens rea* offence.

1022   *Québec (Sous-ministre du Revenu)* c. *Bibeau*, J.E. 2000-2182, par. 5 (C.A. Qué.).

1023   Le juge Dickson ayant utilisé dans sa décision une expression non limitative (« tels que »), certaines expressions n'apparaissant pas dans les motifs du jugement constituent néanmoins des indications claires et non équivoques de la volonté du législateur d'exiger la preuve de la *mens rea*.

ou «intentionnellement» ne pouvant être constatée, le tribunal devra chercher ailleurs, subtilement enfouie dans le texte de l'infraction, la présence d'un élément de faute, l'indice d'un état d'esprit coupable. «Les mots ayant reçu la tâche et le pouvoir de représenter la pensée [du législateur]»[1024], c'est donc à travers les «signes verbaux»[1025] qu'il faudra décoder la signification finale de la norme en question. Discutant du critère de faute applicable en matière de participation à une grève illégale, le juge Dickson, dans l'arrêt *Strasser* c. *Roberge*[1026], explique les étapes permettant de retracer l'intention du législateur:

> En l'espèce, l'infraction est créée par une loi provinciale et doit en conséquence être considérée comme une infraction contre le bien-être public au sens de l'arrêt *Sault Ste-Marie*. Puisque cette infraction ne constitue pas un «acte criminel», la présomption de *mens rea* ne s'applique pas. En conséquence, l'infraction appartient donc généralement à la catégorie des infractions de responsabilité stricte. Voilà où s'arrête la première étape de l'étude.
>
> Dans la seconde étape, la Cour doit examiner les termes utilisés par le législateur et la nature de l'acte prohibé afin de déterminer si la déposition créant l'infraction prévoit expressément ou implicitement que la *mens rea* constitue un élément essentiel de l'infraction. Il est exact qu'aucun terme clair tel que «volontairement», «avec l'intention de», «sciemment», ou «intentionnellement» ne figure à l'art. 124 du *Code du travail*. Il est également exact qu'on a dit dans l'arrêt *Sault Ste-Marie* qu'une infraction contre le bien-être public tomberait généralement dans la première catégorie, c.-à-d. dans la catégorie où la poursuite doit prouver la *mens rea*, dans le seul cas où la disposition créant l'infraction contient de tels termes. L'expression «dans le seul cas» est probablement trop restrictive. La présence d'un mot comme «volontairement» suffit pour faire tomber l'infraction dans la première catégorie d'infractions, dites de *mens rea*. Cependant, une infraction contre le bien-être public peut exiger la *mens rea* même en

---

1024 M. FOUCAULT, *op. cit.*, note 7, p. 92.

1025 *Id.*, p. 93.

1026 Précité, note 1018, 986.

l'absence de pareils mots. D'après le texte de la disposition créant l'infraction ou la nature de l'acte prohibé, plusieurs infractions requièrent implicitement la *mens rea*. [...] Pour déclarer ou provoquer une grève illégale, il faut une intention, c.-à-d. la recherche subjective de ses conséquences. De même, on peut penser que la « participation » requiert une intention.[1027]

535. Limpide dans sa formulation, l'opinion dissidente du juge Dickson, dans l'arrêt *Strasser* c. *Roberge*[1028], doit être lue aujourd'hui comme un exposé relativement complet du droit applicable en matière d'infractions réglementaires. Pour s'en convaincre, citons l'arrêt *Dupont* c. *Brault, Guy, O'Brien Inc.*[1029] dans lequel la Cour d'appel du Québec s'interroge sur l'infraction prévue à l'article 197 de la *Loi sur les valeurs mobilières*[1030]. Aux termes de cette disposition :

197. Commet une infraction celui qui fournit, de toute autre manière, des informations fausses ou trompeuses :

1. à propos d'une opération sur des titres;
2. à l'occasion de la sollicitation de procurations ou de l'expédition d'une circulaire à des porteurs de valeurs;
3. à l'occasion d'une offre publique d'achat, d'échange ou de rachat;
4. dans un document ou un renseignement fourni à la Commission ou à l'un de ses agents;
5. dans un document transmis ou un registre tenu en application de la présente loi.

1027   *Id.*, 987-989.
1028   *Id.*
1029   [1990] R.J.Q. 112 (C.A. Qué.).
1030   L.R.Q., c. V-1.1.

536. Malgré l'absence de « mots magiques »[1031] tels que « volontairement », « sciemment », « avec l'intention de », « intentionnellement », la Cour s'accorde avec le juge de première instance, pour dire qu'« on donne une information trompeuse lorsqu'on induit une personne en erreur par mensonge, dissimulation ou ruse, il faut donc agir intentionnellement pour tromper autrui »[1032]. Loin d'être limitée à la *Loi sur les valeurs mobilières*, cette manière d'interpréter les directives de la Cour suprême dans les arrêts *Sault Ste-Marie* et *Strasser* fut reprise et développée dans plusieurs décisions subséquentes touchant, par exemple, des infractions à la *Loi sur le ministère du Revenu*.[1033]

537. Si les infractions de nature réglementaire tombent généralement dans les deux premières catégories d'infractions (souvent dans la seconde, quelquefois dans la première), certaines infractions demeurent étrangères à la notion de faute. La culpabilité étant rattachée à l'accomplissement de l'acte matériel, la preuve de l'*actus reus* suffira pour engager la responsabilité de

---

1031   JACOBY et LÉTOURNEAU, « Les soubresauts de Sault Ste-Marie et le droit pénal du Québec », (1981) 41 *R. du B.* 447, 458, cité dans *Pichette* c. *Le Sous-ministre du revenu du Québec*, (1982) C.R. (3d) 129 (C.A. Qué.).

1032   *Dupont* c. *Brault, Guy, O'Brien Inc.*, précité, note 1029, 117. Voir également les commentaires du juge Rothman dans l'arrêt *Latulippe* c. *Desruisseaux*, [1986] R.J.Q. 1350, 1355 (C.A. Qué.) :

> I do not believe the words "with intent", "knowingly" or "wilfully" mentioned in *Sault Ste.Marie*, were designed to be a closed list of indicative words requiring proof of intent or knowledge. The real point is whether or not the legislature, in the language it has used, has clearly indicated its desire that intent or knowledge on the part of the accused be proved by the prosecution if the accused is to be convicted.
> In requiring that the service be "faussement décrit" to constitute the offense, I find it difficult to see that the legislature could have contemplated anything other than an intentional misdescription on the part of the doctor. Perhaps the word "faussement" can have a neutral meaning in some other situations, but when used in a penal statute, as it is here, the normal inference would be an intentional act.

1033   *Québec (Sous-ministre du Revenu)* c. *Bibeau*, précité, note 1022.

son auteur[1034]. Ce type d'infraction étant dépourvu d'élément de faute : « [le législateur doit indiquer] clairement que la culpabilité suit la simple preuve de l'acte prohibé. L'économie générale de la réglementation adoptée par le législateur, l'objet de la législation, la gravité de la peine et la précision des termes utilisés [seront alors] essentiels pour déterminer si l'infraction tombe dans la troisième catégorie [d'infractions]. »[1035] La responsabilité stricte constitue donc le régime de droit commun en matière réglementaire. C'est pourquoi il importe d'en connaître les conditions d'application. À l'analyse du mode général de fonctionnement de la responsabilité stricte, succèdera un examen des défenses applicables en semblable matière.

Cinquième section : Les conditions d'application de la responsabilité stricte

Première sous-section : Le mode général de fonctionnement

538.   Contrairement aux infractions traditionnelles, la responsabilité stricte s'articule sur une présomption de négligence qui intervient à la suite de l'établissement de l'élément matériel de l'infraction. Une fois l'*actus reus* prouvé, une fois la présomption enclenchée, l'accusé est admis à démontrer son irresponsabilité en soulevant une défense d'erreur de fait raisonnable ou de diligence raisonnable. En d'autres termes, il a le fardeau de prouver, par prépondérance de preuve, qu'il croyait, pour des motifs raisonnables, à un état de faits inexistant qui, s'il avait existé, aurait rendu l'acte ou l'omission innocent, ou qu'il a pris toutes

---

1034   *Ville de Lévis* c. *Tétreault*, précité, note 1009, par. 17 :
       La catégorie des infractions de responsabilité absolue demeure. Elle devient cependant une exception dont la reconnaissance dépend de la démonstration claire de l'intention du législateur. Cette intention se dégage de facteurs divers dont le principal paraît être le texte même de la loi.

1035   *R.* c. *Corporation de la ville de Sault Ste-Marie*, précité, note 253, 1326.

les précautions raisonnables pour éviter l'événement en question. Discutant des conditions générales gouvernant la responsabilité stricte en droit pénal, les auteurs Jacques Fortin et Louise Viau formulent les commentaires suivants :

> La poursuite n'a pas à établir que l'accusé a commis l'infraction par négligence. Sa seule obligation consiste à faire la preuve que l'accusé a commis l'*actus reus*, cette preuve faisant présumer la négligence. Précisons toutefois que l'arrêt *Sault Ste-Marie* n'entend pas modifier le fardeau de persuasion quant à l'*actus reus*. La poursuite a l'obligation de prouver celui-ci au-delà du doute raisonnable. Ce n'est qu'une fois acquise cette preuve de l'*actus reus* que la négligence s'infère de droit. Pour éviter une condamnation, l'accusé doit, dès lors, réfuter l'imputation de négligence par une preuve d'erreur de fait raisonnable ou de diligence raisonnable qui doit convaincre le juge de son innocence.[1036]

539. Convaincre le juge, voilà le problème! L'imposition à l'accusé du fardeau de preuve – en l'occurrence la nécessité de convaincre le tribunal de l'absence de négligence – enfreint la présomption d'innocence garantie par l'article 11*d*) de la Charte. Comme l'indique l'ancien juge en chef Lamer dans l'arrêt *R.* c. *Whyte*[1037], c'est l'effet final d'une disposition sur le verdict qui est décisif : « Si une disposition oblige un accusé à démontrer certains faits suivant la prépondérance des probabilités pour éviter d'être déclaré coupable, elle viole la présomption d'innocence parce qu'elle permet une déclaration de culpabilité malgré l'existence d'un doute raisonnable dans l'esprit du juge des faits quant à la culpabilité de l'accusé. »[1038] Malgré cette violation, l'inversion de la charge de persuasion imposée à l'accusé en matière de responsabilité stricte est justifiée dans la mesure où « l'allégement

---

1036   J. FORTIN et L. VIAU, *op. cit.*, note 14, p. 153.
1037   [1988] 2 R.C.S. 3.
1038   *Id.*, 18.

de la charge incombant à l'accusé créerait, d'un point de vue pratique, des obstacles insurmontables pour le ministère public dans sa tentative de faire appliquer des dispositions réglementaires »[1039].

540. Si la commission de l'acte matériel fait présumer la négligence, encore faut-il que la poursuite fasse la preuve de l'*actus reus* de l'infraction. Aussi, comme l'accusé n'assume pas de fardeau de preuve à cet égard, il n'a qu'à soulever un doute raisonnable sur la présence de cette partie essentielle de l'infraction pour se disculper. L'exemple de la personne accusée d'avoir enfreint l'article 20

1039   *R.* c. *Wholesale Travel Group Inc.*, précité, note 913, 247-249 et 259. Voir cependant l'opinion, fort intéressante, de l'ancien juge en chef Lamer aux pages 200 et 201 :

> L'imposition de la charge de persuasion a un lien rationnel avec l'objectif, mais elle ne porte pas, à mon avis, aussi peu que possible atteinte aux droits garantis par la Constitution. Le ministère public n'a pas établi qu'il était nécessaire de déclarer coupables ceux qui ont fait preuve de diligence raisonnable afin de « prendre » ceux qui n'ont pas fait preuve de diligence raisonnable. Le législateur avait de toute évidence la possibilité d'employer une présomption impérative de négligence (découlant de la preuve de l'*actus reus*) qui pourrait être réfutée par quelque moyen moins rigoureux que la preuve par l'accusé de la diligence raisonnable selon la prépondérance des probabilités. C'est en fait le choix qu'a recommandé la Commission de réforme du droit de l'Ontario dans son *Report on the Basis of Liability for Provincial Offenses* (1990). La Commission dit (à la p. 48) :
>
> > [TRADUCTION] Quant à la charge de la preuve dans le cas des infractions de responsabilité stricte, la Commission propose une solution de compromis qui constitue un juste milieu entre les droits fondamentaux de l'accusé et la nécessité de la mise en application efficace de nos lois. Nous recommandons que soit adoptée une présomption impérative au lieu de l'inversion de la charge. Autrement dit, jusqu'à preuve du contraire, la négligence sera présumée. Il continuera d'incomber au ministère public de prouver l'élément matériel ou l'*actus reus* hors de tout doute raisonnable. Toutefois, dans un cas de responsabilité stricte, il sera nécessaire de présenter une preuve de conduite susceptible de correspondre à des précautions raisonnables, soit par le témoignage de l'accusé, soit par l'interrogatoire ou le contre-interrogatoire d'un témoin à charge ou à décharge, soit d'une autre manière. L'accusé ne devra s'acquitter que de la charge de présentation et n'aura plus à s'acquitter de la charge de persuasion pour ce qui est d'établir, selon la prépondérance des probabilités, qu'il n'a pas été négligent. S'il est prouvé que des précautions raisonnables ont été prises, ce qui réfuterait la présomption, la poursuite devrait, pour obtenir la déclaration de culpabilité, être obligée d'établir la négligence de l'accusé hors de tout doute raisonnable.

de la *Loi sur la qualité de l'environnement* illustre bien cette situation[1040]. D'après cette disposition :

> **20. [Émission d'un contaminant]** Nul ne doit émettre, déposer, dégager ou rejeter ni permettre l'émission, le dépôt, le dégagement ou le rejet dans l'environnement d'un contaminant au-delà de la quantité ou de la concentration prévue par règlement du gouvernement.
>
> **[Émission d'un contaminant]** La même prohibition s'applique à l'émission, au dépôt, au dégagement ou au rejet de tout contaminant, dont la présence dans l'environnement est prohibée par règlement du gouvernement ou est susceptible de porter atteinte à la vie, à la santé, à la sécurité, au bien-être ou au confort de l'être humain, de causer du dommage ou de porter autrement préjudice à la qualité du sol, à la végétation, à la faune ou aux biens. [...]

541. La preuve de l'*actus reus* étant nécessaire à la constatation matérielle de l'infraction, le défendeur pourra se disculper en affirmant qu'il n'est pas à l'origine de l'émission du contaminant, que la concentration du contaminant rejeté dans l'environnement ne dépassait pas la quantité ou la concentration prévue par

---

1040 L.R.Q., c. Q-2 :

> **106.1. [Infraction et peine]** Quiconque enfreint l'article 20, l'article 70.8 ou 70.9, refuse ou néglige de se conformer à une mesure de décontamination indiquée par le ministre en vertu du deuxième alinéa de l'article 70.18 ou à une ordonnance du ministre visée à la présente loi ou, de quelque façon, entrave ou empêche l'exécution d'une telle ordonnance ou y nuit, commet une infraction et est passible :
>
> **a)** dans le cas d'une personne physique, d'une amende d'au moins 2 000 $ et d'au plus 20 000 $ dans le cas d'une première infraction et une amende d'au moins 4 000 $ et d'au plus 40 000 $ dans le cas d'une récidive, ou, dans tous ces cas, d'une peine d'emprisonnement d'un maximum d'un an ou de la peine d'emprisonnement et de l'amende à la fois malgré l'article 231 du *Code de procédure pénale* (chapitre C-25.1);
>
> **b)** dans le cas d'une personne morale, d'une amende d'au moins 6 000 $ et d'au plus 250 000 $ dans le cas d'une première infraction et, d'une amende d'au moins 50 000 $ et d'au plus 1 000 000 $ dans le cas d'une récidive et d'une amende d'au moins 500 000 $ et d'au plus 1 000 000 $ pour une récidive additionnelle.

règlement ou encore que le contaminant rejeté n'était pas susceptible de porter atteinte à la vie, à la santé, à la sécurité, au bien-être ou au confort de l'être humain, de causer du dommage ou de porter autrement préjudice à la qualité du sol, à la végétation, à la faune ou aux biens. Ici, l'accusé n'a pas à convaincre le tribunal pour échapper à la culpabilité, mais uniquement à soulever un doute raisonnable sur l'*actus reus* de l'infraction (la charge de persuasion incombe au ministère public).

Deuxième sous-section : Les défenses applicables en matière de responsabilité stricte

542.   Une fois l'*actus reus* prouvé hors de tout doute raisonnable, la faute est présumée et il incombe alors à la défense de prouver, selon la prépondérance des probabilités, qu'elle a fait preuve de diligence raisonnable ou agi sous l'emprise d'une erreur de fait raisonnable. En quoi consistent ces deux moyens de défense? Voilà la question! À l'analyse de la diligence raisonnable (1), succèdera un examen de l'erreur de fait raisonnable (2).

A. La diligence raisonnable

543.   En droit, la diligence raisonnable désigne l'attitude de celui qui « a pris toutes les précautions raisonnables pour éviter l'événement en question »[1041]. Étroitement associée à la responsabilité objective, la diligence raisonnable renvoie au critère de la personne ordinaire hypothétique[1042]. Résultat : les caractéristiques personnelles du défendeur ne sont pas pertinentes. On les ignore

---

1041   *R.* c. *Corporation de la ville de Sault Ste-Marie*, précité, note 253, 1326.
1042   *Ville de Lévis* c. *Tétreault*, précité, note 1009, par. 15 :
> Dans l'approche qui a été adoptée par notre Cour, il s'agit en réalité de laisser au prévenu la possibilité et le fardeau de démontrer une diligence raisonnable. On applique à ce moment une norme objective, qui apprécie son comportement par rapport à celui d'une personne raisonnable, placée dans un contexte similaire.

au profit d'une analyse purement objective de la conduite de l'« accusé ». Cette analyse, bien entendu, ne se fait pas dans un vide factuel, mais dans le cadre des circonstances propres à l'espèce. D'après les auteurs Fortin et Viau :

> La conduite de l'accusé doit, dès lors, être appréciée d'après la norme de la personne raisonnable placée dans sa situation. Ainsi, le critère d'appréciation de la faute est objectif en ce sens que l'accusé est jugé d'après la prudence, les connaissances et les aptitudes qu'il est censé avoir en tant que personne raisonnable. Il doit, en conséquence, montrer quelles précautions il a prises dans l'exercice de l'activité qui a donné lieu à l'infraction. Le tribunal juge ensuite, du point de vue de l'intérêt de la société, si ces précautions sont raisonnablement suffisantes pour maintenir l'exercice de l'activité réglementée dans un cadre légitime.[1043]

544. Bien que la norme de diligence applicable en l'espèce ne tienne pas compte des caractéristiques personnelles de l'individu, la norme de diligence effectivement appliquée varie en fonction de la nature de l'activité pratiquée. Discutant de la responsabilité d'un garagiste accusé d'avoir illégalement modifié l'odomètre d'un véhicule à moteur contrairement au paragraphe 27(1) de la *Loi concernant les poids et les mesures*, le juge Pare déclare :

> La diligence, que devait démontrer l'intimée en l'espèce, à prévenir la commission de l'infraction n'était pas seulement celle qu'aurait dû démontrer un homme normalement diligent ou de bonne foi, mais celle qu'aurait dû démontrer un garagiste versé dans les faits de ce commerce et y appliquant l'attention et les moyens requis pour prévenir les infractions que vise la loi.[1044]

545. La norme de diligence demeure donc toujours la même : ce qu'aurait fait une personne raisonnable dans les mêmes circonstances, mais son appréciation doit être évaluée en fonction de

---

1043 J. FORTIN et L. VIAU, *op. cit.*, note 14, p. 249.
1044 *R.* c. *Légaré Auto Ltée*, J.E. 82-191 (C.A.).

l'activité pratiquée. Comme le précise le juge Bennett dans l'arrêt
R. c. Centre Datsun Ltd.[1045] : « [T]he test [...] is the degree of
reasonableness within a specialty where a special skill or knowledge
or ability is involved, as in the case for example of surgical mal-
practice; the test is not that of a reasonable man, but that of a
reasonable surgeon. »[1046] Ainsi, « lorsqu'il s'agit de l'exercice d'une
activité particulière, par opposition aux occupations communes et
ordinaires de la vie, la diligence requise, explique M. le juge Alain
Morand, est celle dont ferait preuve une personne raisonnable
s'adonnant à la même activité »[1047]. Ce fait, qui est reconnu par
l'ensemble des tribunaux, est particulièrement bien illustré dans
l'arrêt *Procureur général du Québec c. Dyfotech inc*[1048]. Discutant de la culpabilité d'une entreprise de dynamitage accusée d'avoir
rejeté dans l'environnement un contaminant susceptible de porter
atteinte à la vie, à la santé, à la sécurité, au bien-être ou au confort
de l'être humain, contrairement à l'article 20 de la *Loi sur la qualité de l'environnement*, le juge Whittom souligne les précautions
raisonnables prises par la compagnie afin d'éviter la commission
de cette infraction :

> Monsieur Vanier a participé à l'étape du forage et a fait les véri-
> fications nécessaires auprès du foreur pour éviter toute anomalie.
> Il s'est conformé aux exigences légales concernant le transport
> des explosifs. Le 18 juin 1996, il s'est rendu personnellement sur
> les lieux effectuer une vérification de tous les trous de forage. Le
> lendemain, il a vérifié les paramètres de hauteur de tous les trous
> et vérifié la présence de poussière ou d'eau. Il a procédé au char-
> gement des trous selon les normes. [...] Dans certains trous, on a
> installé une gaine en raison de la présence d'une certaine quan-
> tité d'eau. Après le chargement et une vérification de tous les
> trous, le personnel et le matériel ont été évacués de la carrière
> pour en assurer la sécurité.

1045   (1975) 29 C.C.C. (2d) 78 (Prov. Ct.).
1046   *Id.*, 81.
1047   Alain MORAND, « Les infractions relatives au bien-être public », dans
       BARREAU DU QUÉBEC, *op. cit.*, note 482, p. 50.
1048   [1999] J.Q. (Quicklaw) n° 2933 (C.Q.).

Deux sismographes ont été installés à proximité. Une vérification est faite du périmètre de sécurité. Par la suite, la procédure de mise à feu est respectée et le sautage a lieu. Monsieur Vanier constate la projection de roches. Par la suite, il fait la reconnaissance du chantier selon les normes et signale que le retour du personnel peut s'effectuer sans danger. [...]

En prenant en considération la provenance et la direction de la projection des pierres, il affirme dans son témoignage qu'un trou situé au fond du massif serait responsable de la projection (voir pièce D-13). Selon Monsieur Vanier, la projection est due à une faiblesse à l'intérieur du roc, non visible à la surface et impossible à déceler. Un tir expérimental n'aurait donné aucun indice puisqu'un seul trou sur 93 a causé problème. Quant à l'utilisation d'un pare-éclats, Monsieur Vanier affirme que le sautage en carrière permet difficilement d'utiliser cette protection en raison de la dimension des surfaces de dynamitage et les risques inhérents à leur manutention.

Du témoignage de Monsieur Vanier, le tribunal retient sa grande expérience, une compétence certaine et le respect des règles de l'art dans le travail qu'il a effectué à la carrière Carberry en juin 1996. La poursuite lui fait quelques reproches au niveau du contenu du journal de tir, mais ce manquement mineur n'a aucune incidence sur le résultat du sautage.

[...] L'ensemble de la preuve démontre qu'il a agi en conformité avec les règles de l'art, dans le respect des normes et d'une façon consciencieuse eu égard au travail à effectuer et du contexte.

La présence d'une carrière en milieu urbain présente des risques à être considérés lors de l'émission d'un permis et des conditions d'exploitation.[1049]

546. La défenderesse ayant prouvé, selon la balance des probabilités, son absence de négligence, le tribunal acquitta cette dernière de l'infraction reprochée.

1049 *Id.*, par. 63, 64, 66-69.

547. Comme la négligence implique qu'on manque de la sollicitude requise et que la sollicitude requise varie selon les circonstances, il convient de tenir compte de la situation factuelle dans laquelle se trouve le défendeur lorsqu'il s'agit d'évaluer son absence de diligence. C'est ainsi qu'il faut envisager la condamnation d'une compagnie d'irrigation accusée d'avoir déposé ou permis le rejet dans l'environnement d'un contaminant (purin de porc) contrairement à l'article 20 de la *Loi sur la qualité de l'environnement*[1050]. « L'épandage la nuit exigeant plus de précautions que durant le jour »[1051], le juge Bissonnette déplore l'absence de précautions additionnelles prises par la défenderesse.[1052] Coupable.

548. En ce qui concerne, par ailleurs, les précautions que doit prendre le défendeur afin de prévenir l'infraction en question, celles-ci n'exigent pas l'absence de toute alternative, mais l'exercice d'une prudence raisonnable appréciée en fonction des circonstances de l'affaire (négligence simple). L'obligation légale n'est donc pas absolue, mais relative ou raisonnable[1053]. « La personne [étant]

1050 *Procureur général du Québec* c. *M.G.C. Inc.*, J.E. 92-1705 (C.Q.).
1051 *Id.*, 6.
1052 *Id.*
1053 *Schenley Canada inc.* c. *Québec (Procureur Général)*, J.E. 95-2189 (C.A.) :
> While Schenley's obligation to see that the goods were shipped out of Québec was not an obligation of result, it was an obligation of using all reasonable means to achieve that result. At a minimum, in my view, those means involved:
> 1. A contract or bill of lading with a reliable public carrier undertaking unconditionally to deliver the alcohol to the buyer (or other designated consignee) but only at a specified destination outside of Québec. Where the cost of transport is to be assumed by the buyer, the contract should confirm that the cost has been paid or provided for.
> 2. Reasonable inquiry into the identity and reliability of the buyers.
> 3. Careful choice of a carrier. If the carrier is suggested by the buyer and is unknown to the distiller, reasonable inquiry as to the carrier's reliability and his ability to transport the alcohol outside of Québec should be made.
> 4. If the carrier himself has no permit to complete the voyage outside of Québec, inquiry should be made establishing full details as to who will do so, when, under what conditions and at whose cost.

faillible et l'erreur [étant] humaine, la société doit donc accepter, en principe, même si elle doit s'efforcer d'en pallier les effets économiques, la survenance d'"accidents" pour lesquels personne ne sera responsable, même si *a posteriori* une prudence extrême, une circonspection poussée, une habilitée consommée aurait techniquement permis de les éviter »[1054].

---

5. If an initial destination of the shipment, for some reason, has to be within Québec, in transit for a further specified destination outside of Québec, proper precautions should be taken to protect the shipment from interference by anyone until it leaves Québec. In the event of any occurrence that might prevent or delay the shipment from being delivered outside of Québec, reasonable arrangements for secure storage of the alcohol should be made. If, for any reason, the voyage cannot be completed to the destination outside of Québec within a specified time, provision should be made for the return of the shipment to the distiller.

6. If the sale to the buyers involves delivery to their customers and the delivery to the customers of the buyers outside of Québec was conditional or uncertain, provision had to be made for the disposal of the gin in the event of the non-realization of the sale to the customers.

Schenley did none of these things. It chose to delegate its control of the shipment to the buyers. Without in any way questioning its good faith, I believe there is ample reason to question its diligence in assuring that the gin was shipped out of Québec and that it reached its destination outside of Québec. I do not wish to suggest that the inadequate inquiries made by Schenley amounted to wilful blindness to the risk of manipulation by the buyers. But it was, at the very least, negligent, in my view, in failing to make the inquiries it could have made to assure that it had all the relevant facts, and in failing to take reasonable precautions to assure that the goods would be carried to the specified destination outside Québec.

In my view, appellant has failed to discharge its burden of establishing that it acted with reasonable diligence.

I would dismiss the appeal with costs as fixed by regulation.

1054   Ce fait est particulièrement bien illustré par le juge Doiron dans l'arrêt *J.E. Verreault et Fils Ltee* c. *Fortin*, No. 36-113-79. Exprimant son opinion sur la culpabilité d'un employeur accusé d'avoir négligé de voir à ce que tout travailleur exposé à une chute de plus de 10 pieds puisse porter une ceinture de sécurité, le juge déclare (p. 9 et 10):

Il ne saurait être question dans les cas où des travaux exigent le port de la ceinture d'une façon occasionnelle que l'agent de sécurité où le responsable puisse être sur les lieux chaque fois qu'une telle situation se présente pour inciter l'ouvrier à respecter les instructions qu'il a données. Ce serait transformer l'obligation relative de sécurité crée par les dispositions de la loi en une obligation absolue, ce que manifestement le législateur n'a pas voulu puisqu'il a lui-même inséré des motifs de disculpation.

549. Si l'accusé, pour être innocenté, doit démontrer sa diligence raisonnable, encore faut-il que cette diligence se rapporte à l'événement en question et non à un mode général de bonne conduite[1055]. En effet : « The focus of the due diligence test is the conduct which was or was not exercised in relation to the "particular event" giving rise to the charge, and not a more general standard of care »[1056]. Résultat : une entreprise d'exploitation minière peut être condamnée pour avoir négligé de maintenir un dispositif de sécurité en bonne condition et cela malgré la présence d'un système d'inspection relativement efficace si le tribunal arrive à la conclusion que l'entreprise à été négligente relativement aux événements en question[1057]. Les mêmes considérations s'imposent

---

1055   *R.* c. *Porter*, précité, note 1014, par. 35 et 36 :

    However, the due diligence defence must relate to the commission of the prohibited act, not to "some broader notion of acting reasonably" : see *R.* v. *Kurtzman* (1991), 4 O.R. (3d) 417 at 429, 66 C.C.C. (3d) 161 (C.A.), and *R.* v. *Alexander* (1999), 171 Nfld. & P.E.I.R. 74 (Nfld. C.A.). In *Alexander* Green J.A. held at para. 18 that :

    The defence of due diligence requires the acts of diligence to relate to the external elements of the specific offence that is charged. The accused must establish on a balance of probabilities that he or she took reasonable steps to avoid committing the statutorily-barred activity. It is not sufficient simply to act reasonably in the abstract or to take care in a general sense.

    In other contexts, the Court of Appeal has characterized the defence of due diligence as due diligence with respect to avoiding the *actus reus* of the offence. See *R.* v. *MacMillian Bloedel Ltd.*, 2002 BCCA 510, 220 D.L.R. (4th) 173, in which Smith J.A. holds that :

    . . . the accused may escape liability by establishing that he took reasonable care to avoid the "particular event".

1056   *R.* c. *Imperial Oil Ltd*, (2000)148 C.C.C. (3d) 367, par. 23 (C.A. C.-B.). Voir également les commentaires du juge Finch au par. 24 :

    In his book *Regulatory Offences in Canada, Liability and Defences* (Canadian Institute for Environmental Law and Policy) Carswell, 1992, John Swaigen comments on the conduct to which the due diligence must relate : It is clear in common law negligence that careless acts, no matter how negligent, cannot form the basis for a remedy unless they cause the harm complained of, and, conversely, no matter how careful a person is generally, his general level of competence and care are not relevant to the issue of whether he was negligent in the case before the court. The negligence or case to be considered as inculpatory or exculpatory is only that in relation to the specific incident that is the subject matter of the proceedings.

1057   *R.* c. *Rio Algom Ltd.*, (1988) 46 C.C.C. (3d) 242, 252 (C.A. Ont.) :

    I note that the trial judge appears to have been satisfied that the respondent, in the operation of the mine where the accident took place, has kept safety

dans le cas où une entreprise pétrolière fut accusée d'avoir pollué un cours d'eau. D'après le juge Finch de la Cour d'appel de la Colombie-Britannique :

> It is not an answer for the appellant to say that it had in general a good safety system, that it tested more frequently than necessary, and that it had a program which would likely have detected the hazard within the near future. Because the appellant did not identify the substance as toxic, it was not a priority within the risk assessment program.
>
> Given the nature and size of the defendant, the sensitivity of the local environment, the information that the defendant possessed concerning the risks of MMT, the simplicity of testing to determine toxicity, and the defendant's access to a broad range of expert advice, the learned trial judge did not, in my view, err in finding that the defendant had failed in its obligation to exercise reasonable care when it failed to obtain and to act upon information that it reasonably ought to have known. As the trial judge said, "Acting on an assumption about a hazardous chemical without a reasonable basis for the assumption does not display the standard of care required by the nature of the company's operations". Those findings are completely inconsistent with any suggestion that Imperial exercised due diligence with respect to the events constituting the *actus reus*.[1058]

550. Ce n'est donc pas la prudence en tant que mode général de bonne conduite qui compte, mais la prudence exercée afin d'éviter la réalisation de l'*actus reus* de l'infraction reprochée.

---

foremost in its corporate mind at all times and has a good inspection and reporting system in effect to accomplish this purpose. Those are relevant facts to be kept in mind with respect to sentence. They do not, however, assist the respondent to avoid responsiblity for the lack of care on its part which resulted in the unfortunate fatal accident. The respondent has failed to prove it was not negligent with respect to the circumstances which caused the fatal accident.

1058   *R.* c. *Imperial Oil Ltd.*, précité, note 1056, par. 28 et 29.

551. En ce qui concerne finalement la forme que doit emprunter la diligence raisonnable, celle-ci étant définie en fonction des précautions que doit prendre l'accusé afin d'éviter l'événement en question, la diligence implique un comportement actif (manifestation concrète de la volonté) de la part du défendeur. « La passivité ne doit donc pas être confondue avec la diligence »[1059]. « Le concept de diligence, précise le juge LeBel dans l'arrêt *Ville de Lévis* c. *Tétreault*, repose sur l'acceptation d'un devoir de responsabilité du citoyen de chercher activement à connaître les obligations qui lui sont imposées. L'ignorance passive ne constitue pas un moyen de défense valable en droit pénal. »[1060]

B. L'erreur de fait raisonnable

552. Alors que la diligence raisonnable se rapporte au comportement de l'individu, aux moyens qu'il a utilisés pour se conformer à la disposition en cause, l'erreur de fait raisonnable se concentre sur son état d'esprit, sur la conformité de sa croyance subjective avec celle d'une personne raisonnable placée dans les mêmes circonstances. Puisque le critère est objectif, « la défense sera recevable, [uniquement] si l'accusé croyait pour des motifs raisonnables à un état de faits inexistant qui, s'il avait existé, aurait rendu l'acte ou l'omission innocent »[1061]. En d'autres mots, pour être acquitté, le défendeur doit non seulement croire à une situation qui n'existe pas (erreur sincère), mais il faut également que cette erreur soit fondée sur des motifs raisonnables *ou* que l'individu ait pris les mesures raisonnables pour confirmer cette croyance. C'est ce que confirme d'ailleurs le juge Georges Benoît, dans l'arrêt *Procureur général du Québec* c. *Sullivan*[1062], au moment de condamner un individu inculpé d'avoir vendu du tabac à un mineur :

1059   *Ville de Lévis* c. *Tétreault*, précité, note 1009, par. 30.

1060   *Id.*

1061   *R.* c. *Corporation de la ville de Sault Ste-Marie*, précité, note 253, 1326.

1062   J.E. 2002-216 (C.Q.).

L'erreur raisonnable de fait doit répondre à deux critères, un subjectif et l'autre objectif. Lors de l'exercice d'évaluation de la défense d'erreur raisonnable de fait, le juge doit être satisfait que le défendeur a commis de bonne foi une erreur de fait et d'autre part que l'erreur commise en est une que toute personne raisonnable aurait commise dans les mêmes circonstances. En sus de ces deux critères, il faut tenir compte du domaine spécialisé des activités. Ainsi on pourra être plus exigeant si l'erreur survint dans l'exécution d'une tâche spécialisée par opposition à celle qui pourrait se produire dans le carde du déroulement des tâches ordinaires de la vie.[1063]

553. Sera relaxée, par conséquent, la personne qui achète d'un concessionnaire automobile une voiture neuve munie de vitres teintées et qui, par la suite, est accusée de possession d'un véhicule à moteur muni de vitres non conformes à l'article 265 du *Code de la sécurité routière*. Selon le juge Cloutier : « L'erreur de fait est établie par une preuve prépondérante d'une ignorance de sa situation d'infraction et du caractère raisonnable de cette ignorance dans les circonstances. [...] Il est normal pour un consommateur qui acquiert un véhicule de se fier au professionnalisme du fabricant et du concessionnaire. Acquitté »[1064].

554. Si la bonne foi qui ne repose pas sur la présence de motifs raisonnables ne peut être invoquée à l'encontre d'une infraction de responsabilité stricte, il en va de même de l'ignorance volontaire et de l'inattention. En ce qui concerne, tout d'abord, l'ignorance volontaire, celle-ci étant délibérée (« l'acte de volonté se porte sur l'ignorance elle-même ») l'ignorance sera reprochée à l'accusé. C'est l'exemple de la personne qui « suit un véhicule de ferme qu'elle dépasse en dépit d'une ligne continue, forçant deux véhicules en sens inverse à prendre le fossé »[1065]. Accusée en vertu de l'article 170 du *Code de la sécurité routière*, la Cour

---

1063   *Id.*
1064   *Ville de Québec* c. *Bruno Pelletier*, BJCMQ 2002-156 (C.M. Québec).
1065   *Ville de Gatineau* c. *Thérèse Bourbonnais*, BJCMQ 2000-305 (C.M. Gatineau).

rejeta les prétentions de la défenderesse sur la base de son aveuglement volontaire :

> Dans l'appréciation de l'erreur, la conduite de la défenderesse
> doit être analysée en fonction de son caractère sincère et raison-
> nable, et la connaissance de l'accident. Le Tribunal ne croit pas
> la défenderesse qu'elle n'a pas eu connaissance de l'accident, vu
> la nature même de l'accident, sa manœuvre dangereuse, occupant
> la voie opposée, le bruit de l'impact entre les 2 camionnettes, sa
> nervosité et son stress à ainsi dépasser, le fait de s'arrêter au bas
> de la côte donnant des explications différentes la justifiant de repar-
> tir, son aveuglement volontaire. Coupable.[1066]

555. À l'image de l'aveuglement volontaire, l'inattention
ne permet pas d'échapper à la présomption de faute applicable en
matière de responsabilité stricte. Seront donc coupables de possession de boisson alcoolisée débouchée dans un stationnement, les
défendeurs qui, par inadvertance, se déplacent entre deux bars avec
chacun une bouteille de bière à la main. D'après le juge Cloutier,
l'inattention ne peut constituer une défense admissible en l'espèce,
les accusées n'ayant pas pris les précautions nécessaires[1067]. En
somme, « l'erreur attribuable à un oubli, une distraction, une étour-
derie, une ineptie, une intoxication ou un aveuglement volontaire
n'est pas raisonnable »[1068].

556. Bien qu'il existe une distinction entre la diligence raisonnable et l'erreur de fait raisonnable, ces deux moyens de défense
se confondent aisément[1069]. L'absence de précaution pouvant être

---

1066 *Id.*
1067 *Ville de Sainte-Foy* c. *Michel Cantin & Yan Vachon*, BJCMQ 2001-053
      (C.M. Sainte-Foy).
1068 *Procureur général du Québec* c. *Caron*, J.E. 95-1913.
1069 *Procureur général du Québec* c. *Sullivan*, précité, note 1062 :
      En sus de la diligence raisonnable, un défendeur pourra également plaider
      l'erreur raisonnable de fait. Ces deux défenses peuvent être fondues ensem-
      ble pour évaluer la responsabilité pénale d'un défendeur.

reprochée à l'accusé, son erreur ne sera pas raisonnable. Pour s'en convaincre, citons l'arrêt *R. c. London Excavators & Trucking Ltd.*[1070] dans lequel une compagnie d'excavation fut accusée d'avoir négligé de se conformer aux mesures de sécurité applicables en l'espèce. Bien que la compagnie d'excavation avait été informée par l'entrepreneur général de l'absence de source de danger à l'endroit indiqué (gaz, électricité, etc.), l'opérateur de la pelle mécanique frappa un morceau de ciment. Alarmé par la situation, l'opérateur fit part de son inquiétude à l'assistant de l'entrepreneur général qui lui indiqua tout simplement qu'il s'agissait d'un morceau de fondation d'un vieil immeuble que se trouvait auparavant à cet endroit. Sans pousser plus loin son analyse, l'opérateur de la pelle mécanique repris ses travaux et coupa un câble d'approvisionnement d'électricité qui se trouvait dans le morceau de ciment. Ce câble figurait sur le plan de construction de l'entrepreneur général, mais le plan n'avait jamais été montré à l'accusé ni demandé par lui. La défense d'erreur de fait raisonnable fut rejetée sur la base de l'absence de précautions raisonnables prises par le défendeur, précautions qui s'imposaient dans les circonstances en question. En effet, selon le juge Catzman de la Cour d'appel de l'Ontario :

> The appellant falls squarely within the definition of an "employer" in s. 1(1) of the Act, and is properly obliged by s. 25(1)(c) of the Act and s. 228(1)(a) of the Regulation to ensure that, before an excavation is begun, gas, electrical and other services in and near the area to be excavated have been accurately located and marked. It was not objectively reasonable for the appellant to continue to rely, without further inquiry, upon the direction of the general contractor once an unexpected concrete obstacle had been encountered in a location the general contractor had pronounced safe to excavate. At that point, it was incumbent upon the appellant, in the interest of the safety of its employees and others who might be exposed to risk of harm, to ensure that the prescribed measures and procedures designed to protect their safety had been carried out in the workplace. As the courts below have noted, the appellant could have done so in a number of ways : it could have

---

1070   (1998) 125 C.C.C. (3d) 83 (C.A. Ont.).

insisted on seeing the site plan, on which (as turned out to be the case) the hydro duct was shown; it could have insisted on seeing a locate certificate issued by the utility; if (as turned out to be the case) there was no such certificate, it could have halted work until the utility's representative had attended at the site and done the locates; or it could itself have ordered hydro locates for the area in which it was expected to excavate.[1071]

557. L'erreur de l'accusé était honnête (facteur subjectif), mais son inaction (absence de précaution raisonnable) à la suite de la découverte inopinée du morceau de ciment lui fut reprochée (facteur objectif). Ce cas n'est pas sans analogie avec celui de la personne accusée d'avoir conduit un véhicule routier alors qu'il faisait l'objet d'une sanction contrairement à l'article 105 du *Code de la sécurité routière*. En effet, « [m]algré ses nombreux déplacements en dehors de la ville pour son travail et malgré le fait que son permis avait déjà été suspendu dans le passé pour la même raison, [l'accusé] ne prends aucune mesure particulière pour s'assurer que son permis de conduire est toujours valide à la date de l'infraction. Le contrevenant n'a pas réussi à démontrer de façon prépondérante qu'il a commis une erreur de fait raisonnable ou qu'il a agi avec diligence raisonnable[1072] ». « Ces exemples, auxquels il serait possible de substituer bien d'autres, montrent que dans son application pratique »[1073] l'erreur de fait est souvent évaluée en fonction des précautions qu'aurait prises une personne raisonnablement prudente dans les circonstances. Comme l'indique, avec justesse d'ailleurs, le juge Morand dans son article sur les infractions relatives au bien-être public :

L'erreur raisonnable sur les faits implique que le défendeur a fait des efforts raisonnables pour connaître la situation. Par exemple, dans le cas de la vente de boissons alcooliques à un mineur ou dans le cas de la présence d'un mineur dans un bar, on doit d'abord évaluer si l'accusé connaît ou non la situation au moment de

---

1071   *Id.*, par. 20.
1072   *Procureur général du Québec* c. *Caron*, précité, note 1068.
1073   A.-C. DANA, *op. cit.*, note 5, p. 342.

l'infraction : c'est le test subjectif; on doit ensuite examiner si
l'accusé prend des précautions raisonnables pour vérifier l'âge
de son client ou s'il est simplement négligent ou insouciant à cet
égard : c'est le test objectif.[1074]

558. Si la diligence raisonnable et l'erreur de fait raisonnable peuvent être alléguées à l'encontre d'une infraction de responsabilité stricte (*culpabilité*), qu'en est-il des facteurs qui, au-delà
de leur incidence sur la diligence de l'accusé, affectent la capacité
de l'individu de répondre pénalement de ses actes (*imputabilité*)?
Sur ce point, la jurisprudence est de plus en plus unanime : la responsabilité stricte est à sa base une infraction pénale et comme
toutes les infractions pénales, elle exige, à ce titre, un minimum
d'intelligence et de liberté. Ce principe, qui fut reconnu à plusieurs
reprises, fut retenu notamment dans les cas de minorité, de troubles mentaux et d'automatisme. Discutant de la responsabilité d'une
personne accusée de demi-tour interdit, le juge Cloutier prononça
l'acquittement de l'accusée sur la base de la présence d'un trouble
mental :

> La défenderesse était dans un état de désorganisation mentale à
> l'époque de l'infraction. L'un des médecins indique qu'elle n'était
> pas en mesure de juger de ses actes ni d'en connaître les consé-
> quences. Phase maniaque présentant de sévères troubles de juge-
> ment. Aucune autocritique. Deux mois après, elle est mise en garde
> dans un établissement psychiatrique. [...] Preuve prépondérante
> faite de troubles mentaux au sens de l'art. 16 du *Code criminel*.
> Ordonnance de non-responsabilité criminelle.[1075]

559. Si une cause affectant la capacité de l'individu d'orienter intelligemment son action peut entraîner son acquittement en
matière de responsabilité stricte, il en va également des causes qui

---

1074 A. MORAND, « Les infractions relatives au bien-être public », dans
      BARREAU DU QUÉBEC, *op. cit.*, note 482, p. 49.

1075 *Ville de l'Ancienne-Lorette* c. *Marie-Claudette Lachance*, BJCMQ 2000-
      173 (C.M. L'Ancienne-Lorette).

affectent la liberté de choix. C'est du moins ce qu'indique le juge Turcotte au moment d'acquitter une personne qui fut « forcée » de prendre le volant de l'automobile après que la conductrice fut victime d'un malaise près d'une intersection achalandée. Accusé d'avoir conduit un véhicule alors que son permis faisait l'objet d'une sanction, l'accusé souleva avec succès son état de nécessité et son absence de liberté de choix[1076].

560. En ce qui concerne, finalement, le fardeau de la preuve applicable en matière de causes de non-responsabilité (moyens de défense traditionnels ou communs à toutes les infractions, qu'elles soient de responsabilité subjective, objective ou sans faute), il faut distinguer entre les moyens de défense emportant « inversion du fardeau de la preuve »[1077], comme les troubles mentaux, l'automatisme avec troubles mentaux (subsumé sous l'article 16 C.cr.) et l'intoxication volontaire extrême et les moyens de défense ordinaires ou affirmatifs, comme la contrainte, la nécessité et l'impossibilité. Dans le premier cas, « c'est l'accusé qui a la charge de persuasion »[1078]. Ici, « une preuve selon la prépondérance des probabilités permet de satisfaire à la charge de persuasion ».[1079] Pour ce qui est de tous les autres moyens de défense dits « affirmatifs », aucune charge de persuasion n'incombe à l'accusé[1080]. Dès que la preuve fait jouer le moyen de défense invoqué « celui-ci sera retenu à moins que son application ne soit réfutée hors de tout doute raisonnable par le ministère public »[1081].

1076 *Ville de Jonquière* c. *Jean-Claude Lavoie*, BJCMQ 2000-155 (C.M. Jonquière).

1077 *R.* c. *Fontaine*, [2004] 1 R.C.S. 702, par. 54.

1078 *Id.*

1079 *Id.*

1080 *Id.*, par. 55 et 56.

1081 *Id.*, par. 56.

Conclusion

561. L'introduction de la responsabilité stricte en droit pénal canadien a longtemps été perçue comme le résultat de l'évolution naturelle des formes de responsabilité pénale : peines moins graves, allègement du fardeau de la preuve, assouplissement de la rigidité caractéristique de la responsabilité sans faute, etc. Mais si on interroge la responsabilité stricte du côté de ce qui historiquement l'a rendue possible, on s'aperçoit très rapidement que l'ascension de la négligence en droit pénal réglementaire dépasse largement ses dimensions juridiques pour empiéter sur le domaine administratif. En somme, l'avènement de la responsabilité stricte au Canada a une fonction juridico-politique. Juridique, tout d'abord, car la responsabilité stricte est un moyen terme entre la responsabilité criminelle et la responsabilité absolue. Politique, enfin, car la responsabilité stricte est à la source du pouvoir réglementaire des gouvernements et de leur capacité de mettre en œuvre des politiques d'intérêt public.

Chapitre septième

La responsabilité absolue

562. Si les infractions de faute subjective et objective commandent la réalisation d'une faute préalable à la constatation du crime, les infractions de responsabilité absolue demeurent, quant à elles, indifférentes aux données psychologiques de l'offenseur. « Ici, le fait parle de lui-même. »[1082] La culpabilité étant rattachée à l'*actus reus* de l'infraction, la responsabilité de l'agent sera engagée suite à la commission de l'acte matériel. Comment doit-on envisager cette possibilité? Comme un retour à la responsabilité archaïque? Comme un glissement vers la causalité matérielle? Non, répondons-nous. S'il est vrai que la responsabilité absolue est étrangère à la notion de faute, à l'accomplissement de la *mens rea* en tant que forme préalable de culpabilité, celle-ci demeure une infraction pénale et, comme toutes les infractions pénales, elle suppose, à ce titre, la présence d'une action humaine imputable, c'est-à-dire d'un minimum d'intelligence et de liberté chez l'agent mis en cause. D'après le juriste français Adrien-Charles Dana :

> Rigoureuse, [la responsabilité absolue] l'est effectivement. Dans la mesure où elle se dégage de la matérialité des faits, son existence dépendra exclusivement de la constatation de ces derniers. [...] Choquante, la [responsabilité absolue] peut l'être. Elle pourrait faire craindre le retour à une responsabilité objective, depuis longtemps dépassée, basée sur la seule matérialité des faits. Cette crainte est pourtant sans fondement. La [responsabilité absolue], et c'est là une idée qu'il faut bien garder présente à l'esprit, s'inscrit d'office dans un cadre subjectiviste qui exclut toute objectivation de la responsabilité. Il ne faut pas oublier que la culpabilité en tant que telle intervient dans le processus d'incrimination, après le respect de toutes les données éthiques, spiritualistes, qui doivent

---

1082   A.-C. DANA, *op. cit.*, note 5, p. 325.

entourer l'infraction. L'imputation pénale, dont le contenu éthique est intense, garantit la spiritualisation de la responsabilité pénale.[1083]

563. L'objet de ce septième chapitre consacré à la responsabilité absolue au Canada est d'étudier les trois principales conditions à la source de ce type de responsabilité que sont : (1) la nécessité de l'élément matériel, (2) l'absence de considération accordée aux données psychologiques de l'offenseur et enfin (3) le besoin d'un minimum d'intelligence et de liberté chez l'agent mis en cause. Une fois ces conditions remplies, nous allons nous interroger sur la distinction entre les infractions de responsabilité stricte et celles de responsabilité absolue.

Première section : La nécessité de l'élément matériel

564. Contrairement aux infractions de responsabilité subjective et objective, les infractions de responsabilité absolue reposent uniquement sur la constatation de l'élément matériel de l'infraction[1084]. En effet, « [l]orsqu'il s'agit [d'une infraction de respon-

---

1083   *Id.*, p. 286 et 287.

1084   *Municipalité de Prévost* c. *Jean Chalifoux*, BJCMQ 2000-031 (C.M. Sainte-Adèle) :
> *Arrêt*, art. 368 C.S.R. Preuve documentaire par la poursuite. Le défendeur soutient que l'intersection est mal faite, qu'il serait dangereux d'y effectuer un arrêt réglementaire et que le panneau est complètement inutile. Il dépose des photos montrant que l'intersection est en « V ». C'est une infraction de responsabilité absolue où la poursuite n'a qu'à prouver l'*actus reus*. [...] Coupable.

> *Ville de Québec* c. *Louis Blouin*, BJCMQ 2000-428 (C.M. Québec) :
> *Système d'échappement non conforme*, art. 258 C.S.R. Achetée il y a un an, le défendeur a personnalisé sa moto en y installant des « pipes » chromées appelées 50-50, ce qui est légal selon lui. L'art. 130 du décret 1483-98 dit que le système d'échappement doit comporter tous ses éléments dont le silencieux composé « d'une chambre d'expansion, d'un déflecteur ou de tout autre dispositif mécanique ou acoustique et d'une combinaison de ceux-ci fixés de façon permanente et particulièrement conçus par le fabricant du silencieux pour réduire le niveau sonore des gaz d'échappement du moteur ». Coupable.

sabilité absolue], la réalisation d'une action humaine, imputable à son auteur, suffit en elle-même pour établir la culpabilité de ce dernier »[1085]. La responsabilité sans faute nie donc tout dualisme entre l'*actus reus* et la *mens rea* de l'infraction. Pour s'en convaincre, citons l'arrêt *Ville d'Acton Vale* c. *Robert Goyette*[1086], dans lequel le défendeur fut accusé d'avoir immobilisé son véhicule dans un endroit où le stationnement est interdit, contrairement au paragraphe 386(9) du *Code de la sécurité routière*. D'après le juge Grignon :

> Immobiliser son véhicule dans un espace de stationnement interdit le temps de laisser un autre véhicule quitter la stalle en oblique est suffisant pour commettre l'infraction. C'est une infraction de responsabilité absolue. Le défendeur ne fait aucune preuve de nécessité. L'interprétation à donner à « immobiliser » est celle du dictionnaire et exclut la notion de temps ou de durée. Coupable.[1087]

565. La culpabilité étant rattachée à l'*actus reus* de l'infraction, l'intention du défendeur est indifférente[1088]. On l'ignore au profit d'une analyse centrée sur l'accomplissement de l'acte matériel[1089]. Résultat : la diligence raisonnable, autre que celle menant

---

1085 A.-C. DANA, *op. cit.*, note 5, p. 295.

1086 BJCMQ 2002-040 (C.M. Acton Vale).

1087 *Id.*

1088 *Ville de St-Ignace* c. *Olivier Chevalier*, BJCMQ 2000-379 (C.M. MRC d'Autray) :

> *Alcool dans l'organisme*, art. 202.2 C.S.R. Le défendeur est au volant de son véhicule dans un parc et glisse une bière sous son siège voyant venir des policiers vers lui. Il soutient ne pas avoir l'intention de conduire et s'y trouver pour attendre son conducteur désigné. Il habite à deux minutes à pied de là. Le message de la jurisprudence tend à enrayer le danger potentiel que représente la mise en opération d'un véhicule routier par une personne atteinte dans une certaine mesure par l'effet de l'alcool. Le défendeur propriétaire du véhicule, est en possession des clefs et des papiers du véhicule stationné dans un parc. Le risque de mettre le véhicule en marche est imminent. Coupable.

1089 Le ministère public a donc toujours l'obligation de prouver l'*actus reus* de l'infraction hors de tout doute raisonnable. Voir par exemple *Municipalité Château-Richer* c. *Alain Rouge*, BJCMQ 2001-217 (C.M. MRC

à l'impossibilité, doit être écartée par les tribunaux[1090]. Discutant
de la responsabilité d'une personne arrêtée pour ne pas avoir porté
correctement sa ceinture de sécurité, le juge Gilbert, dans l'arrêt
Ville de Longueuil c. *Marcel Dozois*[1091], confirme l'orthodoxie ob-
jectiviste qui surplombe la responsabilité sans faute en droit pénal
canadien. Selon le magistrat :

> La ceinture de sécurité du véhicule devient inopérante alors que
> le défendeur n'a pas terminé certaines livraisons. Il décide de con-
> tinuer avec l'intention bien arrêtée de la faire réparer immédiate-
> ment après, ce qu'il fait d'ailleurs, non sans avoir été intercepté
> pour conduite sans avoir bouclé sa ceinture correctement. Expli-
> cation fort sympathique mais non recevable. L'obligation créée
> par le législateur est telle que si la ceinture est défectueuse, le
> véhicule ne peut plus circuler car il manque un équipement essen-

---

de la Côte-de-Beaupré) : « *Ceinture de sécurité*, art. 396 C.S.R. La preuve
de la poursuite doit être plus que prépondérante, tout en n'atteignant pas
la certitude absolue. La configuration du VR du défendeur ne permet
pas de voir parfaitement si son conducteur porte sa ceinture de sécurité.
La version du défendeur soulève un doute raisonnable. Acquitté. » *Ville
de Longueuil* c. *Catherine Soyeux*, BJCMQ 1999-290 (C.M. Longueuil) :
« *Emprunter propriété privée pour éviter signalisation*, art. 312 C.S.R.
La défenderesse dit ne pas avoir utilisé une station-service pour éviter la
signalisation routière, mais voyant que toutes les pompes étaient occu-
pées, a décidé d'aller à une station-service voisine en empruntant le
chemin le plus court. L'infraction est de responsabilité absolue qui ne
nécessite nullement une *mens rea*. Seul l'*actus reus* doit être considéré.
Acquittée. »

1090   *Ville de Richelieu* c. *Jacky D'Amour*, BJCMQ 2001-350 (C.M. Marie-
       ville) :
       Feu rouge, art. 359 C.S.R. Durant une tempête de neige, le défendeur tente
       de freiner 5 ou 6 mètres avant le feu rouge. Il ne peut préciser sa vitesse. Il
       ignore pourquoi il a pu immobiliser son véhicule à l'intersection précé-
       dente. Son témoin dans un véhicule à côté de lui réussit à immobiliser le
       sien. Il s'en remet à l'état de la route. Il plaide la diligence raisonnable.
       C'est une infraction de responsabilité absolue. Même si cette défense avait
       pu être admise, le défendeur n'en a pas même prouvé les éléments. Il cir-
       culait trop vite ou il n'a pas été suffisamment prévenant pour adapter sa
       conduite aux conditions de la route. Coupable.

1091   BJCMQ 2001-142 (C.M. Longueuil).

tiel. Le Tribunal en conclut qu'il s'agit d'une infraction de responsabilité absolue. Coupable.[1092]

566. Malgré sa rigidité, – ou en raison d'elle – la responsabilité absolue exige des autorités concernées le respect de certaines obligations préalables à la constatation de l'infraction. Ces obligations, qui se rattachent à l'interdiction prévue par la loi, sont mises en place pour s'assurer que le reproche qui sera adressé au prévenu – reproche qui consiste à avoir transgressé l'interdiction en question – soit bel et bien réel. On n'a qu'à penser aux interdictions de stationnement alors que la signalisation est inappropriée[1093] sinon carrément absente. En effet, « les infractions au stationnement sont de responsabilité absolue, et ont un prérequis : une signalisation non équivoque »[1094]. C'est ainsi qu'il faut envisager l'acquittement d'un individu accusé de ne pas s'être conformé à la signalisation routière contrairement à l'article 310 CSR : « [l]a signalisation devant être complète et informer adéquatement l'usager, celle-ci n'indiquait pas que l'interdiction ne s'appliquait qu'à un court segment de la rue Girouard. La signalisation étant déficiente et susceptible d'induire en erreur, [l'individu fut acquitté] »[1095].

1092 *Id.*
1093 *Ville de Longueuil* c. *Patrick Martel*, BJCMQ 99-326 (C.M. Longueuil) : *Ne pas se conformer à la signalisation*, art. 310 C.S.R. La signalisation oblige de virer à droite de 16h00 à 19h00 et le défendeur vire à gauche. Le défendeur ne cherche pas à démontrer qu'il n'a pas vu ce qu'il aurait dû normalement voir, un moyen de défense qu'il ne peut envisager; il déclare que le panneau était inexistant, car non visible au sens de l'art. 31 du *Règlement sur la signalisation routière*. Si une signalisation est complètement cachée par un objet quelconque au moment de l'infraction, il n'y a pas de signalisation. Acquitté.
1094 *Ville de Sainte-Foy* c. *Thérèse Boivin*, BJCMQ 2000-040 (C.M. Sainte-Foy).
1095 *Ville de Marieville* c. *Jean-Pierre Bergeron*, BJCMQ 2004-064 (C.M. Marieville).

Deuxième section : L'indifférence des données psychologiques propres à l'offenseur

567. La responsabilité absolue, c'est connu, est une responsabilité étrangère à la notion de faute. Aucune *mens rea* n'est exigée. La constatation des donnés matérielles suffit pour engager la responsabilité de l'agent. Malgré l'absence de considération accordée aux données psychologiques de l'offenseur, la responsabilité absolue demeure une infraction pénale et comme toutes les infractions pénales, celle-ci doit traduire une certaine forme de reproche. Or le reproche qui anime la personne accusée d'une infraction de responsabilité absolue au Canada est d'avoir contrevenu à la loi. Il s'agit donc d'une faute contraventionnelle qui réside dans l'absence d'un état mental de diligence associé au rôle du citoyen-pénal, faute qui découle de la conjonction entre l'imputabilité et la constatation des données matérielles propres à l'infraction[1096]. Pour s'en convaincre, citons le cas de l'automobiliste accusé d'avoir brûlé

1096 *Municipalité de Prévost* c. *Pierre Lamothe*, BJCMQ 2000-032 (C.M. Sainte-Adèle) : «*Arrêt*, art. 368 C.S.R. Le défendeur plaide avoir été dans l'impossibilité de freiner à cause de la glace sur la chaussée. Il s'agit d'une infraction de responsabilité absolue. Le conducteur prudent a le devoir d'adapter sa conduite et sa vitesse aux conditions climatiques et à l'état de la chaussée. Coupable.» *Ville de l'Ancienne Lorette* c. *Nadine Martel*, BJCMQ 2000-323 :

   Arrêt, art. 368 C.S.R. La défenderesse admet ne pas avoir fait son arrêt obligatoire parce qu'un pot de fleurs suspendu à 30 pieds de l'arrêt aurait nui à sa visibilité. Explication non retenue par la Cour, vu la distance suffisante pour voir le panneau d'arrêt, et la perspective de vision du conducteur n'étant pas celle de la ligne allant du bouquet au panneau d'arrêt, mais une ligne parallèle à celle-ci, éloignée de plusieurs pieds, permettant de voir le panneau d'arrêt encore bien avant les fleurs. Infraction de responsabilité absolue, et inattention de la défenderesse. Coupable.

   Voir également *Ville de Montréal* c. *Mireille Chénard*, BJCMQ 2005-078 (C.M. Montréal) (*Dépasser autobus scolaire*, art. 460); *Ville de Montréal* c. *David Maione*, BJCMQ 2004-098 (C.M. Montréal) (*Arrêt*, art. 368 C.S.R.).

un feu rouge en violation de l'article 359 du *Code de la sécurité routière*. D'après le juge Grignon :

> Le défendeur plaide avoir été surpris par l'effet combiné de la condition de la chaussée et du poids de la charge que son véhicule transportait, et n'a pu s'arrêter. Il neigeait. Le policier témoigne avoir vu 2 véhicules passer sur le feu jaune avant le défendeur qui avait le temps d'arrêter, mais qui a continué sur le feu rouge sans ralentir. À l'approche d'une intersection protégée par des feux de circulation, un conducteur doit prévoir que le feu est susceptible de changer et adapter sa conduite aux conditions de la route. Coupable.[1097]

568. Ce cas n'est pas sans analogie avec celui de l'individu accusé de ne pas avoir respecté un feu rouge clignotant, contrairement à l'article 360 du *Code de la sécurité routière*. Selon le juge Laverdure :

> Le défendeur suit un gros camion et ne voit pas le feu de circulation. Infraction de responsabilité absolue selon la jurisprudence. Les critères applicables à la défense d'impossibilité sont : 1. l'inculpé n'a pas contribué à la survenance de l'événement incontrôlable en cause; 2. il a tout mis en œuvre afin de surmonter cet obstacle et se conformer à la loi; 3. toute autre personne raisonnable aurait pareillement échoué. Le défendeur a conduit de façon insouciante sans se préoccuper de la signalisation, prenant pour acquis que le feu était vert. L'impossibilité invoquée résulte de sa négligence; un conducteur prudent aurait évité de commettre l'infraction. Coupable.[1098]

1097 *Ville de Richelieu* c. *Didier Dupuy*, BJCMQ 2001-373 (C.M. Marieville). *Ville de Chicoutimi* c. *Dumont*, BJCMQ 1998-285 (C.M. Chicoutimi).

1098 *Municipalité de Grande-Ile* c. *Bernard Brunet*, BJCMQ 2002-238 (C.M. Beauharnois). *Ville de Plessisville* c. *Labrie*, BJCMQ 1999-314 (C.M. Plessisville).

569. Au même effet, citons enfin l'arrêt *Ville de Québec* c. *David Levasseur*[1099], dans lequel le défendeur fut inculpé d'avoir franchi une ligne double continue en violation de l'article 326.1 du *Code de la sécurité routière*. Après avoir résumé brièvement les faits mis en preuve, le juge Cloutier conclut :

> Un taxi fait demi-tour devant le défendeur qui croit que le taxi va le laisser passer. Temps de réaction estimé à 5 secondes. Le défendeur bifurque et franchit la double ligne continue au milieu de la rue. Absence de prévoyance du défendeur. Coupable.[1100]

570. Dépourvue de *mens rea*, la responsabilité absolue l'est certainement. Insensible au reproche, l'accusé ne l'est toutefois pas. Ce blâme, qui résulte de la conjugaison de la capacité d'orienter intelligemment et librement son action (*imputabilité*) et de la violation de la disposition concernée, se concrétise dans la primauté accordée aux données matérielles et dans l'indifférence des données psychologiques autres que celles détruisant l'imputabilité. Sur ce point, nous nous accordons avec l'auteur Adrien-Charles Dana pour affirmer l'importance de l'*actus reus* et de l'imputabilité en matière d'infraction de responsabilité absolue :

> Il faut partir de l'idée que la culpabilité conçue en termes psychologiques joue un rôle sélectif dans l'application de la loi pénale. Lorsqu'une action matérielle imputable à son auteur est constatée à l'encontre du prévenu, le seul moyen qui lui reste pour écarter sa responsabilité pénale, consiste à établir qu'il est psychologiquement irréprochable. Il lui reste à prouver qu'il ne réalisait pas au moment de l'action l'attitude psychologique nécessaire pour que sa culpabilité soit retenue.
>
> Or, que peut faire dans l'application positive de la loi pénale, celui qui est poursuivi pour avoir commis une contravention et à l'égard duquel la réalité ainsi que l'imputabilité de son action sont éta-

---

1099   BJCMQ 2002-120 (C.M. Québec).
1100   *Id.*

blies? Rien. Absolument rien. Toute discussion portant sur des considérations psychologiques sera stérile. Celles-ci, au lieu de *justifier* la violation de la loi, aboutiraient en fait à *expliquer* cette violation.

Du côté du prévenu, la seule défense possible est donc celle qui porte sur l'existence d'une cause de non-imputabilité, ou sur l'inexistence des faits matériels eux-mêmes. Dans un cas comme dans l'autre, l'agent pénal n'invoque pas ces considérations psychologiques, censées être de l'essence de la faute pénale, pas plus d'ailleurs que le ministère public n'a l'obligation de les viser dans les actes de poursuites.[1101]

571. Limpide dans sa formulation, ce passage nous oblige à constater l'importance de l'imputabilité en matière de responsabilité absolue. Aussi, prétendre comme l'a fait le juge Dickson dans l'arrêt *Sault Ste-Marie* que « l'accusé peut être moralement innocent sous tous rapports et malgré cela être traité de criminel et puni comme tel »[1102] est une affirmation qui participe à la fois de l'erreur et de la vérité[1103], car si nul ne peut plaider son absence

---

1101 A.-C. DANA, *op. cit.*, note 5, p. 299.

1102 *R.* c. *Corporation de la ville de Sault Ste-Marie*, précité, note 253, 1310.

1103 J. FORTIN et L. VIAU, *op. cit.*, note 14, p. 155 :
L'interprétation littérale de ce passage signifierait, comme le souligne un juge, que le conducteur qui ne respecte pas un feu de circulation sous la menace d'un terroriste qui lui braque un revolver sur la tempe, n'aurait pas de défense. De la même manière, si le conducteur est âgé de cinq ans (à supposer qu'il ait pu mettre le véhicule en marche) ou est inconscient pour avoir reçu un coup à la tête, il devrait être condamné.
Ce n'est pas ce que dit le juge Dickson : il dit simplement que la responsabilité absolue exclut la faute. Or celle-ci suppose la liberté d'action, la capacité de discernement, la conscience. En d'autres termes, la faute ne peut être que le fait d'une personne normale (c'est-à-dire non aliénée mentale) en possession de ses moyens (c'est-à-dire non inconsciente) dans une situation où elle a le choix d'agir (absence de contrainte morale) et la possibilité d'agir (absence de contrainte physique ou impossibilité matérielle) et agissant contrairement à la loi (non en conformité avec celle-ci comme dans le cas de l'exécution de la loi) ou pour éviter un plus grand mal (comme c'est le cas en matière de légitime défense ou de nécessité). Du reste, dans le passage précité, le juge Dickson n'indique pas son intention d'écarter la jurisprudence existante qui, déjà, acceptait ces moyens de défenses généraux à l'encontre d'infractions n'exigeant pas la *mens rea*.

de *culpabilité* en matière de responsabilité absolue, rien ne l'empêche de soulever son absence d'*imputabilité* (facteur préalable à la constatation de la responsabilité pénale).

Troisième section : L'importance de l'imputabilité en matière d'infractions de responsabilité absolue

572. Comme une action humaine imputable ne mérite ce titre qui si l'acte est volontaire au point de vue moral ou normatif, et que cette dénomination ne convient qu'aux personnes douées d'un minimum d'intelligence et de liberté[1104], c'est de ce côté qu'il faut orienter notre analyse de l'imputabilité en matière d'infractions de responsabilité absolue. À l'analyse des facteurs portant ombrage à l'intelligence du défendeur, succèdera un examen des causes supprimant sa liberté de choix.

Première sous-section : Les causes qui détruisent la capacité de l'individu d'orienter intelligemment sa conduite

573. D'après William Blackstone, l'absence de discernement en droit criminel détruit la capacité de commettre un crime, « for where there is no discernement, there is no choice; and where

---

Ces conditions préalables à la faute (conditions empruntées à Stephen) ne confirment-t-elles pas l'existence de l'imputabilité en droit pénal? Cela ne fait aucun doute. En énumérant une par une les conditions préalables à la responsabilité pénale, Stephen (et avec lui tous les auteurs contemporains qui adhèrent à la théorie positiviste) reconnaît les fondements de l'imputabilité que sont l'intelligence et la liberté. En d'autres termes, à partir du moment on l'on reconnaît que la responsabilité pénale repose sur la notion de libre arbitre, les principes qui sous tendent l'antériorité de l'imputabilité s'imposent naturellement.

1104 T. D'AQUIN, *op. cit.*, note 26, p. 65.

there is no choice there can be no act of the will, which is nothing else but a determination of one's choice, to do or to abstain from a particular action : he therefore, that has no understanding, can have no will to guide his conduct »[1105]. En droit, les causes qui détruisent la capacité de l'individu d'orienter intelligemment sa conduite sont la minorité, l'aliénation mentale, l'automatisme et l'erreur de fait.

A. La minorité

574. Aux termes de l'article 13 du *Code criminel* :

13. [Enfant de moins de douze ans] Nul ne peut être déclaré coupable d'une infraction à l'égard d'un acte ou d'une omission de sa part lorsqu'il était âgé de moins de douze ans.

575. Or la responsabilité absolue est une forme d'infraction. Donc nul ne peut être déclaré coupable d'une infraction de responsabilité absolue lorsqu'il était âgé de moins de douze ans. Ce principe, qui ne souffre d'aucune difficulté, est fidèle aux enseignements de Blackstone dans ses *Commentaries on the Laws of England*. D'après le célèbre juriste : « Infants, under the age of discretion, ought not to be punished by any criminal prosecution whatever. »[1106]

B. L'aliénation mentale

576. La seconde cause de non-responsabilité pénale en droit criminel est selon Blackstone l'aliénation mentale, laquelle est un défaut d'intelligence qui découle soit d'une maladie mentale soit

---

1105   W. BLACKSTONE, *op. cit.*, note 8, p. 21.
1106   *Id.*, p. 22.

d'un développement mental incomplet. Ainsi, selon l'article 16 du *Code criminel* :

> **16. [Troubles mentaux]** La responsabilité criminelle d'une personne n'est pas engagée à l'égard d'un acte ou d'une omission de sa part survenu alors qu'elle était atteinte de troubles mentaux qui la rendaient incapable de juger de la nature et de la qualité de l'acte ou de l'omission, ou de savoir que l'acte ou l'omission était mauvais.

577. Cette irresponsabilité, qui est applicable à toutes les infractions, s'adresse autant aux crimes traditionnels qu'aux infractions réglementaires (responsabilité stricte et absolue).

C. L'automatisme

578. D'après le juge Bastarache, dans l'arrêt *R. c. Stone*, « c'est le caractère volontaire [au point de vue physique] et non la conscience qui constitue l'élément juridique principal du comportement automatique »[1107]. Or, selon le juge LaForest, dans l'arrêt *R. c. Parks*, le caractère volontaire [au point de vue physique] appartient à l'*actus reus* de l'infraction[1108]. Donc l'automatisme est une cause de non-responsabilité pénale en matière de responsabilité absolue. C'est ainsi qu'il faut envisager l'acquittement de l'individu qui brûle un feu rouge alors qu'il est en proie à une crise d'épilepsie, ou encore celui du somnambule qui file à toute allure sur l'autoroute. L'élément moral de l'*actus reus* étant absent, la culpabilité ne peut être prononcée.

1107   Précité, note 56, par. 170.
1108   [1992] 2 R.C.S. 871, 896.

D. L'erreur

579. Étroitement associée à la culpabilité, l'erreur de fait n'est pas une défense généralement admise en matière de responsabilité absolue. Ce principe, qui découle de l'absence de considération accordée à l'élément psychologique de l'infraction, peut être écarté si l'on considère l'erreur de fait dans son rapport traditionnel avec l'acte volontaire au point de vue moral ou normatif. En effet, qui agit mal sans le *savoir* agit mal sans le *vouloir*, écrit saint Thomas d'Aquin[1109]. Or la volonté au point de vue moral ou normatif est un préalable à la responsabilité pénale. Donc l'erreur de fait raisonnable peut être admise en matière de responsabilité absolue, car l'« ignorance, écrit Matthew Hale, rend souvent l'acte lui-même *moralement involontaire* »[1110]. La volonté étant rattachée à l'*imputabilité* (élément préalable à la constatation de l'infraction) et non à la *culpabilité* (élément de faute se rattachant à la définition du crime), rien n'empêche l'individu de soulever ce moyen de défense en matière de responsabilité absolue (infraction excluant la *culpabilité* mais reconnaissant l'*imputabilité*).

**Deuxième sous-section : Les causes qui détruisent
la liberté de choix**

580. La liberté est, aux côtés de l'intelligence, la seconde faculté impliquée dans la formation d'un acte volontaire. En droit, les causes qui détruisent la capacité de l'individu d'orienter librement son action sont la nécessité, la contrainte et l'impossibilité.

1109 T. D'AQUIN, *op. cit.*, note 722, p. 289 et suiv.
1110 Cité dans *Pappajohn* c. *La Reine*, précité, note 252, 147.

A. La nécessité

581. D'après Blackstone : « [la nécessité] oblige un [homme] à accomplir un acte qui, sans cette obligation, serait criminel. Cela se produit lorsqu'un homme a le choix entre deux maux qui se présentent à lui et choisit le moindre »[1111]. Dans ce cas, précise le juge Dickson, dans l'arrêt *Perka* c. *La Reine*, « le choix qu'il a d'enfreindre la loi n'est nullement un choix véritable, [mais un choix] poussé implacablement par les instincts normaux de l'être humain »[1112]. « C'est pourquoi on ne refuse pas son pardon et parfois même sa pitié à ce qui est accompli sans volonté de choix »[1113]. Tel est le cas de l'accusée qui, à cause de sa crainte de déraper sur la chaussée mouillée, passe sur le feu rouge au changement de feu afin d'éviter un accident plus grave[1114] ou encore celui de l'individu qui dépasse la limite de vitesse permise pour aller reconduire une personne malade à l'hôpital (p. ex. : crise cardiaque, malaise soudain, piqûre d'abeille pour une personne allergique, etc.). Le péril étant à la fois *imminent*, *irrésistible* et *proportionnel*, l'accusé doit être acquitté en raison de l'état de nécessité.

B. La contrainte morale

582. La contrainte morale est, à l'image de la nécessité, une cause de non-responsabilité pénale fondée sur l'absence de volonté au point de vue moral ou normatif. L'accusé qui brûle un feu rouge sous la menace d'une personne qui lui braque un revolver sur la tempe ne pourra donc être déclaré coupable de cette infraction[1115], car sa volonté étant absente (*absence de choix véritable*), sa responsabilité l'est également.

1111   W. BLACKSTONE, *op. cit.*, note 8, p. 27.
1112   *Perka* c. *La Reine*, précité, note 432, 249.
1113   ARISTOTE, *op. cit.*, note 240, p. 73.
1114   *Municipalité de Boischatel* c. *Chantal Laberge*, BJCMQ 2001-218 (C.M. MRC Côte-de-Beaupré).
1115   J. FORTIN et L. VIAU, *op. cit.*, note 14, p. 155.

C. L'impossibilité

583. «Admise en jurisprudence, acceptée et même défendue par les auteurs»[1116], l'impossibilité est un moyen de défense dont l'action, écrivent les auteurs Côté-Harper, Rainville et Turgeon, s'exprime à travers le célèbre adage : «À l'impossible nul n'est tenu»[1117]. Ce moyen de défense, qui est relativement nouveau, est fréquemment utilisé en matière de responsabilité absolue. À titre d'exemple, citons l'arrêt *Ville de Cap-Rouge* c. *Younsi Abdelaziz*[1118] dans lequel l'accusé fut inculpé d'avoir illégalement stationné sa voiture à la suite d'une panne de moteur. D'après le juge Cloutier :

> Le véhicule du défendeur tombe en panne le soir après la fermeture des garages. Le lendemain il fait remorquer et réparer son automobile chez son garagiste. Infraction de responsabilité absolue reconnue par la jurisprudence. L'immobilisation forcée d'un véhicule a été reconnue comme étant de force majeure de la nature d'une impossibilité absolue. Le défendeur n'avait pas à en aviser les autorités policières. Acquitté.[1119]

584. Pour être exonératoire, l'impossibilité doit être à la fois *imprévisible* et *irrésistible*. *Imprévisible*, tout d'abord, puisqu'un événement prévisible[1120] est évitable, donc volontaire. L'exemple de l'automobiliste qui omet de faire un arrêt obligatoire après avoir

---

1116   A.-C DANA, *op. cit.*, note 5, p. 190.

1117   G. CÔTÉ-HARPER, P. RAINVILLE et J. TURGEON, *op. cit.*, note 40, p. 289.

1118   BJCMQ 2002-038 (C.M. Sainte-Foy).

1119   *Id.*

1120   Voir sur ce point *Ville de Montréal* c. *Judith Évelyn*, BJCMQ 2004-100 (C.M. Montréal) :
       Arrêt, art. 368 CSR. La défenderesse admet avoir glissé sur l'arrêt et plaide impossibilité à cause de ses freins ABS changés en plus des disques remodelés. L'impossibilité n'est pas inhabileté. Elle doit être imprévue et imprévisible. La défenderesse connaissait le problème de ses freins. Coupable.

glissé sur une plaque de glace illustre bien ce principe. La défense d'impossibilité [étant] recevable si l'empêchement de se conformer à la loi est fortuit et imprévisible, le défendeur [fut déclaré coupable, car il] connaissait l'état de la chaussée ayant déjà circulé un certain temps ce jour-là »[1121]. En sens contraire, fut relaxé l'automobiliste dont l'action ne pouvait lui être reprochée, car « l'état de la chaussée masquée par la neige était imprévisible et ne révélait en rien une situation qui l'aurait incité à procéder autrement »[1122].

585. *Irrésistible*, enfin, car la personne qui ne peut agir autrement n'a rien à se reprocher. L'obéissance à la loi étant démonstrativement impossible, l'individu n'a pas agi volontairement. C'est ainsi qu'il faut envisager la culpabilité de la personne ayant reçu deux constats d'infraction pour avoir excédé le temps prévu au parcomètre. Sa condamnation fut prononcée car « le fait de ne pouvoir se stationner dans les espaces permis pour les détenteurs de vignette ne rend pas les règles relatives aux parcomètres inapplicables. Le défendeur se devait de prendre toutes les précautions nécessaires ou raisonnables pour éviter de commettre l'infraction »[1123]. Coupable.

586. Si l'admissibilité des causes de non-responsabilité pénale en matière de responsabilité absolue semble justifiée au point de vue de la responsabilité morale, il en va autrement au plan constitutionnel, car l'emprisonnement n'étant pas une possibilité, les principes de justice fondamentale ne pourront être invoqués. Bien que cette interprétation soit conforme aux conditions liminaires prévues à l'article 7 de la Charte, nous pensons qu'elle contrevient aux principes séculaires de la responsabilité morale ainsi qu'à

1121 *Ville de Richelieu* c. *Jacky D'Amour*, précité, note 1090.
1122 *Laval (Ville)* c. *Bourbonnais*, [2003] J.Q. (Quicklaw) nº 13821, par. 18 (C.M. Laval).
1123 *Ville de Québec* c. *Thierry Ollevier*, BJCMQ 2005-021 (C.M. Québec).

la présomption d'innocence prévue à l'article 11*d*) de la Charte. En effet, d'après le juge Lamer dans l'arrêt *R. c. Vaillancourt*[1124] :

> La présomption d'innocence de l'al. 11*d*) de la Charte exige au moins que l'accusé soit présumé innocent jusqu'à ce que sa culpabilité ait été établie hors de tout doute raisonnable. [...] Cela signifie que, pour qu'un accusé soit déclaré coupable d'une infraction, le juge des faits doit être convaincu hors de tout doute raisonnable de l'existence de tous les éléments essentiels de l'infraction. Ces éléments essentiels comprennent non seulement ceux énoncés par le législateur dans la disposition qui crée l'infraction, mais également ceux requis par l'art. 7 de la Charte. Toute disposition créant une infraction qui permet de déclarer un accusé coupable malgré l'existence d'un doute raisonnable quant à un élément essentiel porte atteinte à l'art. 7 et à l'al. 11*d*).[1125]

587. Comme « seule la conduite volontaire [au sens moral ou normatif] entraîne l'imputation de la responsabilité pénale »[1126] et que l'imputation est nécessaire à l'intervention de la justice pénale, la responsabilité absolue ne peut être constatée chez le sujet dépourvu d'intelligence ou de liberté. Ce principe, qui est déjà reconnu par la jurisprudence, assure la spiritualisation de l'infraction en s'assurant que la réalisation du comportement interdit puisse être portée au compte de son auteur. Car sans imputabilité, il n'y a pas de reproche. Mieux encore, il n'y a pas de responsabilité du tout.

1124 Précité, note 413.
1125 *Id.*, 654 et 655.
1126 *R. c. Ruzic*, précité, note 16, par. 47.

Quatrième section : La distinction entre les infractions de responsabilité stricte et celles de responsabilité absolue

588. Ayant, dans un premier temps, défini les conditions à l'origine de la responsabilité absolue au Canada, il convient maintenant d'aborder les critères permettant de distinguer les infractions de responsabilité stricte de celles de responsabilité absolue. Le sujet, il va de soi, n'est pas commode. Son traitement obéit à cinq étapes précises dont le contenu peut être résumé brièvement.

589. (1) Pour déterminer si une infraction pénale est de responsabilité stricte ou absolue, il faut tout d'abord s'assurer que la disposition en cause est bel et bien une infraction contre le bien-être public. En effet, les infractions criminelles dans le vrai sens du mot tombent dans la première catégorie d'infractions, dites de *mens rea*. Bien qu'une infraction criminelle reposant, de façon importante, sur des aspects réglementaires puisse tomber dans la seconde catégorie d'infraction, dites de responsabilité stricte, elle ne peut être de responsabilité absolue.

590. (2) Après avoir déterminé que la disposition concernée est une infraction réglementaire, la seconde étape consiste à vérifier si cette disposition prévoit une certaine forme de *mens rea*. En droit, « les infractions contre le bien-être public ne sont pas assujettie à la présomption de *mens rea* proprement dite. Une infraction de ce genre tombera dans la première catégorie d'infraction lorsque l'on trouve des termes tels que "volontairement", "avec l'intention de", "sciemment" ou "intentionnellement" » dans le libellé de l'infraction[1127], ou lorsque « le texte de la disposition créant l'infraction ou la nature de l'acte prohibé » le commande

---

1127   *R.* c. *Corporation de la ville de Sault Ste-Marie*, précité, note 253, 1326.

implicitement[1128]. En somme, « la Cour doit examiner les termes utilisés par le législateur et la nature de l'acte prohibé afin de déterminer si la disposition créant l'infraction prévoit expressément ou implicitement que la *mens rea* constitue un élément essentiel de l'infraction »[1129].

591.   (3) Après avoir déterminé que l'infraction réglementaire n'entre pas *explicitement* ou *implicitement* dans la première catégorie d'infractions, dites de *mens rea*, la Cour doit vérifier si cette infraction prévoit ou non une peine d'emprisonnement. Dans l'affirmative, la disposition ne peut être de responsabilité absolue, car la justice fondamentale interdit le recours à une mesure privative de liberté dans les cas de responsabilité sans faute. D'après le juge Lamer dans le *Renvoi sur la Motor Vehicle Act (C.-B.)*[1130] :

> Je suis [...] d'avis que la combinaison de l'emprisonnement et de la responsabilité absolue viole l'art. 7 de la Charte et ne peut être maintenue que si les autorités démontrent, en vertu de l'article premier, qu'une telle atteinte à la liberté, qui va à l'encontre de ces principes de justice fondamentale, constitue, dans le cadre d'une société libre et démocratique, dans les circonstances, une limite raisonnablement justifiée aux droits garantis par l'art. 7.[1131]

592.   Le principe est donc simple et bien arrêté : [L]'accusé passible d'une peine d'emprisonnement « doit toujours pouvoir au moins invoquer un moyen de défense fondé sur la diligence raisonnable »[1132]. La négligence est donc la norme de faute minimale applicable dans tous les cas où l'accusé risque d'être condamné à

1128   *Strasser* c. *Roberge*, précité, note 1017, 986.
1129   *Id.*
1130   [1985] 2 R.C.S. 486.
1131   *Id.*, 515.
1132   *R.* c. *Wholesale Travel Group Inc.*, précité, note 913, 183.

l'emprisonnement[1133]. La responsabilité absolue étant dénuée de *mens rea*, celle-ci ne peut être à la source d'une mesure privative de liberté.

593.   (4) Si la disposition ne prévoit pas de peine d'emprisonnement (ni de *mens rea*), alors la Cour devra déterminer s'il s'agit d'une infraction de responsabilité stricte ou absolue[1134]. Or comme les infractions réglementaires sont généralement des infractions de responsabilité stricte, les tribunaux devront limiter « les infractions de responsabilité absolue à celles pour lesquelles le législateur indique clairement que la culpabilité suit la simple preuve de l'accomplissement de l'acte prohibé »[1135]. Le texte d'une infraction n'étant pas toujours clair, les tribunaux auront parfois recours à l'objet de la législation, à son historique[1136], à son libellé[1137], à la

---

1133   *Id.*, 186.

1134   *Ville de Lévis* c. *Tétreault*, précité, note 1009, par. 19 :
        Notre Cour a réexaminé les méthodes de classification des infractions réglementaires dans l'arrêt *R.* c. *Pontes*, [1995] 3 R.C.S. 44. À l'occasion de cette affaire où elle devait décider si une infraction relative à la circulation routière était de responsabilité absolue, le juge Cory, pour la majorité, a paru suggérer un test en deux volets pour déterminer si une infraction est de responsabilité absolue. Dans un premier temps, on s'en rapporterait à la méthode d'analyse et aux présomptions d'interprétation proposées par le juge Dickson dans l'arrêt *Sault Ste-Marie*. Cependant, l'on pourrait aussi rechercher si le législateur entendait reconnaître l'admissibilité d'une défense de diligence raisonnable. Ce raffinement ajouté à la méthode de classification établie dans l'arrêt *Sault Ste-Marie* ne facilite pas son application. En effet, l'objectif de la méthode d'interprétation adoptée dans l'arrêt *Sault Ste-Marie* demeure précisément la découverte de la nature des moyens de défense ouverts au prévenu. Affirmer que l'on doit rechercher si l'accusé peut plaider sa diligence raisonnable constitue une simple répétition, sous une forme différente, de toute la finalité de cette opération juridique. Il vaudrait donc mieux s'en reporter au cadre d'analyse clair et à la méthode de classification adoptés dans l'arrêt *Sault Ste-Marie*.

1135   *R.* c. *Corporation de la ville de Sault Ste-Marie*, précité, note 253, 1326.

1136   *R.* c. *Naugler*, (1981) 25 C.R. (3d) 392 (C.A. N.-É.).

1137   En ce qui concerne les infractions de vitesse, voir *R.* c. *Lemieux*, (1978) 41 C.C.C. (2d) 33 (C.A. Qué.) :
        The specific offence is created by the words "no person shall drive a motor vehicle at a greater speed than ... 50 miles per hour ... 30 miles per hour ... 15 miles per hour ..." depending upon either the type of highway, its location with reference to built-up areas, the presence of railway crossings and

nature de l'obligation imposée[1138], à la gravité de la peine et aux stigmates qui s'y rattachent pour déterminer si la disposition en cause tombe sous le coup de la responsabilité absolue[1139]. Ainsi d'après les articles 368 et 396 du *Code de la sécurité routière* :

368. Panneau d'arrêt. Le conducteur d'un véhicule routier ou d'une bicyclette qui fait face à un panneau d'arrêt doit immobiliser son véhicule et se conformer à l'article 360.

Amende
Art. **504 [Infraction et peine]** Le conducteur d'une bicyclette qui contrevient à [l'article 368] commet une infraction et est passible d'une amende de 15$ à 30 $.
Art. **509 [Infraction et peine]** [...] [t]oute personne autre que le conducteur d'une bicyclette qui contrevient à l'un des articles 367 à 371 commet une infraction et est passible d'une amende de 100$ à 200$.

---

other works, the nature of the vehicle itself or other considerations. The language could not be more precise or, indeed, more abrupt unless the Legislature, in order to create an offence of the third category, were to go to the extent of adding at the end of such a clause words to the effect "and there shall be no defence available to any person who exceeds the aforementioned speed limits".

1138 Voir sur ce point *Ville de Lévis* c. *Tétreault*, précité, note 1009, par. 29 et *Ville de Québec* c. *Dekhili*, BJCMQ 2006-221 (C.M. Québec) :
L'intention du législateur de créer une infraction de responsabilité absolue doit être démontrée clairement, sinon c'est une infraction de responsabilité stricte, où une défense de diligence raisonnable s'appliquera.
L'obligation du propriétaire d'un immeuble dont la bordure du toit présente des glaçons est celle d'une personne raisonnable et diligente, qui enlève de façon régulière tout glaçon qui se forme en bordure du toit, le plus tôt possible après leur formation et qui est vigilant. On ne peut exiger de lui d'être aux aguets en permanence.

1139 *R.* c. *Hickey*, (1976) 29 C.C.C. (2d) 23, 27-28 (Div. Ct.) :
To determine whether the offence created is one of absolute liability (and it is clearly within the power of the Provincial Legislature, should it so desire, to create an offence for which there is no defence of honest and reasonable mistake of fact) the Court must examine the precise wording of the offence creating the provision, the contextual matter, the type of conduct regulated, the revealed purpose of the Act, the size, type and nature of penalty imposed, and the stigma, if any, to be attached by the community to conviction.

396. Port obligatoire. Toute personne, sauf un enfant visé à l'art. 397, doit porter correctement la ceinture de sécurité dont est équipé le siège qu'elle occupe dans un véhicule routier en mouvement.

Amende

Art. **508 [Infraction et peine]** Quiconque contrevient à l'article 396 commet une infraction et est passible d'une amende de 80 $ à 100 $.

594. (5) Comme l'indiquent ces deux infractions empruntées au *Code de la sécurité routière*, la culpabilité de l'agent, en matière de responsabilité absolue, suit la simple preuve de l'accomplissement de l'acte prohibé. « Ici le fait parle de lui-même. »[1140]

595. La rigueur et la précision des termes utilisés, la nature de l'activité prohibée, le montant de l'amende imposée constituent, dans ces deux cas, des indications claires et non équivoques de la volonté du législateur de subordonner la culpabilité du défendeur à la preuve de l'acte prohibé. En somme, pour reprendre les termes du juge Louis-Marie Vachon dans l'arrêt *Réseau de Transport de la Capitale* c. *Shanin Ansari*[1141] :

L'infraction de responsabilité stricte est le règle, la responsabilité absolue l'exception. C'est la précision des termes utilisés qui déterminera l'intention claire et la volonté du législateur d'en faire une infraction de responsabilité absolue. Il faut donc une indication claire que la culpabilité suit la simple preuve de l'accomplissement de l'acte prohibé.[1142]

596. Bien que la plupart des infractions que l'on retrouve dans cette rubrique soient empruntées au *Code de la sécurité rou-*

1140   A.-C. DANA, *op. cit.*, note 5, p. 325.
1141   BJCMQ 2006-216 (C.M. Québec).
1142   *Id.*

tière, on peut légitimement s'interroger sur la pérennité des infractions de responsabilité absolue en matière de conduite automobile. Discutant de l'interdiction de conduire un véhicule automobile sans détenir un permis de conduire valide, contrairement à l'article 93.1 CSR, le juge Lebel, dans l'arrêt *Ville de Lévis* c. *Tétreault*[1143], se prononce en faveur de la responsabilité stricte :

> L'examen de cette disposition ne révèle pas la présence d'un langage qui indiquerait une intention de créer une infraction de *mens rea* ou, à l'inverse, d'imposer une responsabilité absolue excluant la défense de diligence raisonnable. Le texte de la disposition n'impose nulle part au poursuivant le fardeau de démontrer l'existence de la *mens rea*. Par contre, le même texte ne comporte aucune expression d'une volonté législative de créer un régime de responsabilité absolue. Une telle volonté ne saurait s'induire non plus de l'économie de cette disposition, qui veut assurer le respect des exigences du contrôle de la sécurité routière, par la surveillance des permis de conduire, sans qu'il soit nécessaire de priver un prévenu de toute défense de diligence raisonnable. Un régime de responsabilité stricte répond d'ailleurs adéquatement au souci de rendre le conducteur d'automobile conscient de ses obligations légales, notamment de son devoir de faire les démarches nécessaires pour maintenir son permis en vigueur et de ne conduire que pendant la période de validité de celui-ci.[1144]

597. Bien que cette infraction appartienne à la catégorie des infractions de responsabilité stricte (comme plusieurs autres infractions contenues dans le *Code de la sécurité routière* d'ailleurs), il est erroné, à notre avis, d'interpréter cette décision comme interdisant complètement la responsabilité absolue en matière de sécurité routière. Après tout, l'omission de s'immobiliser devant un panneau d'arrêt n'est-elle pas une infraction de responsabilité absolue dont le texte de la loi et la nature du comportement interdit indiquent clairement que la culpabilité suit la simple preuve de l'accomplissement de l'acte en question? Conclure autrement

---

1143 Précité, note 1017.
1144 *Id.*, par. 29.

aurait pour effet d'exiger du législateur qu'il indique expressément (en toutes lettres) que l'infraction est de responsabilité absolue, ce qui de toute évidence n'est pas une exigence prévue dans
l'arrêt *Sault Ste-Marie*…

Conclusion

598. Si l'infraction en tant qu'action humaine coupable se
situe au confluent de l'imputabilité et de la *mens rea*, la culpabilité en matière de responsabilité absolue s'articule sur le rapport
entre l'imputabilité et l'*actus reus*. Insensible aux données psychologiques qui se rapportent à la faute, la responsabilité absolue
« détermine le reproche qu'elle adresse »[1145] à l'auteur de l'acte en
s'adressant à ce qu'il a fait et non à ce qu'il a pensé ou aurait dû
penser. « La substance de l'infraction, répondant de sa notion, réside
donc dans l'action humaine rattachée successivement à l'homme
et à la société : du côté de l'homme, l'infraction se présente comme
une action humaine imputable; du côté de la société, elle est une
action humaine coupable. »[1146] Coupable non pas parce que la
responsabilité absolue commande la preuve de la *mens rea*, mais
bien parce que l'accusé a violé une interdiction qu'il pouvait et
devait respecter.

1145   A.-C. DANA, *op. cit.*, note 5, p. 19.
1146   *Id.*

Conclusion

599. Le cercle est désormais fermé. La culpabilité, en se superposant à l'imputabilité, participe à l'élaboration du crime en tant qu'essence. De cette union privilégiée de l'âme et du corps, de la matière et de l'esprit, une conclusion émerge, une conclusion qui nous permet d'esquisser, à travers l'épaisseur du discours juridique, les formes primaires de la responsabilité pénale (imputabilité, *actus reus* et *mens rea*).

600. L'imputabilité, tout d'abord, puisqu'un acte est humain, dès lors « qu'il est volontaire ou émanant de la volonté, comme le fait de vouloir ou de choisir »[1147]. Rattachée à l'homme, à ses deux facultés que sont l'intelligence et la liberté de choix, l'imputabilité n'est pas un élément du crime, mais une condition préalable à sa constatation. « Dieu, en effet, a créé l'homme au commencement, et il l'a laissé au pouvoir de son conseil, c'est-à-dire de son libre arbitre »[1148]. Or « puisque des peines ne peuvent être infligées que si l'on abuse du libre arbitre que Dieu a accordé à l'homme »[1149], seule la volonté au point de vue moral ou normatif « peut entraîner l'imputation de la responsabilité criminelle et la stigmatisation que cette dernière comporte »[1150]. Étrangère à la matérialité du crime, l'imputabilité l'est certainement. Indépendante de l'élément psychologique de l'infraction, elle l'est également, car, une fois associée à la *mens rea*, l'absence d'imputabilité ne pourrait être soulevée à l'encontre d'une infraction de responsabilité absolue.[1151] En ce qui concerne, par ailleurs, l'assimilation des causes

---

1147 T. D'AQUIN, *op. cit.*, note 26, quest. 71, art. 6, p. 451.

1148 *Ecclésiastique*, 15: 14.

1149 W. BLACKSTONE, *op. cit.*, note 8, p. 761 [cité en français dans *Perka c. La Reine*, précité, note 432, 243].

1150 *R. c. Ruzic*, précité, note 16, par. 47.

1151 Il serait alors impossible de tenir compte des facteurs tels que la minorité, les troubles mentaux, la nécessité et la contrainte morale dans le cadre d'une poursuite pour une infraction de responsabilité sans faute.

de non-responsabilité pénale à un facteur postérieur capable d'annihiler le crime, nous croyons que cette approche, bien qu'elle soit
séduisante à première vue, n'en demeure pas moins étrangère à
l'histoire de la common law et aux principes séculiers de la responsabilité morale.

601. Un acte interdit, ensuite, puisque pour être criminel,
le comportement de l'individu doit être cerné, identifié, puis interdit par l'autorité publique. En inscrivant les conduites socialement
répréhensibles dans le champ des objets susceptibles de sanction
pénale, le législateur manifeste sa volonté. Il trace « les premiers
signes d'une manifestation légale, matérielle et positive du crime »[1152].
D'un acte mauvais ou moralement répréhensible, nous passons
alors à un acte criminel (ou infraction pénale), susceptible de sanction. Cette métamorphose de l'acte juridique, cette reconfiguration du comportement social, possède une fonction bien précise :
elle vise à assurer un meilleur découpage de l'espace pénal et un
quadrillage plus serré des conduites criminelles. Résultat : entre
l'imputabilité et la culpabilité, l'*actus reus* forme rouage. Il est la
substance de l'infraction, son matériel dont la justification tient
dans les mots « contraire à la loi positive »[1153].

602. Au-delà de sa constatation matérielle, l'infraction exige
également la preuve d'un élément de faute[1154]. En effet, un acte
est dit criminel du fait qu'il trahit la culpabilité nécessaire à la
perfection du crime. Or la culpabilité d'un crime est définie en
fonction de l'élément de faute qui s'y rattache. La faute est donc,
aux côtés de l'*actus reus* et de l'imputabilité, la troisième condition essentielle à la responsabilité pénale. Étroitement associée à
l'acte matériel, la culpabilité assure à l'infraction sa coloration psychologique. Cette coloration, il va de soi, varie selon que la faute

---

1152   A.-C. DANA, *op. cit.*, note 5, p. 25 et suiv.
1153   Formulation empruntée à T. D'AQUIN, *op. cit.*, note 26, quest. 71, art. 6,
       p. 451.
1154   Voir cependant les infractions de responsabilité sans faute (chapitre sep-
       tième).

est subjective ou objective, le cas échéant. Est-elle subjective? Il s'agira alors de plonger dans l'esprit de l'accusé, de retracer ce qu'il a voulu, pensé ou ignoré au moment du crime. Est-elle objective? Il faudra alors élever notre regard, déplacer notre analyse de l'individu à la société. D'une responsabilité centrée sur l'état d'esprit de l'accusé au moment du crime, nous passons à une responsabilité fondée sur la conduite du citoyen-pénal. Loin d'être fortuit, ce dédoublement de la faute s'inscrit parfaitement dans le mouvement de responsabilisation des individus face aux risques que l'on observe depuis quelques années en matière d'activités dangereuses.

603. *Actus non facit reum nisi mens sit rea*, enscignent les criminalistes d'une voix unanime. *Nota quod verba vel opere sine voluntate non habent reatum*, précise, avec justesse d'ailleurs, Jean De Faïenza[1155]. La justice criminelle, depuis des siècles, ne fonctionne et ne se justifie plus que par cette perpétuelle référence à ces trois composantes. Imputabilité, *actus reus* et culpabilité, telle se définit la trinité à la base de la responsabilité pénale. C'est sur ces trois mots, vestiges d'une époque déjà lointaine, que se termine notre *Traité de droit criminel*; traité qui aura vu l'apparition d'un nouveau courant de pensée en droit criminel : le *fondamentalisme volontaire*. Issu de la philosophie aristotélicienne et de la pensée thomiste, le but du *fondamentalisme volontaire* est d'assurer l'arrimage entre le droit pénal contemporain, la responsabilité morale des actes humains et les fondements de la common law tels que formulés par Hale et Blackstone. Nouveauté ou juste retour aux choses, nous hésitons encore...

1155 Le passage est cité dans René METZ, « La responsabilité pénale dans le monde canonique médiéval », dans Jacques LÉAUTÉ (dir.), *La responsabilité pénale – Travaux du colloque de philosophie pénale*, 12-21 janvier 1959, Paris, 1961, p. 83, à la page 91 : « Ce qui possède la caractéristique d'être fait sans volonté [*sine voluntate*] n'entraîne point le reproche, l'imputation [*reatum*]. » [Notre traduction.]

Jurisprudence

Paul Douglas Smithers　*Appelant*

c.

Sa Majesté la Reine　*Intimée*

Cour suprême du Canada

RÉPERTORIÉ : R. *c.* SMITHERS, [1978] 1 R.C.S. 506.

1977 : 10 et 11 février / 1977 : 17 mai.

Présents : Le juge en chef Laskin et les juges Martland, Judson, Ritchie, Spence, Pigeon, Dickson, Beetz et de Grandpré.

EN APPEL DE LA COUR D'APPEL DE L'ONTARIO

Le jugement de la Cour a été rendu par

1. **LE JUGE DICKSON** : — Ce pourvoi attaque un arrêt de la Cour d'appel de l'Ontario qui a rejeté l'appel de la condamnation de l'appelant par un juge et un jury à la suite d'une accusation d'homicide involontaire coupable. L'acte d'accusation allègue que l'appelant a illégalement tué Barrie Ross Cobby d'un coup de pied.

2. Le 18 février 1973, les équipes *midget* d'Applewood et de Cooksville disputèrent une partie de hockey à l'aréna Cawthra Park dans la ville de Mississauga. Le principal joueur de l'équipe d'Applewood était le défunt, Barrie Cobby, âgé de seize ans; celui de l'équipe de Cooksville était l'appelant. La partie fut rude, les joueurs étaient agressifs et les esprits échauffés. L'appelant, qui est noir, fut en butte à des insultes raciales de la part de Cobby et d'autres membres de l'équipe d'Applewood. À la suite d'un vif échange d'injures grossières, l'appelant et Cobby furent tous les deux exclus de la partie. L'appelant proféra à plusieurs reprises des menaces selon lesquelles il « aurait » Cobby. Cobby était plein d'appréhension lorsqu'il quitta l'aréna, quelque quarante-cinq minutes plus tard, accompagné de huit ou dix personnes, parmi lesquelles des amis, des joueurs, son entraîneur et le gérant de l'équipe.

L'appelant réitéra ses menaces et ses provocations au combat, alors que le groupe s'en allait. Cobby ne releva pas le défi et préféra se diriger rapidement vers une voiture qui l'attendait. L'appelant le rattrapa au pied de l'escalier extérieur et lui assena un ou deux coups de poing à la tête. Quelques compagnons de l'équipe de Cobby agrippèrent l'appelant et le maîtrisèrent. On vit alors Cobby, qui n'avait rien fait pour se défendre, se plier en deux en reculant pendant que l'appelant se débattait pour se libérer de ceux qui le tenaient. Alors que Cobby était ainsi courbé et approximativement à deux à quatre pieds de l'appelant, celui-ci décocha ce qui a été décrit comme un violent et rapide coup de pied dans la zone stomacale de Cobby. Quelques secondes à peine s'étaient écoulées entre les coups de poing et le coup de pied. Après le coup de pied, Cobby gémit, tituba vers sa voiture, puis tomba sur le dos et se mit à chercher son souffle. Dans les cinq minutes, il sembla avoir cessé de respirer. Il était mort à son arrivée à l'hôpital général de Mississauga.

3. Le docteur David Brunsdon, qui a effectué l'autopsie, a témoigné qu'à son avis, la mort était due à l'aspiration de corps étrangers consécutive à un vomissement. Il a défini l'aspiration comme la respiration ou l'absorption de corps étrangers dans les poumons par la trachée-artère. Selon les témoignages des médecins, il semble que l'aspiration se rencontre généralement dans les cas d'abus de barbituriques, d'intoxication alcoolique, d'accidents d'automobile ou d'épilepsie. Un médecin a témoigné qu'une aspiration spontanée était possible, le corps étranger étant aspiré en l'absence de cause extérieure. Ce témoin avait vu trois cas de cette sorte sur les 900 à 1000 cas d'aspiration qu'il avait rencontrés. Dans aucun de ces cas, l'aspiration n'avait été précédée d'un coup. Les médecins ont été unanimes à dire que cette aspiration spontanée était une cause rare et inhabituelle de décès chez un adolescent en bonne santé comme Cobby. Normalement, quand une personne vomit, l'épiglotte se rabat pour empêcher les matières stomacales régurgitées d'entrer dans le conduit respiratoire. Dans le cas présent, ce mécanisme protecteur a fait défaut.

4. Devant la Cour d'appel de l'Ontario, trois points ont été soulevés : (i) si un lien de causalité avait été prouvé entre le coup de pied et le décès, autorisant le jury à déclarer la culpabilité; (ii) si le verdict était déraisonnable; et (iii) si le juge de première instance avait, dans ses directives, adéquatement exposé les principaux points en litige et rattaché la preuve à ceux-ci. La majorité de la Cour (les juges Evans et Martin) a conclu qu'il appartenait au jury de trancher la question de la causalité en se fondant sur l'ensemble de la preuve, et pas seulement sur la preuve médicale. Il a été jugé que les directives, prises dans leur ensemble, étaient adéquates et ne contenaient pas d'erreur de droit. Dans sa dissidence, le juge Houlden a noté que trois médecins avaient témoigné, en qualité d'experts pour la poursuite, sur le coup de pied et le vomissement, et que tous trois s'étaient accordés pour dire que le coup de pied avait probablement causé le vomissement, sans toutefois pouvoir l'affirmer avec certitude. Il a convenu qu'il y avait des preuves sur lesquelles le jury pouvait s'appuyer pour conclure au-delà de tout doute raisonnable que le coup de pied avait causé la mort de Cobby mais, à son avis, le juge s'était trompé en omettant d'expliquer clairement au jury que le ministère public devait prouver au-delà de tout doute raisonnable que le coup de pied avait causé le vomissement. À son avis, en faisant un exposé général du droit en matière d'homicide involontaire coupable, de voies de fait et de légitime défense, puis en reprenant en détail les thèses du ministère public et de la défense, le juge de première instance avait embrouillé le jury. Le jugement par lequel la Cour d'appel de l'Ontario a rejeté l'appel a précisé le motif de dissidence en ces termes : [TRADUCTION] « le juge de première instance a omis d'exposer clairement au jury la question soulevée par la cause du décès de Cobby et de faire le lien entre cette question et la preuve ».

5. Le motif de dissidence en Cour d'appel de l'Ontario constitue le premier moyen d'appel devant notre Cour. Le procureur de l'appelant prétend que le juge de première instance, en mettant l'accent sur les voies de fait comme élément constitutif du crime d'homicide involontaire coupable, n'a pas exposé clairement au jury que les voies de fait devaient avoir causé la mort de la victime. Il ajoute qu'en résumant les thèses du ministère public

et de la défense, le juge de première instance avait présenté la question de la causalité comme étant un argument du procureur de la défense selon lequel la cause du décès n'avait pas été prouvée au-delà de tout doute raisonnable. Il prétend que l'effet de ces remarques a été de diminuer l'importance de cette question dans l'esprit des jurés. Le jury n'a jamais été informé, dit-on, de ce qu'en droit, l'une des questions sur lesquelles il devait être convaincu au-delà de tout doute raisonnable était que le coup de pied avait causé le vomissement.

6. Le juge de première instance a commencé la partie générale de ses directives par un exposé sur le fardeau de la preuve, la présomption d'innocence et le doute raisonnable. Il a discuté ensuite la question de la preuve indirecte, en la reliant à ce qu'il a appelé [TRADUCTION] « un point important, la cause du décès » et en ajoutant [TRADUCTION] « ici personne n'a vu ce qui se passait à l'intérieur de la gorge de Barrie Cobby, de son estomac ou de ses poumons et ici la preuve est indirecte ». Plus loin dans ses directives, en discutant la portée de l'intention en matière d'homicide involontaire coupable, le juge de première instance a déclaré :

[TRADUCTION] Par conséquent, dans ce cas, si vous estimez que l'accusé a agi illégalement en donnant un coup de pied à Cobby et que la mort en a résulté, il importe peu que l'accusé ait eu l'intention ou non de causer la mort.

Dans ses directives générales sur la définition juridique de l'homicide involontaire coupable, le juge de première instance a affirmé :

[TRADUCTION] [...] l'homicide involontaire coupable consiste à causer la mort d'un être humain par un acte illégal, mais qui n'est pas intentionnel.

Plus loin, il a ajouté :

[TRADUCTION] ...tout usage injustifié de la force, qui est illégal, constitue un homicide involontaire coupable si la mort en résulte.

L'appelant attaque le passage suivant des directives, au motif qu'il ne met pas en valeur le fait que les voies de fait doivent également avoir causé la mort :

[TRADUCTION] [...] Si bien qu'une différence entre l'homicide involontaire coupable et les voies de fait est que, dans l'homicide involontaire coupable, l'intention de tuer n'est pas nécessaire, alors que dans les voies de fait l'intention d'employer la force est nécessaire. Parce qu'une personne commet des voies de fait sans consentement lorsque, d'une manière intentionnelle, elle utilise, directement ou indirectement, la force ou la violence contre la personne d'autrui. Ainsi une fois que vous avez des voies de fait, un emploi illégal de la force, et qu'une personne en meurt, qu'il y ait eu intention de la tuer ou non, vous avez le crime d'homicide involontaire coupable.

Il me semble que cette critique n'est pas fondée, car le juge a bien indiqué que, pour qu'il y ait homicide involontaire coupable, il faut non seulement qu'il y ait eu des voies de fait mais qu'une personne en soit morte.

7. Le juge est revenu sur la cause du décès en parlant du bouche à bouche et des massages du coeur pratiqués par les ambulanciers, ainsi que de la portée des art. 207 et 208 du *Code* et il a déclaré :

[TRADUCTION] En tout cas, j'ai pensé devoir lire ces articles pour que vous puissiez probablement, eu égard à ces dispositions de la loi et à la preuve, mettre de côté tout événement postérieur comme étant la cause du décès en ce qui concerne les implications juridiques.

Dans sa discussion de la thèse du ministère public, on trouve ce passage, un peu long, mais important :

[TRADUCTION] La seconde partie de l'argumentation du ministère public porte sur la cause du décès, et celui-ci allègue qu'il a été prouvé au-delà de tout doute raisonnable que cette mort a résulté de l'acte illégal. La thèse du ministère public est que le coup de pied seul a eu pour conséquence, par son effet combiné avec celui de la peur, que Cobby a vomi, qu'il n'a pas rejeté la nourriture par la bouche, mais qu'à cause de quelque mauvais fonctionnement à ce moment de l'épiglotte, le conduit respiratoire n'a pas été fermé et qu'au lieu d'avaler les matières alimentaires qui étaient remontées, il en a aspiré dans ses poumons et qu'il est mort d'asphyxie, c'est-à-dire par suffocation ou défaut de respiration.

Bien que la plupart de ces faits aient été observés et décrits par des témoins, comme je l'ai déjà indiqué, personne n'a évidemment vu ce qui s'est réellement passé à l'intérieur de Barrie Cobby, si bien qu'ici nous avons application de la preuve indirecte, comme je l'ai expliqué plus tôt, c'est-à-dire que sur ce point particulier le ministère public doit démontrer que ce qui s'est produit dans le corps du défunt était relié au coup de pied, que c'est compatible avec l'idée que le coup de pied est la cause du décès et incompatible avec toute autre explication rationnelle.

À l'appui de cela, le ministère public dit que le défunt était un jeune homme de 17 ans en bonne santé au moment du coup de pied, qu'à l'instant précédent il avait descendu un escalier et qu'il marchait et se comportait de façon normale, qu'il a été capable de réagir au coup de poing en se couvrant, et que c'est le coup de pied qui l'a abattu. Le ministère public rappelle en outre, à cet égard, que le défunt n'avait pas de prédispositions au vomissement, qu'il avait joué seulement dix minutes durant la partie, qu'il n'avait pas pris de drogues, ni d'alcool, et seulement un peu d'aspirine dont on n'a pas trouvé trace dans l'estomac lors d'analyses ultérieures. Que si le défunt était nerveux, ou effrayé, cela n'a pas

été la principale cause de son décès, mais seulement un facteur
accessoire; que l'accusé doit prendre sa victime comme il la trouve,
et ce principe en droit est connu sous le nom de principe du crâne
fragile; le procureur vous a fait un exposé sur ce principe; voici
un autre exemple : si quelqu'un veut voler et frappe sa victime
pour la détrousser, voulant seulement donner un coup léger, mais
que la victime a le crâne fragile et subit, disons, une grave lésion
au cerveau, le voleur ne peut se défendre en disant qu'il ne savait
pas que la victime avait le crâne fragile et que personne d'autre,
ou peu d'autres personnes, n'aurait eu une lésion au cerveau à la
suite d'un tel coup. L'agresseur prend la victime comme il la
trouve. C'est à vous d'apprécier, dans ce cas particulier, la violence du coup de pied. Mais même s'il n'était pas violent, si vous
estimez qu'il a causé la mort, la violence n'importe pas, mais la
violence est quelque chose que vous pouvez avoir à considérer
pour savoir s'il a été ou non la cause de la mort.

Le ministère public dit qu'il ne s'agit pas d'un cas d'aspiration
spontanée. On vous a donné une définition de l'inhalation par la
trachée-artère de matières stomacales, habituellement de matières
qui ont été vomies, sans raison et cela provoque souvent la mort;
plutôt que l'aspiration spontanée, la thèse du ministère public
repose sur les symptômes, ce à quoi on s'attendrait à la suite d'un
coup de pied.

Le premier et le dernier alinéas de ce passage méritent une
attention particulière. Il est vrai qu'on les trouve dans la partie des
directives où est étudiée la thèse du ministère public, mais leur
effet est de placer carrément le jury devant la question de la cause
du décès et de faire le lien entre la preuve et cette question. On
peut différer d'opinion sur l'ordre que doit suivre un juge de première instance en exposant les nombreuses questions qui doivent
être abordées dans des directives adressées à un jury. Il n'y a pas
de règle inflexible et toute faite à cet égard, pourvu que les jurés
sachent ce qu'ils ont à décider et que, de façon générale, quoique
pas toujours, on les ait guidés pour qu'ils fassent le lien entre la
preuve et les questions de droit.

8. D'autres directives concernant la causalité ont été données au jury, au cours de la discussion de la thèse de la défense, dans les passages suivants :

> [TRADUCTION] En premier lieu, la défense dit que le ministère public n'a pas prouvé ses prétentions au-delà de tout doute raisonnable et que ces prétentions sont doubles. D'une part, qu'il s'agit de savoir s'il y avait un acte illégal et, d'autre part, si la mort résultait de l'acte illégal allégué.

> La thèse de la défense est que le ministère publie a échoué sur ces deux points.

> L'autre aspect de la thèse de la défense se rapporte à la preuve médicale. À savoir que le ministère public n'a pas prouvé au-delà de tout doute raisonnable que l'accusé est mort des suites du coup de pied. Me Maloney a repris en détail la preuve des médecins et je n'ai pas l'intention d'en refaire l'exposé. L'essentiel de son argumentation est que la plus forte preuve médicale en faveur du ministère public reposait sur des probabilités et que cela ne constitue pas une preuve au-delà de tout doute raisonnable, et que le docteur Smith a dit qu'il ne pouvait affirmer que la cause était le coup de pied. Affirmer au-delà de tout doute raisonnable : ce témoignage a été fourni à l'enquête préliminaire et il y a eu contre-interrogatoire non seulement du docteur Smith mais aussi du docteur Brunsdon. Me Maloney dit que si les médecins ne peuvent dire que le coup de pied a été la cause du décès, au-delà de tout doute raisonnable, comment pouvez-vous conclure à la relation causale que l'on vous demande de faire au-delà de tout doute raisonnable? [C'est moi qui souligne.]

En terminant ses directives, le juge a reparlé du doute raisonnable et a relié ce concept à la causalité, en déclarant :

> [TRADUCTION] Je vous ai expliqué la signification du doute raisonnable, et je vous l'ai répétée plus tôt, et c'est à vous de décider sur l'ensemble de la preuve s'il y a un doute raisonnable quant à la cause du décès. S'il y en a un, vous devez acquitter, s'il n'y en

a pas, et que vous estimez aussi le coup de pied illégal – excusez-moi – c'est à vous de décider sur l'ensemble de la preuve s'il y a un doute raisonnable dans votre esprit sur la cause de la mort. S'il y en a un, vous devez acquitter, et s'il n'y en pas vous devez aussi considérer si le coup de pied était ou non illégal. Si vous concluez que le ministère public vous a convaincus au-delà de tout doute raisonnable que le coup de pied était illégal et qu'il a été la cause de la mort, convaincus sur les deux points, alors c'est votre devoir de condamner.

9. Je suis d'accord avec la majorité de la Cour d'appel de l'Ontario que la question soulevée par la cause du décès a été convenablement et suffisamment exposée par le juge de première instance. Ce n'était pas une question excessivement compliquée. Les voies de fait exercées par l'appelant sur la personne du défunt constituent indubitablement un acte illégal. La principale question était de savoir si l'appelant avait commis un homicide en causant, directement ou indirectement, par quelque moyen, la mort de Cobby et si un tel homicide était coupable pour la raison qu'il avait été causé par un acte illégal. Le ministère public a très légitimement décidé d'établir la causalité en recourant principalement aux témoignages de médecins et ceux-ci, en tant qu'hommes professionnellement très qualifiés, n'ont pas été enclins à s'exprimer en termes absolus.

10. Le docteur Brunsdon a témoigné sur l'effet d'un coup subit dans la région abdominale et a déclaré :

[TRADUCTION] Je ne pourrais dire toujours, mais il prédisposerait certainement, je pense, à la régurgitation. Je n'irais certainement pas jusqu'à dire que cela arrive dans tous les cas, mais je pense qu'il pourrait y prédisposer.

Pendant le contre-interrogatoire, le docteur Brunsdon a employé les expressions « très possible » et « très probable » pour décrire la cause et l'effet du coup de pied et du vomissement. En ce qui concerne la relation entre le coup de pied et l'aspiration, il a déclaré :

> [TRADUCTION] Je peux développer cela un peu. C'est une situation rare, mais le coup de pied aurait rendu l'aspiration plus vraisemblable.

Le passage suivant figure dans le témoignage du docteur Hillsdon Smith, professeur de médecine légale à l'Université de Toronto :

> [TRADUCTION] J'ai déjà témoigné que la peur par elle-même peut causer des vomissements, qu'un coup de pied par lui-même peut causer des vomissements. Les deux réunis ont simplement un plus grand effet que l'un ou l'autre pris isolément.

11. Le jury n'était pas limité au témoignage des médecins-experts. Pour se prononcer sur la question de la causalité, le jury disposait des témoignages non contredits d'un certain nombre de témoins ordinaires selon lesquels l'appelant avait décoché un coup de pied dans la région stomacale du défunt, que le coup de pied avait été suivi d'un dérèglement physique immédiat et que la mort était survenue en quelques minutes. Il y avait là des preuves concluantes sur lesquelles le jury pouvait exercer son jugement pour se prononcer sur la question de la causalité. À mon avis, le premier moyen d'appel ne peut être accueilli.

12. Le second moyen, qui n'est pas sans relation avec le premier, est que la Cour d'appel s'est trompée en décidant que le jury disposait de preuves l'autorisant à conclure qu'il avait été établi au-delà de tout doute raisonnable que le coup de pied avait causé la mort. Cette vaste question est formulée de façon malheureuse, car elle laisse dans le doute le point de savoir si la question soulevée est celle de la suffisance de la preuve, question de fait échappant à la compétence de notre Cour, ou s'il s'agit d'une

absence complète de preuves permettant de conclure que le coup de pied a causé la mort, ce qui est une question de droit. Le mémoire de l'appelant tend à réduire cette incertitude en subdivisant cette vaste question en trois questions plus étroites. La première est de savoir si le jury devait seulement prendre en considération les témoignages des experts médicaux pour se prononcer sur la question de la causalité. Il est admis que le jury avait le droit de prendre en considération tous les témoignages, tant ceux des experts que ceux des témoins ordinaires, lors de ses délibérations sur la question de la causalité mais, sur la question précise de savoir si le coup de pied avait, ou non, causé le vomissement ou l'aspiration, on prétend que le jury devait se limiter aux témoignages des médecins. Que le témoignage de certains témoins doive, sur une question particulière, être soustrait au jury, voilà qui me semble être inusité et bouleverser les règles admises du procès par jury. J'ai également quelque difficulté à comprendre que, d'un côté, l'on admette que tous les témoignages puissent être pris en considération par le jury sur la question de la causalité mais que, d'un autre côté, ils ne puissent l'être tous lorsqu'il s'agit de considérer les seules questions causales de l'espèce, c'est-à-dire si le coup de pied a causé le vomissement et si le coup de pied a causé l'aspiration. À l'appui de sa prétention, le procureur a cité *Walker* v. *Bedard and Snelling*. Il s'agissait d'un procès civil, instruit sans jury par le juge Lebel, dans lequel on réclamait des dommages-intérêts à un chirurgien et à un anesthésiste pour la mort d'un patient à la suite d'une injection de Nupercaïne dans le canal rachidien. Le juge Lebel cita, en l'approuvant, un passage de la décision américaine rendue dans *Ewing* v. *Goode*, (1897), 78 Fed. 442, où l'on trouve les considérations suivantes :

> [TRADUCTION] Mais quand une affaire porte sur les méthodes hautement spécialisées de traitement d'un oeil atteint de cataracte ou de cette maladie mystérieuse et redoutable qu'est le glaucome, auxquelles un profane ne peut rien connaître, la cour et le jury doivent s'en remettre aux témoignages des experts. Il ne peut y avoir d'autre guide et lorsqu'appliqués aux faits, les témoignages des experts ne révèlent donc pas de manque de compétence ou de soins, il n'y a pas de preuve de celui-ci qu'il soit à propos de soumettre au jury.

On a cité également l'affaire *State* v. *Minton*, (1952), 68
S.E. (2d) 844, dans laquelle la mort d'une personne avait été causée par une balle de pistolet tirée par l'un des défendeurs, qui
avait provoqué une hémorragie. On trouve dans le jugement le
passage suivant :

> [TRADUCTION] L'État n'a pas recouru à l'expertise médicale pour
> établir une relation causale entre la blessure et le décès. Dans ces
> conditions, la question se pose de savoir si, dans une poursuite
> pour homicide illégal, la cause de la mort peut être établie sans
> recourir au témoignage d'experts médicaux. Les règles de preuve
> que le droit utilise pour rechercher la vérité sont réalistes. Dans
> une poursuite pour homicide illégal, la cause du décès peut être
> établie sans recourir au témoignage d'experts médicaux lorsque les
> faits prouvés sont tels que toute personne d'intelligence moyenne
> peut savoir, en se fondant sur son expérience ou ses connaissances
> personnelles, que la blessure était mortelle.
>
> Toutefois, le jury ne peut légitimement se prononcer sur la cause
> du décès en l'absence de témoignage d'experts médicaux lorsque
> la cause du décès est obscure et que la moyenne des profanes ne
> pourrait se faire une opinion fondée à son sujet.

À mon avis, ni l'une ni l'autre des affaires citées ne vient appuyer la proposition que cherche à soutenir l'appelant. Aucune
comparaison ne peut être utilement faite entre une opération dans
un cas de glaucome et les circonstances de la présente espèce. Et
dans l'affaire *Minton,* la relation causale entre la blessure et le décès
a été établie sans preuve médicale.

13. Lorsqu'on considère la question de la causalité en matière
d'homicide, il est important de distinguer entre la causalité en tant
que question de fait et la causalité en tant que question de droit.
La question de fait à trancher, c'est si A a causé B. La réponse à
cette question ne peut être fournie que par les témoignages. Elle
n'a rien à faire avec l'intention, la prévoyance ou le risque. Pour
certains types d'homicide, les jurés n'ont guère besoin des experts

médicaux. Ainsi si D tire sur P ou le poignarde, et que celui-ci meurt dans les instants qui suivent, sans qu'interviennent d'autres causes, les jurés n'auront guère de difficulté à résoudre la question de la causalité en se fondant sur leurs propres expériences et connaissances.

14. Il va de soi que la preuve par expert est admissible pour établir le fait causal. La tâche des témoins-experts, sur une question de cette sorte, comme l'a souligné Glanville Williams (*Causation in Homicide* [1957] Crim. L.R. 429, à la p. 431), est [TRADUCTION] « purement diagnostique et ne les engage pas dans des subtilités métaphysiques »; elle ne les oblige pas à distinguer entre ce qu'est une « cause », c.-à-d. quelque chose qui a réellement contribué au décès et ce qui en est seulement une « condition », c.-à-d. quelque chose qui fait partie des circonstances du décès. Pas davantage ne doit-on attendre d'eux qu'ils disent, lorsque deux ou plusieurs causes se combinent pour produire un résultat, laquelle y a le plus contribué.

15. En l'espèce, il incombait au ministère public de prouver le fait causal, qu'au-delà de tout doute raisonnable le coup de pied avait causé la mort. À mon avis, le juge de première instance n'a pas commis d'erreur en n'indiquant pas au jury, que, pour se prononcer sur cette question, seule la preuve médicale pouvait être prise en considération. La question de la causalité relève du jury, non des experts. Il appartenait entièrement au jury de peser le témoignage des experts. Dans la recherche de la vérité, le jury avait le droit de prendre en considération tous les témoignages, des professionnels et des profanes, et de les accepter ou de les rejeter en tout ou en partie. Le ministère public, comme l'accusé, peut se servir des témoignages non-médicaux et, dans la présente affaire, la preuve ordinaire était vitale pour la défense soulevée par l'appelant. Cette preuve tendait à montrer que toutes les circonstances antérieures au coup de pied étaient de nature à créer chez la jeune victime un état extrêmement émotionnel qui aurait fort bien pu provoquer un vomissement spontané sans relation avec le coup de pied.

16. La seconde sous-question soulevée est de savoir s'il y avait des preuves autorisant le jury à conclure qu'il avait été établi au-delà de tout doute raisonnable que le coup de pied avait causé la mort. À cette question on peut répondre brièvement que témoins experts et ordinaires ont fourni au jury un ensemble de preuves très considérable indiquant que le coup de pied avait pour le moins contribué à la mort, de façon plus que mineure, et que c'est tout ce que le ministère public avait à établir. Il importe peu que la mort ait été causée en partie par un mauvais fonctionnement de l'épiglotte auquel l'appelant peut, ou non, avoir contribué. Il ne se pose, en l'espèce, aucune question de traitement inadéquat ou d'absence d'immédiateté.

17. J'aimerais faire miens deux courts passages d'un commentaire de l'arrêt *R. v. Larkin*, (1942), 29 Cr. App. R. 18, par G.A. Martin, tel était alors son titre, que l'on trouve aux pp. 504 et 505 de (1943) 21 Rev. Bar. Can. 503 :

> [TRADUCTION] Il existe beaucoup d'actes illégaux qui ne sont pas dangereux en eux-mêmes ni de nature à causer des blessures, mais qui, s'ils causent la mort, rendent leur auteur coupable d'homicide coupable. Par exemple, si par quelque faiblesse imprévue de la victime, les voies de fait les plus banales entraînent la mort, elles rendront leur auteur coupable d'homicide coupable. ...

> Dans le cas des crimes dits intentionnels où la mort est une conséquence inattendue, l'auteur est toujours pour le moins coupable d'homicide involontaire coupable. L'acte commis par l'accusé dans l'affaire *R. v. Larkin* tombait dans la catégorie des crimes intentionnels parce qu'il s'était laissé aller à commettre des voies de fait sur la personne de Nielsen et le fait qu'il avait causé un type de préjudice différent de celui qu'il recherchait ne le dégageait pas de sa responsabilité pénale.

Il n'incombait pas au ministère public de prouver l'intention de causer la mort ou des blessures. La seule intention nécessaire était celle de décocher un coup de pied à Cobby. La prévisibilité n'était pas davantage en question. On ne peut se défendre contre une accusation d'homicide involontaire coupable par le fait qu'on ne s'attendait pas à la mort ou que celle-ci n'aurait pas ordinairement résulté de l'acte illégal.

18. Dans *R. v. Cato*, (1975), 62 Cr. App. R. 41, l'acte invoqué à l'appui de l'accusation d'homicide involontaire coupable était que l'accusé avait fait à une autre personne une injection de morphine dont il était illégalement en possession. L'attention s'est portée sur la causalité et le lien allégué entre l'injection de morphine et la mort. L'argumentation de l'appelant fondée sur la preuve médicale de la causalité et le rejet de cette argumentation par la Cour d'appel se trouvent dans le passage suivant, à la p. 44 :

[TRADUCTION] En premier lieu, il nous a invités à considérer la preuve de la causalité, et il a souligné qu'à aucun moment les témoins experts n'avaient déclaré : « Cette morphine a tué Farmer »; qu'il n'y avait pas réellement de lien de cette nature. Les témoins ont hésité a exprimer une telle opinion et s'y sont souvent refusés, en disant que ce n'était pas à eux de déterminer la cause du décès. Il est parfaitement vrai, comme le dît Me Blom-Cooper, que les témoins experts n'ont pas établi de lien de façon formelle, mais ils n'étaient pas non plus censés le faire. Les témoins experts ont décrit des situations de fait et c'était au jury, de faire des déductions et d'en tirer des conclusions. La première question était : y avait-il suffisamment de preuves pour autoriser le jury à conclure, comme il doit l'avoir fait, qu'il existait une causalité adéquate?

19. La troisième sous-question est de savoir s'il y avait des preuves autorisant le jury à conclure qu'il avait été établi au-delà de tout doute raisonnable que le coup de pied avait causé l'aspiration. On prétend que le ministère public avait le fardeau de prouver au-delà de tout doute raisonnable que le coup de pied avait causé à la fois le vomissement et le fait aggravant de l'aspiration. Je ne suis pas d'accord. Selon l'art. 205(1) du *Code*, commet un homicide, quiconque, directement ou indirectement, par quelque

moyen, cause la mort d'un être humain. Dès lors que la preuve avait été faite d'une relation entre le coup de pied et le vomissement conduisant à l'aspiration de matières stomacales et à l'asphyxie, le fait qu'un mauvais fonctionnement de l'épiglotte y ait contribué ne faisait pas obstacle à une condamnation pour homicide involontaire coupable. Il se peut que la mort ait été inattendue et les réactions physiques de la victime imprévues, mais cela n'exonère pas l'appelant.

20. Dans *R.* v. *Garforth*, [1954] Crim. L. Rev. 936, jugée par la Cour d'appel criminel d'Angleterre, l'accusé, âgé de 16 ans, et un autre jeune homme, S., avaient eu une altercation avec le défunt qui était âgé de 18 ans, à la sortie d'une salle de bal. S. avait donné un coup de pied au défunt et quand celui-ci s'était plié en deux, il l'avait poignardé au cou et au coeur, puis l'accusé lui avait donné des coups de pied au corps et dans les jambes et S. lui avait donné des coups de pied à la tête. S. fut trouvé coupable de meurtre et l'accusé d'homicide involontaire coupable. L'accusé fit appel de sa condamnation au motif qu'il n'était pas prouvé que ses actes avaient causé la mort. L'appel fut rejeté et il fut jugé qu'il avait été clairement prouvé que l'accusé avait illégalement commis des voies de fait sur la personne du défunt, lui causant des blessures mineures qui avaient contribué à la mort. Si le jury avait estimé que l'accusé avait eu l'intention de causer de graves lésions corporelles, celui-ci aurait été coupable de meurtre.

21. C'est un principe bien connu que celui qui commet des voies de fait sur une autre personne doit prendre sa victime comme il la trouve. On trouvera un exemple extrême d'application de ce principe dans l'affaire anglaise *R.* v. *Blaue*, [1975] 1 W.L.R. 1411, où la cour a confirmé une condamnation pour homicide involontaire coupable alors que les blessures infligées à la victime n'avaient été mortelles que parce que celle-ci avait refusé, par conviction religieuse, d'accepter une transfusion sanguine. La cour a rejeté l'argument selon lequel le refus de la victime avait brisé le lien de causalité entre le coup de couteau et la mort.

22. Bien que la causalité diffère dans les affaires civiles et les affaires criminelles, on peut rencontrer « l'homme au crâne fragile » en droit criminel comme en matières civiles. L'affaire *R. v. Nicholson*, (1926), en fournit un exemple. Dans cette affaire, l'accusé avait asséné deux coups violents au défunt. La victime était en médiocre condition physique. Son coeur était anormalement petit et il souffrait du mal de Bright. On demanda à un éminent spécialiste si le coup ou les coups pouvaient avoir causé la mort, étant donné l'état décrit et il déclara que c'était possible. Le coup avait pu être l'une des causes. La combinaison de la consommation exagérée d'alcool, de la mauvaise santé, de la bagarre et du coup avait, à son avis, produit le résultat. L'appel de la condamnation fut rejeté. Même si l'acte illégal n'avait pas à lui seul causé la mort, il en constituerait quand même une cause juridique dès lors qu'il y avait contribué de quelque façon. J'ai moi-même présidé un procès avec jury dans lequel l'accusé, un nommé Alan Canada avait, à la suite d'une dispute, frappé légèrement son frère à la tête avec un morceau de bois de chauffage. Le frère en était mort quelque temps après sans avoir repris connaissance. La preuve médicale révéla que les os de son crâne étaient inhabituellement minces et fragiles. L'accusé, sur les conseils de son avocat, plaida coupable d'une accusation d'homicide involontaire coupable et je n'ai jamais pensé qu'il avait eu tort de le faire.

23. Je dirai, pour terminer sur ce point, que bien que le docteur Hillsdon Smith ait pensé qu'une fois le vomissement provoqué, l'aspiration dans ces circonstances n'était qu'un accident, le docteur Brunsdon et le docteur Butt ont tous deux reconnu que le coup de pied pouvait avoir contribué au mauvais fonctionnement de l'épiglotte.

24. Cela m'amène au troisième et dernier moyen d'appel, qui est de savoir si les directives données par le juge de première instance au jury sur la question de la légitime défense équivalaient à des instructions erronées. Bien que l'appelant ait été indubitablement retourné par les actes et les paroles de Cobby durant les dix premières minutes de la partie, c'est lui par la suite qui a été le

seul agresseur. Il a poursuivi Cobby sans relâche quelque quarante-cinq minutes plus tard dans le but de mettre à exécution ses menaces d'« avoir » Cobby. Malgré la fragilité de l'appui que les faits apportaient à une telle défense, le juge de première instance a fait au jury un exposé complet de la légitime défense et en des termes qui, à mon avis, ne prêtaient pas le flanc à la critique.

25. Je suis d'avis de rejeter le pourvoi.

**Randy Jorgensen et
913719 Ontario Limited**   *Appelants*

c.

Sa Majesté la Reine   *Intimée*

RÉPERTORIÉ : R. *c.* JORGENSEN, [1995] 4 R.C.S. 55.

Nº du greffe : 23787.

1995 : 21 février; 1995 : 16 novembre.

Présents : Le juge en chef Lamer et les juges La Forest, L'Heureux-Dubé, Sopinka, Gonthier, Cory, McLachlin, Iacobucci et Major.

EN APPEL DE LA COUR D'APPEL DE L'ONTARIO

I. La question en litige

1. **LE JUGE SOPINKA** : — Le présent pourvoi porte sur l'interprétation de l'al. 163(2)*a*) du *Code criminel*, L.R.C. (1985), ch. C-46, qui traite du fait de vendre « sciemment » du matériel obscène « sans justification ni excuse légitime ». L'alinéa 163(2)*a*) du *Code* exige-t-il que le détaillant soit au courant des actes précis qui rendent le matériel obscène en droit ou est-il suffisant de démontrer qu'il savait d'une manière générale que le matériel traitait de l'exploitation des choses sexuelles?

2. La seconde question soulevée en l'espèce porte sur l'effet de l'approbation du matériel obscène par une commission de contrôle cinématographique provinciale. Une telle approbation écarte-t-elle la déclaration de culpabilité parce qu'elle élimine en fait la *mens rea* relative à l'infraction ou parce qu'elle constitue une justification ou excuse légitime?

II. Les faits

3. L'appelant, Randy Jorgensen, est l'unique dirigeant de la société 913719 Ontario Limited qui possède et exploite un magasin à Scarborough sous le nom de « Adults Only Video and Magazine ». En se faisant passer pour des clients, des membres de la police de la communauté urbaine de Toronto et de la Section de la pornographie et de la littérature haineuse ont acheté huit vidéocassettes au magasin des appelants. Malgré le fait que la Commission de contrôle cinématographique de l'Ontario (« CCCO ») avait approuvé les vidéocassettes, les membres de la Section de la pornographie et de la littérature haineuse, après les avoir visionnées, ont conclu qu'elles étaient obscènes. Les appelants ont été inculpés, en vertu de l'al. 163(2)*a*) du *Code criminel*, sous huit chefs d'accusation de vente de matériel obscène sans justification ni excuse légitime.

III. Les dispositions législatives pertinentes

4. L'article 163 du *Code criminel*, L.R.C. (1985), ch. C-46, dispose :

163. (1) Commet une infraction quiconque, selon le cas :

a) produit, imprime, publie, distribue, met en circulation, ou a en sa possession aux fins de publier, distribuer ou mettre en circulation, quelque écrit, image, modèle, disque de phonographe ou autre chose obscène;

[...]

(2) Commet une infraction quiconque, sciemment et sans justification ni excuse légitime, selon le cas :

a) vend, expose à la vue du public, ou a en sa possession à une telle fin, quelque écrit, image, modèle, disque de phonographe ou autre chose obscène;

[...]

(6) Lorsqu'un prévenu est inculpé d'une infraction visée par le paragraphe (1), le fait qu'il ignorait la nature ou la présence de la matière, de l'image, du modèle, du disque de phonographe, de l'histoire illustrée de crime ou de l'autre chose au moyen ou à l'égard de laquelle l'infraction a été commise, ne constitue pas une défense contre l'inculpation. [Abrogé L.C. 1993, ch. 46, art. 1.]

[...]

8) Pour l'application de la présente loi, est réputée obscène toute publication dont une caractéristique dominante est l'exploitation indue des choses sexuelles, ou de choses sexuelles et de l'un ou plusieurs des sujets suivants, savoir : le crime, l'horreur, la cruauté et la violence. [Je souligne.]

IV. Analyse

A. Sciemment

5. La question principale soulevée dans le présent pourvoi porte sur la nature de l'exigence en matière de *mens rea* prévue à l'al. 163(2)*a*) du *Code criminel*, où il est indiqué qu'il faut démontrer que l'accusé a agi « sciemment » en vendant du matériel obscène. Un accusé agit-il sciemment lorsqu'il est au courant seulement de la nature générale ou du sujet de l'œuvre en question? Le ministère public répond par l'affirmative et soutient qu'il suffit d'établir que l'accusé savait que la caractéristique dominante était l'exploitation des choses sexuelles. Par ailleurs, les appelants accusés soutiennent que le terme « sciemment » devrait s'étendre à tous les éléments factuels de l'*actus reus*. Sur le fondement de cet argument, il faut démontrer que l'accusé connaissait le contenu particulier du matériel faisant en sorte qu'il est visé par le droit criminel. Le matériel, dont la caractéristique dominante est l'exploitation des choses sexuelles, franchit la limite et ne devient visé par le droit criminel que lorsqu'il est démontré que l'exploitation des

choses sexuelles est indue. Les appelants soutiennent que la poursuite doit démontrer que l'accusé était au courant du contenu du matériel qui rendait l'exploitation indue en droit.

6. Afin de bien établir les positions des parties, il est utile de faire remarquer que, aux termes de l'arrêt de notre Cour *R. c. Butler*, [1992] 1 R.C.S. 452, n'est généralement pas obscène le matériel comportant l'exploitation des choses sexuelles qui ne renferme pas de scènes d'activités sexuelles accompagnées de violence et n'est ni dégradante ni déshumanisante. Par conséquent, l'argument du ministère public limiterait l'application du terme « sciemment » à la connaissance d'une conduite qui n'est pas criminelle. La connaissance d'une telle conduite ne constituerait donc pas un état d'esprit répréhensible. J'en ai conclu que l'argument du ministère public n'est pas conforme aux règles d'interprétation législative et n'est pas appuyé par un motif d'ordre public.

7. Il est généralement bien établi en matière d'interprétation législative que lorsqu'il est utilisé dans une loi en matière criminelle, le terme « sciemment » s'applique à tous les éléments de l'*actus reus*. Dans *R. c. Rees*, [1956] R.C.S. 640, notre Cour a examiné si, à l'égard d'une accusation d'avoir contribué à la délinquance d'un enfant âgé de moins de 18 ans, la croyance sincère que l'enfant était plus âgé constituait un moyen de défense. La Cour a conclu, à la majorité, que, conformément à la règle d'interprétation législative que j'ai mentionnée, le terme « sciemment » doit être appliqué à tous les éléments de l'infraction et, en particulier, à l'âge de l'enfant. Le juge Cartwright, à la p. 652, a cité et approuvé une déclaration de Glanville Williams :

[TRADUCTION] Dans son ouvrage intitulé Criminal Law (1953), aux pp. 131 et 133, M. Glanville Williams a écrit :

Selon une règle générale en matière d'interprétation, le terme « sciemment » dans une loi s'applique à tous les éléments de l'*actus reus* . . .

Le principe d'interprétation qu'il convient d'appliquer est de dire que l'exigence de la connaissance, lorsqu'elle a été inscrite dans l'infraction, en régit l'ensemble, à moins que le législateur n'ait expressément prévu le contraire.

À mon avis, ces passages sont appuyés par la doctrine et la jurisprudence citées par l'auteur aux pages mentionnées et énoncent correctement la règle générale.

De même, à la p. 653, il a expressément adopté le passage suivant des motifs du Juge en chef de la Colombie-Britannique :

[TRADUCTION] À mon avis, il faut d'abord dire que les rapports sexuels avec une femme de 18 ans ou plus et avec son consentement ne constituent pas un crime, sauf dans des circonstances exceptionnelles qui ne sont pas pertinentes. Il en découle que si l'appelant a eu des rapports sexuels avec une jeune fille de 18 ans ou plus il ne pourrait être déclaré coupable de l'avoir incitée à devenir une jeune délinquante pour la simple raison qu'elle n'est plus une enfant au sens de la loi.

Dans de telles circonstances, c'est uniquement le facteur de l'âge qui fait en sorte que l'acte s'inscrive dans la catégorie des actes criminels.

Il en résulte selon moi que lorsqu'un homme est accusé d'avoir sciemment et volontairement accompli un acte qui est illégal seulement s'il existe un facteur qui le rend illégal (en l'espèce l'âge de la jeune fille), il ne peut être déclaré coupable à moins qu'il ne connaisse l'existence de ce facteur ou qu'il ne fasse preuve d'ignorance volontaire à l'égard de celui-ci et qu'ensuite, ayant cette connaissance, il commette l'acte de façon intentionnelle et sans excuse légitime.

Il a ensuite poursuivi :

[TRADUCTION] Il serait en fait étonnant que, dans un cas où le législateur a jugé approprié d'utiliser le terme « sciemment » pour décrire une infraction, l'ignorance sincère de la part de l'accusé du seul fait qui permet de qualifier l'action de criminelle ne fournisse pas un moyen de défense contre l'accusation.

8. Tous les juges de la majorité ont souscrit à cette application de la règle d'interprétation législative. Le juge Fauteux a exprimé sa dissidence.

9. Je ne vois rien dans le texte de la disposition qui permette de donner un sens restreint au terme « sciemment ». Qui plus est, un examen de l'historique de ces dispositions et une analyse des considérations en matière d'ordre public tendent à appuyer la position des appelants.

10. En examinant l'historique et l'objet de l'art. 163, il convient de noter la distinction que le *Code* fait entre ceux qui <u>produisent ou distribuent</u> du matériel obscène et ceux qui <u>vendent au détail</u> ce matériel.

11. Le paragraphe 163(1) vise les producteurs et les distributeurs de matériel obscène :

163. (1) Commet une infraction quiconque, selon le cas :

a) produit, imprime, publie, distribue, met en circulation, ou a en sa possession aux fins de publier, distribuer ou mettre en circulation, quelque écrit, image, modèle, disque de phonographe ou autre chose obscène;

b) produit, imprime, publie, distribue, vend, ou a en sa possession aux fins de publier, distribuer ou mettre en circulation, une
histoire illustrée de crime.

Par ailleurs, le par. 163(2) vise ceux qui <u>vendent</u> ce matériel.

(2) Commet une infraction quiconque, <u>sciemment</u> et sans justification ni excuse légitime, selon le cas :

a) vend, expose à la vue du public, ou a en sa possession à une
telle fin, quelque écrit, image, modèle, disque de phonographe
ou autre chose obscène; [Je souligne.]

12. On voit tout de suite que dans le cas des producteurs et
des distributeurs, il n'est pas nécessaire que l'*actus reus* soit commis sciemment, tandis que dans le cas des vendeurs et des détaillants il s'agit d'un élément essentiel.

13. On trouve un historique très utile de ces dispositions
dans les motifs du juge Martin dans l'arrêt *R. c. Metro News Ltd.*
(1986), 29 C.C.C. (3d) 35 (C.A. Ont.). Dans cette affaire, l'accusé
a été inculpé aux termes du par. 163(1) (alors le par. 159(1))
d'avoir distribué une publication obscène : un numéro du magazine *Penthouse*. La cour a conclu que le par. 163(6) (alors le par.
159(6)), qui écartait le moyen de défense de l'erreur de fait honnête à l'égard de l'infraction de distribution de matériel obscène
visé par le par. 163(1), violait l'art. 7 de la *Charte canadienne des
droits et libertés*, car il créait une infraction de responsabilité absolue susceptible d'entraîner une peine d'emprisonnement. Le juge
Martin, au nom de la cour, a d'abord souligné que les dispositions
en matière d'obscénité remontent au *Code criminel* de 1892. Il a
en outre fait remarquer que les termes « sciemment et sans justification ni excuse légitime » visaient initialement les infractions de
« vente » et de « distribution » de matériel obscène. Le *Code* a par

la suite été modifié en 1949 et cette précision a été transformée de manière qu'elle ne s'appliquait désormais plus à la distribution de matériel obscène.

14. Le juge Martin a en outre fait remarquer que la modification de 1949 avait tout simplement pour but d'éliminer l'exigence de la connaissance relativement à la <u>distribution</u> de matériel obscène, mais a conservé l'exigence intacte pour la <u>vente</u> de matériel obscène. Comme il l'a fait remarquer à la p. 56 : [TRADUCTION] « De toute évidence, la modification de 1949 avait pour but de rendre non pertinente l'absence d'état d'esprit répréhensible à l'égard d'une accusation de distribution de matériel obscène. »

15. Le juge Martin, au nom de la cour, a ensuite déclaré que le par. 163(6) n'était pas valide en raison de son incompatibilité avec l'art. 7. Bien que le ministère public n'ait pas été tenu de démontrer qu'il y avait connaissance de la part d'un producteur ou d'un distributeur, ce dernier avait toutefois, conformément aux principes de justice fondamentale, le droit d'être acquitté si des éléments de preuve soulevaient un doute raisonnable qu'il avait une croyance sincère et raisonnable à l'égard d'un état de fait qui, s'il était avéré, ferait en sorte que sa conduite soit jugée innocente. Je conviens généralement avec le juge Martin que le législateur avait l'intention d'établir clairement une distinction entre les éléments des infractions créées par les par. 163(1) et (2). Pour ce qui est du premier, le législateur avait l'intention de créer une infraction de responsabilité absolue, mais les principes de justice fondamentale exigent qu'elle soit traitée comme une infraction de responsabilité stricte.

16. Cet historique de l'article n'appuie nullement une interprétation restrictive du terme « sciemment ». En fait, il appuie l'opinion selon laquelle, pour se conformer à l'intention du législateur, il convient d'établir une distinction nette entre les paragraphes. Si le paragraphe (1) constitue maintenant une infraction de responsabilité stricte, l'interprétation logique qui conservera une distinction claire consiste à donner au terme « sciemment » son

interprétation habituelle conformément à la règle d'interprétation législative que j'ai mentionnée.

17. À mon avis, cette distinction est fondée sur des motifs valables. On peut présumer que les producteurs et les distributeurs connaissent bien le contenu du matériel qu'ils créent ou distribuent. Qui plus est, si la loi leur impose l'obligation de bien connaître le matériel qu'ils fabriquent ou distribuent, il est facile de s'acquitter de cette obligation. Par ailleurs, le vendeur de matériel pornographique peut avoir parmi sa marchandise des revues, des livres et de nombreux autres produits. Jusqu'à ce que le matériel arrive à sa boutique, le vendeur n'a rien à voir avec celui-ci. On pourrait dire qu'il peut demander au distributeur ou au producteur des renseignements sur le contenu du matériel au moment où il le commande. Une telle façon de procéder ne permettra vraisemblablement pas d'obtenir une réponse utile. Quiconque produit ou distribue du matériel pornographique dans le but d'en tirer un profit ne sera vraisemblablement pas porté à faire fuir les acheteurs en leur disant que son produit est susceptible d'entraîner la responsabilité criminelle de l'acheteur éventuel. Par conséquent, il serait parfaitement raisonnable que le législateur ait présumé que le vendeur ne serait ordinairement pas au courant de la nature précise du contenu du matériel vendu, et, dans ces circonstances, l'imposition d'une responsabilité criminelle entraînerait la déclaration de culpabilité d'un grand nombre de personnes qui n'ont pas un état d'esprit répréhensible.

18. Par contre, le producteur ou le distributeur sera généralement au courant du contenu du matériel qui pourrait être déclaré obscène. L'imposition d'une responsabilité criminelle en l'absence de connaissance du contenu est moins susceptible d'entraîner la déclaration de culpabilité de ceux qui sont moralement innocents. En outre, un producteur ou un distributeur qui sait qu'il ne peut se fonder sur l'absence de connaissance résultant de son omission d'avoir fait une enquête raisonnable peut facilement se renseigner sur le contenu du matériel. Par contre, il ne serait pas raisonnable de s'attendre à ce que le vendeur lise tous les livres ou les revues

et regarde tous les vidéos ou films pour en découvrir les parties susceptibles de déroger aux dispositions en matière d'obscénité.

19. Je conclus donc que le législateur n'a pas eu l'intention de restreindre le sens du terme « sciemment » qu'il a employé au par. 163(2). Compte tenu de toutes les circonstances, il ne serait pas logique de conclure que le législateur a exigé la preuve de la connaissance mais limité l'exigence à la preuve de l'aspect de l'*actus reus* qui est parfaitement légitime. Même si, à titre d'impératif constitutionnel, il n'est pas nécessaire qu'un élément moral répréhensible s'étende à tous les aspects de l'*actus reus*, le législateur peut choisir de légiférer au-delà des limites constitutionnelles minimales. À mon avis, c'est ce qu'il a fait en l'espèce en choisissant le terme « sciemment ».

20. Les deux parties soutiennent que la jurisprudence appuie leur position respective. À mon avis, bien qu'elle ne soit pas concluante sur ce point, la jurisprudence n'est pas incompatible avec la position des appelants. J'examine maintenant les principaux arrêts.

21. Dans *R.* c. *Cameron*, [1966] 4 C.C.C. 273 (C.A. Ont.), autorisation de pourvoi à la C.S.C. refusée, [1967] 2 C.C.C. 195n, l'accusé, qui gérait une galerie d'art commerciale à Toronto, a été inculpé sous sept chefs d'accusation d'avoir exposé à la vue du public des dessins obscènes. En ce qui a trait à l'interprétation du terme « sciemment », le juge Aylesworth, s'exprimant au nom de la cour sur ce point, a précisé la question de la manière suivante (aux pp. 285 et 286) :

[TRADUCTION] L'appelante a-t-elle agi sciemment et sans justification ni excuse légitime? Aucun argument ne nous a été présenté selon lequel il n'y avait pas suffisamment d'éléments de preuve que l'appelante a agi sciemment. Il a déjà été mentionné qu'elle a obtenu ces dessins de galeries privées et des artistes eux-mêmes et qu'elle s'est chargée de les exposer à la vue du public; <u>évidemment, elle connaissait bien le sujet des dessins; elle aurait diffici-</u>

lement pu être d'accord avec cette exposition, l'organiser et réunir les dessins dans sa galerie afin de les vendre au public à des prix déjà fixés sans avoir une telle connaissance. Le terme «sciemment» n'exige pas que l'appelante sache qu'aux termes de la loi les dessins étaient ou non obscènes. Il suffit qu'elle ait été au courant du sujet et qu'elle ait fait en sorte que les dessins soient exposés à la vue du public. [Je souligne.]

22. L'utilisation des termes «connaissance du sujet» correspond à l'exigence en matière de *mens rea* de la connaissance subjective du contenu factuel des dessins qui les rendait obscènes aux termes de la loi. Bien que la cour ait dit qu'il n'est évidemment pas nécessaire que l'on sache que le matériel est obscène aux termes de la loi, le juge Aylesworth a centré son attention sur la question de savoir si l'accusée savait quel était le sujet des dessins.

23. La question a également été examinée dans *R. c. Kiverago* (1973), 11 C.C.C. (2d) 463 (C.A. Ont.), où l'accusé a été inculpé d'avoir exposé une affiche obscène à la vue du public. La question principale était de savoir si la croyance sincère de l'accusé que le matériel n'est pas obscène constitue un moyen de défense. La Cour d'appel a conclu que, puisque le fait de savoir que le matériel est obscène aux termes de la loi n'est pas un élément constitutif de l'infraction, la croyance sincère que le matériel n'est pas obscène ne constitue pas un moyen de défense. Toutefois, en examinant ce point de droit, la cour (le juge en chef Gale) a cité en l'approuvant le passage mentionné précédemment de l'arrêt *Cameron* et a ensuite fait la remarque suivante (à la p. 465) :

[TRADUCTION] En l'espèce, M. Kiverago connaissait certainement la nature de cette affiche et l'a exposée à la vue du public [...].

[...] à notre avis, il semble ressortir du par. (2) que, même en présumant que le matériel est obscène, la personne qui l'expose ne peut être déclarée coupable d'une infraction à moins qu'elle ne sache qu'elle l'a exposé et qu'elle n'ait aucune justification ni excuse légitime de le faire . . . [Je souligne.]

Il ressort donc clairement de *Kiverago* que la *mens rea* relative à l'infraction dont il a été fait mention était la connaissance subjective du contenu précis du matériel. Il est vrai que la nature du moyen d'expression permettait à la cour de déduire qu'il y avait connaissance du sujet précis. Tout comme l'exposition de tableaux dans une galerie d'art, ce qui était le cas dans l'arrêt *Cameron*, le fait d'installer une affiche exige nécessairement une connaissance détaillée réelle et subjective du matériel. La nature du matériel obscène sautait aux yeux, car le simple fait de voir le tableau ou l'affiche permettait d'en connaître le contenu. Par conséquent, il n'était sans doute pas nécessaire que la cour examine la possibilité d'un niveau de connaissance plus restreint.

24. Les films et les vidéos soulèvent un problème différent car leur contenu n'est pas aussi évident que dans le cas de tableaux ou d'affiches. Il n'est pas possible de faire le même genre de déduction ou de présomption quant à savoir si un accusé connaît leur contenu. Cette question a été traitée dans *R. c. McFall* (1975), 26 C.C.C. (2d) 181 (C.A.C.-B.). L'accusé a été inculpé de possession de films obscènes aux fins de les exposer à la vue du public. Les films, qui étaient la propriété de la société accusée, étaient présentés dans des isoloirs à l'arrière d'une librairie gérée par un autre accusé, à l'entrée desquels se trouvaient les affiches suivantes : [TRADUCTION] « Réservé aux personnes de plus de 18 ans » et [TRADUCTION] « Films sexuellement excitants ». Le juge Taggart a examiné les arrêts *Cameron* et *Kiverago* et a fait la remarque suivante (à la p. 194) :

> [TRADUCTION] Le substitut du procureur général a soutenu qu'il ne lui incombe pas de démontrer que l'accusé avait vu le film en question en entier ou en partie pour prouver la connaissance, mais qu'il lui suffit d'établir que l'accusé était au courant de la nature du film. Je crois que le ministère public est bien fondé d'adopter cette position, car je suis d'avis que dans *R. c. Cameron*, précité, le juge Aylesworth a décrit avec précision le sens du terme « sciemment ». Je n'oublie pas pour autant la distinction évidente selon laquelle dans cette affaire la cour examinait des tableaux dont le contenu devait être connu de l'accusée qui les avait mani-

pulés et accrochés, alors qu'en l'espèce il s'agit d'un film qui doit être projeté pour être vu et que le ministère public n'a pas prouvé qu'il avait été vu par un ou l'autre des appelants. Malgré cela, je suis d'avis que le ministère public a satisfait à l'exigence de l'al. [163(2)*a*)] s'il démontre non pas que les accusés étaient au courant que le film était obscène aux termes de la loi, mais qu'ils en connaissaient la nature, c'est-à-dire qu'il s'agissait d'un film dont une caractéristique dominante était l'exploitation des choses sexuelles. [Je souligne.]

25. Le juge Taggart a clairement fait la distinction entre des tableaux, des affiches et des films. Malgré le fait qu'on ne pouvait déterminer la proportion du contenu du film dont les appelants étaient au courant, le juge Taggart a conclu qu'il suffisait que le ministère public démontre que les appelants savaient que la caractéristique principale du film était l'exploitation des choses sexuelles.

26. S'il s'agissait là des seules exigences, le fardeau imposé au ministère public ne serait pas très lourd. Les films pornographiques traitent de l'exploitation des choses sexuelles. Leurs scénarios sont faibles ou non existants et il est douteux que leurs acteurs obtiennent des prix d'excellence. On peut presque présumer qu'un détaillant de matériel pornographique sera au courant du fait que le matériel qu'il vend a pour caractéristique dominante l'exploitation des choses sexuelles.

27. Toutefois, cette présomption ne paraît pas avoir réglé l'affaire pour le juge Taggart. Celui-ci a examiné avec soin les éléments de preuve présentés à l'appui de la conclusion selon laquelle l'accusé avait agi « sciemment » malgré le fait qu'il n'avait pas vu le film. Il a fait remarquer, aux pp. 194 et 195 :

[TRADUCTION] Il est ensuite nécessaire d'examiner si le ministère public a présenté des éléments de preuve qui permettraient au jury de conclure que les appelants connaissaient la nature du film visé au deuxième chef d'accusation. À mon avis, il y avait de tels éléments de preuve, notamment :

a) les affiches à l'entrée de l'un des isoloirs;

b) les circonstances dans lesquelles le film pouvait être visionné par le public, y compris la présence des isoloirs;

c) les faits suivants : le deuxième chef d'accusation. Les films visés dans le premier chef d'accusation avaient été saisis et MM. Candella et McFall avaient été avisés que des accusations de possession de films obscènes pourraient être portées contre eux relativement aux films visés au premier chef d'accusation;

d) les faits suivants : [...] M. McDonald, directeur de la classification des films de la Colombie-Britannique, a été cité comme témoin de la défense. Il a dit que le film visé dans le deuxième chef d'accusation avait été envoyé par l'appelant McFall pour obtenir une approbation, qu'il avait été visionné et que sa diffusion avait été approuvée sous la cote « réservé aux adultes » à la condition d'en couper 20 à 30 pieds. Le film a ensuite été retourné à M. McFall. [Je souligne.]

28. Le fait que le juge Taggart cherchait ce genre d'élément de preuve laisse entendre qu'il n'était pas suffisant pour déclarer l'accusé coupable qu'il ait simplement su qu'il s'agissait d'un film à caractère sexuel. En particulier, la saisie antérieure du matériel et les directives explicites du directeur de la classification des films visant à retirer certaines parties d'un film avant sa présentation indiquaient bien soit que l'accusé était au courant du contenu des films obscènes soit qu'il avait fait preuve d'ignorance volontaire. Le juge Taggart semble avoir cherché des indications que l'accusé savait que le film contenait certains éléments qui pouvaient être réputés obscènes aux termes de la loi. Il appert donc que, bien que la définition de la *mens rea* par le juge Taggart appuierait un degré de *mens rea* moins élevé, dans son examen de la preuve, il a exigé un niveau de connaissance du contenu du matériel qui en droit, le rendait obscène.

29. Dans l'arrêt *Metro News*, que j'ai mentionné précédemment, le juge Martin a examiné la question de savoir si la *mens rea* relative à l'infraction de distribution de matériel obscène exigeait la preuve de la connaissance que le matériel excédait les normes sociales de tolérance. À la page 56, il a dit :

[TRADUCTION] À mon avis, il est bien établi qu'il n'incombe pas au ministère public, même dans le cas d'une accusation aux termes du par. [163(2)] où le ministère public doit établir que l'accusé a commis l'infraction « sciemment », de prouver qu'un accusé qui est au courant de la présence et de la nature de l'objet savait également qu'il était obscène.

Le juge Martin a poursuivi, à la p. 58 :

[TRADUCTION] Dans Hamling c. U.S. (1974), 418 U.S. 87, le défendeur a été accusé d'avoir utilisé le courrier pour transmettre un livre obscène en violation de la 18 U.S.C. La Cour suprême des États-Unis a conclu que l'exigence imposée par l'emploi du terme « sciemment » à l'art. 1461 de la 18 U.S.C., qui érige en infraction le fait d'utiliser « sciemment » la poste pour la transmission de matériel qui ne doit pas être acheminé par la poste, était remplie par la preuve que le défendeur avait connaissance du contenu du matériel qu'il a distribué et qu'il en connaissait le caractère et la nature. [Je souligne.]

30. Ces remarques donnent à entendre que le juge Martin était convaincu que le terme « sciemment » devrait être interprété selon son sens ordinaire de manière à exiger une connaissance subjective réelle de la nature et du caractère du matériel pour qu'il puisse être qualifié d'obscène. Cette manière de procéder, selon le juge Martin, était nécessaire pour refléter la nature de la *mens rea* dans ce contexte (aux pp. 54 et 55) :

[TRADUCTION] L'élément moral minimal et nécessaire pour entraîner la responsabilité criminelle dans le cas de la plupart des crimes est la connaissance des circonstances qui forment l'*actus reus* du crime et la prévision ou l'intention quant aux conséquences requises pour constituer l'*actus reus*. L'ignorance volontaire est assimilée à la connaissance réelle . . .

31. Après avoir examiné cette jurisprudence, je dirais qu'elle appuie la conclusion selon laquelle, pour que le ministère public obtienne une déclaration de culpabilité à l'égard d'une accusation d'avoir vendu « sciemment » du matériel obscène, il doit démontrer davantage que le simple fait que l'accusé avait une connaissance générale de la nature du film comme étant un film à caractère sexuel. Bien qu'il n'y ait pas eu beaucoup de jurisprudence sur ce point et que celle-ci ne soit absolument pas claire, il ressort des arrêts *McFall* et *Metro News* que les tribunaux ont cherché une indication que le vendeur du matériel obscène était au courant des faits pertinents qui le rendent obscène. Dans le cas d'expositions de tableaux ou d'affiches, il est possible de déduire que la personne qui vend ces tableaux ou ces affiches savait ce qui les rendait obscènes. Le matériel obscène est bien en vue et il est possible de présumer de la « connaissance » de la nature précise de son contenu. On ne peut en dire autant des films, des vidéos et d'autres médias comportant un assemblage d'images et à l'égard desquels il faut prendre un certain temps et des mesures concrètes pour en observer et en « connaître » le contenu. Dans le cas de films et de vidéos pornographiques, on ne peut déduire facilement que ceux qui vendent ce matériel « connaissent » leur contenu. Comme mentionné précédemment, on peut déduire que le détaillant sait que le matériel est érotique ou pornographique et traite de l'exploitation des choses sexuelles. Toutefois la vente de films traitant de l'exploitation des choses sexuelles n'est pas une activité illégale en soi. Le matériel doit comporter quelque chose qui l'inscrit dans le cadre de l'obscénité. Non seulement la caractéristique dominante du matériel doit être l'exploitation des choses sexuelles, mais il doit s'agir d'une exploitation indue.

32. La distinction entre le simple matériel pornographique qui peut constituer une exploitation des choses sexuelles et le matériel obscène qui constitue une « exploitation indue des choses

sexuelles » a été établie dans l'arrêt *Butler*, précité. Dans mes motifs, j'indique que la pornographie peut, à toutes fins utiles, être divisée en trois catégories (à la p. 484) :

(1) les choses sexuelles explicites, accompagnées de violence;

(2) les choses sexuelles explicites, non accompagnées de violence, mais qui assujettissent des personnes à un traitement dégradant ou déshumanisant; et

(3) les choses sexuelles explicites, non accompagnées de violence, qui ne sont ni dégradantes ni déshumanisantes.

La signification de cette classification est expliquée à la p. 485 :

Dans la classification des choses sexuelles en fonction des trois catégories de pornographie susmentionnées, la représentation des choses sexuelles accompagnées de violence constitue presque toujours une exploitation indue des choses sexuelles. Les choses sexuelles explicites qui constituent un traitement dégradant ou déshumanisant peuvent constituer une exploitation indue si le risque de préjudice est important. Enfin, les choses sexuelles explicites qui ne comportent pas de violence et qui ne sont ni dégradantes ni déshumanisantes sont généralement tolérées dans notre société et ne constituent pas une exploitation indue des choses sexuelles, sauf si leur production comporte la participation d'enfants.

33. En appliquant les principes énoncés dans l'arrêt *Butler*, le juge Newton a conclu que trois des huit vidéos provenant du magasin de M. Jorgensen comportaient l'exploitation indue des choses sexuelles aux termes du par. 163(8) du *Code*. Ces films avaient pour titres *Bung Ho Babes*, *Made in Hollywood* et *Dr. Butts*. Les caractéristiques précises de ces vidéos qui ont amené le juge Newton à conclure qu'ils étaient contraires au *Code* sont

clairement pertinentes pour déterminer si un détaillant a « sciemment » vendu du matériel obscène en contravention de l'al. 163(2)*a*).

34. Dans le vidéo *Bung Ho Babes*, une gardienne de prison ordonne aux prisonnières de se dévêtir puis à l'une d'entre elles de donner une fessée à une autre. La femme obtempère et donne une fessée à l'autre détenue, lui laissant des marques rouges visibles sur les fesses. Le juge Newton a conclu que ce vidéo constituait une exploitation indue des choses sexuelles en raison de la manière dont il faisait correspondre les choses sexuelles et la punition dans le contexte de la subordination.

35. Dans une des scènes du vidéo *Made in Hollywood*, un homme ordonne à des femmes d'exécuter divers actes sexuels. L'une des femmes paraît bouleversée et l'autre, avec laquelle il a des rapports sexuels, est frappée plusieurs fois sur les fesses causant des marques rouges visibles. Ce vidéo a également été considéré par le juge Newton comme de l'exploitation indue des choses sexuelles en raison de la manière dont il associait sexe et violence.

36. L'autre vidéo, *Dr. Butts*, comporte une scène dans laquelle un mari et son épouse sont dans leur chambre à coucher et discutent des possibilités d'emploi de la femme. Le mari ordonne à son épouse d'avoir un rapport sexuel anal comme prérequis à la recherche d'une carrière dans le cinéma. Au cours du rapport sexuel anal, l'homme donne à plusieurs reprises des coups sur les fesses de la femme produisant ainsi des marques rouges visibles. Elle paraît grimacer de douleur et ses remarques n'indiquent pas qu'elle est consentante. Le juge Newton a conclu que ce vidéo comportait également l'exploitation indue des choses sexuelles car la femme est forcée d'avoir des rapports sexuels et que la violence et sa position de subordination sont légitimées.

37. Comme l'illustrent ces observations, ce n'est pas simplement le fait que les vidéos en question traitaient de l'exploitation des choses sexuelles qui les rendait offensants et contraires

au par. 163(8). C'est le fait que les vidéos accompagnaient les choses sexuelles explicites de violence. Ce genre de matériel s'inscrit directement dans la première catégorie soulignée dans l'arrêt *Butler*. On peut également déduire des commentaires du juge Newton que d'autres parties des vidéos dans lesquels les choses sexuelles n'étaient pas accompagnées de violence n'enfreignaient pas le par. 163(8). Seules les scènes décrivant l'exploitation indue des choses sexuelles étaient contraires au *Code*.

38. Si nous établissons un lien entre ces remarques et l'application de l'al. 163(2)*a*), il en ressort qu'il ne suffit pas de démontrer simplement qu'un détaillant sait que le matériel qu'il vend traite d'une manière générale d'une exploitation des choses sexuelles pour établir un lien entre le détaillant et l'infraction de vendre « sciemment » du matériel obscène. À mon avis, pour établir le lien nécessaire, il faut, en droit, démontrer que le détaillant était au courant des actes précis ou de l'ensemble de faits qui ont amené les tribunaux à conclure que le matériel en question était obscène aux termes du par. 163(8). Par exemple, si la partie offensante du vidéo était celle dans laquelle un homme donnait une fessée à une femme et l'obligeait à avoir des rapports sexuels, alors pour qu'un accusé soit déclaré coupable aux termes de l'al. 163(2)*a*), il faut démontrer que le détaillant savait que le vidéo vendu contenait cette scène ou a fait preuve d'ignorance volontaire à cet égard.

39. Il peut évidemment y avoir des cas où c'est le caractère global du film qui crée l'obscénité. Ce peut être le cas, par exemple, lorsqu'un vidéo montre des femmes dans des situations de subordination, de soumission servile ou d'humiliation sans qu'aucune parole ou autre mention expresse n'indique que cette description constitue un thème en soi. Ce genre de représentation omniprésente peut avoir un effet dégradant cumulatif suffisant pour qu'elle entre dans la catégorie « indue » selon les critères formulés dans l'arrêt *Butler*. Pour que la pornographie qui entre dans cette catégorie soit indue, il faut que le traitement dégradant ou déshumanisant crée un risque important de préjudice. Ce risque est évalué par rapport au critère de la norme sociale. La complexité de cette évaluation

peut être comparée à la première catégorie relativement directe : alors que les choses sexuelles accompagnées de violence sont ordinairement faciles à identifier visuellement, les choses sexuelles accompagnées de traitement dégradant ou déshumanisant peuvent être plus abstraites ou subliminales. Dans l'arrêt *Butler*, j'ai signalé que dans certains cas l'apparence même de consentement rend les actes décrits encore plus dégradants ou déshumanisants. Les vidéos qui entrent dans la deuxième catégorie sont donc plus susceptibles que ceux de la première d'être réputés obscènes à cause d'un effet global sans référence à des actions ou parties précises de l'ensemble. En pareils cas, si la cour est incapable de préciser une scène en particulier mais conclut quand même que, globalement, le film est obscène selon la loi, alors il est simplement logique qu'une preuve suffisante soit présentée selon laquelle le détaillant était au courant de la nature obscène « globale » du film.

40. Évidemment, cela ne veut pas dire qu'un détaillant doit savoir que le matériel vendu est obscène selon la loi. Si le détaillant dit qu'il a visionné les films et a vu la scène particulière de la fessée ou noté la dégradation sous-jacente mais était d'avis qu'elle était innocente et inoffensive, il ne pourra l'invoquer à titre de moyen de défense. Le détaillant ne jouira pas d'une immunité à l'égard des accusations simplement parce qu'il ne sait pas de quelle façon la loi définit l'obscénité. Un détaillant ne jouira pas non plus d'une immunité à l'égard d'une déclaration de culpabilité parce qu'il ne sait pas qu'il existe des lois interdisant la vente de matériel obscène. Une telle situation équivaudrait au moyen de défense de l'erreur de droit et il est bien établi que l'ignorance de la loi ne constitue pas un moyen de défense. Le ministère public est tenu de prouver hors de tout doute raisonnable que le détaillant savait que le matériel vendu avait les caractéristiques ou contenait les scènes précises qui le rendaient obscène aux termes de la loi.

41. Le ministère public s'est dit préoccupé de l'absence d'aspect pratique de l'exigence d'une preuve hors de tout doute raisonnable que le détaillant était au courant des faits précis ou de

la nature du film qui ont amené la cour à décider que le matériel était obscène aux termes de la loi et du fait qu'elle rendrait en fait toute poursuite impossible. Le ministère public soutient que la situation de la vente au détail de vidéos à grande distribution fait en sorte qu'il est hautement improbable qu'un détaillant visionne les produits qui se trouvent sur les étalages. Qui plus est, il soutient que les détaillants choisiront simplement de ne pas visionner leurs vidéos pour éviter ainsi toute déclaration de culpabilité.

42. Le ministère public a également soutenu que, ayant volontairement choisi d'exercer leurs activités dans ce champ réglementé et rentable, les détaillants de matériel pornographique devraient être tenus responsables du préjudice social causé lorsque le matériel pornographique qu'ils vendent tombe dans l'obscénité. Selon le ministère public, ces détaillants sont mieux placés pour empêcher le préjudice au départ en faisant preuve d'une plus grande prudence à l'égard du matériel qu'ils vendent. Essentiellement, selon ce qu'il prétend, un détaillant sait que la marchandise qu'il vend peut être obscène même si elle est approuvée par la CCCO, ou à tout le moins, on peut dire qu'il sait qu'il exerce une activité visant un produit susceptible d'entraîner des poursuites criminelles. En ne cherchant pas lui-même à connaître le caractère du film, le détaillant fait preuve d'ignorance volontaire à l'égard du risque que pose le produit. L'approbation de la CCCO peut réduire de façon importante, mais sans l'éliminer, le risque que le matériel soit obscène. Un détaillant qui n'a pas regardé le film est donc aussi moralement blâmable que celui qui l'a regardé, puisqu'il connaît l'existence d'un risque mais choisit de vendre le film malgré ce risque.

43. Aux observations peuvent répondre à ces préoccupations. Premièrement, la preuve qu'un détaillant a connaissance des actes ou des caractéristiques précis qui rendent un vidéo obscène n'exige pas nécessairement la preuve que le détaillant a réellement regardé le matériel obscène en question. Il est clairement possible d'avoir la « connaissance » du caractère obscène du film par d'autres moyens que le visionnement direct. À l'égard de cette

question, le juge Newton a fait remarquer qu'il est possible de démontrer un état d'esprit répréhensible de nombreuses façons sans établir que le film a réellement été visionné. Elle explique dans ses motifs prononcés à l'audience :

> [TRADUCTION] Mon examen de la jurisprudence et des principes du droit criminel montre qu'il peut être satisfait à l'exigence [en matière de connaissance] par des éléments de preuve comme les déclarations faites par un accusé, les avertissements des policiers en ce qui a trait au contenu du matériel et la distribution de ce matériel malgré les avertissements, le non-respect de procédures in rem, le non-respect des décisions judiciaires, des accusations pendantes, la condition du matériel et l'endroit où il se trouvait au moment de la saisie, la nature du matériel lui-même, la preuve d'une certaine forme d'activité clandestine et le non-respect des exigences relatives aux coupures à apporter à un film pour satisfaire à des normes d'approbation appropriées.

En conséquence, peut en fait être pertinente pour déterminer si un détaillant « savait » qu'il vendait du matériel obscène la preuve que le détaillant a reçu un avertissement au sujet de matériel en particulier ou ne se serait pas conformé aux exigences relatives aux coupures de certaines parties d'un film. L'utilisation de ce genre d'élément de preuve à cette fin a été bien illustrée par le juge Taggart lorsqu'il a rendu sa décision dans l'arrêt *McFall*.

44. De plus, d'autres circonstances directement liées au contexte de l'activité du détaillant peuvent établir la connaissance que ce dernier peut avoir. Le juge Taggart dans *McFall* et le juge Newton ont tous les deux mentionné ces circonstances, notamment le lieu de l'activité et les signes de comportement clandestin. Si, par exemple, un détaillant qui vend exclusivement des vidéos pornographiques tient une sélection séparée de vidéos à prix très élevé, garde certains vidéos dans une armoire fermée à clé, en soustrait certains à la vue de la clientèle ou garde une liste de vidéos disponibles sur demande seulement, cela peut constituer une circonstance pertinente. Ces circonstances peuvent être facilement distinguées de

celles du magasin du coin où on peut trouver un film porno au milieu d'un ensemble de vidéos par ailleurs anodins. Les circonstances propres à l'activité commerciale du détaillant peuvent donc être considérées comme pertinentes aux fins d'établir la connaissance, au même titre que les facteurs comme les avertissements ou les directives provenant de sources externes

B. L'ignorance volontaire

45. La deuxième façon de répondre aux préoccupations exprimées par le ministère public porte sur le principe de l'ignorance volontaire. Il est bien établi en droit criminel que l'ignorance volontaire satisfera également à une exigence en matière de *mens rea.* Si le détaillant sait qu'il doit examiner de manière plus approfondie la nature des vidéos qu'il vend et que, délibérément, il choisit de faire abstraction de ces indications et ne pousse pas l'examen plus loin, il peut alors être néanmoins accusé en application de l'al. 163(2)*a*) pour avoir vendu « sciemment » du matériel obscène. Le fait de choisir délibérément d'ignorer une chose lorsqu'on a toutes les raisons de croire qu'un examen approfondi est nécessaire peut satisfaire à l'exigence en matière d'élément moral de l'infraction. Glanville Williams a écrit dans *Criminal Law : The General Part* (2ᵉ éd. 1961), aux pp. 157 et 158 :

> [TRADUCTION] [S]elon la règle, si une partie a des soupçons mais ensuite omet délibérément de procéder à un autre examen parce qu'elle désire demeurer dans l'ignorance, elle est réputée être au courant . . .
>
> [...] En d'autres termes, il existe un soupçon, que le défendeur a délibérément omis de transformer en connaissance certaine. On exprime fréquemment cette situation en disant d'une personne qu'elle « s'est fermé les yeux » à l'égard du fait, ou qu'elle a fait preuve d'« ignorance volontaire ».

Et, aux pp. 158 et 159, l'auteur dit :

[TRADUCTION] Avant d'appliquer la théorie de l'ignorance volontaire, il faut prendre conscience que le fait en question est probable ou est, du moins, « d'une possibilité supérieure à la moyenne » [...].

[...] Un tribunal ne peut à bon droit conclure qu'il y a ignorance volontaire que si l'on peut presque dire que le défendeur était réellement au courant. Il soupçonnait l'existence du fait; il était conscient qu'il pouvait se produire; mais il s'est abstenu d'obtenir la confirmation finale parce qu'il voulait, le cas échéant, pouvoir dire qu'il n'était pas au courant. Seule cette situation constitue de l'ignorance volontaire.

46. Pour conclure à l'ignorance volontaire, il faut répondre par l'affirmative à la question suivante : L'accusé a-t-il fermé les yeux parce qu'il savait ou soupçonnait fortement que s'il regardait, il saurait? On pourrait dire des détaillants qui se doutent que le matériel est obscène mais qui s'abstiennent de faire l'examen nécessaire de manière à éviter d'être mis au courant qu'ils ont fait preuve d'ignorance volontaire. La décision doit être prise en tenant compte de toutes les circonstances. Dans *Sansregret* c. *La Reine*, [1985] 1 R.C.S. 570, notre Cour a conclu que les circonstances ne se limitaient pas à celles qui touchaient de près à l'infraction visée, mais qu'elles pouvaient recevoir une définition plus large de façon à comprendre, par exemple, des événements passés. Voir également *R.* c. *Blondin* (1970), 2 C.C.C. (2d) 118 (C.A.C.-B.), à la p. 122. Il semblerait donc que parmi les circonstances pertinentes il y aurait les assurances données par d'autres personnes qui sont présumées être au courant et, en particulier, les fonctionnaires comme les membres de la CCCO.

47. Les appelants donnent une autre réponse aux préoccupations exprimées par le ministère public. Ils soutiennent que toute difficulté pour démontrer la connaissance du vendeur aura pour effet salutaire de concentrer l'application de la loi sur le distribu-

teur qui est mieux placé pour écarter le matériel obscène. Bien que cet argument soit intéressant, il n'incombe pas à notre Cour de dicter la manière d'appliquer la loi. Néanmoins, le législateur a choisi de fixer une norme de preuve exigeante par l'adoption du terme « sciemment ». Si ce choix de terme complique l'application de la loi au vendeur et qu'il serait souhaitable de rendre l'application plus efficace, alors il n'y a aucune raison pour laquelle le législateur ne pourrait adopter un niveau de *mens rea* moins élevé. Personne n'a prétendu, et à juste titre, qu'il existait un empêchement constitutionnel à cet égard.

C. L'effet de l'approbation de la Commission de contrôle cinématographique

48. Lorsqu'elle est arrivée à sa conclusion, le juge Newton a reconnu le fait que les appelants s'étaient fondés sur l'approbation de la CCCO relativement à tous les vidéos en question. Il a en outre été reconnu que l'appelant Jorgensen avait avisé les policiers de la communauté urbaine de Toronto et la Section de la pornographie et de la littérature haineuse qu'il avait acheté seulement des vidéos approuvés par la CCCO. Compte tenu de ces faits établis, la question est de savoir si le fait pour les appelants de s'être fié à l'approbation de la CCCO annule en fait la *mens rea* de l'infraction ou constitue la justification ou l'excuse légitime nécessaire visée au par. 163(2).

49. Pour déterminer l'effet de l'approbation de la CCCO, il est nécessaire de bien comprendre ce que fait la Commission. Il ressort de la preuve que la CCCO ne détermine pas si le film est obscène, même si, dans l'exécution de son mandat qui consiste à visionner les films, elle applique à sa décision un grand nombre des considérations sur lesquelles est fondée la décision d'un tribunal quant à savoir si du matériel donné est obscène. La *Loi sur les cinémas*, L.R.O. 1990, ch. T.6, qui régit la CCCO, ne mentionne pas la notion d'obscénité. Cela ne relève pas de ses fonctions, de l'avis de son président, bien que la CCCO n'approuverait pas

sciemment un film qui serait obscène. Selon le témoignage de son président, la CCCO tente d'appliquer une norme sociale de tolérance et, bien que la commission de l'Ontario tente d'appliquer une norme nationale, les pratiques des commissions de contrôle cinématographique ne sont pas les mêmes partout au pays.

50. Compte tenu de ce témoignage, le juge du procès a examiné la question de savoir si l'élément de preuve de l'approbation de la CCCO était pertinent à l'égard de la question des normes sociales. Après avoir examiné la nature et le mandat de la Commission, elle a fait remarquer :

> [TRADUCTION] Sur le fondement de l'interrogatoire principal et du contre-interrogatoire qui ont eu lieu devant moi, je suis convaincue que je ne peux rejeter son [M. Payne, président de la CCCO] témoignage car il contient des indications concernant les normes sociales de tolérance. Bien que je tienne compte du fait qu'il n'a visionné aucun des vidéos en cause et bien que certaines parties de son témoignage annuleraient l'approbation visée de la Commission, je suis convaincue que la question porte sur l'importance à accorder à son témoignage.

51. Les appelants soutiennent que le fait de s'en remettre à l'approbation de la CCCO permettait de réfuter la connaissance et qu'ils devaient être acquittés. Cet argument présuppose une connaissance de la part des appelants qui, s'ils ne s'étaient pas fondés sur l'approbation de la Commission, les rendrait criminellement responsables. Comme je l'ai expliqué précédemment, une telle connaissance doit comprendre le fait d'être au courant du contenu du matériel qui, en droit, est obscène. Dans de telles circonstances, cet argument ne pourrait être retenu que si le fait de s'être fondé sur l'approbation de la CCCO a entraîné une erreur de fait. Il ne pourrait y avoir erreur de droit à moins qu'il ne s'agisse d'une justification ou excuse légitime, une question ont je traiterai plus loin dans les présents motifs.

(1) L'effet de l'approbation de la Commission sur le terme « sciemment »

52. L'approbation de la CCCO comporte-t-elle une décision fondée sur les faits que les appelants peuvent invoquer pour réfuter la connaissance de l'infraction? Le seul aspect de la décision de la CCCO qui puisse être considéré comme une décision fondée sur les faits se rapporte au respect de la norme sociale de tolérance. Comme je l'ai souligné précédemment, le juge du procès a considéré que le témoignage du président était pertinent à l'égard de cette question. Le témoignage du président portait sur l'effet de la décision de la CCCO étant donné qu'il n'avait pas visionné les vidéos et qu'il ne pouvait donner un témoignage d'expert original autre que l'effet de la décision de la Commission. Toutefois, à mon avis, la question de savoir si le matériel contesté va à l'encontre de la norme sociale de tolérance n'est pas une simple question de fait. Il s'agit d'une décision à laquelle un juge ou un jury peut arriver sans se fonder sur des éléments de preuve. Bien que des éléments de preuve soient souvent présentés et examinés et qu'ils soient en fait souhaitables, ils ne sont pas essentiels. Cette question est tranchée à l'encontre d'un accusé quand le juge ou le jury conclut que l'objet sur lequel porte l'accusation outrepasse la norme sociale de tolérance. Le ministère public n'est pas tenu de prouver que l'accusé savait que c'était le cas et l'accusé ne peut invoquer une erreur de fait sur le fondement qu'il croyait sincèrement que ce n'était pas le cas.

53. Ma position est étayée par l'arrêt de la Cour d'appel de l'Ontario *Metro News*, précité. Dans cette affaire, la publication avait été approuvée non seulement par la Direction générale des importations prohibées des Douanes mais aussi par un comité consultatif constitué par l'industrie, qui l'avait chargé d'approuver ou de désapprouver la publication à titre indicatif. L'accusé a invoqué une erreur de fait fondée sur une telle approbation. Les motifs du juge Martin, rédigés au nom de la cour, comportent une analyse perspicace de cette question. Il a cité Glanville Williams, en soulignant que la distinction qui est établie entre le droit et les faits aux fins d'attribuer les questions soit au juge soit au jury ne

s'applique pas nécessairement en ce qui a trait à l'erreur de fait. Par exemple, il ressort de la doctrine et de la jurisprudence que, à l'égard d'une accusation de réduction indue de la concurrence, bien que la question de savoir si une entente limite la concurrence soit traitée à certaines fins comme une question de fait, la preuve de l'intention de le faire n'est pas nécessaire et l'erreur de fait ne s'applique pas. Le juge Martin a conclu de la manière suivante aux pp. 66 et 67 :

> [TRADUCTION] À mon avis, ce qu'est une exploitation « indue » des choses sexuelles aux termes du par. 159(8) ou la question de savoir si le matériel présumément obscène outrepassait la norme sociale de tolérance constitue ce que Glanville Williams considère comme un jugement de valeur à l'égard duquel la théorie de l'erreur de fait ne s'applique pas. Il dit dans *Textbook of Criminal Law*, 2e éd. (1983), à la p. 141 :
>
>> Lorsqu'une règle de droit comporte l'adoption d'un jugement de valeur, la règle de la *mens rea* ne s'applique généralement pas à l'égard du jugement de valeur.
>>
>> « Quand il s'agit de négligence, par exemple, la question de savoir si l'acte du défendeur était « négligent » d'une part ou « raisonnable » d'autre part exige que le jury (ou, évidemment, le juge) porte un jugement de valeur, et la question de savoir si le défendeur savait qu'il était négligent n'est pas déterminante. De même, le moyen de défense fondé sur la légitime défense est exclu si le jury considère que le défendeur a réagi d'une manière disproportionnée, même si celui-ci considérait que sa réaction était proportionnée (art. 21.3); et le moyen de défense de la nécessité est exclu si le jury considère que ce que le défendeur entendait faire n'était pas socialement justifié, même s'il était d'avis que c'était le cas (art. 24.12). Toutefois, lorsque le juge est d'avis qu'aucun jury raisonnable ne déclarerait l'accusé coupable il devrait imposer un acquittement. »
>
> Les exemples que je viens de citer sont tous des jugements de valeur qui sont intermédiaires entre les questions de fait et les questions de droit. *Tout comme pour les questions de droit, le fait*

que le défendeur n'ait pas été en mesure de prévoir la décision de la cour ne l'excuse pas.

(Les italiques [sont du juge Martin].) Et plus loin aux pp. 142 et 143 :

> Le crime de l'obscénité (la publication d'un article obscène ou le fait de publier un article obscène en vue d'en tirer un gain) soulève des problèmes semblables, aux termes de l'Obscene Publications Act 1959, modifiée par une loi de 1964. Le critère pour déterminer si un article est obscène aux termes de la loi, ou en common law, est de savoir si
>
> « son effet [...] est, dans son ensemble, d'avoir tendance à dépraver et à corrompre les personnes qui sont susceptibles, compte tenu de toutes les circonstances pertinentes, de lire, de voir ou d'entendre ce qui est contenu ou incorporé dans celui-ci » (par. 1(1)).

Dans un tel cas, le jury prend encore la décision sur le fondement de la présumée question de fait sans tenir compte de ce que croyait le défendeur, et même s'il peut avoir raisonnablement cru que l'article n'entraînerait pas de dépravation et de corruption.

54. Plutôt que de créer un domaine intermédiaire entre les faits et le droit, je préfère qualifier cette question de question mixte de fait et de droit. Ainsi, en règle générale, il n'est pas nécessaire que le ministère public démontre qu'il y avait intention ou connaissance lorsque ces états d'esprit constituent par ailleurs un ingrédient essentiel de l'infraction, et l'accusé ne peut pas non plus se fonder sur une erreur de fait relativement à la question.

Par conséquent, pour qu'il y ait déclaration de culpabilité, il suffit que le ministère public démontre que les appelants étaient au courant de la présence des aspects du vidéo qui, selon le tribunal, outrepassaient les normes sociales, conformément aux principes énoncés dans l'arrêt *Butler*. Il n'est pas nécessaire que le ministère public prouve ou que le tribunal conclue que les appelants savaient que le vidéo outrepassait la norme sociale de tolérance.

(2) *L'approbation de la Commission à titre de justification ou d'excuse légitime*

55. Deux propositions quelque peu connexes militent contre l'argument selon lequel l'approbation de la CCCO peut constituer une justification ou une excuse légitime. Premièrement, un palier de gouvernement ne peut déléguer ses pouvoirs législatifs. Deuxièmement, l'approbation donnée par un organisme provincial ne peut, en droit constitutionnel, empêcher qu'une poursuite soit intentée à l'égard d'une accusation portée en vertu du *Code criminel*.

56. En ce qui a trait au premier argument, dans *Coughlin* c. *Ontario Highway Transport Board*, [1968] R.C.S. 569, le juge Cartwright a dit, à la p. 574 :

> [TRADUCTION] Il ressort clairement de l'arrêt de notre Cour *Attorney General of Nova Scotia* c. *Attorney General of Canada*, [1951] R.C.S. 31, et de décisions antérieures du Comité judiciaire et de notre Cour qui ont été recueillies et examinées dans les motifs de cet arrêt, que ni le Parlement ni une assemblée législative provinciale ne peut se déléguer ni recevoir l'un de l'autre le pouvoir de légiférer qui lui a été conféré par l'*Acte de l'Amérique du Nord britannique*.

57. La jurisprudence relative au second argument est très claire. Dans *R.* c. *Prairie Schooner News Ltd. and Powers* (1970), 1 C.C.C. (2d) 251 (C.A. Man.), les accusés ont été inculpés aux termes du par. 150(1) (maintenant le par. 163(1)) qui, contrairement au par. 163(2) (alors le par. 150(2)), ne prévoyait pas de moyen de défense fondé sur une excuse ou une justification légitime. Toutefois, les défendeurs ont soutenu qu'ils avaient commis une erreur

de fait, car ils croyaient que le matériel jugé obscène avait été admis au Canada par les fonctionnaires des Douanes canadiennes et, par conséquent, que sa distribution ne constituait pas une violation du par. 150(1). Le juge Freedman a écrit (à la p. 261) :

> [TRADUCTION] Il faut se rappeler que, aux termes du *Code criminel*, il incombe à la Cour et non aux Douanes, de déterminer si une publication est obscène. La décision qu'une publication est obscène est ensuite suivie par l'imposition d'une pénalité ou d'une peine aux termes de la loi. Si l'on disait que la non-interdiction de ces publications par les Douanes a l'effet qui est soutenu en l'espèce, la Cour serait privée de la fonction qui lui incombe. En fait le pouvoir de trancher la question serait transféré aux Douanes.

58. Dans l'arrêt *McFall*, la cour est arrivée à une conclusion semblable même si le moyen de défense fondé sur une justification ou excuse légitime pouvait être invoqué. L'accusé avait été inculpé, en vertu de l'al. 159(2)*a*) (maintenant l'al. 163(2)*a*)) du *Code*, d'avoir en sa possession « sciemment et sans justification ni excuse légitime » des films obscènes dans le but de les exposer à la vue du public. Au cours du procès, l'accusé a convoqué le censeur de la province qui a témoigné qu'il avait approuvé les films en question. La cour a jugé que l'approbation du bureau de censure provincial à l'égard d'un film ne pouvait excuser la perpétration de l'infraction. Elle a souligné qu'un bureau de censure n'est pas tenu d'appliquer les considérations exposées dans la jurisprudence en matière d'obscénité pour interpréter le par. 159(8) (maintenant le par. 163(8)) du *Code*. Par conséquent, la cour était d'avis que l'approbation du bureau de censure, bien que légale, ne signifiait pas que le film n'était pas obscène mais constituait simplement un élément de preuve que le jury pouvait examiner pour arriver à une conclusion sur la question de l'obscénité. Le juge Taggart a écrit, à la p. 212 :

> [TRADUCTION] Je suis d'avis que si les appelants doivent avoir gain de cause relativement à la question de la justification ou de l'excuse légitime, ils doivent présenter un autre élément de preuve

qu'une approbation donnée par un directeur provincial de la classification des films, qui, bien qu'il puisse avoir une grande expérience pour établir quelle est la norme sociale de tolérance de la Colombie-Britannique, n'est pas tenu d'avoir à l'esprit les arguments mentionnés dans la jurisprudence déjà citée lorsqu'il approuve la présentation de films en vertu d'une classification désignée.

59. Le caractère décisif qui ressort du droit a incité les avocats à admettre le point dans l'arrêt *Towne Cinema Theatres Ltd. c. La Reine*, [1985] 1 R.C.S. 494. Le juge en chef Dickson, en son propre nom et pour les juges Lamer et Le Dain, a souligné (aux pp. 511 et 516 et 517) :

L'avocat de l'appelante ne prétend pas que l'approbation de la Commission de censure empêche une poursuite criminelle. Il admet volontiers qu'il appartient aux cours de décider si une publication est obscène (*Daylight Theatre Co.* v. *The Queen* (précité); *R.* v. *McFall* (1975), 26 C.C.C. (2d) 181 (C.A.C.-B.)).

Comme je l'ai déjà dit, la défense a produit le témoignage de M. Hooper, le président de la Commission de censure de l'Alberta, afin de démontrer que le film n'outrepasse pas les normes sociales contemporaines. Le juge du procès n'a fait qu'une seule allusion à ce témoignage :

[TRADUCTION] Maintenant en ce qui me concerne, la question de savoir si la Commission de censure a approuvé le film n'a rien à voir avec celle de savoir si la poursuite peut présenter un acte d'accusation à l'égard de ce film pour le motif qu'il constitue un spectacle immoral, indécent ou obscène. C'est à la cour qu'il appartient d'en décider.

Il est clair en droit que le juge des faits n'est pas tenu d'accepter un témoignage, celui d'un expert ou autre. Il peut le rejeter en totalité ou en partie. Il ne peut cependant le rejeter sans motifs valables. [Je souligne.]

Le quatrième membre de la majorité sur ce point, le juge Wilson, a dit ce qui suit dans des motifs concordants distincts, à la p. 531 :

> Il ne fait pas de doute que l'approbation de la Commission de censure n'empêche pas la présentation d'un acte d'accusation.

60. Compte tenu de ces propositions fondées sur des arrêts récents de notre Cour, j'estime qu'il est difficile d'admettre l'argument selon lequel en utilisant les termes « justification ni excuse légitime » le législateur a voulu que la conduite qui est criminalisée par le par. 163(2) devienne légitime ou que la personne qui l'adopte soit excusée par suite de la décision d'un organisme provincial.

61. Bien que le Parlement ait le pouvoir d'introduire dans ses lois criminelles des dispenses ou des immunités en déterminant ce qui est et ce qui n'est pas criminel et qu'il puisse le faire en autorisant un organisme provincial, ou un fonctionnaire agissant en application d'une loi provinciale, à délivrer des permis ou des choses semblables, son intention de le faire doit être évidente. Dans *R. c. Furtney*, [1991] 3 R.C.S. 89, notre Cour a traité d'un exemple de l'exercice de ce pouvoir qui est prévu à l'art. 207 du *Code criminel*. Selon cet article des loteries autorisées par une licence délivrée par le lieutenant-gouverneur sous réserve de certaines conditions n'entraînent pas de responsabilité criminelle. Aux pages 104 et 105, le juge Stevenson a établi les circonstances dans lesquelles le Parlement peut déléguer un pouvoir :

> Ainsi, le Parlement peut déléguer un pouvoir législatif à des organismes autres que les législatures provinciales, il peut incorporer une loi provinciale par renvoi et il peut limiter la portée de sa loi au moyen d'une condition, à savoir l'existence d'une loi provinciale.

62. Toutefois, comme l'arrêt *Furtney* l'illustre, l'exercice de ce pouvoir par le Parlement doit être énoncé dans des termes qui sont suffisamment précis pour que l'immunité à l'égard de la responsabilité criminelle ne soit pas laissée à la discrétion absolue de la loi provinciale. Si les commissions de contrôle, autorisées par une loi provinciale, pouvaient justifier ou excuser des personnes qui se fondent sur elles, pour ce qui est des dispositions en matière d'obscénité, le droit criminel à cet égard serait à toutes fins utiles appliqué par les législatures provinciales. Les modalités de fonctionnement des commissions de contrôle varient d'une province à l'autre, ce qui fait qu'une conduite qui est criminelle dans une province serait justifiée dans une autre. Ce n'est certainement pas ce que le législateur souhaitait en maintenant l'utilisation des termes « justification ni excuse légitime » à l'égard de l'infraction de vente de matériel obscène.

63. Lorsqu'on examine l'intention du législateur à cet égard, il faut se rappeler que la question de l'application d'une justification ou d'une excuse légitime n'est soulevée que lorsque le ministère public a fait la preuve de tous les éléments de l'infraction hors de tout doute raisonnable. Cela comprendrait la preuve que l'accusé connaissait le contenu précis du matériel qui rend celui-ci obscène. Voir *R. c. Santeramo* (1976), 32 C.C.C. (2d) 35 (C.A. Ont.). Bien qu'il soit difficile et sans doute peu souhaitable de tenter de définir ce qui constitue une justification ou excuse légitime, des exemples comme ceux tirés de la jurisprudence appuient la conclusion à laquelle je suis arrivé. Dans *Kiverago*, précité, le juge en chef Gale a dit au nom de la cour, à la . 465 :

> [TRADUCTION] En d'autres termes, à notre avis, il semble ressortir du par. (2) que, même en présumant que le matériel est obscène, la personne qui l'expose ne peut être déclarée coupable d'une infraction à moins qu'elle ne sache qu'elle l'a exposé et qu'elle n'ait aucune justification ou excuse légitime de le faire et, évidemment, nous avons à l'esprit à titre d'exemple de justification ou d'excuse des livres médicaux ou scientifiques qui contiennent du matériel obscène à des fins légitimes d'éducation, de recherche scientifique et de choses de ce genre.

64. Dans *Perka* c. *La Reine*, [1984] 2 R.C.S. 232, le juge Dickson (plus tard Juge en chef) a examiné la question de savoir si le moyen de défense fondé sur la nécessité constituait une justification ou une excuse à l'égard de l'infraction d'importation de stupéfiants et de possession de stupéfiants en vue d'en faire le trafic. S'exprimant au nom de la majorité, le juge Dickson a souligné l'importance d'établir une distinction entre les termes « justification » et « excuse ». Le premier conteste le caractère répréhensible de l'action alors que le second admet ce caractère répréhensible mais affirme que, compte tenu des circonstances, l'auteur de l'action ne devrait pas en être tenu responsable. La raison d'être de l'excuse à l'égard de l'auteur de l'action est « le sentiment d'injustice que soulève la punition pour une violation de la loi commise dans des circonstances où la personne n'avait pas d'autre choix viable ou raisonnable; l'acte était mauvais, mais il est excusé parce qu'il était vraiment inévitable » (p. 250).

65. Il n'existe aucun fondement qui permette de dire que la conduite en l'espèce, qui comporte la vente de matériel obscène, pourrait être justifiée par les circonstances. Il n'a pas été soutenu que l'approbation de la CCCO en soi pourrait avoir pour effet de légitimer la conduite. Il est plutôt allégué que c'est le fait que les appelants se sont fiés à l'approbation de la CCCO qui les excuse. À mon avis, on ne peut dire que, dans les circonstances, si les appelants connaissaient le contenu des vidéos, leur vente était vraiment inévitable. Par conséquent, compte tenu de toutes les circonstances, je conclus que le législateur n'a pas pu avoir l'intention d'excuser la vente de matériel obscène pour la simple raison que le vendeur s'est fié à une approbation donnée par une commission de contrôle provinciale.

66. Après avoir rédigé mes motifs, j'ai lu ceux du Juge en chef. Je n'ai pas examiné la question de l'erreur de droit provoquée par une personne en autorité parce qu'elle n'a été soulevée ni devant notre Cour ni devant les juridictions inférieures. Aucune partie des présents motifs ne devrait être considérée comme souscrivant ou ne souscrivant pas aux motifs du Juge en chef, mais je

préférerais examiner la question de l'erreur provoquée par une personne en autorité dans une affaire où elle est soulevée et débattue à bon droit.

V. Résumé

67. Pour résumer, j'ai conclu que le ministère public devait faire la preuve de la connaissance de la part de l'accusé inculpé d'une infraction visée à l'al. 163(2)a), non seulement qu'il savait que le matériel avait comme caractéristique dominante l'exploitation des choses sexuelles, mais qu'il était au courant de la présence des éléments du matériel qui en droit rendait indue l'exploitation des choses sexuelles. À cet égard, dans des circonstances appropriées, le ministère public peut se prévaloir des principes de l'ignorance volontaire. L'approbation du matériel par une commission de contrôle provinciale peut être pertinente pour déterminer les normes sociales de tolérance et à l'égard de la question de l'ignorance volontaire. Elle n'est pas pertinente en ce qui a trait à la question de la connaissance de l'accusé, et le ministère public n'est pas tenu de prouver que l'accusé savait que le matériel visé par l'accusation outrepassait les normes sociales. Qui plus est, l'approbation d'une commission de contrôle provinciale ne constitue pas une justification ou une excuse.

VI. Dispositif

68. Aucun élément de preuve n'a été présenté pour démontrer que les appelants avaient la connaissance requise, outre le fait que les vidéos en question étaient des films à caractère sexuel dans le sens général qu'ils comportaient l'exploitation des choses sexuelles. Étant donné ma conclusion que cet élément ne satisfait pas aux exigences du par. 163(2) en matière de *mens rea*, les appelants ont droit à un acquittement. Par conséquent, le pourvoi est accueilli, les jugements des tribunaux d'instance inférieure sont annulés et remplacés par un verdict d'acquittement.

Pourvoi accueilli.

Procureurs des appelants : Gold & Fuerst, Toronto.

Procureur de l'intimée : Le ministère du Procureur général, Toronto.

La version officielle de ces décisions se trouve dans le Recueil des arrêts LexUM en partenariat avec la Cour suprême du Canada.

Sa Majesté la Reine   *Appelante*

c.

John Chartrand   *Intimé*

RÉPERTORIÉ : R. *c.* CHARTRAND, [1994] 2 R.C.S. 864.

Nº du greffe : 23340.

1994 : 15 mars; 1994 : 14 juillet.

Présents : Le juge en chef Lamer et les juges La Forest, L'Heureux-Dubé, Sopinka, Gonthier, Cory, McLachlin, Iacobucci et Major.

EN APPEL DE LA COUR D'APPEL DE L'ONTARIO

POURVOI contre un arrêt de la Cour d'appel de l'Ontario rendu le 6 octobre 1992, qui a rejeté l'appel du ministère public contre les acquittements de l'accusé relativement à des accusations portées en vertu des art. 218 et 281 du *Code criminel*. Pourvoi accueilli et nouveau procès ordonné.

Catherine A. Cooper, pour l'appelante.
Robert F. Meagher, pour l'intimé.

Version française du jugement de la Cour rendu par

1. **LE JUGE L'HEUREUX-DUBÉ** : — Essentiellement, le pourvoi ne soulève qu'une question : l'interprétation de l'art. 281 du *Code criminel*, L.R.C. (1985), ch. C-46. Cet article concerne l'enlèvement d'une personne âgée de moins de quatorze ans par quiconque n'est ni le père, ni la mère, ni le tuteur ni une personne ayant la garde ou la charge légale de cette personne, c'est-à-dire l'enlèvement d'enfants par des étrangers.

L'article 281 du *Code* se lit :

281. Quiconque, n'étant pas le père, la mère, le tuteur ou une personne ayant la garde ou la charge légale d'une personne âgée de moins de quatorze ans, enlève, entraîne, retient, reçoit, cache ou héberge cette personne avec l'intention de priver de la possession de celle-ci le père, la mère, le tuteur ou une autre personne ayant la garde ou la charge légale de cette personne est coupable d'un acte criminel et passible d'un emprisonnement maximal de dix ans.

2. La question est centrée sur l'intention qu'exige l'art. 281 du *Code*. Deux interprétations ont été avancées. D'une part, l'appelante privilégie une interprétation large étant donné l'importance de l'objectif visé par l'adoption de l'art. 281, c'est-à-dire empêcher que des enfants soient soustraits à l'autorité de leurs parents ou tuteurs, ou des personnes en ayant la garde ou charge légale, afin de protéger les enfants contre des étrangers. Selon l'appelante, une interprétation restrictive est antithétique à l'objectif de la disposition. Pour sa part, l'intimé avance une interprétation restrictive qui, à son avis, est plus conforme à l'interprétation du droit criminel.

Il convient, en premier lieu, de faire une brève revue des faits.

I. Les faits

3. Le dimanche 14 avril 1991, l'intimé, âgé de 43 ans, frappait des balles de golf sur le terrain de football d'une cour d'école d'Ottawa. Tyler Arnold, âgé de huit ans, et ses amis Joey, Andy et Shawn, sont entrés dans la cour, qui se situait à un coin de rue environ de la résidence de Tyler Arnold, pour y jouer. Ils ont demandé à l'intimé la permission d'attraper les balles avec leurs gants. Les garçons avaient déjà rencontré l'intimé dans la même

cour l'été précédent, mais ne connaissaient que son prénom, John, inscrit sur son porte-clés.

4. Les garçons ont attrapé des balles pendant un certain temps, puis certains d'entre eux sont allés chercher des rafraîchissements. Tyler est demeuré dans la cour d'école, où l'intimé a commencé à le photographier. Lorsque deux des autres garçons, Andy et Joey, sont revenus, ils ont eu de la difficulté à retrouver l'intimé et Tyler. Ils ont trouvé l'intimé prenant des photos de Tyler dans un endroit boisé à l'extrémité de la cour d'école. Lorsque les deux garçons ont commencé à déranger la séance de photos, l'intimé leur a demandé à plusieurs reprises de les laisser seuls. Finalement, l'intimé et Tyler sont ressortis en courant de l'endroit boisé pour s'éloigner des deux autres garçons. Lorsque Andy et Joey les ont rattrapés, l'intimé a dit [TRADUCTION] « Les gars, laissez-nous tranquilles ». Andy a accepté de les laisser seuls à condition qu'il puisse conduire l'automobile de l'intimé dans le stationnement. L'intimé a accepté. Tyler et Joey se sont assis à l'avant et, pendant que l'intimé appuyait sur l'accélérateur ou sur la pédale des freins, Andy, assis sur ses genoux, conduisait l'auto.

5. Peu après, les enfants sont sortis de l'auto et l'intimé a proposé à Tyler d'aller au pont Champlain. L'un des enfants, ayant surpris une partie de cette conversation, a demandé à l'intimé où ils allaient. Ce dernier n'a pas répondu. Bien que les deux enfants lui aient dit de ne pas accompagner l'intimé, Tyler est de nouveau monté dans l'auto. L'intimé et Tyler ont fait un trajet d'environ 2,9 km, s'arrêtant à certains endroits pour prendre des photos sur les bords de la rivière des Outaouais. Ils sont d'abord allés au pont Champlain, où l'intimé a photographié Tyler. Puis, ils sont allés jusqu'au belvédère Kitchissippi de la plage Westboro, où l'intimé a pris d'autres photos de Tyler assis sur un gros rocher s'avançant dans la rivière des Outaouais. Certaines montrent Tyler sur la saillie du rocher.

6. À leur retour à la maison, les deux autres garçons ont raconté à la mère de Joey que Tyler était parti dans une voiture

rouge avec l'intimé, prénommé John, qui, selon ce qu'on leur avait raconté, vivait dans un immeuble proche de la cour d'école. La mère de Joey a donc communiqué avec le père de Tyler qui, accompagné des garçons et d'autres personnes (dont un policier), s'est mis à la recherche de Tyler, pendant ce qui paraît avoir été de 30 à 90 minutes. Le père de Tyler et un des autres garçons ont trouvé Tyler et l'intimé au belvédère Kitchissippi de la plage Westboro, où l'intimé photographiait Tyler qui portait le chandail de l'intimé. Apparemment, Tyler ayant froid, l'intimé avait enlevé son chandail et le lui avait offert. Le père de Tyler a demandé à l'intimé de quel droit il avait emmené son fils, et l'intimé a répondu qu'il avait pris des photos de Tyler pour faire une surprise aux parents du garçon.

7. Par suite de ces événements, l'intimé a été accusé d'enlèvement d'une personne âgée de moins de quatorze ans (art. 281 du *Code criminel*), de voies de fait (art. 266 du *Code*) et de mise en danger de la vie d'un enfant (art. 218 du *Code*). Le 27 août 1991, l'intimé a enregistré un plaidoyer de non-culpabilité. Le même jour, après le témoignage de Tyler, le ministère public a retiré l'accusation de voies de fait. À la clôture de la preuve du ministère public, l'avocat de la défense a demandé un verdict imposé d'acquittement relativement aux deux autres chefs, et la cour a acquiescé à sa demande. Le ministère public a interjeté appel sans succès des acquittements de l'intimé devant la Cour d'appel de l'Ontario. L'appelante a demandé et obtenu l'autorisation de notre Cour uniquement quant à l'accusation fondée sur l'art. 281 du *Code*.

II. Analyse

A. La *mens rea*

8. L'intention requise par l'art. 281 est couchée dans les termes suivants : « avec l'intention de priver de la possession de [la personne] le père, la mère, le tuteur ou une autre personne ayant la garde ou la charge légale de cette personne ».

(1) « priver de la possession »

9. Pour interpréter l'intention requise à l'art. 281, une brève discussion du sens de l'expression « priver de la possession » est un préalable. Je conviens avec l'appelante que, puisque les enfants ne sont pas des objets inanimés, il faut interpréter ce libellé comme comprenant l'idée que les parents ont droit à la garde et au contrôle de leurs enfants. Ce point de vue a été adopté par la Cour d'appel de l'Ontario dans *R. c. McDougall* (1990), 1 O.R. (3d) 247 (C.A.), où, à la p. 259, le juge Doherty a analysé cette expression dans le contexte de l'art. 282 du *Code criminel*, la disposition connexe traitant de l'enlèvement par le père ou la mère :

> [TRADUCTION] À mon avis, « possession » implique un contrôle physique sur la personne de l'enfant ou sa garde physique. Pour avoir l'intention de priver l'autre parent du contrôle ou de la garde physique de l'enfant, il faut avoir l'intention de le soustraire de quelque manière à ce contrôle ou à cette garde.

De toute évidence, le sens de « possession » ne se limite pas aux cas où le parent ou le tuteur a véritablement le contrôle physique de la personne de l'enfant au moment de l'enlèvement. Dans l'arrêt *R. c. Meddoui*, [1990] A.J. n° 455 (QL), conf. par [1991] 3 R.C.S. 320, il s'agissait d'une enfant qui jouait parmi d'autres enfants et n'était pas sous la surveillance physique de son tuteur lorsqu'elle a été « entraînée ». La cour de première instance a conclu, et la Cour d'appel a confirmé, que l'enfant était « en la possession » de son tuteur aux fins de l'art. 281 du *Code criminel*. En outre, comme l'appelante le signale, la notion de « priver de la possession » se rattache à la capacité du parent (tuteur, etc.) d'exercer son droit de contrôle sur l'enfant, et est donc compatible avec l'intention de la loi de prévenir les atteintes à ce droit, et avec la jurisprudence relative à la privation de la possession. (Voir *R. c. Manktelow* (1853), 6 Cox C.C. 143 (C.C.A.).)

10. En outre, comme l'a fait remarquer la Cour d'appel de l'Alberta dans Meddoui, l'intention de priver le parent de la possession d'un enfant peut n'être que pour une très brève durée, et elle ne doit pas nécessairement être une tentative de l'en priver de façon permanente. Confirmant cette décision dans de brefs motifs prononcés à l'audience, le juge Sopinka a, pour la Cour, fait sienne la conclusion tirée par la Cour d'appel de l'Alberta :

> [TRADUCTION] Que l'accusé ait pu être animé d'un mobile innocent, ou qu'il ait eu l'intention d'entraver la possession pour une très brève période n'a rien à voir.

Dans *The New Offences Against the Person : The Provisions of Bill C-127* (1984), aux pp. 144 et 145, D. Watt exprime une opinion semblable :

> [TRADUCTION] On peut remarquer que « l'intention de priver » décrite aux art. 250 à 250.2 inclusivement n'est pas déterminée par des mots comme « temporairement ou entièrement », « temporairement » ou « de façon permanente ». Le libellé des articles, dépourvu de qualificatif, semblerait rendre inutile pour la poursuite de démontrer que D. avait l'intention de priver de façon permanente : toute intention de priver le parent, le tuteur ou le gardien de la possession d'une jeune personne ou d'un enfant paraîtrait respecter la prescription des articles. En d'autres termes, relativement aux art. 250 à 250.2 inclusivement, l'intention de priver, que ce soit temporairement ou de façon permanente, un parent, un tuteur ou une personne ayant la possession d'un enfant ou d'une jeune personne de la catégorie protégée entraînerait la culpabilité. [Je souligne.]

De plus, pour qu'il y ait privation de la possession, il n'est pas nécessaire que l'enfant soit retenu. Lorsqu'on fait de la retenue un élément nécessaire de la privation, c'est que celle-ci résulte de la « détention » de l'enfant plutôt que de l'« enlèvement ou de l'entraînement » (voir *McDougall* et *Bigelow*, précités).

(2) « avec l'intention de »

11. Les principes généraux de la *mens rea* s'appliquent à l'expression « avec l'intention de ». Pour conclure que la *mens rea* de l'infraction prévue à l'art. 281 est établie, il suffit donc que l'auteur de l'enlèvement sache ou prévoie qu'il est certain ou presque certain que ses actes priveront les parents (tuteurs, etc.) de la capacité d'exercer leur contrôle sur l'enfant

12. Dans *R. c. Buzzanga and Durocher* (1979), 49 C.C.C. (2d) 369 (C.A. Ont.), bien que dans un contexte de fomentation volontaire de la haine, le juge Martin a dit aux pp. 384 et 385 :

> [TRADUCTION] Je conviens [. . .] qu'en général, quiconque prévoit qu'une conséquence résultera certainement ou presque certainement de l'acte qu'il commet pour atteindre une autre fin, cette conséquence est intentionnelle. Le fait pour l'auteur de prévoir la certitude ou la certitude morale de la conséquence de son comportement force à conclure que, s'il a néanmoins agi de manière à provoquer cette conséquence, c'est qu'il a décidé, bien qu'avec regret, de la causer pour atteindre son but ultime. Son intention englobe les moyens utilisés, de même que son but ultime. [Je souligne.]

Cette définition de l'intention a été subséquemment approuvée par notre Cour dans l'arrêt *R. c. Keegstra*, [1990] 3 R.C.S. 697, aux pp. 774 et 775. Par ailleurs, dans *R. c. Olan*, [1978] 2 R.C.S. 1175, à la p. 1182, notre Cour a examiné la possibilité que l'intention visée à l'art. 338 (maintenant l'art. 380) du *Code* puisse comprendre un résultat prévu distinct de la fin qui sous-tend le comportement. Elle a adopté l'*obiter* de la Cour d'appel anglaise dans *R. c. Allsop* (1976), 64 Cr. App. R. 29 :

> [TRADUCTION] En général, un fraudeur veut avant tout se procurer un avantage. Le tort causé à sa victime est secondaire et incident.

Il n'est « intentionnel » que parce qu'il fait partie du résultat prévu de la fraude.

Dans *Meddoui*, précité, plusieurs enfants jouaient dans un jardin près d'une ruelle quand le défendeur s'est approché des enfants et a offert de l'argent à certains d'entre eux à la condition qu'une fillette, qu'il a désignée, l'accompagne. La fillette l'a suivi. Toutefois, environ dix minutes plus tard, elle est rentrée à la maison en courant, en larmes et effrayée. L'une des questions soulevées en appel portait sur les éléments de preuve qui doivent être présentés pour qu'un juge du procès puisse conclure qu'un accusé avait l'intention de priver les parents de la possession de leur enfant contrairement à l'art. 281. La Cour d'appel a conclu que le juge du procès pouvait inférer l'intention requise des faits :

[TRADUCTION] Nous sommes convaincus qu'il était possible au juge du procès d'inférer l'intention requise. Que l'accusé ait pu être animé d'un mobile innocent ou qu'il ait eu l'intention d'entraver la possession pour une très brève période n'a rien à voir. Le témoignage de l'accusé n'est d'aucune assistance à cet égard puisqu'il a nié avoir pris part à l'enlèvement.

(Voir également *R. c. Rousseau*, [1982] C.S. 461; *R. c. Green* (1989), 89 N.S.R. (2d) 16 (C.A.); *R. c. Whitty* (1977), 12 Nfld. & P.E.I.R. 361 (C.A.T.-N.); *R. c. MacKinlay* (1986), 28 C.C.C. (3d) 306 (C.A. Ont.), à la p. 318; *R. c. Johnson* (1984), 65 N.S.R. (2d) 54 (C.A.); et *R. c. Sam*, [1993] Y.J. no 233 (C. Terr.) (QL).) Il est particulièrement vrai que l'on peut inférer l'intention des circonstances qui entourent l'affaire lorsque l'on considère qu'elle est très rarement extériorisée.

13. L'argument du mobile ou de l'objectif innocent, quoique pertinent, ne suffit pas pour trancher la question de l'intention, car l'intention, l'objectif et le mobile ne sont pas la même chose. La Cour d'appel de la Colombie-Britannique dans l'arrêt *R. c.*

Petropoulos (1990), 59 C.C.C. (3d) 393, a analysé l'intention requise par l'art. 282 du *Code criminel*, et a souligné que le concept de l'objectif doit demeurer distinct de celui de l'intention, à la p. 395 :

> [TRADUCTION] Je crois que l'argument soumis à cet égard confond ce qui pourrait bien être appelé le concept du « but » avec celui de l'« intention ». Il appert qu'en se rendant à Toronto, l'appelant avait pour *but* de se trouver un emploi, et non pas de priver son épouse de ses droits de visite, mais son *intention*, en emmenant l'enfant avec lui, était que celui-ci demeure à Toronto [. . .] Il avait l'intention de priver son épouse des droits que lui conférait l'ordonnance. [Italiques dans l'original.]

D. Stuart, *Canadian Criminal Law* (2ᵉ éd. 1987), aux pp. 128 à 130, commentant l'arrêt *Lewis* c. *La Reine*, [1979] 2 R.C.S. 821, exprime l'idée suivante sur la signification de l'intention et la distinction entre l'intention et le mobile :

> [TRADUCTION] Le Code ne prévoit aucune définition générale de l'intention, et nos tribunaux n'ont pas jugé nécessaire de combler cette lacune. L'*« intention » semble avoir été interprétée dans un sens vague et familier de désir, fin, objectif, but ou dessein véritable, et la « connaissance », comme la connaissance véritable, par exemple, du contenu du paquet possédé.* Il semble futile en droit criminel de pénétrer les profondeurs insondables du débat philosophique sur le sens d'« intention ». <u>Nos tribunaux sont, comme nous le verrons bientôt, de plus en plus disposés à étendre la *mens rea* à des concepts plus larges d'états d'esprit.</u> Cela étant, le débat sur le sens de l'intention sera fréquemment sans aucune pertinence.
>
> [...]
>
> <u>Le mobile d'un acte explique la raison pour laquelle l'auteur a agi. En toute logique, le mobile, ou une série de mobiles, germe avant que l'acte soit commis. Cela peut très bien se passer au</u>

niveau de l'inconscient. L'intention et le mobile ne sont pas nécessairement les mêmes.

[...]

[Dans *Lewis*, notre Cour, après avoir revu la jurisprudence
anglaise et canadienne, a résumé la place du mobile dans un procès criminel en six propositions :]

(1) La preuve du mobile est toujours pertinente : il s'ensuit qu'elle
est recevable. . .

(2) Le mobile ne fait aucunement partie du crime et n'est pas
juridiquement pertinent à la responsabilité criminelle. Il ne constitue pas un élément juridiquement essentiel de l'accusation portée par le ministère public . . .

(3) La preuve de l'absence de mobile est toujours un fait important en faveur de l'accusé et devrait ordinairement faire l'objet
de commentaires dans un exposé du juge au jury. . .

(4) À l'inverse, la présence d'un mobile peut être un élément
important dans la preuve du ministère public, notamment en ce
qui regarde l'identité et l'intention lorsque la preuve est entièrement indirecte.

(5) Le mobile est donc toujours une question de fait et de preuve
et la nécessité de s'y référer dans son adresse au jury est régie par
le devoir général du juge de première instance de « ne pas seulement récapituler les thèses de la poursuite et de la défense mais
de présenter au jury les éléments de preuve indispensables pour
parvenir à une juste conclusion ».

(6) Chaque affaire dépend des circonstances uniques qui l'entourent. La question du mobile est toujours une question de mesure.
[Je souligne.]

Les passages reproduits ci-dessus étayent la proposition selon laquelle l'intention et le mobile sont des concepts distincts en droit criminel et, bien que la preuve du mobile puisse s'appliquer également à l'intention, la preuve du mobile n'est pas indispensable pour prouver l'intention.

14. Les préoccupations relatives à la difficulté de définir et de prouver l'intention ont été examinées très récemment par le gouvernement du Canada dans son livre blanc *Proposition de modification du Code criminel (principes généraux)*, publié le 28 juin 1993. L'extrait suivant, à la p. 3, est utile en l'espèce :

12.4 (2) Sauf disposition contraire de la présente loi ou de toute autre loi fédérale, pour qu'il y ait infraction, il faut, si la disposition la créant ou toute autre règle de droit prévoit que le critère de l'intention s'applique à un de ses éléments constitutifs, que l'auteur du fait en cause :

a) dans le cas du fait, veuille l'accomplir;

b) dans le cas d'une circonstance, sache qu'elle existe;

c) dans le cas d'un résultat, veuille atteindre le résultat en cause ou soit conscient du fait qu'il se produira dans le cours normal des choses. [Je souligne.]

Williams exprime une opinion similaire dans *Textbook of Criminal Law* (2ᵉ éd. 1983), à la p. 84 :

[TRADUCTION] Bien que le fait de savoir, pour un individu, que l'acte qu'il commet entraînera probablement une conséquence particulière soit parfois insuffisant pour dire qu'il a l'intention qu'elle survienne, il y a de fortes raisons de conclure qu'en droit, on peut juger que l'intention existe à l'égard de ce qu'il sait avec certitude qu'il fait.

Dans *Criminal Pleadings & Practice in Canada* (2ᵉ éd. 1987), vol. 2, à la p. 21-65, Ewaschuk invoque l'arrêt *Buzzanga*, précité, et Williams, « Intents in the Alternative » (1991), 50 *Cambridge L.J.* 120, pour maintenir ce qui suit :

> [TRADUCTION] Une personne vise intentionnellement un événement si elle a pour but conscient de causer l'événement. <u>Une personne vise aussi intentionnellement un</u> événement lorsqu'elle <u>n'a ni l'intention ni pour objectif de causer l'événement, mais prévoit que l'événement (la conséquence) résultera certainement ou *presque certainement* de l'acte qu'elle accomplit pour atteindre un autre but.</u> Dans ce dernier cas, la personne est présumée avoir visé intentionnellement la conséquence inévitable de son acte, indépendamment de son but véritable. [Je souligne; italiques dans l'original.]

(Voir : E. Colvin, *Principles of Criminal Law* (2ᵉ éd. 1991), aux pp. 117 et 118; Mewett et Manning, *op. cit.*, à la p. 113; *R. c. Sam*, précité. *Contra* : *Harris's Criminal Law* (22ᵉ éd. 1973), aux pp. 39 et 40; *R. c. Elder* (1978), 40 C.C.C. (2d) 122 (C. dist. Sask.); *R. c. Leech* (1972), 10 C.C.C. (2d) 149 (C.S. Alb. 1ʳᵉ inst.); et *R. c. Steane*, [1947] K.B. 997 (C.C.A.).) L'élément d'intention à l'art. 281 doit être interprété de cette façon pour donner à l'art. 281 un sens compatible avec l'intention du législateur, le but visé et le contexte social – dont j'ai discuté plus haut – de cette disposition du *Code* (comparer avec *R. c. McDougall*, précité, où la Cour d'appel de l'Ontario a reconnu à la méthode fondée sur l'objet pour déterminer l'intention requise aux fins de l'art. 282 du *Code criminel*.)

15. Pour résumer, bien que l'on puisse établir l'intention aux fins de l'art. 281 en démontrant la privation intentionnelle et à dessein du contrôle des parents sur l'enfant, la plus grande partie de la jurisprudence et de la doctrine appuie l'opinion que la *mens rea* requise à l'égard d'infractions comme celle prévue à l'art. 281 du *Code* peut aussi être établie par la simple privation des parents (tuteurs, etc.) de la possession de leur enfant au moyen

de l'enlèvement, pour autant que le juge des faits puisse, par inférence, conclure que l'auteur de l'enlèvement a prévu certainement ou presque certainement les conséquences de l'enlèvement,
indépendamment du but ou du mobile de l'enlèvement.

16. L'objectif de la loi est simple, en ce qu'il est à la fois
préventif par rapport au préjudice futur, et réactionnel quant à
l'acte de l'obstruction illégale et immédiate des droits de garde.
Vue sous cet angle, et compte tenu de l'objectif de cette disposition, l'intention requise à l'art. 281 du *Code* doit être interprétée
ainsi : l'enfant qui se trouve dans un parc ou dans la rue, à la connaissance ou du consentement des parents (tuteurs, etc.), est par
conséquent sous le contrôle et en la possession de ces derniers.
S'il est enlevé, ce n'est que très rarement que la privation des
parents (tuteurs, etc.) de la possession de l'enfant ne constitue pas
l'intention de l'acte reproché. En dernier ressort, cependant, cette
conclusion relèvera du juge des faits. Bref, si l'objectif de cet article doit être atteint, le fait de prévoir de façon certaine ou presque
certaine le résultat final doit suffire.

B. Conclusion

17. Pour récapituler, le terme « unlawfully » du texte anglais de l'art. 281 du *Code* signifie « sans justification, autorisation
ou excuse légitime », et il est redondant ou simplement maintenu
par inadvertance. Il n'exige d'autre preuve que celle de l'enlèvement par une personne qui n'a aucune autorité légale sur l'enfant.
La *mens rea* requise peut être établie par le simple fait de priver
les parents (tuteurs, etc.) de la possession de l'enfant au moyen de
l'enlèvement, à condition que le juge des faits puisse conclure,
par inférence, que les conséquences de cet enlèvement sont prévues par l'accusé comme un résultat certain ou presque certain,
indépendamment du but ou du mobile de l'enlèvement. Les moyens
de défense, justifications ou excuses généraux offerts dans le *Code*
s'appliquent à l'infraction prévue à l'art. 281 tout autant qu'à
l'égard des infractions en général.

18. Il reste à déterminer si, compte tenu des faits de l'espèce, le juge du procès a commis une erreur en concluant qu'il n'y avait aucune preuve permettant à un jury ayant reçu des directives appropriées de déclarer l'intimé coupable de l'infraction reprochée et qu'il y avait donc lieu d'accueillir la requête en non-lieu. C'est une question de droit que j'aborde maintenant.

C. La requête en non-lieu

19. Dans *États-Unis d'Amérique* c. *Shephard*, [1977] 2 R.C.S. 1067, le juge Ritchie a exposé comme suit le critère permettant de déterminer si une requête en non-lieu est fondée, à la p. 1080 :

> [...] le devoir imposé à un « juge de paix » aux termes du par. (1) de l'art. 475 [du *Code criminel*, S.R.C. 1970, ch. C-34] est le même que celui du juge du procès siégeant avec un jury lorsqu'il doit décider si la preuve est « suffisante » pour dessaisir le jury selon qu'il existe ou non des éléments de preuve au vu desquels un jury équitable, ayant reçu des directives appropriées, pourrait conclure à la culpabilité. Conformément à ce principe, j'estime que le « juge de paix » doit renvoyer la personne inculpée pour qu'elle subisse son procès chaque fois qu'il existe des éléments de preuve admissibles qui pourraient, s'ils étaient crus, entraîner une déclaration de culpabilité. [Je souligne.]

20. Dans *R.* c. *Monteleone*, [1987] 2 R.C.S. 154, le juge McIntyre, au nom de la Cour, a appliqué le même critère aux verdicts imposés. À la page 161, il a écrit :

> Lorsqu'on présente au tribunal un élément de preuve admissible, direct ou circonstanciel qui, s'il était accepté par un jury ayant reçu des directives appropriées et agissant de manière raisonnable, justifierait une déclaration de culpabilité, le juge du procès n'est pas justifié d'imposer un verdict d'acquittement. Le juge du procès n'a pas pour fonction d'évaluer la preuve en vérifiant sa force probante ou sa fiabilité lorsqu'on a décidé qu'elle était

admissible. Il n'incombe pas au juge du procès de faire des inférences de fait d'après les éléments de preuve qui lui sont présentés. Ces fonctions incombent au juge des faits, le jury.

Dans l'arrêt *Mezzo* c. *La Reine*, [1986] 1 R.C.S. 802, la majorité a appliqué le critère énoncé dans *Shephard* aux verdicts imposés, et conclu que, même si une affaire est fondée sur une preuve purement circonstancielle, lorsqu'il existe une preuve sur chacun des éléments essentiels de l'infraction, la tâche d'apprécier la preuve ou de trancher la question ultime devrait être laissée au juge des faits. C'est le critère que le juge du procès devait appliquer aux faits de la présente affaire, que je vais maintenant examiner.

D. Application à l'espèce

21. Si j'applique ce critère juridique aux faits de l'espèce, je suis d'avis qu'il existait une preuve sur laquelle un jury ayant reçu des directives appropriées aurait pu se fonder pour conclure que l'intimé savait ou avait prévu que le fait d'enlever ou d'entraîner Tyler priverait certainement ou presque certainement les parents de Tyler de leur capacité d'exercer leur contrôle sur Tyler, c'est-à-dire les priverait de la possession de Tyler, alors âgé de huit ans, un enfant au sens de l'art. 281 du *Code*.

22. La preuve portant sur chaque élément essentiel de l'infraction est la suivante :

1. L'accusé n'est ni le père, ni la mère, ni le tuteur, ni une personne ayant la garde ou la charge légale de la personne âgée de moins de quatorze ans.
Non contestée.

2. L'âge de l'enfant.
Non contestée.

3. L'accusé a enlevé, entraîné, retenu, reçu, caché ou hébergé l'enfant, privant ainsi la personne ayant la garde de cet enfant de la capacité d'exercer un contrôle physique sur lui.

Il y a une preuve du fait que l'intimé a emmené Tyler dans son automobile à divers endroits le long de la rivière des Outaouais. Pendant ce temps, le père de Tyler était incapable de retrouver Tyler ou de communiquer avec lui puisqu'il ignorait où il se trouvait. Il y a donc une preuve indiquant que l'intimé a soustrait Tyler au contrôle de son père qui, par conséquent, était incapable d'exercer son contrôle sur Tyler pendant la période où il a disparu.

4. La conséquence de la privation de la possession devait être dans l'intention de l'accusé en ce sens qu'il souhaitait subjectivement priver les parents de l'enfant de la possession de celui-ci en commettant l'enlèvement, ou qu'il avait prévu que l'enlèvement entraînerait certainement ou presque certainement cette privation, l'enlèvement ayant été commis pour d'autres mobiles.

23. Voici ce qui ressort de la preuve : l'intimé a expliqué au père de Tyler qu'il avait enlevé l'enfant dans l'intention de prendre des photos de lui pour ensuite les donner aux parents; avant de quitter la cour d'école, les autres garçons se sont opposés à ce que Tyler parte avec l'intimé. Ce dernier a néanmoins enlevé Tyler en refusant de dire aux autres garçons où il se rendait; l'intimé a emmené Tyler à 2,9 km de la cour d'école dans son automobile; et le père de Tyler ignorait l'endroit où se trouvait Tyler pendant environ 30 à 90 minutes. Par conséquent, il y a une preuve, et la preuve *in toto*, grâce à laquelle un juge des faits ayant reçu des directives raisonnables pouvait inférer qu'en emmenant l'enfant dans son auto à 2,9 km de la cour d'école où l'enfant jouait, l'intimé, qui ne connaissait pas les parents de ce dernier, avait prévu que son enlèvement aurait certainement ou presque certainement pour effet de priver les parents de la possession de cet enfant.

24. Si cette preuve avait été appréciée à la lumière du critère applicable au verdict imposé et de la juste interprétation des

expressions « unlawfully » (illégalement) et « avec l'intention » de l'art. 281 du *Code*, la requête visant à ce qu'un verdict soit imposé aurait été rejetée.

III. Dispositif

25. Selon une interprétation correcte de l'art. 281 du *Code criminel* et vu la preuve au dossier, le juge du procès a commis une erreur en accueillant la requête visant à obtenir un verdict imposé et la Cour d'appel aurait dû accueillir l'appel. Par conséquent, je suis d'avis d'accueillir le pourvoi, d'infirmer le jugement de la Cour d'appel et d'ordonner un nouveau procès.

Pourvoi accueilli et nouveau procès ordonné.

Procureur de l'appelante : Le ministère du Procureur général, Toronto.

Procureurs de l'intimé : Addelman, Edelson & Meagher, Ottawa.

John Henry Sansregret *Appelant*

c.

Sa Majesté La Reine *Intimée*

RÉPERTORIÉ : R. *c.* SANSREGRET, [1985] 1 R.C.S. 570.

N° du greffe : 18186.

1984 : 11 octobre; 1985 : 9 mai.

Présents : Le juge en chef Dickson et les juges Estey, McIntyre, Chouinard, Lamer, Wilson et Le Dain.

EN APPEL DE LA COUR D'APPEL DU MANITOBA

POURVOI contre un arrêt de la Cour d'appel du Manitoba (1983), 37 C.R. (3d) 45, 25 Man. R. (2d) 123, 10 C.C.C. (3d) 164, [1984] 1 W.W.R. 720, qui a accueilli un appel interjeté par le ministère public de l'acquittement de l'accusé sur une accusation de viol (1983), 34 C.R. (3d) 162, 22 Man. R. (2d) 115. Pourvoi rejeté.

Richard J. Wolson, pour l'appelant.
David Rampersad, c.r., pour l'intimée.

1. **LE JUGE MCINTYRE** : — L'espèce soulève encore une fois la question de l'application du moyen de défense d'erreur de fait dans une affaire de viol. Cette fois, sa pertinence est mise en question relativement à une accusation portée en vertu du sous-al. 143*b*)(i) du *Code criminel*, maintenant abrogé, mais qui était en vigueur au moment où l'affaire est survenue. Compte tenu des changements importants qu'a subi cette partie du droit par suite des modifications adoptées à 1980-81-82-83 (Can.), chap. 125, on pourrait peut-être penser que la question n'a plus beaucoup d'importance, mais il semble que des causes semblables comportant le recours à des moyens de défense semblables peuvent bien se présenter en vertu des nouvelles dispositions du *Code* et il sera encore nécessaire d'examiner les principes applicables.

2. L'appelant, un homme d'une vingtaine d'années, et la plaignante, une femme de trente et un ans, ont vécu ensemble chez la plaignante pendant environ une année avant les événements du 15 octobre 1982. Leurs rapports ont été marqués par des disputes et des dissensions accompagnées de violence de la part de l'appelant; celui-ci parle de gifles et de rudesse, selon elle il s'agit de coups. L'appelant avait quitté la maison pour de courtes périodes, mais en septembre 1982 la plaignante a décidé de mettre fin à leur liaison. Elle a dit à l'appelant de partir, ce qu'il a fait.

3. Le 23 septembre 1982, quelques jours après son départ, l'appelant s'est introduit par effraction dans la maison, vers 4 h 30 du matin. Il était fou de colère contre elle et furieux à cause de son expulsion. Il l'a terrorisée avec un outil semblable à une lime dont il était armé. Elle a eu peur de ce qui pouvait se produire et, pour le calmer, lui a donné quelque espoir de réconciliation puis ils ont eu des rapports sexuels. La plaignante a rapporté cet incident à la police, affirmant qu'elle avait été violée, mais aucune procédure n'a été entreprise. L'agent de probation de l'appelant est intervenu et il y a des éléments de preuve selon lesquels il a demandé à la plaignante de ne pas insister, probablement parce que cela pourrait nuire à la probation de l'appelant.

4. Le 15 octobre 1982, encore une fois vers 4 h 30 du matin, l'appelant s'est introduit par effraction dans la maison de la plaignante par une fenêtre du sous-sol. Elle était seule et, réveillée par l'effraction, elle s'est emparée du téléphone, qui était dans sa chambre, dans le but d'appeler la police. L'appelant s'est emparé d'un couteau de boucherie dans la cuisine et est entré dans la chambre à coucher. Il était furieux et violent. Il l'a accusée d'avoir un autre ami de coeur. Il a arraché le fil du téléphone de la prise et a jeté l'appareil dans le vivoir. Il l'a menacée de son couteau et lui a ordonné d'enlever sa robe de nuit et de se tenir dans l'entrée de la cuisine, vêtue seulement d'une chemise sur les épaules, de sorte qu'il sache bien où elle était pendant qu'il réparait la fenêtre pour cacher son effraction, au cas où la police viendrait. Il l'a frappée à la bouche avec suffisamment de violence pour faire jaillir du

sang et, à trois reprises, il a enfoncé la lame du couteau dans le mur avec beaucoup de force, dont une fois très près d'elle. Il lui a dit que si la police arrivait il lui planterait le couteau dans le corps et a ajouté que s'il l'avait trouvée avec un homme, il les aurait tués tous les deux. À un moment donné, il lui a lié les mains derrière le dos avec un foulard. La plaignante affirme qu'elle a craint pour sa vie et sa santé d'esprit.

5. Vers 5 h 30 du matin, après une heure de ce comportement de la part de l'appelant, elle a essayé de le calmer. Encore une fois, elle a prétendu qu'il y aurait quelque espoir de réconciliation entre eux si l'appelant s'assagissait et se trouvait du travail. Cela a eu l'effet recherché. Il s'est calmé et après quelque conversation, il l'a rejointe au lit et ils ont eu des rapports sexuels. La plaignante a juré qu'elle n'a consenti aux rapports sexuels que dans le seul but de le calmer et d'éviter de subir d'autres actes de violence. C'est quelque chose que, dit-elle, elle avait appris de l'expérience antérieure qu'elle avait eue avec lui. Dans son témoignage elle a dit :

[TRADUCTION] Je n'ai jamais consenti.

J'étais très effrayée. Tout mon corps tremblait. J'étais sûre de faire une crise de nerfs. Je suis venue très près de perdre la raison. Tout ce que je savais c'est que je devais calmer cet homme, sinon il me tuerait.

6. Vers 6 h 45 du matin, après avoir conversé de nouveau avec l'appelant, elle s'est habillée et s'est préparée pour aller travailler. Elle avait un rendez-vous d'affaires à 8 h 00. Elle a conduit l'appelant à un endroit qu'il a choisi lui-même et, pendant le trajet, il lui a remis les clés et l'argent qu'il avait pris dans sa bourse au moment de son arrivée, au petit matin. Tout de suite après l'avoir laissé, elle s'est rendue chez sa mère où elle s'est plainte d'avoir été violée. La police a été appelée et l'appelant arrêté le soir même.

7. L'appelant a été accusé de viol, de séquestration, de vol qualifié, d'introduction par effraction dans l'intention de commettre un acte criminel et de possession d'une arme. Au procès sans jury devant madame le juge Krindle de la Cour de comté de Winnipeg, il a été acquitté de l'accusation de viol, mais déclaré coupable d'introduction par effraction et de séquestration. La Cour d'appel (les juges Matas, Huband et Philp, le juge Philp étant dissident) a accueilli l'appel interjeté par Sa Majesté relativement à l'accusation de viol, a déclaré l'appelant coupable et lui a imposé une sentence de cinq ans d'emprisonnement. La Cour d'appel a jugé que la séquestration était comprise dans le viol. L'appelant se pourvoit en cette Cour en soutenant qu'une personne accusée en vertu du sous-al. 143*b*)(i) du *Code criminel*, tout comme celle accusée en vertu de l'al. *a*), peut invoquer le moyen de défense d'erreur de fait, c.-à-d. en l'espèce qu'il a cru que la plaignante a consenti aux rapports sexuels, et que c'est la sincérité de cette conviction qui est déterminante pour ce qui est du moyen de défense, et non son caractère raisonnable. Il a invoqué l'arrêt *Pappajohn* c. *La Reine*, [1980] 2 R.C.S. 120.

8. L'acte d'accusation énonce ainsi le chef d'accusation de viol :

[TRADUCTION] 1. QUE ledit John Henry Sansregret, une personne du sexe masculin, le 15 octobre 1982 ou vers cette date, dans la ville de Winnipeg, dans le district judiciaire est, province du Manitoba, a eu illégalement des rapports sexuels avec Terry Wood, une personne du sexe féminin qui n'était pas son épouse, avec le consentement de cette dernière qui lui avait été arraché par des menaces ou par la crainte de lésions corporelles.

[...]

9. Devant cette Cour, l'appelant prétend qu'il n'a jamais soupçonné ni jamais eu de motif de soupçonner que la victime avait consenti à cause de ses menaces. Il soutient que tous les faits

et toutes les conclusions du juge du procès étayent cette affirmation. Il nie qu'il y a eu ignorance volontaire et insouciance de sa part et soutient que l'arrêt *Pappajohn* est déterminant en sa faveur.

10. Selon la définition qu'en donne l'al. 143*a*) du *Code criminel*, le viol est évidemment l'acte qui consiste à avoir des rapports sexuels sans consentement. La question qui nous intéresse en l'espèce se pose directement dans une accusation fondée sur l'al. *a*). Cette question est la suivante : L'accusé a-t-il cru sincèrement que la personne du sexe féminin a donné son consentement? C'est sous cette forme que la question a été soulevée dans les arrêts *Pappajohn* et *Morgan*, précités, et *R. v. Plummer and Brown* (1975), 24 C.C.C. (2d) 497 (C.A. Ont.) Bien que ces arrêts soient la source du moyen de défense et de son application lorsque le consentement est en cause, j'estime qu'ils ne s'appliquent pas à une accusation portée en vertu du sous-al. 143*b*)(i) où on présume qu'il y a consentement dès le départ. En d'autres termes, l'existence du consentement est établie et seule sa nature, savoir s'il a été donné librement ou arraché par des menaces, est en cause. Si dans une affaire qui relève du sous-al. 143*b*)(i), l'accusé affirme qu'il a sincèrement cru au consentement de la victime, sa conviction sincère doit englober plus que l'existence de ce consentement. Elle doit comprendre la conviction qu'il a été donné librement et non arraché par des menaces. Je souscris, sous ce rapport, à l'avis du juge Huband. Le moyen de défense s'appliquerait alors, sous réserve de ce qui est dit plus loin au sujet de l'ignorance volontaire, en faveur d'un accusé qui a cru sincèrement que le consentement ne découlait pas de menaces mais qu'il a été donné librement.

11. On a affirmé que le moyen de défense d'erreur de fait repose sur le principe que la conviction erronée, mais sincère, enlève à l'accusé la *mens rea* requise pour qu'il y ait infraction. Dans l'arrêt *Pappajohn*, le juge Dickson de cette Cour a examiné la question de la *mens rea* requise pour qu'il y ait déclaration de culpabilité de viol. Il a passé en revue la jurisprudence des tribunaux anglais, australiens et canadiens sur la question. Il n'est pas nécessaire ici de mentionner de nouveau la jurisprudence analysée,

mais on peut en résumer l'effet et les conclusions que le juge Dickson en a tirées. Il fait observer ce qui suit à la p. 140 : « L'*actus reus* du viol est complet lorsqu'il y a a) des rapports sexuels; b) sans consentement ». En vertu du sous-al. 143*b*)(i), je substituerais : « b) avec consentement s'il est arraché par des menaces ou par la crainte de lésions corporelles ». Il soulève ensuite la question de savoir si, en *common law* et selon l'art. 143 du *Code criminel*, l'intention coupable dans le cas du viol s'étend au consentement. Il conclut par l'affirmative et dit, à la p. 145 :

> On voit donc que la jurisprudence penche lourdement en faveur de l'opinion que la perception qu'a l'accusé du consentement de la femme est un élément important de toute poursuite pour viol.

En guise de conclusion sur ce point, il affirme à la p. 146 :

> En résumé, il faut établir l'intention ou l'insouciance à l'égard de tous les éléments de l'infraction, y compris l'absence de consentement. Cela étend simplement au viol une intention du même genre que celle que l'on requiert dans les autres crimes.

Je suis d'avis de conclure alors que la *mens rea* requise dans le cas d'un viol, en vertu de l'al. 143*a*) du *Code*, doit comporter la connaissance du fait que la personne du sexe féminin n'est pas consentante ou l'insouciance quant à savoir si elle est consentante ou non et, dans le cas du sous-al. 143*b*)(i), la connaissance du fait que le consentement a été donné à cause des menaces ou de la crainte de lésions corporelles, ou l'insouciance quant à la nature de ce consentement. Il s'ensuit, comme cette Cour l'a conclu à la majorité dans l'arrêt *Pappajohn*, que la conviction sincère, même déraisonnable, de la part de l'accusé que la personne du sexe féminin a consenti aux rapports sexuels librement et volontairement et non à cause de menaces a pour effet d'écarter la *mens rea* requise au sous-al. 143*b*)(i) du *Code* et de permettre à l'accusé de bénéficier d'un acquittement.

12. Le concept de l'insouciance comme fondement de la responsabilité criminelle a fait l'objet de nombreux débats. La négligence, c'est-à-dire l'absence de diligence raisonnable, est un concept de droit civil qui, de façon générale, ne s'applique pas pour déterminer la responsabilité criminelle. Néanmoins, elle est souvent confondue avec l'insouciance au sens criminel et il faut prendre bien soin de distinguer les deux concepts. La négligence s'apprécie selon le critère objectif de la personne raisonnable. La dérogation à sa conduite pondérée habituelle, sous la forme d'un acte ou d'une omission qui démontre un niveau de diligence inférieur à ce qui est raisonnable, entraîne une responsabilité en droit civil mais ne justifie pas l'imposition de sanctions criminelles. Conformément aux principes bien établis en matière de détermination de la responsabilité criminelle, l'insouciance doit comporter un élément subjectif pour entrer dans la composition de la *mens rea* criminelle. Cet élément se trouve dans l'attitude de celui qui, conscient que sa conduite risque d'engendrer le résultat prohibé par le droit criminel, persiste néanmoins malgré ce risque. En d'autres termes, il s'agit de la conduite de celui qui voit le risque et prend une chance. C'est dans ce sens qu'on emploie le terme « insouciance » en droit criminel et il est nettement distinct du concept de négligence en matière civile.

13. De prime abord, on pourrait croire ou penser qu'un homme qui intimide et menace une femme et obtient par la suite son consentement à des rapports sexuels devrait savoir que le consentement obtenu découle de ces menaces. Si on ne peut lui imputer la connaissance précise de la nature du consentement, alors on pourrait croire qu'il y a, à tout le moins, insouciance de sa part. On pourrait donc dire que la présente affaire aurait pu être tranchée en fonction de l'insouciance. Toutefois, le juge du procès ne l'a pas fait en raison de son application du moyen de défense d'« erreur de fait ».

14. En réalité, il y avait de nombreux éléments de preuve sur lesquels le juge du procès pouvait se fonder pour conclure à l'insouciance. Après une période orageuse de cohabitation, la

plaignante a chassé l'appelant de chez elle en septembre 1982, démontrant ainsi qu'elle ne voulait plus de lui. L'appelant s'est introduit par effraction chez elle le 23 septembre et il y a fait une scène qui a entraîné des rapports sexuels auxquels la plaignante a consenti par crainte pour sa vie. Cet incident a entraîné le dépôt d'une plainte à la police et l'intervention de l'agent de probation de l'appelant. Aux petites heures du matin, le 15 octobre, il s'est de nouveau introduit par effraction chez la plaignante et a répété le même scénario sur lequel se fondent les présentes accusations.

15. Il y avait également des éléments de preuve qui permettent nettement de conclure que l'appelant savait qu'une plainte de viol avait été déposée relativement au premier incident. Bien que la plaignante se soit plainte de l'incident auprès de la police, aucune accusation n'a été portée. Elle a été persuadée de ne pas donner suite à l'affaire par l'agent de probation de l'appelant qui avait fait des démarches auprès d'elle et lui avait dit qu'il trouverait un emploi à Sansregret si elle ne portait pas d'accusations. Un policier a témoigné au sujet de la conversation qu'il a eue avec Sansregret après son arrestation. Quand on lui a demandé pourquoi il avait fui les policiers lorsqu'ils se sont approchés de lui dans la soirée du 16 octobre, l'appelant a répondu : [TRADUCTION] « Auparavant, elle a déjà téléphoné à la police à mon sujet. » Cette réponse a été confirmée par Sansregret lors de l'interrogatoire principal, mais niée pendant le contre-interrogatoire. Sansregret a reconnu qu'il savait que son agent de probation avait communiqué avec la plaignante au sujet de l'incident survenu en septembre et qu'il savait qu'il n'était pas le bienvenu chez elle. Il y avait donc des preuves que l'appelant connaissait son attitude envers lui, qu'il savait qu'elle s'était plainte à la police au sujet de l'incident du 23 septembre et qu'il savait que c'était grâce uniquement à l'intervention de son agent de probation que des accusations n'avaient pas été portées suite à cet incident. Je ne suis donc pas d'accord avec le juge du procès qui, à mon avis, a commis une erreur en ne concluant pas que l'appelant savait que la plaignante s'était plainte d'avoir été violée par suite de l'incident du 23 septembre.

16. Il est évident que, n'eût été du moyen de défense d'erreur de fait, le juge du procès aurait déclaré l'appelant coupable de viol. Le juge a estimé que la conviction exprimée par l'appelant qu'il y avait eu consentement était sincère et que, par conséquent, compte tenu de l'arrêt *Pappajohn*, même si cette conviction était déraisonnable, comme le juge l'a manifestement cru, il avait le droit d'être acquitté. Cette application du moyen de défense d'erreur de fait pourrait se justifier n'était-ce du fait que le juge du procès a en outre conclu que l'appelant a ignoré volontairement la réalité dans son comportement du 15 octobre. Une telle conclusion a eu pour effet d'empêcher l'application du moyen de défense et d'engendrer un résultat différent. Par conséquent, je suis d'avis que le juge du procès a commis une erreur sur cette question parce que, bien qu'elle ait tiré les conclusions de fait nécessaires portant que l'appelant a ignoré volontairement les conséquences de ses actes, elle ne les a pas appliquées conformément à la loi.

17. On a dit que le concept de l'ignorance volontaire dans des circonstances comme celles qui se présentent en l'espèce est une forme d'insouciance. Bien que ce puisse fort bien être vrai, il est sage de maintenir la distinction entre les deux concepts, parce qu'ils découlent d'attitudes psychologiques différentes et entraînent des résultats différents sur le plan juridique. Une conclusion d'insouciance en l'espèce ne pouvait pas l'emporter sur le moyen de défense d'erreur de fait. L'appelant fait valoir qu'il a cru sincèrement que le consentement de la plaignante n'était pas dû à la crainte et à des menaces. Le juge du procès a conclu à l'existence de cette conviction sincère. D'après les faits de l'espèce, en raison de la conduite insouciante de l'appelant, on ne pouvait pas dire qu'une telle conviction était raisonnable, mais, comme on l'a conclu dans l'arrêt *Pappajohn*, le seul fait que la conviction est sincère justifie le moyen de défense d'« erreur de fait », même si elle est déraisonnable. Par contre, une conclusion d'ignorance volontaire quant aux faits mêmes au sujet desquels on fait maintenant valoir qu'il y a eu conviction sincère ne permettrait pas d'appliquer le moyen de défense parce que, lorsque l'on démontre qu'il y a eu ignorance volontaire, la loi présume qu'il y avait connaissance

de la part de l'accusé, en l'espèce qu'il savait que le consentement avait été arraché par des menaces.

18. L'ignorance volontaire diffère de l'insouciance parce que, alors que l'insouciance comporte la connaissance d'un danger ou d'un risque et la persistance dans une conduite qui engendre le risque que le résultat prohibé se produise, l'ignorance volontaire se produit lorsqu'une personne qui a ressenti le besoin de se renseigner refuse de le faire parce qu'elle ne veut pas connaître la vérité. Elle préfère rester dans l'ignorance. La culpabilité dans le cas d'insouciance se justifie par la prise de conscience du risque et par le fait d'agir malgré celui-ci, alors que dans le cas de l'ignorance volontaire elle se justifie par la faute que commet l'accusé en omettant délibérément de se renseigner lorsqu'il sait qu'il y a des motifs de le faire. Ces principes sont illustrés notamment par des arrêts comme *R.* v. *Wretham* (1971), 16 C.R.N.S. 124 (C.A. Ont.); *R.* v. *Blondin* (1970), 2 C.C.C. (2d) 118 (C.A.C.-B.), pourvoi rejeté en cette Cour à (1971), 4 C.C.C. (2d) 566 (voir [1971] R.C.S. v, non publié); *R.* v. *Currie* (1975), 24 C.C.C. (2d) 292 (C.A. Ont.); *R.* v. *McFall* (1975), 26 C.C.C. (2d) 181 (C.A.C.-B.); *R.* v. *Aiello* (1978), 38 C.C.C. (2d) 485 (C.A. Ont.); *Roper* v. *Taylor's Central Garages (Exeter), Ltd.*, [1951] 2 T.L.R. 284. La doctrine aborde également le sujet, particulièrement Glanville Williams (*Criminal Law: The General Part*, 2nd ed., 1961, aux pp. 157 à 160). Il affirme, à la p. 157:

> [TRADUCTION] La connaissance s'entend alors soit de la connaissance personnelle soit (comme dans les affaires relatives à des licences) de la connaissance présumée. Dans l'un ou l'autre cas, il y a quelqu'un qui a une connaissance réelle. Il y a une seule exception bien définie à l'exigence de la connaissance réelle. Les gens considèrent facilement leurs soupçons comme non fondés s'il y va de leur avantage. Face à cela, la règle veut que celui qui a des doutes, mais omet délibérément de se renseigner parce qu'il préfère demeurer dans l'ignorance, est présumé avoir connaissance.

Il mentionne ensuite les paroles de lord Sumner dans *The Zamora No. 2*, [1921] 1 A.C. 801, aux pp. 811 et 812, une affaire où un navire et sa cargaison ont été déclarés contrebande par la Prize Court. Le directeur de la compagnie d'expédition a nié savoir que le navire transportait de la marchandise de contrebande et lord Sumner a fait le commentaire suivant à ce propos, aux pp. 811 et 812 :

[TRADUCTION] Lord Sterndale (le président de la Prize Court) exprime ainsi sa conclusion définitive : « Je crois qu'il faut conclure que si M. Banck ne savait pas qu'il s'agissait là d'une opération de contrebande, c'est parce qu'il ne voulait pas le savoir et qu'il n'a pas repoussé la présomption découlant du fait que toute la cargaison était de la contrebande. »

Leurs seigneuries ont été invitées à interpréter cela comme signifiant qu'il n'a pas été prouvé que M. Banck connaissait le caractère de contrebande de l'expédition; que s'il ne le savait pas parce qu'il ne voulait pas le savoir, il en avait le droit et n'avait aucune obligation envers les belligérants de se renseigner; et que le *Zamora* est condamné contrairement à l'extrait déjà cité de l'arrêt *The Hakan*, [1918] A.C. 148, sur la présomption en droit qui découle uniquement et de façon arbitraire du fait que toute la cargaison était de la contrebande. Il se peut que dans son souci de ne pas dépasser sa pensée en exprimant ses conclusions défavorables à M. Banck le savant président semble dire moins, mais il y a deux manières de dire qu'une personne ne sait pas quelque chose parce qu'elle ne veut pas le savoir. Une chose peut être troublante à apprendre et la connaissance qu'on en a peut être sans intérêt ou désagréable. Refuser d'en savoir plus sur la question ou de savoir quoi que ce soit constitue alors de l'ignorance volontaire mais réelle. D'autre part, on peut dire qu'une personne ne sait pas quelque chose parce qu'elle ne veut pas le savoir alors que l'essence de la chose est présente à son esprit avec la conviction que toutes les particularités ou les preuves précises peuvent être dangereuses parce qu'elles peuvent gêner ses dénégations ou compromettre ses protestations. Dans ce cas, une personne s'illusionne en pensant que s'il est prudent de ne pas savoir, ce serait folie d'être sage, mais en cela elle a tort puisqu'elle a déjà des doutes et, bien qu'elle soit réelle et totale, son ignorance n'est que prétention et mascarade.

Glanville Williams signale cependant que la règle de l'ignorance volontaire comporte des dangers et a une application limitée. Il dit, à la p. 159 :

> [TRADUCTION] La règle selon laquelle l'ignorance volontaire équivaut à la connaissance est essentielle et se rencontre partout dans le droit criminel. En même temps, c'est une règle instable parce que les juges sont susceptibles d'en oublier la portée très limitée. Une cour peut valablement conclure à l'ignorance volontaire seulement lorsqu'on peut presque dire que le défendeur connaissait réellement le fait. Il le soupçonnait; il se rendait compte de sa probabilité; mais il s'est abstenu d'en obtenir confirmation définitive parce qu'il voulait, le cas échéant, être capable de nier qu'il savait. Cela, et cela seulement, constitue de l'ignorance volontaire. Il faut en effet qu'il y ait conclusion que le défendeur a voulu tromper l'administration de la justice. Toute définition plus générale aurait pour effet d'empêcher la distinction entre la doctrine de l'ignorance volontaire et la doctrine civile de la négligence de se renseigner.

Le professeur Stuart aborde aussi ce sujet dans *Canadian Criminal Law*, 1982, aux pp. 130 et suiv. où il traite de son rapport avec l'insouciance.

19. À mon avis, l'espèce comporte un ensemble de circonstances qui permettent d'appliquer la règle de « l'ignorance volontaire ». J'ai souligné les circonstances qui forment le contexte. J'ai mentionné les conclusions du juge du procès selon lesquelles l'appelant s'est fermé les yeux devant l'évidence et ne s'est pas renseigné sur la nature du consentement donné. Si la preuve soumise à cette Cour se limitait aux événements du 15 octobre, il serait en effet difficile de conclure à l'ignorance volontaire. Imputer une responsabilité criminelle en fonction de ce seul incident

reviendrait presque à appliquer un critère de présomption qu'il aurait dû savoir qu'elle consentait par crainte. Il en va cependant autrement lorsque les éléments de preuve révèlent l'incident antérieur et la plainte de viol qui en a résulté, et dont l'accusé avait, comme je l'ai déjà dit, manifestement eu connaissance. Considérant l'ensemble de la preuve, il n'est pas nécessaire d'appliquer de critère de présomption de connaissance. L'appelant connaissait la réaction probable de la plaignante à ses menaces. Avoir des rapports sexuels dans ces circonstances équivaut, à mon avis, à s'illusionner à tel point que cela constitue de l'ignorance volontaire.

20. À mon avis, le juge du procès a commis une erreur en faisant droit au moyen de défense d'« erreur de fait » dans ces circonstances qui lui ont fait conclure que la plaignante avait consenti par crainte et que l'appelant s'est volontairement fermé les yeux devant les circonstances en présence, voyant seulement ce qu'il souhaitait voir. Lorsque l'accusé ignore un fait délibérément parce qu'il se ferme lui-même les yeux devant la réalité, le droit présume qu'il y a connaissance, en l'espèce connaissance de la nature du consentement. Il n'y a donc pas lieu d'appliquer ce moyen de défense.

21. On ne doit pas interpréter cela comme un éloignement de la position adoptée dans l'arrêt *Pappajohn*, selon laquelle il n'est pas nécessaire que la conviction sincère soit raisonnable. Il ne faut pas conclure que, chaque fois qu'un accusé a une conviction sincère mais déraisonnable, il ne pourra pas se prévaloir du moyen de défense d'erreur de fait. L'espèce repose sur un principe différent. Après s'être volontairement fermé les yeux devant les faits, la possibilité que l'accusé puisse conserver ce qu'on pourrait appeler une conviction sincère, dans le sens qu'il n'a pas de connaissance précise de faits contraires, ne constitue pas un moyen de défense parce que, lorsque l'accusé ferme délibérément les yeux devant la réalité, la loi détermine qu'il a une connaissance réelle et sa croyance en un autre état de choses est sans importance.

22. Je suis d'avis de rejeter le pourvoi.

Pourvoi rejeté.

Procureurs de l'appelant : Walsh, Micay and Company, Winnipeg.

Procureur de l'intimée : Le ministère du Procureur général de la province du Manitoba, Winnipeg.

Sa Majesté La Reine   *Appelante*

c.

Arthur Thomas Tutton   *Intimé*

et

Carol Anne Tutton   *Intimée*

RÉPERTORIÉ : R. *c.* TUTTON, [1989] 1 R.C.S. 1392.

Nᵒ du greffe : 19284.

1987 : 10 novembre; 1989 : 8 juin.

Présents : Le juge en chef Dickson et les juges Beetz, Estey*, McIntyre, Lamer, Wilson, Le Dain*, La Forest et L'Heureux-Dubé.

EN APPEL DE LA COUR D'APPEL DE L'ONTARIO

Version française des motifs des juges McIntyre et L'Heureux-Dubé rendus par

1. **LE JUGE McINTYRE** : — Ce pourvoi soulève de nouveau la question de la négligence criminelle, que définit l'art. 202 du *Code criminel*, S.R.C. 1970, c. C-34 et le critère qu'un jury doit appliquer dans un cas particulier.

2. Les intimés, Carol Anne Tutton et Arthur Thomas Tutton, étaient les parents d'un enfant de cinq ans, Christopher Tutton, qui est décédé le 17 octobre 1981. À la suite d'un procès devant un juge et un jury, les Tutton ont été reconnus coupables d'homicide involontaire coupable en raison de la mort de leur fils. Ils ont fait appel de la déclaration de culpabilité prononcée contre eux. La Cour d'appel (les juges Dubin, Goodman et Tarnopolsky), dans un jugement rédigé pour la cour par le juge Dubin (tel était alors son titre), a accueilli les appels, annulé les déclarations de culpabilité et ordonné de nouveaux procès. Le présent pourvoi est

interjeté par le ministère public, sur autorisation accordée le 23 mai 1985.

3. Selon la preuve incontestée sur ce point, les Tutton passaient auprès de leurs concitoyens pour des gens honnêtes et intègres, ainsi que des parents affectueux et conscients de leurs responsabilités. Ils étaient aussi profondément religieux et appartenaient à une secte qui croit à la guérison par la foi. Leurs convictions religieuses ne les empêchaient pas de rechercher et de suivre des avis médicaux ni de prendre des médicaments, mais ils croyaient que l'intervention divine pouvait effectuer miraculeusement la guérison de maladies et de maux qui dépassent les possibilités de la science médicale contemporaine.

4. En avril 1979, leur médecin de famille, un généraliste nommé Love, a diagnostiqué le diabète chez Christopher Tutton et il l'a fait entrer à l'hôpital; l'enfant y est resté quelques semaines. Pendant qu'il était à l'hôpital, sa mère a assisté à des cours dispensés dans un centre d'information sur le diabète où elle a appris à donner des injections d'insuline et a reçu des renseignements sur l'effet de l'alimentation et de l'exercice sur le diabète et les diabétiques. En juillet 1979, elle a également suivi des séminaires pendant toute une semaine dans une clinique spécialisée dans le diabète de l'enfance afin de mieux comprendre la maladie de son fils et d'apprendre à y faire face. Il existe à cet égard des éléments de preuve qui permettaient au jury de conclure que Mme Tutton était devenue compétente pour traiter la maladie de son fils sous la surveillance générale du médecin de famille.

5. Tout au long de la maladie de leur fils, le souci principal des Tutton était d'obtenir sa guérison. Tous deux croyaient que se produirait une guérison spirituelle. Ils ont discuté de cette possibilité avec le docteur Love, qui considérait impossible une guérison miraculeuse et, en novembre 1979, un spécialiste du Sick Children's Hospital de Toronto a avisé les intimés que leur fils ne pourrait jamais cesser ses injections d'insuline. Il a dit aux intimés de ne pas mettre fin au traitement à l'insuline. Cependant, le

2 octobre 1980, Mme Tutton a cessé de donner de l'insuline à son enfant parce qu'elle croyait que le Saint-Esprit avait commencé sa guérison. En l'espace de deux jours, l'enfant est devenu assez malade et a été transporté au service d'urgence d'un hôpital. Le médecin qui s'est occupé de l'enfant a dit qu'à son arrivée à l'hôpital, l'enfant était dangereusement malade, souffrant d'acidose diabétique, trouble potentiellement fatal dû à l'absence d'insuline. Le médecin a admonesté les parents quand il a appris qu'ils avaient délibérément privé leur fils d'insuline. Il leur a dit que leur enfant aurait besoin d'insuline toute sa vie et, après cet incident, M. Tutton a assuré au médecin qu'à l'avenir, son fils ne serait pas privé d'insuline sans qu'un médecin ait été consulté. Toutefois, un an plus tard, l'insuline a été de nouveau retirée. Mme Tutton croyait avoir eu une vision divine dans laquelle Christopher était guéri, l'insuline ne lui était plus nécessaire et Dieu prendrait soin de son fils. Les injections d'insuline ont cessé le 14 octobre 1981. Monsieur Tutton n'a pas été mis au courant du retrait de l'insuline avant le 15 octobre mais quand il l'a appris il a donné son accord. L'enfant est rapidement tombé malade. Le 17 octobre, il a été transporté à l'hôpital, où son décès a été constaté à son arrivée. Selon le médecin légiste qui a procédé à l'examen de l'enfant après son décès, sa mort était due à des complications causées par l'hyperglycémie diabétique. Les intimés ont été conjointement accusés d'homicide involontaire coupable aux termes d'un acte d'accusation qui contenait notamment ce qui suit :

[TRADUCTION] **ARTHUR TUTTON ET CAROL TUTTON** sont accusés d'avoir causé, par négligence criminelle, la mort de leur enfant Christopher Tutton, âgé de cinq ans, entre le 14 octobre 1981 et le 17 octobre 1981, inclusivement, dans le canton de Wilmot, district judiciaire de Waterloo, et plus précisément, d'avoir, sans excuse légitime, omis de fournir à leur enfant, Christopher Tutton, comme ils étaient tenus de le faire, les choses nécessaires à l'existence, montrant de la sorte une insouciance déréglée et téméraire à l'égard de la vie ou de la sécurité dudit Christopher Tutton et commettant ainsi un homicide involontaire coupable, en violation du Code criminel.

Les détails donnés précisaient :

[TRADUCTION] Il est en outre précisé que lesdits Arthur Tutton et Carol Tutton ont omis, sans excuse légitime et lorsque leur fils Christopher en avait besoin,
(1) de lui donner de l'insuline,
(2) de lui procurer des soins médicaux en temps utile.

6. Les dispositions législatives pertinentes considérées par les tribunaux d'instance inférieure sont les suivantes :

197. (1) Toute personne est légalement tenue

a) *en qualité de père ou de mère, par le sang ou par adoption, de tuteur ou de chef de famille, de fournir les choses nécessaires à l'existence d'un enfant de moins de seize ans;*

[...]

(2) Commet une infraction, quiconque, ayant une obligation légale au sens du paragraphe (1), omet, sans excuse légitime, dont la preuve lui incombe, de remplir cette obligation, si

a) *à l'égard d'une obligation imposée par l'alinéa (1)*a) *ou* b),

(i) la personne envers laquelle l'obligation doit être remplie se trouve dans le dénuement ou dans le besoin, ou

(ii) l'omission de remplir l'obligation met en danger la vie de la personne envers laquelle cette obligation doit être remplie, ou expose, ou est de nature à exposer, à un péril permanent la santé de cette personne; ou

[...]

202. (1) Est coupable de négligence criminelle quiconque,

a) *en faisant quelque chose, ou*

b) *en omettant de faire quelque chose qu'il est de son devoir d'accomplir,*

montre une insouciance déréglée ou téméraire à l'égard de la vie ou de la sécurité d'autrui.

(2) Aux fins du présent article, l'expression « devoir » signifie une obligation imposée par la loi.

7. Au procès, la défense a fait valoir que, dans la mesure où la preuve de la poursuite reposait sur l'omission des Tutton de fournir de l'insuline à leur fils, ceux-ci croyaient sincèrement que Christopher avait été guéri par l'intervention divine et que, par conséquent, il n'était plus nécessaire de lui donner de l'insuline. Cela leur permettrait d'opposer la défense de la croyance sincère bien qu'erronée en l'existence de circonstances qui, si elles étaient présentes, rendraient leur conduite non coupable. La défense a aussi soutenu que, dans la mesure où la poursuite se fondait sur le défaut des Tutton de fournir à leur fils des soins médicaux en temps utile, ceux-ci ne se rendaient pas compte qu'il était sérieusement malade en raison du retrait de l'insuline, et qu'en conséquence, on ne saurait dire que, de ce point de vue, leur conduite montrait une insouciance déréglée ou téméraire à l'égard de la vie ou de la sécurité de leur fils.

8. On peut lire le jugement de la Cour d'appel au (1985), 18 C.C.C. (3d) 328. Le juge Dubin, après avoir étudié les faits, a noté que l'acte d'accusation, tel qu'il était rédigé, faisait état de deux infractions : l'homicide involontaire coupable, et l'omission de fournir les choses nécessaires à l'existence en vertu de l'art. 197 du *Code criminel*. Il a reconnu que cela compliquait l'exposé au jury qui portait, d'une part, sur une accusation d'homicide involontaire coupable à l'égard duquel le fardeau de la preuve hors de tout doute raisonnable incombait entièrement à la poursuite et, d'autre part, sur une accusation pour laquelle la poursuite n'avait qu'à faire la preuve hors de tout doute raisonnable de l'obligation de fournir les choses nécessaires à l'existence et de l'inexécution de cette obligation, alors que les accusés étaient tenus, pour se

disculper, de démontrer, suivant la prépondérance des probabilités, l'existence d'une excuse légitime. Dans ses motifs, le juge
Dubin a reproduit de longs extraits de l'exposé au jury et il a conclu que les jurés pouvaient ne pas avoir bien compris le fardeau de
la preuve et avoir eu l'impression que les accusés étaient tenus
d'apporter la preuve d'une excuse, tant à l'égard de l'omission de
fournir les choses nécessaires à l'existence qu'à l'égard de l'accusation d'homicide involontaire coupable.

9. L'exposé au jury me paraît être un exposé exact du droit,
quand il traite du fardeau de la preuve en matière d'homicide
involontaire coupable. Au risque d'une répétition inutile, je vais
reproduire la partie de l'exposé au jury relative à l'homicide involontaire coupable visée par le juge Dubin à la p. 335 du recueil :

[TRADUCTION] Pour que l'acte d'accusation soit retenu, la poursuite doit vous convaincre, hors de tout doute raisonnable, de
chacun des éléments suivants :

Que les Tutton étaient tenus de fournir à Christopher les choses
nécessaires à l'existence ;

Qu'ils ont omis de le faire sans excuse légitime ;

Qu'en omettant de le faire, ils ont montré une insouciance déréglée
ou téméraire à l'égard de la vie ou de la sécurité de Christopher ;

et que c'est cette omission ou ce défaut qui ont causé sa mort.

et plus loin, il dit :

[TRADUCTION] Un autre élément que la poursuite doit établir est
que les accusés ont omis de fournir à Christopher de l'insuline et
des soins médicaux en temps utile sans excuse légitime, le mot
excuse s'entendant évidemment d'une excuse en droit. Une excuse
légitime pourrait être que la personne concernée n'a pas l'argent

nécessaire pour acheter de l'insuline, ou qu'en raison d'une quelconque incapacité personnelle ou physique, elle est incapable d'obtenir l'insuline, ou encore qu'elle ne sait pas comment l'administrer. Ce n'est pas une excuse légitime que d'avoir certaines convictions religieuses selon lesquelles il ne serait pas bien de donner de l'insuline ou encore selon lesquelles Dieu aurait dit qu'il n'est pas nécessaire de donner de l'insuline à un enfant. La loi du pays est prépondérante et elle doit être respectée par tous sans exception.

10. *Résumons donc. Pour que l'acte d'accusation soit retenu, la poursuite doit vous convaincre, hors de tout doute raisonnable. Premièrement, que les Tutton étaient tenus de fournir à Christopher les choses nécessaires à l'existence, c'est-à-dire son injection quotidienne d'insuline et des soins médicaux en temps utile. Qu'ils ont omis de le faire sans excuse légitime.* Qu'en omettant de le faire, ils ont montré une insouciance déréglée ou téméraire à l'égard de la vie ou de la sécurité de leur enfant, et enfin, que c'est cette omission ou ce défaut qui ont causé la mort de Christopher. Si la poursuite vous a persuadés de ce qui précède, vous devez alors rendre un verdict de culpabilité relativement à cet acte d'accusation. [Italiques dans le texte original.]

11. Le juge Dubin a convenu que, dans cette partie de l'exposé, l'obligation de réfuter la présence d'une excuse légitime était imposée à la poursuite, mais il a ensuite reporté son attention sur une autre partie de l'exposé au jury, à la p. 336, que je reproduis également:

[TRADUCTION] J'ai déjà passé en revue tous les éléments essentiels de l'acte d'accusation et je n'ai pas l'intention de les revoir de nouveau avec vous.

Les deux premiers éléments ne vous causeront pas de problème. Ces deux éléments sont que les accusés sont les parents de

Christopher et que ce dernier était âgé de moins de seize ans. Cela a été reconnu.

12. Passons à la question suivante. La poursuite a-t-elle prouvé, hors de tout doute raisonnable, qu'ils ont omis de fournir à leur fils les choses nécessaires à l'existence. Je vous ai déjà mis au fait du droit sur ce point.

13. Finalement, la poursuite doit prouver, hors de tout doute raisonnable, que leur omission de fournir à leur enfant les choses nécessaires à l'existence a mis sa vie en danger.

14. Or, même si la poursuite fait la preuve de ces éléments, cela ne règle pas la question. *Vous devez ensuite déterminer si les accusés ont prouvé qu'ils avaient une excuse légitime qui leur permettrait d'être acquittés. On a déjà discuté avec vous de la question de l'excuse légitime, et je vous ai indiqué qu'elle doit être déterminée compte tenu de tous les faits propres aux circonstances de l'espèce.*

15. J'ai revu avec vous les éléments de preuve et l'explication des accusés concernant la raison pour laquelle ils ont cessé de donner de l'insuline à leur fils, et j'ai aussi examiné avec vous ce qui constitue une excuse légitime. Je vous ai dit qu'il incombait aux accusés de prouver qu'ils avaient une excuse légitime. Le Parlement a édicté cette disposition particulière. Mais ce fardeau qui incombe aux accusés n'est pas aussi lourd que celui imposé à la poursuite. La poursuite doit faire la preuve de tous les éléments de l'infraction hors de tout doute raisonnable. Le fardeau qui incombe aux accusés, en ce qui concerne la preuve de l'excuse légitime, consiste simplement à démonter que, selon la prépondérance des probabilités, ils avaient une excuse légitime.

16. Donc, si la prépondérance des probabilités va en faveur des accusés et de l'excuse légitime qu'ils ont invoquée, ils méri-

tent d'être acquittés. Par contre, si la prépondérance des probabilités va contre les accusés et s'ils n'ont pas fait la preuve de l'excuse légitime, alors que la poursuite a prouvé tout ce qu'elle avait à prouver, hors de tout doute raisonnable, vous devez rendre un verdict de culpabilité. Et si, en ce qui concerne la question de l'excuse légitime, vous ne pouvez trancher ni dans un sens ni dans l'autre, c'est que les accusés ne se sont pas acquittés de l'obligation qui leur incombait, ils n'ont pas fait la preuve d'une excuse légitime, et vous devez les déclarer coupables. [Italiques dans le texte original.]

17. Le juge Dubin a considéré que ces commentaires avaient pu donner l'impression au jury, aussi bien en ce qui concerne la question sous-jacente visant les choses nécessaires à l'existence que le chef d'accusation lui-même, soit l'homicide involontaire coupable, que les accusés étaient tenus de démontrer que, selon la prépondérance des probabilités, ils avaient une excuse légitime. Il a considéré que cela était cause d'une erreur donnant lieu à révision et qu'en conséquence, un nouveau procès s'imposait.

18. Je suis d'accord avec lui sur ce point en raison des complications suscitées par la forme de l'acte d'accusation et de la confusion concernant le fardeau de la preuve, qui variait selon les différents aspects du chef d'accusation. À mon sens, cela suffirait pour décider du pourvoi, mais vu la nature de cette affaire, le juge Dubin s'est senti obligé d'aller plus loin et de traiter d'autres questions soulevées par les parties. Cette Cour doit donc faire certains commentaires.

19. L'acte d'accusation et les détails donnés ont déjà été reproduits et, naturellement, la poursuite est liée par ce qu'elle a plaidé. La poursuite a allégué que les appelants ont causé la mort de leur fils par négligence criminelle et qu'ils sc sont ainsi rendus coupables d'homicide involontaire coupable. Elle a précisé ses allégations dans l'acte d'accusation et aussi dans les chefs d'accusation, soutenant que les appelants ont, sans excuse valable, omis de fournir à leur fils les choses nécessaires à l'existence, comme

ils y étaient tenus. Cette omission est le fondement de l'allégation d'insouciance déréglée et téméraire à l'égard de la vie ou de la sécurité de l'enfant, et elle est le seul fondement sur lequel peut reposer le chef d'accusation d'homicide involontaire coupable. Il est donc clair que, même si les appelants sont accusés d'un acte criminel particulier, l'homicide involontaire coupable, on ne peut en faire la preuve qu'en établissant la perpétration d'une infraction différente, prévue au par. 197(2) du *Code criminel* et à l'égard de laquelle il incombe aux accusés de prouver qu'ils avaient une excuse légitime.

20. Un exposé au jury dans de telles circonstances est une tâche difficile et, à mon sens, le juge du procès doit tenir nettement distincts les deux infractions ou les éléments des infractions à examiner. On peut y arriver par une étude de l'accusation en deux temps. Le premier, à mon avis, consisterait à examiner l'infraction sous-jacente prévue au par. 197(2) du *Code*, car en vertu de l'acte d'accusation tant que cette question n'a pas été réglée, il n'est pas possible d'aborder la question de l'homicide involontaire coupable dont les intimés sont accusés. Le jury doit recevoir des directives quant aux éléments de l'infraction prévue à l'art. 197 et être avisé que, pour rendre un verdict de culpabilité en vertu de cet article, il doit être convaincu hors de tout doute raisonnable que les accusés étaient tenus de fournir à leur fils les choses nécessaires à l'existence et qu'ils ont omis de le faire sans excuse légitime. Si le jury n'en est pas convaincu, il doit acquitter les accusés et ne pas aller plus loin, car tout le fondement de l'allégation d'homicide involontaire coupable disparaît. Cependant, si le jury devait conclure que les accusés ont omis de fournir les choses nécessaires à l'existence de leur fils sans excuse légitime, il serait alors tenu de procéder plus avant et de se demander si les accusés, en agissant de la sorte, ont montré une insouciance déréglée ou téméraire à l'égard de la vie ou de la sécurité de leur fils. Si le jury était convaincu hors de tout doute raisonnable qu'une telle conduite avait été démontrée et qu'elle avait causé la mort de l'enfant, il serait tenu de rendre un verdict d'homicide involontaire coupable; selon le présent acte d'accusation, c'est la seule façon de parvenir à un tel verdict. Si, par ailleurs, le jury n'était pas convaincu

de ce qui précède, il aurait l'obligation d'acquitter les accusés de
l'accusation d'homicide involontaire coupable. Si, toutefois, le jury
était convaincu que la victime avait été privée des choses nécessaires à l'existence, mais s'il n'était pas certain que cette privation
avait causé sa mort, le jury pourrait dans ce cas reconnaître les
accusés coupables de l'infraction comprise prévue à l'art. 197,
sinon il devrait les acquitter. À mon sens, l'avantage qu'il y a à
présenter l'affaire au jury de cette façon, c'est que cela rendrait plus
claires les questions distinctes et indiquerait nettement au jury que
pour parvenir à une conclusion sur l'acte criminel d'homicide involontaire coupable, c'est la conduite des parents quant à la fourniture des choses nécessaires à l'existence et des soins médicaux
qu'il doit considérer pour décider si la preuve a été faite d'une
insouciance déréglée et téméraire.

21. Pour décider si la conduite d'un accusé montre, au sens
que l'art. 202 du *Code criminel* donne à cette expression, une insouciance déréglée ou téméraire à l'égard de la vie ou de la sécurité d'autrui, la jurisprudence dicte un critère objectif : voir l'étude
des décisions sur ce sujet faite par le juge Cory pour la Cour d'appel,
dans l'arrêt *R.* v. *Waite* (1986), 28 C.C.C. (3d) 326, approuvé par
notre Cour, [1989] 1 R.C.S. 1436. En effet, en Cour d'appel, le
juge Dubin a considéré le critère objectif comme étant d'application générale, mais il a fait une exception dans les cas où la conduite reprochée consiste en une ou des omissions par opposition à
un acte concret. Dans de tels cas, il s'est dit d'avis qu'il se présen-
terait des situations où un critère subjectif devrait être appliqué
quand il s'agirait de juger des omissions. Il a considéré que tel
était le cas en l'espèce. J'estime toutefois que l'on ne peut faire la
distinction que préconise le juge Dubin. Je suis totalement incapable de voir une différence de principe entre les affaires mettant
en cause une omission et celles qui mettent en cause un acte concret. En effet, l'art. 202 du *Code* dit clairement qu'est coupable de
négligence criminelle quiconque, en faisant quelque chose ou en
omettant de faire quelque chose qu'il est de son devoir d'accomplir, montre une insouciance déréglée ou téméraire à l'égard de la
vie ou de la sécurité d'autrui. Le critère objectif doit par conséquent être appliqué en matière de négligence criminelle, car c'est

la conduite de l'accusé, par opposition à son intention ou son état d'esprit, qui est étudiée dans le cadre de cet examen.

22. Notre concept de culpabilité criminelle repose principalement sur l'examen de l'état d'esprit qui accompagne l'acte délictueux ou lui donne naissance, et l'attribution de la responsabilité criminelle sans la preuve d'un tel état d'esprit répréhensible peut donner lieu à de graves inquiétudes. Néanmoins, la négligence est reconnue maintenant comme l'un des facteurs susceptibles d'entraîner la responsabilité criminelle et de forts arguments peuvent être soulevés à l'appui. L'article 202 du *Code criminel* en est un exemple. Dans le choix du critère à appliquer pour juger la conduite visée à l'art. 202 du *Code*, soulignons immédiatement que ce qui est rendu criminel est la négligence. La négligence implique le contraire de l'acte réfléchi. En d'autres termes, son existence exclut l'intention positive de parvenir à un résultat donné. Cela permet de conclure que la sanction prévue à l'art. 202 du *Code* vise à empêcher une façon d'agir, et ses conséquences. Ce qui est puni, en d'autres mots, n'est pas un état d'esprit mais les conséquences d'une action irréfléchie. J'estime que cela ressort du libellé de l'article, qui fait un crime de la conduite qui <u>montre</u> une insouciance déréglée ou téméraire. On peut également remarquer que les mots « déréglée ou téméraire » appuient cette conclusion car ils nient l'existence d'une pensée directrice. On ne peut dire non plus que la négligence criminelle, visée à l'art. 202, implique un élément de malveillance ou une intention. La poursuite en fait état au paragraphe 41 de son mémoire :

[TRADUCTION] Le sens clair et ordinaire des termes « déréglée » et « téméraire » utilisés en rapport avec la notion de négligence semblerait comprendre le fait d'être peu soucieux d'un danger apparent. Le paragraphe 202(1) n'emploie pas le terme « téméraire » comme une extension de la définition de l'intention ou de la malveillance, mais il utilise plutôt le terme comme élément de la définition d'une conduite qui équivaut à la « négligence » dans un contexte criminel.

Donc, à mon sens, un critère objectif doit s'appliquer à la détermination de cette question en raison de la différence entre d'une part l'acte criminel ordinaire, qui requiert la preuve d'un état d'esprit subjectif, et d'autre part la négligence criminelle. Dans les affaires criminelles, en général, c'est l'acte joint à l'état d'esprit ou à l'intention qui est puni. En matière de négligence criminelle, l'acte qui montre le degré voulu de négligence est puni. Si cette distinction n'est pas clairement maintenue, la limite entre l'infraction traditionnelle exigeant la *mens rea* et l'infraction que constitue la négligence criminelle devient floue. La différence, par exemple, entre le meurtre et l'homicide involontaire coupable, qui sont tous deux des homicides réprimés par la loi, réside dans l'intention. Ce serait aller contre l'objet de l'art. 202 du *Code* que d'étudier et de prouver séparément l'intention de l'accusé relativement aux infractions visées à cet article, car la conduite intentionnelle serait nécessairement examinée en vertu d'autres articles du *Code* et l'art. 202, qui vise une conduite irréfléchie, mais socialement dangereuse, n'aurait aucune fonction. Pour ces motifs, le critère objectif devrait être appliqué et, à mon sens, la Cour d'appel a eu tort de conclure dans cette affaire qu'il fallait utiliser un critère subjectif. Le critère vise le caractère raisonnable de la conduite en cause, et la preuve d'une conduite qui révèle une dérogation marquée et importante à ce que l'on est en droit d'attendre d'une personne raisonnablement prudente dans les circonstances, justifiera un verdict de négligence criminelle.

23. En tirant cette conclusion, je n'oublie pas les commentaires que j'ai faits dans l'arrêt *Sansregret c. La Reine*, [1985] 1 R.C.S. 570, aux pp. 581 et 582, et que l'avocat de l'appelante a cités. Dans l'arrêt *Sansregret c. La Reine*, j'ai exprimé l'opinion que « l'insouciance doit comporter un élément subjectif pour entrer dans la composition de la *mens rea* criminelle ». J'ai ensuite ajouté que « [c]est dans ce sens qu'on emploie le terme « insouciance » en droit criminel et il est nettement distinct du concept de négligence en matière civile. » On a soutenu en s'appuyant sur ces mots et sur des commentaires postérieurs sur la nature de la négligence en droit criminel qu'il fallait par conséquent appliquer un critère subjectif pour s'interroger sur l'existence de la négligence criminelle

en vertu de l'art. 202 du *Code*. Je suis d'avis de rejeter cet argument au motif que le concept de l'insouciance dont il était question dans cette affaire ne s'applique pas dans un cas visé à l'art. 202 du *Code*. Sansregret était accusé de viol, un crime qui implique de la part de l'accusé une conduite positive et voulue, qui vise la réalisation d'un résultat particulier. C'est une infraction traditionnelle exigeant la *mens rea* et il faut prouver un certain état d'esprit, dans ce cas-là l'intention de persévérer dans une entreprise en dépit du fait que le consentement de la plaignante a été extorqué par les menaces et la crainte. L'insouciance de la part de l'accusé fait partie de la *mens rea* (l'état d'esprit répréhensible) et elle doit être prouvée selon un critère subjectif comme partie de l'élément moral de l'infraction. En ce sens, les extraits tirés de l'arrêt *Sansregret* c. *La Reine* sont pertinents. L'article 202, en revanche, a créé une infraction distincte; une infraction qui fait de la négligence – la manifestation d'une conduite déréglée ou téméraire – un crime en soi et a donc défini l'infraction dans ses propres termes. Comme l'a noté le juge Cory dans l'arrêt *R.* v. *Waite*, l'art. 202 du *Code* a été édicté en sa présente forme comme une codification de l'infraction qui était apparue dans la jurisprudence canadienne, et à l'égard de laquelle la *mens rea* nécessaire peut être inférée de façon objective à partir des actes de l'accusé.

24. L'application d'un critère objectif aux termes de l'art. 202 du *Code* ne peut cependant se faire dans le vide. Des événements se produisent dans le cadre d'autres événements et actions, et quand il s'agit de déterminer la nature de la conduite reprochée, les circonstances propres à l'espèce doivent être prises en considération. La décision doit se prendre après examen des faits existant à l'époque et par rapport à la perception de l'accusé des faits en question. Puisque le critère est objectif, la perception des faits par l'accusé ne doit pas être considérée dans le but d'apprécier s'il y a malveillance ou intention de la part de l'accusé, mais seulement pour constituer la base d'une conclusion quant au caractère raisonnable de la conduite de l'accusé, étant donné sa perception des faits. Cela est particulièrement vrai lorsque, comme en l'espèce, l'accusé oppose le moyen de défense de l'erreur de fait. Si un accusé aux termes de l'art. 202 a une croyance sincère et raisonnable-

ment entretenue en l'existence de certains faits, cela peut être une considération pertinente quant à l'appréciation du caractère raisonnable de sa conduite. Prenons par exemple un soudeur engagé pour travailler dans un espace restreint, et qui se fit à la parole du propriétaire des lieux qu'aucune matière combustible ou explosive ne se trouve à proximité; lorsque son chalumeau provoque une explosion qui entraîne la mort d'une personne et qu'il est accusé d'homicide involontaire coupable, il devrait pouvoir faire part au jury de sa perception quant à la présence ou l'absence de matières dangereuses là où il travaillait.

25. Comme je l'ai déjà noté, les Tutton ont invoqué la défense d'erreur de fait en première instance. Ils ont fait valoir que l'omission de donner de l'insuline à leur enfant découlait de la croyance qu'il avait été guéri par l'intervention divine et que l'omission de lui fournir des soins médicaux en temps utile était due à la croyance que l'enfant n'était pas sérieusement malade, de sorte qu'aucune assistance médicale ne lui était nécessaire. Le juge du procès, a-t-on soutenu, a eu tort de dire au jury qu'une telle croyance, pour constituer une défense efficace, devait être entretenue de façon raisonnable. Cette Cour a statué dans l'arrêt *Pappajohn* c. *La Reine*, [1980] 2 R.C.S. 120, que la croyance sincère, bien qu'erronée, dans l'existence de circonstances qui, si elles étaient présentes, rendraient la conduite reprochée non coupable, permettrait à un accusé d'être acquitté. Il a aussi été statué dans l'arrêt *Pappajohn* c. *La Reine* que la croyance sincère n'a pas à être raisonnable, parce qu'elle aurait pour effet de nier l'existence de la *mens rea* requise. La situation serait toutefois différente si l'infraction reprochée reposait sur le concept de la négligence, par opposition à celui de l'intention coupable ou de l'état d'esprit répréhensible. Dans ce cas, la croyance déraisonnable mais sincère chez l'accusé serait entretenue de façon négligente. Le fait d'avoir une telle croyance ne pourrait servir de défense lorsque la culpabilité se fonde sur la conduite négligente. Je suis donc d'avis de conclure que le juge du procès n'a commis aucune erreur en disant au jury que toute croyance erronée pouvant servir de défense contre une accusation de négligence criminelle devrait être raisonnable.

26. En l'espèce, l'assertion des Tutton qu'ils croyaient qu'une guérison avait été effectuée par l'intervention divine et que l'insuline n'était pas nécessaire à la préservation de la vie de leur enfant, devait donc être examinée par le jury. Celui-ci devait se demander si une telle croyance était sincère et si elle était raisonnable. Ce faisant, il devait considérer tout l'historique de l'affaire. Il devait prendre en considération l'expérience des Tutton de la maladie de leur fils; le fait qu'ils avaient constaté les conséquences du retrait de l'insuline en une occasion et qu'ils avaient été avisés de sa nécessité dans la prestation des soins à donner à leur enfant; et le fait que Mme Tutton avait bénéficié d'une formation ou de cours réguliers sur la façon de soigner le diabète et les diabétiques. Le jury devait aussi se demander si la croyance en une guérison miraculeuse menant à la conclusion que l'insuline et les soins médicaux n'étaient pas nécessaires, si sincère que puisse être cette croyance, était raisonnable. Compte tenu de ces faits et des autres faits révélés par la preuve, le jury devait décider si le retrait de l'insuline et l'omission de fournir des soins médicaux représentaient une dérogation marquée et importante à la norme à laquelle on peut s'attendre chez des parents raisonnablement prudents.

27. Je suis d'avis de rejeter le pourvoi et de confirmer l'ordonnance visant la tenue d'un nouveau procès.

Version française des motifs rendus par

28. LE JUGE LAMER – J'ai lu les motifs de mon collègue le juge McIntyre et j'y souscris, sous réserve des observations suivantes. J'estime que, pour appliquer le critère objectif édicté par le législateur à l'art. 202 du *Code criminel*, S.R.C. 1970, chap. C-34, il faut tenir largement compte de facteurs propres à l'accusé comme sa jeunesse, son développement intellectuel, son niveau d'instruction (voir Stuart, *Canadian Criminal Law : A Treatise* (2e éd. 1987), p. 194; voir également Pickard, « Culpable Mistakes and Rape : Relating Mens Rea to the Crime » (1980), 30 *U. of T. L.J.* 75). Quand on le fait au moment d'examiner la conduite susceptible de causer la mort, c'est-à-dire une conduite qui comporte beaucoup de risques,

le recours à un critère objectif ou à un critère subjectif produira en pratique, presque toujours sinon toujours, le même résultat (voir Colvin, « Recklessness and Criminal Negligence » (1982), 32 *U. of T. L.J.* 345).

29. Je veux souligner qu'en édictant l'art. 202, le législateur n'entendait pas préciser la nature de la négligence nécessaire pour fonder la responsabilité pénale. À mon avis, en édictant l'art. 202, le législateur a seulement défini le sens de l'expression « négligence criminelle » partout où elle apparaît dans le *Code criminel.*

30. Enfin, je souligne que la constitutionnalité de l'al. 205(5)*b*) n'est pas en cause en l'espèce. En fait, si l'on suppose, sans en décider ici, qu'il existe un principe de justice fondamentale selon lequel la connaissance d'un risque probable ou son ignorance délibérée (la prévision ou l'aveuglement volontaire) constitue un élément essentiel de l'infraction d'homicide involontaire coupable, ne se pose pas alors la question de savoir si la preuve de l'élément substitué qu'est la négligence criminelle, telle que définie par le législateur et interprétée par cette Cour, satisfait au critère énoncé dans l'arrêt *La Reine* c. *Vaillancourt,* [1987] 2 R.C.S. 636. Je ne pense donc pas qu'en souscrivant aux motifs de mon collègue je m'interdis de me prononcer plus tard sur une telle question constitutionnelle si, évidemment, elle est jamais soumise à la Cour.

31. Je suis donc d'avis, comme mon collègue le juge McIntyre, de rejeter le pourvoi et de confirmer l'ordonnance de nouveau procès.

Pourvoi rejeté.

Procureur de l'appelante : Le procureur général de l'Ontario, Toronto.

Procureurs de l'intimé : Arthur Thomas Tutton : Kerekes, Collins, Toronto.

Procureur de l'intimée : Carol Anne Tutton: Irwin Koziebrocki, Toronto.

Marc Creighton   *Appelant*

c.

Sa Majesté la Reine   *Intimée*

et

**Le procureur général du Canada,
le procureur général du Québec,
le procureur général du Manitoba et
le procureur général de la
Saskatchewan**   *Intervenants*

RÉPERTORIÉ : R. *c.* CREIGHTON, [1993] 3 R.C.S. 3.

N° du greffe : 22593.

1993 : 3 février; 1993 : 9 septembre.

Présents : Le juge en chef Lamer et les juges La Forest,
L'Heureux-Dubé, Sopinka, Gonthier, Cory, McLachlin,
Iacobucci et Major.

EN APPEL DE LA COUR D'APPEL DE L'ONTARIO

I. Les faits

1. Les événements à l'origine du présent pourvoi se sont
produits sur une période de 18 heures commençant le 26 octobre
1989 en soirée. Un groupe, dont faisaient partie l'appelant, Marc
Creighton, et la victime, Mme Martin, ont consommé au cours de
la nuit en question une grande quantité d'alcool et de cocaïne. Le
lendemain après-midi, l'appelant, un compagnon (Frank Caddedu)
et la victime se proposaient de partager à l'appartement de cette
dernière une certaine quantité de cocaïne. D'après la preuve, toutes
ces personnes avaient de l'expérience dans l'usage de la cocaïne.

2. L'appelant s'est procuré 3,5 grammes de cocaïne, sans se
donner la peine d'en déterminer la qualité ou la puissance avant de
se l'injecter par piqûre intraveineuse et de l'injecter de la même

façon à Frank Caddedu. Avec le consentement de la victime, l'appelant lui a alors injecté dans l'avant-bras droit une certaine quantité de cocaïne. Elle a immédiatement été prise de violentes convulsions et a paru cesser de respirer. Un témoignage d'expert est venu confirmer par la suite que la victime avait subi un arrêt cardiaque provoqué par l'injection et a été asphyxiée par le contenu de son estomac.

3. Les tentatives de l'appelant et de M. Caddedu de ranimer Mme Martin se sont révélées vaines. M. Caddedu a donc exprimé l'intention de demander des secours d'urgence, mais l'appelant, recourant à l'intimidation verbale, l'a convaincu de ne pas composer le 911. L'appelant a placé la victime, qui avait toujours des convulsions, sur son lit, puis s'est affairé à effacer les empreintes digitales pouvant se trouver dans l'appartement. Les deux hommes ont alors quitté les lieux. M. Caddedu y est retourné seul six ou sept heures plus tard et a appelé les secours d'urgence. Arrivés sur les lieux, les secouristes ont constaté la mort de Mme Martin. L'appelant pour sa part a relaté une version nettement différente des événements en question, mais le juge du procès n'a pas ajouté foi à son témoignage.

4. Une accusation d'homicide involontaire coupable a été portée contre l'appelant. L'avocat de la défense a reconnu au procès que l'injection dans le corps de la victime consistait à « faire le trafic » au sens du par. 4(1) de la *Loi sur les stupéfiants*, L.R.C. (1985), ch. N-1. Quant au ministère public, il a fait valoir que l'appelant s'était rendu coupable d'homicide involontaire coupable puisque la mort de Mme Martin résultait directement d'un acte illégal, ce qui constituait une infraction à l'al. 222(5)*a*) du *Code criminel*.

5. Déclaré coupable d'homicide involontaire coupable le 18 mai 1990, l'appelant a été condamné à quatre ans d'emprisonnement. Il a interjeté appel devant la Cour d'appel de l'Ontario, qui a confirmé le verdict de culpabilité.

[...]

II. Analyse

[...]

Version française du jugement des juges L'Heureux-Dubé, Gonthier, Cory et McLachlin rendu par

6. **LE JUGE MCLACHLIN** : — Le présent pourvoi porte sur la constitutionnalité de l'al. 222(5)*a*) du *Code criminel*, L.R.C. (1985), ch. C-46. Plus précisément, le Juge en chef a formulé la question constitutionnelle suivante : « La définition en common law de l'homicide involontaire coupable résultant d'un acte illégal enfreint-elle l'art. 7 de la *Charte canadienne des droits et libertés?* » Les faits ainsi que les jugements des juridictions inférieures sont exposés dans les motifs du Juge en chef. En résumé, M. Creighton a été reconnu coupable d'homicide involontaire coupable par suite du décès de Kimberley Ann Martin, provoqué par une injection de cocaïne que lui avait administrée M. Creighton. Le juge du procès a conclu qu'il s'agissait d'un homicide involontaire coupable soit parce que la mort a résulté d'un acte illégal, soit parce qu'elle a été causée par une négligence criminelle.

7. En toute déférence, je suis en désaccord avec le Juge en chef sur deux points. Le premier porte sur sa conclusion que l'infraction d'homicide involontaire coupable en common law est inconstitutionnelle du fait qu'elle n'exige pas la prévisibilité de la mort. D'après le Juge en chef, il faut interpréter l'infraction d'homicide involontaire coupable comme posant cette exigence, de manière que l'énoncé de l'infraction soit conforme aux principes de justice fondamentale consacrés à l'art. 7 de la *Charte* et, en particulier, au principe selon lequel la faute morale requise pour fonder une déclaration de culpabilité doit être proportionnelle à la gravité de l'infraction et aux stigmates qui s'y rattachent. À mon avis,

l'infraction d'homicide involontaire coupable résultant d'un acte illégal, telle que la définissent depuis des siècles nos tribunaux et ceux d'autres pays, ne présente aucune incompatibilité avec les principes de justice fondamentale. Nul besoin donc d'en rendre les exigences plus sévères, car elle est, telle quelle, conforme à la *Charte*.

8. Le second point sur lequel, avec égards, mon opinion diverge de celle du Juge en chef est sa conclusion que, selon le critère objectif, la norme de diligence à observer en matière d'homicide involontaire coupable et de crimes de négligence varie en fonction de l'expérience, du degré d'instruction et d'autres caractéristiques personnelles de l'accusé. Cette conclusion amène le Juge en chef à appliquer à M. Creighton, compte tenu de sa longue expérience de l'usage de stupéfiants, une norme de diligence plus sévère que celle de la personne raisonnable aux fins de déterminer s'il aurait prévu le risque en question (motifs du Juge en chef, pp. 26 et 27). Pour les motifs exposés ci-après, j'estime que la norme appropriée est celle de la personne raisonnable se trouvant dans la même situation. Le droit criminel fixe des normes minimales de conduite, lesquelles ne doivent pas être modifiées du fait que l'accusé possède plus ou moins d'expérience que la personne raisonnable moyenne hypothétique.

9. J'aborderai en premier lieu le critère de common law en matière d'homicide involontaire coupable pour ensuite me pencher sur la question constitutionnelle formulée par le Juge en chef.

A. La constitutionnalité de l'exigence de la prévisibilité de lésions corporelles dans le cas de l'homicide involontaire coupable

1. La mens rea en ce qui concerne l'homicide involontaire coupable

10. Le *Code criminel* définit trois types généraux d'homicide coupable. Il y a le meurtre, qui consiste à ôter intentionnellement la vie à un autre être humain. Il y a également l'infanticide, soit le fait d'ôter intentionnellement la vie à un enfant. Tous les autres homicides coupables tombent dans la catégorie résiduelle qu'est l'homicide involontaire coupable (*Code criminel*, art. 234).

11. L'origine du crime d'homicide involontaire coupable remonte fort loin dans le passé. Ce crime englobe une grande diversité de circonstances. Deux exigences demeurent toutefois constantes : (1) une conduite qui cause la mort d'une autre personne et (2) une faute qui reste en deçà de l'intention de tuer. Cette faute peut consister soit dans la perpétration d'un autre acte illégal qui occasionne la mort, soit dans la négligence criminelle. La classification de l'homicide involontaire coupable en common law se manifeste dans la définition de l'homicide coupable au par. 222(5) du *Code criminel* :

> **222.** [...]
>
> (5) Une personne commet un homicide coupable lorsqu'elle cause la mort d'un être humain :
> a) soit au moyen d'un acte illégal;
> b) soit par négligence criminelle;

La structure de l'infraction d'homicide involontaire coupable tient à la perpétration d'une infraction sous-jacente sous forme d'acte illégal ou de négligence criminelle, laquelle infraction doit être assortie d'un homicide. Il est maintenant établi que ce n'est pas parce qu'une infraction dépend de l'existence d'une infraction sous-jacente qu'elle est inconstitutionnelle, pourvu que l'infraction sous-jacente comporte un acte dangereux, qu'elle ne soit pas une infraction de responsabilité absolue et qu'elle ne soit pas elle-même inconstitutionnelle : *R.* c. *DeSousa*, [1992] 2 R.C.S. 944. Mais on soulève en l'espèce une nouvelle objection. On allègue en effet l'inconstitutionnalité de l'infraction d'homicide involontaire coupable du fait qu'elle ne requiert que la prévisibilité du risque de lésions corporelles et non pas la prévisibilité de la mort. De plus, on prétend que c'est à tort que le juge du procès a exigé simplement la prévisibilité de lésions corporelles.

12. Il ressort de la jurisprudence que, outre l'*actus reus* et la *mens rea* liés à l'acte sous-jacent, tout ce qu'il faut pour fonder une déclaration de culpabilité d'homicide involontaire coupable est la prévisibilité raisonnable du risque de lésions corporelles. Bien que l'al. 222(5)*a*) ne pose pas expressément l'exigence de lésions corporelles prévisibles, c'est ainsi qu'il a été interprété : voir l'arrêt *R.* c. *DeSousa*, précité. L'acte illégal doit présenter un danger objectif, c'est-à-dire, être de nature à causer des blessures à une autre personne. Le droit en matière d'homicide involontaire coupable résultant d'un acte illégal ne va toutefois pas jusqu'à exiger la prévisibilité de la mort. Il en va de même de l'homicide involontaire coupable imputable à la négligence criminelle : quoique la négligence criminelle (voir l'analyse plus bas) nécessite un écart marqué par rapport aux normes qu'observerait dans toutes les circonstances une personne raisonnable, elle ne requiert pas la prévisibilité de la mort.

13. D'après certains vieux textes doctrinaux, la prévisibilité du risque de lésions corporelles n'est pas requise pour qu'il y ait homicide involontaire coupable. Blackstone a écrit en effet que [TRADUCTION] « quand un homicide involontaire arrive par suite d'un acte illégal [...], ce sera seulement un *manslaughter*, si cet acte n'avait pour but qu'une transgression purement civile » (Blackstone, *Commentaires sur les lois anglaises* (1823), Livre IV, aux

pp. 532 et 533). Tous n'ont pas partagé cet avis. Ainsi Stephen, qui a rédigé le *Code criminel* du Canada, a défini l'homicide involontaire coupable comme étant un [TRADUCTION] « homicide illégal », lequel, selon sa définition, nécessite à tout le moins la perpétration d'un acte [TRADUCTION] « qui est de nature à causer la mort ou des lésions corporelles » (art. 279, 278, réimprimés dans G. W. Burbidge, *Digest of the Criminal Law of Canada* (1980), aux pp. 216, 215).

14. Plus récemment, l'opinion prédominante est qu'il doit y avoir prévisibilité de lésions corporelles pour qu'il y ait homicide involontaire coupable. En Angleterre, on a affirmé dans l'arrêt *R. c. Larkin*, [1943] 1 All E.R. 217 (C.C.A.), à la p. 219, que l'acte doit être [TRADUCTION] « dangereux, c'est-à-dire de nature à blesser une autre personne ». Dans l'arrêt *R. c. Tennant* (1975), 23 C.C.C. (2d) 80, à la p. 96, la Cour d'appel de l'Ontario a dit que l'acte illégal doit être [TRADUCTION] « de telle nature que toute personne raisonnable se rendrait inévitablement compte qu'il fait courir à autrui à tout le moins le risque d'une blessure, bien qu'elle ne soit pas grave ». De même, dans l'arrêt *R. c. Adkins* (1987), 39 C.C.C. (3d) 346 (C.A.C.-B.), à la p. 348, le juge Hutcheon a écrit que [TRADUCTION] « l'acte illégal était de telle nature que toute personne raisonnable le reconnaîtrait inévitablement comme exposant une autre personne au risque au moins d'un certain préjudice ».

15. Dans l'arrêt *R. c. DeSousa*, précité, notre Cour a confirmé qu'un verdict de culpabilité d'homicide involontaire coupable ne peut être rendu que si le risque de lésions corporelles était prévisible. Après avoir mentionné l'exigence d'un « acte dangereux » dont il est fait état dans l'arrêt *Larkin*, précité, le juge Sopinka a dit que la jurisprudence anglaise a toujours maintenu que l'acte illégal sous-jacent requis dans le cas de l'homicide involontaire coupable exige « la preuve que l'acte illégal était « de nature à blesser une autre personne » ou autrement dit mettait en danger l'intégrité physique d'autrui » (p. 959). Il doit s'agir en outre de lésions qui ne sont ni sans importance ni de nature passagère. Le critère énoncé par le juge Sopinka (à la p. 961) relative-

ment à l'acte illégal exigé aux fins de l'art. 269 du *Code criminel* s'applique tout aussi bien à l'homicide involontaire coupable :

> [...] le critère est celui de la prévision objective des lésions corporelles en ce qui concerne toutes les infractions sous-jacentes. L'acte doit être à la fois illégal, tel que ce terme a été défini plus haut, <u>et</u> de nature à soumettre une autre personne à un risque de préjudice ou de lésions corporelles. Ces lésions corporelles ne doivent pas être de nature passagère ou sans importance et doivent, dans la plupart des cas, comporter un acte violent commis délibérément à l'endroit d'autrui. Pour interpréter ce qui constitue un acte objectivement dangereux, les tribunaux doivent s'efforcer d'éviter de frapper de sanctions pénales la simple inadvertance. Il y a lieu de rejeter la prétention selon laquelle il n'est pas nécessaire que l'acte illégal qui constitue un crime soit dangereux. [Souligné dans l'original.]

16. Il s'ensuit qu'au Canada, comme au Royaume-Uni, le critère pour la détermination de la *mens rea* dans le cas de l'homicide involontaire coupable résultant d'un acte illégal est (outre l'existence de la *mens rea* requise pour l'infraction sous-jacente) celui de la prévisibilité objective (dans le contexte d'un acte dangereux) du risque de lésions corporelles qui ne sont ni sans importance ni de nature passagère. La prévisibilité du risque de mort n'est pas nécessaire. La question est donc de savoir si ce critère viole les principes de justice fondamentale visés à l'art. 7 de la *Charte*.

2. *La constitutionnalité du critère de la « prévision de lésions corporelles » dans le cas de l'homicide involontaire coupable*

17. Avant d'entamer l'analyse, je crois qu'une mise en garde est indiquée. Nous traitons ici d'une infraction de common law qui existe presque depuis les débuts de notre système de droit criminel. Elle a fait l'objet d'innombrables poursuites dans le monde entier et a été peaufinée et perfectionnée au fil des siècles. Vu son caractère résiduel, il lui manque peut-être la symétrie logique qui caractérise les infractions plus modernes prévues par la loi, mais,

sur le plan pratique, elle a su résister au passage du temps. Or, pourrait-il en être ainsi, se demandera-t-on, si elle allait à l'encontre de nos notions fondamentales de justice, qui remontent elles-mêmes loin dans l'histoire de la common law? Peut-être. Ce ne doit toutefois être qu'avec une très grande circonspection qu'un tribunal du XXe siècle aborde l'invitation qui nous est faite : abolir ou encore reformuler l'infraction d'homicide involontaire coupable au motif que cela s'impose pour assurer la conformité du droit avec les principes de justice fondamentale.

18. Selon mon interprétation des motifs du Juge en chef, sa conclusion à l'inconstitutionnalité de l'infraction d'homicide involontaire coupable dans sa forme actuelle repose principalement sur deux considérations. En premier lieu, il estime que la gravité de cette infraction et, en particulier, les stigmates qui s'y rattachent requièrent tout au moins, pour fonder la *mens rea*, qu'il y ait prévisibilité de la mort. En second lieu, cette conclusion est commandée par la nécessité de correspondance entre l'élément de faute morale et les conséquences de l'infraction. J'aborderai tour à tour chacune de ces considérations.

a) *La gravité de l'infraction*

19. Sous cette rubrique peuvent être rangés plusieurs concepts, dont trois qui figurent parmi les quatre facteurs à prendre en considération pour déterminer la constitutionnalité d'une exigence de *mens rea*. Ces facteurs ont été énoncés par notre Cour dans l'arrêt *R. c. Martineau*, [1990] 2 R.C.S. 633 :

1. Les stigmates résultant de l'infraction ainsi que les peines pouvant être infligées exigent une *mens rea* qui reflète la nature particulière du crime.

2. La peine doit être proportionnée à la culpabilité morale du délinquant.

3. Ceux qui causent un préjudice intentionnellement doivent être punis plus sévèrement que ceux qui le font involontairement.

Dans ses motifs, le Juge en chef insiste beaucoup sur le premier facteur que sont les stigmates. D'après lui, « [i]l se peut bien qu'[. . .]il n'y ait aucune différence entre l'*actus reus* de l'homicide involontaire coupable et celui du meurtre. On peut prétendre en effet que l'un et l'autre donnent lieu aux stigmates qui découlent du fait de se voir caractériser, par l'État et par la collectivité, comme étant responsable de la mort illicite d'une autre personne » (p. 19). Il reconnaît toutefois, plus loin dans ses motifs, à la p. 20, que « les stigmates rattachés à la déclaration de culpabilité d'homicide involontaire coupable résultant d'un acte illégal, quoique considérables, se situent bien en deçà de l'opprobre que s'attirent dans notre société les gens qui <u>sciemment</u> ou <u>intentionnellement</u> ôtent la vie à une autre personne » (souligné dans l'original). Le Juge en chef poursuit en faisant remarquer que « [c]'est pour cette raison d'ailleurs que l'homicide involontaire coupable a évolué en common law comme infraction distincte du meurtre ». Il finit néanmoins par conclure que l'« impératif constitutionnel », ajouté à d'autres facteurs, commande comme *mens rea* minimale la prévisibilité du risque de mort, ce qui porte à croire que les stigmates continuent peut-être à constituer un élément important de son raisonnement.

20. Pour autant que les stigmates soient considérés comme nécessitant la prévisibilité du risque de mort dans le cas de l'infraction d'homicide involontaire coupable, je tiens ce raisonnement pour peu convaincant. Quand on parle de stigmates dans le contexte de l'homicide involontaire coupable, ce qui importe le plus ce sont ceux qui <u>ne</u> se rattachent <u>pas</u> à cette infraction. En effet, aux termes du *Code criminel*, l'homicide involontaire coupable se limite à l'homicide non intentionnel. Quiconque est déclaré coupable d'homicide involontaire coupable <u>n</u>'est <u>pas</u> un meurtrier. Cette personne <u>n</u>'a <u>pas</u> eu l'intention de tuer qui que ce soit. Il s'agit certes de la mort d'une personne causée par la faute d'autrui, ce qui est toujours grave. Mais le fait même que l'acte soit qualifié

d'homicide involontaire coupable révèle que, sur le plan juridique, cet homicide est moins répréhensible que le meurtre. L'homicide en question peut résulter de la négligence ou être la conséquence non intentionnelle d'un acte illégal moins grave. C'est une conduite répréhensible qui doit être sanctionnée, mais les stigmates s'y rattachant demeurent bien en deçà de ceux qu'entraîne le meurtre.

21. En d'autres termes, les stigmates rattachés à l'homicide involontaire coupable sont ceux qui conviennent à cette infraction. L'homicide involontaire coupable est à distinguer d'avec le cas du meurtre par imputation, où l'on pourrait dire qu'une personne qui en fait n'a pas commis de meurtre risquerait de subir à tort les stigmates découlant de ce crime. Il est donc possible de soutenir que les stigmates liés à l'homicide involontaire coupable sont précisément ceux qui devraient résulter d'un homicide non intentionnel dans des circonstances où le risque de lésions corporelles était prévisible. À ce propos, les observations suivantes sont très sensées :

> [TRADUCTION] Le contrevenant a commis un homicide et, quand il est loin d'être sans reproche, il ne semble y avoir, sur le plan des principes, rien qui s'oppose à ce qu'il soit reconnu coupable d'une infraction d'homicide. Dans une certaine mesure, cette conclusion doit reposer sur l'intuition, mais il ne semble pas particulièrement difficile de soutenir qu'il convient, dans le cas d'une personne qui a tué quelqu'un et qui sera de toute façon déclarée coupable d'une infraction quelconque, de rendre un verdict de culpabilité d'homicide, car c'est précisément là, après tout, l'infraction qui a été commise.
> (Adrian Briggs, « In Defence of Manslaughter », [1983] *Crim. L.R.* 764, à la p. 765.)

La conscience publique serait choquée à la pensée qu'une personne pourrait être reconnue coupable d'homicide involontaire coupable en l'absence de toute faute morale fondée sur la prévisibilité d'un préjudice. Inversement, la conscience publique pourrait bien être choquée également si la personne qui a commis un homicide ne se voyait déclarer coupable que de voies de fait graves – conséquence de l'exigence de la prévisibilité de la mort – au seul motif que le risque de mort n'était pas raisonnablement prévisible. La conséquence affreuse qu'est la mort exige davantage. En bref, l'exigence en matière de *mens rea* qu'a adoptée la common law, à savoir la prévisibilité d'un préjudice, convient parfaitement aux stigmates rattachés à l'infraction d'homicide involontaire coupable. Changer la *mens rea* exigée serait courir le risque de créer précisément la disproportion de la *mens rea* et des stigmates, dont se plaint l'appelant.

22. Passons donc maintenant au deuxième facteur évoqué dans l'arrêt *Martineau*, soit le rapport entre la peine prévue pour l'infraction et la *mens rea* requise. Ici également, l'infraction d'homicide involontaire coupable diffère nettement de celle de meurtre. Celui-ci entraîne une peine obligatoire d'emprisonnement à perpétuité tandis que l'homicide involontaire coupable ne comporte aucune peine minimale. Cela est bien. Puisque l'homicide involontaire coupable peut se commettre dans des circonstances des plus diverses, il doit y avoir souplesse quant aux peines. C'est à juste titre, par exemple, qu'un homicide non intentionnel commis lors de la perpétration d'une infraction mineure donne lieu à une peine beaucoup moins sévère que celle entraînée par l'homicide non intentionnel perpétré dans des circonstances témoignant d'une conscience du risque de mort qui reste juste en deçà de ce qu'il faudrait pour conclure à l'existence de l'intention requise pour un meurtre. Tout cela pour dire que la peine peut être adaptée pour tenir compte du degré de faute morale chez le contrevenant, et c'est ce qui se passe dans les faits.

23. Notre Cour l'a reconnu d'ailleurs dans l'arrêt *Martineau*, à la p. 647 :

> Le régime plus souple de détermination de la peine suite à une déclaration de culpabilité d'homicide involontaire coupable est conforme au principe que la peine doit être imposée en fonction du niveau de culpabilité morale du délinquant.

Il s'ensuit donc que la peine sanctionnant l'homicide involontaire coupable ne nécessite pas un degré plus élevé de *mens rea* pour cette infraction.

24. Voilà qui m'amène au troisième facteur concernant la gravité de l'infraction énoncé dans l'arrêt *Martineau*. Il s'agit du principe selon lequel les personnes qui causent intentionnellement un préjudice méritent une peine plus sévère que les personnes qui le font involontairement. Comme je l'ai fait remarquer, ce principe est strictement observé dans le cas de l'homicide involontaire coupable, lequel est, par définition, un crime sans élément intentionnel. Par conséquent, les peines infligées sont normalement moins sévères que celles sanctionnant le meurtre, qui est son équivalent intentionnel.

25. Je conclus que le degré de *mens rea* requis pour l'homicide involontaire coupable est bien adapté à la gravité de l'infraction.

b) *La correspondance entre l'élément de faute*
   et les conséquences de l'infraction

26. Le Juge en chef fait observer à juste titre que le droit criminel a traditionnellement visé la correspondance entre la *mens rea* et les conséquences proscrites de l'infraction. L'*actus reus* revêt généralement la forme d'un acte qui entraîne une conséquence interdite, p. ex. la mort. D'après la théorie du droit criminel, la *mens rea* concomitante doit porter sur la conséquence interdite. La faute morale de l'accusé découle de l'accomplissement de l'acte ayant cette conséquence. Partant de cette proposition, le Juge en chef conclut que, comme l'infraction d'homicide involontaire coupable consiste dans l'acte prohibé de tuer une autre personne, il ne suffit pas d'une *mens rea* fondée sur la prévisibilité d'un préjudice; ce qui est exigé c'est la prévisibilité de la mort.

27. La conclusion à l'inconstitutionnalité de l'infraction d'homicide involontaire coupable parce qu'elle n'exige pas que l'auteur se rende compte du risque de mort qu'elle comporte repose sur les deux propositions suivantes : (1) que le risque de lésions corporelles diffère sensiblement du risque de mort dans le contexte de l'homicide involontaire coupable, et (2) que le principe de la correspondance parfaite entre la *mens rea* et chacune des conséquences d'une infraction criminelle constitue non seulement une règle générale de droit criminel, mais aussi un principe de justice fondamentale qui représente le strict minimum sur le plan constitutionnel. Selon moi, chacune de ces propositions est sujette à caution.

28. Traitons d'abord de la distinction, dans le contexte de l'homicide involontaire coupable, entre le fait d'apprécier le risque de lésions corporelles et le fait d'apprécier le risque de mort. À mon avis, cette distinction s'évanouit lorsque le risque de lésions corporelles est associé à la règle établie selon laquelle l'auteur du méfait doit prendre sa victime comme elle est et au fait que la mort est effectivement survenue. L'accusé qui allègue l'imprévisibilité du risque de mort affirme en réalité qu'une personne normale ne serait pas morte dans les circonstances en question et qu'il lui a été impossible de prévoir la vulnérabilité particulière de la victime. Il prétend, en conséquence, ne devoir être déclaré coupable que de voies de fait causant des lésions corporelles ou de quelque infraction moins grave. Or, cela revient à écarter la règle de la vulnérabilité de la victime, qui veut que l'auteur du méfait doive prendre sa victime comme elle est. Inversement, le critère de la prévisibilité raisonnable de lésions corporelles et la règle de la vulnérabilité de la victime, pris ensemble, auraient pour effet que, dans certains cas, la seule prévisibilité du risque de lésions corporelles fonderait légitimement un verdict de culpabilité d'homicide involontaire coupable.

29. L'appelant nous demande donc d'abandonner la règle de la « vulnérabilité de la victime ». C'est cette règle que, après analyse, il prétend injuste. Or, je ne puis admettre pareille conclu-

sion, qui a été uniformément rejetée en droit. Le droit veut en effet que l'agresseur doive prendre sa victime telle qu'elle est. Et c'est là un principe dont le juge en chef lord Ellenborough a traité il y a près de deux cents ans :

> [TRADUCTION] Quiconque manie un article dangereux doit faire attention à la manière dont il s'y prend, car, s'il ne fait pas preuve de la prudence nécessaire, il se verra tenu pour responsable [. . .] [I]l est un principe universel qui veut que, quand un homme est accusé d'un acte dont la conséquence probable risque d'être hautement préjudiciable, l'intention se dégage, par voie d'inférence de droit, de la perpétration de l'acte...
> (*R.* c. *Dixon* (1814), 3 M. & S. 11, 105 E.R. 516, à la p. 517; décision approuvée par le juge Blackburn dans *R.* c. *Hicklin* (1868), L.R. 3 Q.B. 360, à la p. 375, et par le juge Amphlett dans *R.* c. *Aspinall* (1876), 2 Q.B.D. 48, à la p. 65.)

Le juge Stephen a donné une illustration analogue du principe dans l'affaire *R.* c. *Serné* (1887), 16 Cox 311, à la p. 313 :

> [TRADUCTION] [...] quand une personne commence à commettre des actes méchants à ses viles fins personnelles, il met en jeu sa propre vie ainsi que celle d'autrui. Ce type de crime ne présente aucune différence marquée d'avec celui commis par l'emploi d'une arme meurtrière, comme une matraque, un pistolet ou un couteau. L'homme qui en attaque un autre en se servant d'une telle arme doit en supporter les conséquences s'il va plus loin qu'il n'en avait eu l'intention au départ.

Le principe selon lequel la personne qui se livre à une conduite criminelle est responsable de tout acte imprévu résultant de l'acte illégal a été bien établi au Canada, aux États-Unis et au Royaume-Uni pendant la majeure partie de notre siècle : G. A. Martin, « Case Comment on *R.* v. *Larkin* » (1943), 21 *R. du B. can.* 503, aux pp. 504 et 505; *Smithers* c. *La Reine*, [1978] 1 R.C.S. 506; *R.* c. *Cole* (1981), 64 C.C.C. (2d) 119, à la p. 127 (C.A. Ont.) (le juge Lacourcière); *R.* c. *Tennant*, précité, aux pp. 96 et 97; *R.*

c. *Lelievre*, [1962] O.R. 522, à la p. 529 (C.A.) (le juge Laidlaw); *R.* c. *Adkins*, précité, aux pp. 349 à 356; *R.* c. *Cato* (1975), 62 Cr. App. R. 41 (C.A.); *Director of Public Prosecutions* c. Newbury (1976), 62 Cr. App. R. 291 (H.L.); voir aussi *R.* c. *Fraser* (1984), 16 C.C.C. (3d) 250, aux pp. 256 et 257 (C.A.N.-É.) (le juge Jones); W. R. LaFave et A. W. Scott, *Substantive Criminal Law*, vol. 2 (1986), aux pp. 286 à 299. Pour le point de vue américain, voir *United States* c. *Robertson*, 19 C.M.R. 102 (1955) (C.M.A.); *Tucker* c. *Commonwealth*, 303 Ky. 864 (1947); *Nelson* c. *State*, 58 Ga. App. 243 (1938); *Rutledge* c. *State*, 41 Ariz. 48 (1932).

30. Dans l'arrêt *Smithers* c. *La Reine*, précité, aux pp. 521 et 522, le juge Dickson, qui a rédigé les motifs unanimes de la Cour, a confirmé ce principe :

> C'est un principe bien connu que celui qui commet des voies de fait sur une autre personne doit prendre sa victime comme il la trouve. . .

Bien que la causalité diffère dans les affaires civiles et les affaires criminelles, on peut rencontrer « l'homme au crâne fragile » en droit criminel comme en matières civiles. [. . .] Même si l'acte illégal n'avait pas à lui seul causé la mort, il en constituerait quand même une cause juridique dès lors qu'il y avait contribué de quelque façon.

31. Le principe de la vulnérabilité de la victime est à la fois bon et utile. Il oblige les agresseurs, une fois lancés dans une conduite dangereuse qui pourra d'une manière prévisible causer des blessures à autrui, à endosser la responsabilité de toutes les conséquences, y compris la mort. Voilà qui, selon moi, ne va nullement à l'encontre de la justice fondamentale. Pourtant, l'adoption de la modification que propose le Juge en chef entraînerait l'abrogation de ce principe dans les cas d'homicide involontaire coupable.

32. En fait, quand on considère l'homicide involontaire coupable dans le contexte du principe de la vulnérabilité de la victime, la disproportion entre la *mens rea* de l'infraction et les conséquences de sa perpétration s'amoindrit. Le droit n'envisage pas la victime moyenne. La règle veut en effet que l'agresseur doive prendre la victime telle qu'elle est. Du moment qu'il y a risque de préjudice corporel, il existe en même temps le risque pratique que certaines victimes ne meurent par suite de ce préjudice. C'est là que se confondent le critère du préjudice et celui de la mort.

33. L'argument fondé sur la correspondance entre la *mens rea* et chacune des conséquences de l'infraction suppose en second lieu qu'il s'agit non pas simplement d'une règle générale de droit criminel, mais d'un principe de justice fondamentale – d'une exigence constitutionnelle de base. Je conviens qu'en règle générale la *mens rea* d'une infraction se rapporte aux conséquences interdites de sa perpétration. Comme je le dis dans l'arrêt *R. c. Théroux*, [1993] 2 R.C.S. 5, à la p. 17 : « [h]abituellement, la *mens rea* porte sur les conséquences de l'*actus reus* prohibé. » Il reste cependant que notre droit criminel renferme d'importantes exceptions à cet idéal de correspondance parfaite, exceptions qui, de par leur existence, indiquent que la règle de la correspondance n'est rien de plus ni de moins que cela – une règle – qui comporte certaines exceptions. S'il en est ainsi, on ne saurait élever cette règle au rang d'un principe de justice fondamentale qui, par définition, doit s'appliquer universellement.

34. Il importe de faire une distinction entre la théorie du droit criminel, qui recherche l'idéal d'une correspondance absolue entre l'*actus reus* et la *mens rea*, et les exigences constitutionnelles que pose la *Charte*. Ainsi que l'a dit à plusieurs reprises le Juge en chef, « la Constitution ne garantit pas toujours la situation « idéale » (*R. c. Lippé*, [1991] 2 R.C.S. 114, à la p. 142; *R. c. Wholesale Travel Group Inc.*, [1991] 3 R.C.S. 154, à la p. 186; *R. c. Finlay*, [1993] 3 R.C.S. 103, rendu simultanément, à la p. 114).

35. À ma connaissance, rien n'appuie la proposition selon laquelle la *mens rea* d'une infraction doit toujours, par nécessité constitutionnelle, se rattacher à la conséquence précise prohibée. Les principes constitutionnels applicables sont de portée plus générale. Nul ne peut se voir infliger une peine d'emprisonnement en l'absence de *mens rea* ou d'une intention coupable, et il ne doit pas y avoir de disproportion entre la gravité de l'infraction et le degré de faute morale. Pourvu qu'il existe un élément de faute morale ou de culpabilité morale et à condition que cette faute ou culpabilité soit proportionnelle à la gravité et aux conséquences de l'infraction en question, les principes de justice fondamentale auront été respectés.

36. Ainsi considérés, les principes de justice fondamentale habilitent le législateur fédéral à reconnaître qu'en dépit de l'égalité de faute morale, certaines infractions peuvent être plus ou moins graves, selon les conséquences de l'acte coupable. Comme l'a dit le juge Macdonald dans l'arrêt *R. c. Brooks* (1988), 41 C.C.C. (3d) 157 (C.A.C.-B.), à la p. 161 :

> [TRADUCTION] Notre droit criminel a toujours reconnu que les conséquences d'un acte illégal peuvent influer sur le degré de culpabilité. Les exemples les plus notables sont les tentatives de commettre des infractions. La tentative est toujours tenue pour moins grave que la perpétration effective de l'infraction. La culpabilité morale est cependant identique.

On ne saurait donc affirmer qu'une correspondance absolue entre la *mens rea* et les conséquences de l'infraction s'impose en droit dans toutes les circonstances. Parfois, pour les crimes de tentative, par exemple, aucune importance n'est attachée aux conséquences. Parfois aussi, comme dans le cas de l'homicide involontaire coupable résultant d'un acte illégal, la gravité de l'infraction est augmentée en raison de la gravité de ses conséquences, quoique l'élément moral demeure inchangé.

37. De même que ce serait choquer la justice fondamentale que de frapper de la peine prévue pour le meurtre une personne qui n'a pas eu l'intention de commettre d'homicide, de même, ce serait contraire aux notions courantes de justice de déclarer non coupable d'homicide involontaire coupable une personne qui a ôté la vie à autrui et de la reconnaître coupable plutôt de voies de fait graves au motif que la mort, à la différence du préjudice corporel, n'était pas prévisible. Les conséquences peuvent être importantes. Ainsi que l'a dit le juge Sopinka dans l'arrêt *R.* c. *DeSousa*, précité, aux pp. 966 et 967 :

> Aucun principe de justice fondamentale n'empêche le législateur de considérer les crimes entraînant certaines conséquences comme plus graves que les crimes qui n'en entraînent pas.
>
> [...]
>
> Une conduite peut entraîner fortuitement des conséquences plus ou moins graves selon les circonstances dans lesquelles elles se produisent. La même agression peut causer une blessure à une personne, mais non à une autre. Le droit dans ce domaine repose sur le principe implicite qu'il est acceptable d'établir une distinction quant à la responsabilité criminelle entre des actes également répréhensibles en fonction du préjudice qui est effectivement causé. Ce principe s'exprime par la condamnation à des peines maximales plus sévères dans le cas des infractions dont les conséquences sont plus graves. Les tribunaux et le législateur reconnaissent le préjudice effectivement causé en concluant que, pour des cas égaux par ailleurs, une conséquence plus grave commande une réaction plus sérieuse.

38. Donc, en se penchant sur la constitutionnalité de l'exigence de la prévisibilité de lésions corporelles, on doit se demander non pas si la règle générale de la correspondance entre la *mens rea* et les conséquences prohibées de l'infraction a été respectée, mais bien s'il y a conformité avec le principe de justice fonda-

mentale selon lequel la gravité et le caractère blâmable d'une infraction doivent correspondre à la faute morale liée à cette infraction. La justice fondamentale n'exige pas la symétrie absolue de la faute morale et des conséquences prohibées. Les conséquences, ou leur absence, peuvent légitimement avoir une incidence sur la gravité que prête le législateur à une conduite déterminée.

3. Considérations de principe

39. J'ai déjà indiqué que certaines considérations d'ordre jurisprudentiel et historique viennent confirmer, pour la *mens rea* de l'homicide involontaire coupable, un critère fondé sur la prévisibilité du risque de lésions corporelles plutôt que de la mort. J'ai soutenu également que les considérations que sont la gravité de l'infraction et la correspondance entre la *mens rea* de l'infraction et ses conséquences ne mènent pas à conclure à l'inconstitutionnalité de l'infraction d'homicide involontaire coupable telle qu'elle a été historiquement définie en fonction de la prévisibilité du risque de lésions corporelles. À mon avis, cette même conclusion est appuyée par des considérations de principe. En examinant si une infraction qui existe depuis longtemps va à l'encontre des principes de justice fondamentale, il n'est pas déplacé de tenir compte de ces considérations.

40. Premièrement, la nécessité de décourager une conduite dangereuse susceptible de nuire à autrui et qui risque en réalité d'entraîner la mort de personnes particulièrement vulnérables vient étayer le point de vue selon lequel il n'est pas nécessaire que la mort soit objectivement prévisible, seules les lésions corporelles devant l'être. Si l'on dit aux gens que, s'ils adoptent une conduite dangereuse qui pourra, de façon prévisible, causer des lésions corporelles qui ne sont ni sans importance ni de nature passagère et qui entraîne en fait la mort, ils ne seront pas tenus responsables de la mort mais seulement de voies de fait graves, il est probable que cela les dissuaderait moins d'avoir une telle conduite que si on leur faisait comprendre qu'ils auront à répondre de la mort, bien que celle-ci soit qualifiée d'homicide involontaire coupable plutôt

que de meurtre. Vu le caractère irréversible de la mort et étant donné qu'il est tout à fait inadmissible d'ôter la vie à un autre être humain, il y a lieu de conserver le critère qui offre le plus de dissuasion, pourvu que les conséquences pénales de l'infraction ne soient pas disproportionnées. Il convient donc de garder pour l'infraction d'homicide involontaire coupable le critère de la prévisibilité de lésions corporelles.

41. Deuxièmement, conserver le critère fondé sur la prévisibilité de lésions corporelles s'accorde le mieux avec notre sens de la justice. J'ai déjà évoqué le point de vue, confirmé par les antécédents de l'infraction d'homicide involontaire coupable, suivant lequel le fait de causer la mort d'autrui soit par négligence, soit au moyen d'un acte illégal dangereux, devrait entraîner une sanction spéciale traduisant la réalité qu'une personne a perdu la vie, même si sa mort n'était pas objectivement prévisible. Il s'agit là d'un point de vue que vient appuyer le sentiment que quiconque se livre à une conduite dangereuse qui porte atteinte à l'intégrité physique d'une autre personne et qui expose celle-ci à un risque peut à bon droit être jugé responsable de la mort imprévue imputable à la vulnérabilité particulière de cette personne; l'agresseur prend la victime telle qu'elle est. Le droit criminel se doit de tenir compte non seulement des préoccupations de l'accusé, mais aussi de celles de la victime et, lorsque cette dernière a été tuée, de celles de la société à l'égard du sort de la victime. Chacun de ces ordres de préoccupations doit peser dans la balance de la justice.

42. En dernier lieu, le critère traditionnel fondé sur la prévisibilité du risque de lésions corporelles constitue, à mon sens, un critère pratique qui évite aux juges et aux jurés d'avoir à se préoccuper de la distinction subtile entre la prévisibilité du risque de lésions corporelles et la prévisibilité du risque de mort, distinction qui, comme je l'ai fait valoir précédemment, se ramène à du pur formalisme quand on la place dans le contexte de la règle de la vulnérabilité de la victime et quand on tient compte du fait que la mort a en réalité été causée par l'acte dangereux de l'accusé. Le

critère traditionnel de la common law permet d'adopter relativement à l'infraction en question une approche fondée sur les principes qui répond aux préoccupations de la société, qui assure l'équité à l'accusé et qui offre de meilleures possibilités d'un processus d'instruction qui soit juste et qui en même temps fonctionne bien.

4. Résumé de l'analyse de la constitutionnalité du critère de la prévisibilité de lésions corporelles dans le cas de l'homicide involontaire coupable

43. L'analyse qui précède m'amène à conclure qu'il n'y a aucune violation des principes de justice fondamentale qui résulte de ce que la *mens rea* en matière d'homicide involontaire coupable exige la prévisibilité d'un risque de préjudice plutôt que la prévisibilité d'un risque de mort. En dernière analyse, la faute morale requise dans le cas de l'homicide involontaire coupable est proportionnelle à la gravité de l'infraction et aux peines qu'elle entraîne, et elle ne choque aucun principe de justice fondamentale. Se pose donc ensuite la question de la nature du critère objectif servant à établir la prévision de lésions corporelles, et c'est cette question que j'aborde maintenant.

B. La nature du critère objectif

44. En toute déférence, je ne partage pas l'avis du Juge en chef sur la nature du critère objectif employé pour déterminer la *mens rea* dans le cas de crimes de négligence. À mon avis, la méthode que préconise le Juge en chef personnalise le critère objectif à un point tel qu'il se transforme en critère subjectif, ce qui a pour conséquence de miner la norme minimale de diligence qu'a prescrite le législateur en prévoyant des infractions d'homicide involontaire coupable et de négligence pénale.

45. Il pourrait être utile en guise d'entrée en matière de répéter ce que dit, d'après moi, la jurisprudence relativement aux

crimes de négligence et au critère objectif. La *mens rea* se rattachant à une infraction criminelle peut être subjective ou objective,
sous réserve du principe de justice fondamentale qui veut que la
faute morale liée à cette infraction soit proportionnelle à la gravité
de celle-ci et à la peine qui la sanctionne. La *mens rea* subjective
exige que l'accusé ait voulu les conséquences de ses actes ou que,
connaissant les conséquences probables de ceux-ci, il ait agi avec
insouciance face au risque. L'intention ou la connaissance requises peuvent s'inférer directement des dires de l'accusé concernant
son état d'esprit, ou indirectement de l'acte et des circonstances
l'entourant. Même dans ce dernier cas, toutefois, ce qui compte c'est
« ce qui s'est effectivement passé dans l'esprit de l'accusé lui-même
au moment en cause » : le juge L'Heureux-Dubé dans l'arrêt *R. c.
Martineau*, précité, à la p. 655, citant Stuart, *Canadian Criminal
Law* (2e éd. 1987), à la p. 121.

46. Dans le cas de la *mens rea* objective, par contre, les intentions de l'accusé et ce qu'il savait n'entrent nullement en ligne
de compte. Au contraire, la faute morale tient à l'omission d'envisager un risque dont une personne raisonnable se serait rendu compte.
La *mens rea* objective n'a rien à voir avec ce qui s'est passé effectivement dans l'esprit de l'accusé, mais concerne ce qui aurait dû
s'y passer si ce dernier avait agi raisonnablement.

47. Il est maintenant établi qu'une personne peut, sur le
fondement du critère objectif, voir sa responsabilité criminelle engagée pour une conduite négligente, sans qu'il n'y ait de ce seul fait
violation du principe de justice fondamentale selon lequel la faute
morale de l'accusé doit être proportionnelle à la gravité de l'infraction et à la peine qui s'y rattache : *R. c. Hundal*, [1993] 1 R.C.S.
867.

48. Toutefois, comme il a été dit dans l'arrêt *Martineau*, il
convient que celui qui cause intentionnellement un préjudice soit
puni plus sévèrement qu'une personne qui le fait inconsciemment.
D'autre part, la constitutionnalité des crimes de négligence est également soumise à une restriction, à savoir que les actes de négligence

ordinaire peuvent ne pas suffire pour justifier l'emprisonnement : *R. c. Ville de Sault Ste-Marie*, [1978] 2 R.C.S. 1299; *R. c. Sansregret*, [1985] 1 R.C.S. 570. Pour reprendre la formule employée dans l'arrêt *Hundal*, il doit s'agir d'une négligence qui constitue un « écart marqué » par rapport à la norme d'une personne raisonnable. En droit, nul n'est inconsidérément qualifié de criminel. C'est pourquoi je partage l'avis du Juge en chef, qui a dit dans l'arrêt *R. c. Finlay*, précité, que le mot « négligente » figurant dans l'énoncé d'une infraction sous-jacente liée aux armes à feu doit s'interpréter comme exigeant un écart marqué par rapport à la norme constitutionnelle.

49. De cette exigence, confirmée dans l'arrêt *Hundal*, il découle que, dans le cas d'une infraction fondée sur une conduite illégale, une infraction sous-jacente comportant un élément de négligence doit également être interprétée comme nécessitant un « écart marqué » par rapport à la norme de la personne raisonnable. Comme on le précise dans l'arrêt *DeSousa*, l'infraction sous-jacente doit être constitutionnellement valide.

50. Jusqu'ici, je ne crois pas que le Juge en chef et moi soyons en désaccord. La différence entre nos points de vue respectifs tient en fait à la mesure dans laquelle les caractéristiques personnelles de l'accusé peuvent influer sur la responsabilité selon le critère objectif. Et là nous nous aventurons sur un terrain en grande partie inexploré. Jusqu'à maintenant, le débat a porté sur la question de savoir s'il peut jamais y avoir lieu d'appliquer en droit criminel un critère objectif pour déterminer la *mens rea*. Pour ce qui est du mode d'application, à supposer que le critère soit en effet applicable, il n'en a guère été fait mention. Dans l'arrêt *R. c. Hundal*, précité, on a dit que la *mens rea* que comporte la conduite dangereuse d'une automobile devrait s'apprécier objectivement dans le contexte de tous les événements entourant l'incident en cause. La question de savoir jusqu'à quel point ces circonstances comprennent les faiblesses mentales ou psychologiques propres à l'accusé n'a toutefois pas fait l'objet d'une étude approfondie.

Cela étant, il nous faut commencer par examiner les principes fondamentaux du droit criminel.

Les principes sous-jacents

51. Deux concepts fondamentaux du droit criminel sont mis en jeu dans le débat sur la mesure dans laquelle les caractéristiques personnelles devraient se refléter dans le critère objectif servant à déterminer la faute pour les infractions de négligence pénale.

52. Suivant le premier de ces concepts, quiconque se livre à des activités risquées peut légitimement se voir soumis en droit criminel à une norme minimale de diligence établie en fonction de ce qu'aurait fait une personne raisonnable dans les mêmes circonstances. Ce concept suppose une norme uniforme applicable à toutes les personnes qui se livrent à une activité donnée, indépendamment de leurs antécédents, de leur degré d'instruction ou de leur état psychologique.

53. Le second concept est celui voulant que les personnes moralement innocentes ne soient pas punies (*Renvoi : Motor Vehicle Act de la C.-B.*, [1985] 2 R.C.S. 486, à la p. 513; *R. c. Gosset*, [1993] 3 R.C.S. 76, motifs du juge en chef Lamer, à la p. 93). C'est sur ce principe que repose l'exigence en droit criminel que l'accusé ait un esprit coupable (*mens rea*).

54. Je conviens avec le Juge en chef que la règle s'opposant à la punition des personnes moralement innocentes exige dans le contexte du critère objectif qu'une personne ne soit pas jugée responsable en droit criminel si elle est incapable d'apprécier le risque. Là où je suis en désaccord avec le Juge en chef c'est relativement à sa désignation du type de facteurs liés à l'instruction et à l'expérience et de facteurs dits « habituels » propres à l'accusé, qu'il est permis de prendre en considération. Le Juge en chef, préconisant en principe une norme de diligence uniforme pour tous, semble

en définitive envisager une norme de diligence qui varie selon les antécédents et les prédispositions de l'accusé. Ainsi, une personne inexpérimentée, peu instruite et jeune, comme l'accusée dans l'affaire *R. c. Naglik*, [1993] 3 R.C.S. 1222, pourrait être acquittée, même si elle n'a pas respecté la norme de la personne raisonnable (motifs du juge en chef Lamer, aux pp. 145 et 146). Par ailleurs, une personne ayant à son actif une expérience particulière, comme c'est le cas de M. Creighton en l'espèce ou du policier appelant dans l'affaire *R. c. Gosset*, précité, se verra soumise à une norme plus sévère que celle de la personne raisonnable ordinaire.

55. Avec égards, je ne puis admettre cet élargissement du critère objectif en matière de faute criminelle. À mon avis, des considérations de principe et d'intérêt public commandent le maintien, pour le genre d'infractions dont il est question, d'une seule et uniforme norme juridique de diligence, sauf dans le cas de l'incapacité à apprécier la nature du risque que comporte l'activité en question.

56. Ce principe selon lequel une personne moralement innocente ne doit pas être reconnue coupable en droit criminel n'oblige pas, d'après moi, à tenir compte de facteurs personnels qui ne constituent pas une incapacité. En droit criminel, bien que la faute morale soit requise à titre d'élément fondant une déclaration de culpabilité, on a systématiquement rejeté l'idée que les caractéristiques personnelles (autres que l'incapacité) peuvent dispenser d'avoir à satisfaire à la norme de conduite prescrite par la loi.

57. C'est ce qu'a souligné le juge Wilson dans l'arrêt *Perka c. La Reine*, [1984] 2 R.C.S. 232. Répondant à l'argument, avancé par le professeur George P. Fletcher (« The Individualization of Excusing Conditions » (1974), 47 *S. Cal. L. Rev.* 1269), selon lequel l'acquittement de certains accusés devrait être prononcé sur le fondement de l'affirmation : « C'était plus fort que moi », le juge Wilson a écrit, à la p. 271 :

Le principe fondamental qui entre en jeu ici est celui de l'universalité des droits, c'est-à-dire que toutes les personnes dont les actes sont soumis à l'examen judiciaire doivent être traitées sur le même pied. En fait, on peut dire que ce concept de l'appréciation égale qui fait abstraction des mobiles particuliers de l'auteur de l'acte ou des pressions particulières qui s'exerçaient sur sa volonté est à ce point primordial en droit criminel qu'il est rarement formulé explicitement. Cependant, toute la prémisse exprimée par des penseurs comme Kant et Hegel, savoir que l'homme est de par sa nature un être rationnel et que cela se manifeste dans la capacité qu'il a de surmonter les impulsions de sa propre volonté et aussi dans le droit universel de ne pas avoir à se plier aux impulsions et à la volonté d'autrui (voir Hegel, *Philosophy of Right* (trad. en anglais par Knox, 1952) aux pp. 226 et 227), appuie le point de vue qu'une appréciation individualisée d'une conduite préjudiciable n'est tout simplement pas possible. Si l'on perçoit l'obligation d'éviter toute conduite criminelle comme un reflet du devoir fondamental d'avoir une conscience rationnelle de la liberté égale dont jouissent toutes les personnes, alors une analyse de la *culpabilité* doit viser l'acte lui-même (aussi bien son élément matériel que son élément moral) et non pas son auteur. L'universalité de ces obligations a pour effet d'exclure la pertinence de ce que Fletcher appelle [TRADUCTION] « une circonstance qui peut, dans un cas d'espèce, servir d'excuse ». [Italiques dans l'original.]

Le Juge en chef invoque le professeur H. L. A. Hart au soutien de l'inclusion, dans le critère objectif applicable aux infractions d'homicide involontaire coupable et de négligence pénale, de ce que le juge Wilson qualifie de « circonstance[s] qui peu[ven]t, dans un cas d'espèce, servir d'excuse ». De fait, selon le professeur Hart, le principe de la prévention de la punition des personnes moralement innocentes exige simplement qu'une personne qui n'avait pas la capacité d'apprécier les conséquences de sa conduite ne se voie pas infliger une peine. Suivant son raisonnement, personne ne devrait être blâmé ni puni pour une conduite criminelle s'il n'a pas agi volontairement (*Punishment and Responsibility* (1968), aux pp. 35 à 40). Le professeur Hart affirme que [TRADUCTION] « la nécessité de s'enquérir des « faits intérieurs » découle

[...] du principe moral voulant qu'il n'y a pas lieu de punir qui-conque n'a pu s'empêcher d'agir comme il l'a fait» (p. 39) (je souligne).

58. En résumé, je ne trouve dans la théorie du droit criminel rien qui appuie la conclusion que la protection des personnes mora-lement innocentes oblige à prendre en considération d'une manière générale les circonstances qui peuvent, dans un cas d'espèce, ser-vir d'excuse. Le principe ne joue que s'il est démontré que la per-sonne en question n'a pas la capacité de comprendre la nature et la qualité ou les conséquences de ses gestes. À cette seule excep-tion près, nous sommes tous – riches et pauvres, sages et naïfs – tenus au respect des normes minimales de conduite prescrites par le droit criminel. C'est là une conclusion à laquelle nous astreint un principe fondamental de l'organisation sociale. Comme l'a écrit le juge Oliver Wendell Holmes dans *The Common Law* (1881), à la p. 108 : [TRADUCTION] «lorsque les hommes vivent en société, une certaine norme de conduite, le sacrifice de particularités indi-viduelles qui dépassent une certaine limite, s'imposent pour le bien collectif».

59. La portée du principe selon lequel les personnes mora-lement innocentes ne doivent pas être déclarées coupables d'une infraction a été dans une large mesure fixée dans le contexte de crimes de faute subjective – crimes pour lesquels il faut établir que l'accusé a en fait voulu ou prévu les conséquences de sa con-duite. Pour ce type de crimes, les caractéristiques personnelles de l'accusé n'ont été jugées pertinentes que dans la mesure où elles tendent à prouver l'existence ou l'inexistence d'un élément de l'infraction. Comme l'intention ou la conscience du risque cons-titue un élément de ce genre d'infractions, les facteurs personnels peuvent alors entrer en jeu. Mais en dehors de ce cas, les caracté-ristiques personnelles tendant à établir l'incapacité sont pris en compte en vertu des articles liminaires du *Code*, où sont précisées les conditions de la responsabilité criminelle, et ces caractéris-tiques ont généralement été tenues pour non pertinentes.

60. Qu'en est-il alors des crimes commis par inadvertance? Dans ce domaine, l'intention ou la connaissance effectives n'entrent pas en ligne de compte et, pour cette raison, les caractéristiques personnelles ne sont pas admissibles en preuve. On ne saurait non plus, à mon avis, soutenir que celles-ci devraient êtres prises en considération sur quelque autre fondement, sauf dans la mesure où elles peuvent servir à démontrer l'incapacité de l'accusé à apprécier le risque. Cette règle semble bien établie en droit, ayant été appliquée depuis des siècles aux infractions d'homicide involontaire coupable ou de négligence pénale fondées sur une faute déterminée selon un critère objectif. Dans ce cas, comme dans celui des crimes d'intention subjective, les tribunaux ont rejeté l'argument selon lequel la norme prescrite par la loi devrait tenir compte des particularités de l'accusé, autres que l'incapacité. Ainsi, le juge en chef Dickson a écrit dans l'arrêt *R. c. Hill*, [1986] 1 R.C.S. 313, aux pp. 324 et 325 :

> Lorsqu'on examine la signification précise et l'application de la norme de la personne ordinaire ou du critère objectif, il est important d'en identifier la raison d'être sous-jacente. Lord Simon of Glaisdale l'a sans doute établi de la manière la plus succincte lorsqu'il a dit dans l'arrêt *Camplin*, à la p. 726 que [TRADUCTION] « le motif pour lequel on a introduit dans ce domaine du droit le concept de l'homme raisonnable [était] [...] d'éviter l'injustice imputable au fait qu'un homme puisse invoquer son caractère excitable ou querelleur exceptionnel, son mauvais caractère ou son état d'ébriété ».
>
> C'est la préoccupation qu'a la société d'encourager le comportement raisonnable et non violent qui incite le droit à adopter le critère objectif. Le droit criminel se soucie, entre autres choses, de fixer des normes au comportement humain. Nous cherchons à encourager une conduite qui se conforme à certaines normes de la société en matière de responsabilité et d'actes raisonnables. Pour le faire, le droit emploie très logiquement la norme objective de la personne raisonnable.

Le juge Wilson ajoute, à la p. 352 du même arrêt :

On ne peut amoindrir les principes sous-jacents d'égalité et de responsabilité individuelle en incorporant le niveau subjectif de maîtrise de soi de l'accusé dans le critère de la « personne ordinaire ».

La règle d'une norme minimale uniforme pour les crimes auxquels s'applique un critère objectif ne connaît qu'une seule exception : l'incapacité à apprécier le risque. Le juge Holmes, en parlant de l'omission de faire preuve d'une diligence raisonnable, l'a exprimé dans les termes suivants, (*op. cit.*, à la p. 109) :

[TRADUCTION] Le principe selon lequel chacun est présumé posséder la capacité ordinaire d'éviter de nuire à ses semblables souffre certaines exceptions, lesquelles viennent confirmer la règle ainsi que le fondement moral de la responsabilité en général. Quand un homme a un défaut particulier de telle nature que tous peuvent reconnaître qu'il <u>rend impossibles certaines précautions</u>, cet homme ne sera pas jugé responsable de l'omission de les prendre. [Je souligne.]

En accord avec ces principes, notre Cour a écarté les moyens de défense fondés sur l'inexpérience, le faible degré d'instruction et l'état psychologique lorsque ces facteurs n'allaient pas jusqu'à l'incapacité. Elle a donc exclu les caractéristiques personnelles qui n'allaient pas jusqu'à l'incapacité dans l'examen des caractéristiques de la « personne ordinaire » dans le contexte de la défense de provocation opposée à une accusation de meurtre : *Salamon* c. *The Queen*, [1959] R.C.S. 404; *R.* c. *Hill*, précité, aux pp. 335 et 336. Un commentateur résume ainsi les caractéristiques non disculpatoires : [TRADUCTION] « Donc, le tempérament, la constitution psychologique particulière et le caractère exceptionnellement excitable ou querelleur de l'accusé ne sauraient être pris en considération par le jury pour déterminer le degré de maîtrise de soi dont l'accusé aurait dû faire preuve. La personne ordinaire n'a aucune de ces caractéristiques » (M. Naeem Rauf, « The Reasonable Man Test in the Defence of Provocation : What are the Reasonable Man's Attributes and Should the Test be Abolished » (1987), 30 *Crim. L. Q.* 73, à la p. 79).

61. Pour résumer, les prémisses fondamentales sur lesquelles repose notre droit criminel commandent que les caractéristiques personnelles qui ne se rapportent pas directement à un élément de l'infraction ne servent d'excuses que si elles établissent l'incapacité, que ce soit l'incapacité à comprendre la nature et la qualité de sa conduite dans le contexte de crimes intentionnels, ou celle à apprécier le risque que comporte sa conduite dans le cas de crimes d'homicide involontaire coupable ou de négligence pénale. C'est tout ce qu'exige le principe suivant lequel les personnes moralement innocentes ne doivent pas être déclarées coupables d'une infraction.

62. Ce critère découle, je crois, des prémisses fondamentales qui sous-tendent notre système de justice criminelle. Mais fixer l'incapacité comme limite de la responsabilité criminelle résultant d'une conduite négligente se justifie également sur le plan social. En effet, dans une société qui, expressément ou implicitement, autorise les gens à se livrer à une large gamme d'activités dangereuses qui risquent de compromettre la sécurité d'autrui, il est raisonnable d'exiger que les personnes qui choisissent de participer à ces activités et qui possèdent la capacité fondamentale d'en comprendre le danger se donnent la peine de se servir de cette capacité (voir l'arrêt *R. c. Hundal*, précité). Non seulement l'omission de ce faire dénote-t-elle une faute morale, mais c'est à bon droit que la sanction du droit criminel est appliquée afin de dissuader les autres personnes qui choisissent de se lancer dans de telles activités d'agir sans prendre les précautions qui s'imposent. Même ceux qui n'ont pas l'avantage de l'âge, de l'expérience et de l'instruction peuvent à juste titre être soumis à cette norme comme condition de l'exercice de leur choix de se livrer à des activités susceptibles d'estropier ou de tuer des gens innocents.

63. Le droit criminel, répétons-le, se préoccupe de l'établissement de normes minimales de conduite dans des circonstances déterminées. Ce but ne peut être atteint si le minimum est baissé en raison des faiblesses ou de l'inexpérience de l'accusé qui ne vont pas jusqu'à l'incapacité. À cet égard, sont tout aussi pertinentes dans le contexte pénal les observations faites par la Cour d'appel de l'Ontario dans l'affaire civile *McErlean* c. *Sarel* (1987), 61 O.R. (2d) 396, à la p. 413. La question dans cette affaire était de savoir si un adolescent qui conduisait une motocyclette était tenu de respecter la même norme de diligence qu'un adulte raisonnable. La cour (le juge en chef Howland et les juges Houlden, Morden, Robins et Tarnopolsky) a dit: [TRADUCTION] « il serait injuste envers le public, voire dangereux, de permettre que [les adolescents] qui conduisent ces véhicules à moteur observent une norme moins sévère que celle à laquelle sont soumis tous les autres conducteurs de ces véhicules. Les réalités de la vie moderne nécessitent une seule norme de diligence pour de telles activités. » (Voir aussi *Dellwo* c. *Pearson*, 107 N.W.2d 859 (Minn. 1961); Binchy, « The Adult Activities Doctrine in Negligence Law » (1985), 11 *Wm. Mitchell L. Rev.* 733.)

64. Mais la justification sociale d'une norme uniforme de diligence ne joue plus du moment qu'il y a incapacité. En effet, il ne sert à rien de déclarer coupable et de punir une personne qui n'a pas la capacité de faire ce que, du point de vue juridique, elle aurait dû faire. Comme l'explique le juge Wilson dans l'arrêt *Perka* c. *La Reine*, précité, à la p. 273, le droit criminel fait des distinctions dans des situations où « l'imposition d'une peine est complètement injustifiable ». D'après le juge Wilson, l'acquittement s'impose dans ces situations « parce qu'aucune fin inhérente à la responsabilité criminelle et à l'imposition d'une peine, c.-à-d. la réparation d'un acte mauvais, ne peut être réalisée pour un acte qu'aucune personne raisonnable n'éviterait de commettre » (p. 273). Pour ces raisons, le droit criminel n'impute aucune responsabilité si la conduite coupable de l'accusé a été causée par des facteurs extrinsèques indépendants de sa volonté.

65. Il semble ressortir de ces considérations que la meilleure façon de tenir compte des préoccupations tant pratiques que théoriques du droit criminel dans le domaine de la négligence pénale consiste à imposer à tous une norme uniforme de conduite, sauf dans les cas où l'accusé n'avait pas la capacité de reconnaître et d'éviter le risque que comportait l'activité en question. Ces cas mis à part, il ne faut pas individualiser la norme en prenant en considération les caractéristiques personnelles particulières à l'accusé. En créant une infraction nécessitant une prévision objective, comme l'homicide involontaire coupable, le législateur visait à fixer une norme minimale que sont censées respecter les personnes qui se livrent à l'activité en question. Si la norme est abaissée en raison du manque d'expérience ou d'instruction ou à cause de quelque autre « caractéristique personnelle » de l'accusé, cela aura pour effet de saper le minimum que la loi impose à ceux qui participent à cette activité. Le critère objectif sera alors inévitablement transformé en critère subjectif, ce qui heurte de front la sage recommandation, formulée dans l'arrêt *R. c. Hundal*, précité, qu'il convient en droit de faire une distinction nette entre les normes subjective et objective, et qui contrecarre l'objectif législatif d'une norme de diligence minimale pour tous ceux qui choisissent de se livrer à une conduite criminellement dangereuse (le juge Cory, à la p. 883; le juge McLachlin, à la p. 873).

66. Je me permets ici une digression afin d'examiner plus à fond le concept de l'incapacité d'une personne d'apprécier le risque inhérent à sa conduite. Il se peut que ce soit précisément là que les opinions du Juge en chef divergent de celles que j'ai tenté de formuler. Partant de la proposition, que j'admets d'ailleurs, selon laquelle l'incapacité d'apprécier le risque que comporte l'activité en question devrait constituer un moyen de défense, le Juge en chef conclut que la norme de diligence dans un cas d'espèce doit s'appliquer plus ou moins strictement selon le degré d'instruction, l'expérience et d'autres caractéristiques « habituelles » de l'accusé. Certains termes employés semblent indiquer que la totalité des caractéristiques personnelles de l'accusé – et non pas simplement celles liées à l'incapacité d'apprécier le risque – devraient être prises en considération pour décider de sa culpabilité. Le Juge

en chef mentionne, par exemple, le critère de « la personne raisonnable qui souffre de toutes les mêmes faiblesses que l'accusé » (p. 31) et celui de « la personne raisonnable possédant les mêmes caractéristiques que l'accusé » (p. 31). Voilà, me semble-t-il, des conclusions et des déclarations qui, loin de se borner à la question de l'incapacité à apprécier le risque que comporte une conduite donnée, évoquent à l'égard de la responsabilité criminelle une approche de portée plus large qui soit fonction de l'auteur de l'acte, approche que notre Cour a à maintes reprises rejetée.

67. Selon moi, la reconnaissance que les personnes qui n'ont pas la capacité de voir le risque ne devraient pas être reconnues coupables d'une infraction criminelle et devraient échapper à la sanction s'y rattachant ne mène pas à la conclusion qu'il faut adapter la norme de diligence pour tenir compte de l'expérience et du degré d'instruction de l'accusé. La seule question touchant l'auteur de l'acte qui puisse se rapporter à la *mens rea* dans de tels cas est celle de savoir si l'accusé aurait été capable d'apprécier le risque s'il s'était appliqué à le faire. Si la réponse est affirmative, et je crois qu'elle l'est dans chacune des affaires (*Gosset, Creighton, Finlay* et *Naglik*) dont nous sommes saisis, alors le débat est clos.

68. Il se peut que dans certains cas des lacunes dans l'instruction, comme l'analphabétisme chez une personne qui manipule une bouteille portant la mention « nitroglycérine » dans l'exemple du Juge en chef, puissent mettre une personne dans l'impossibilité d'apprécier le risque inhérent à sa conduite. Il pourrait en être de même des troubles de perception et, à ce moment-là, indépendamment de la diligence dont elle a pu faire preuve, la personne en question aurait été incapable d'apprécier le risque, ce qui lui aurait valu en conséquence l'acquittement. Dans les faits, toutefois, de tels cas ne se présenteront qu'exceptionnellement. La question de la *mens rea* se posera seulement s'il a été démontré que la conduite de l'accusé (l'*actus reus*) constitue un acte dangereux et illégal (comme l'homicide involontaire coupable résultant d'un acte illégal) ou un écart marqué par rapport à la norme de diligence d'une personne raisonnablement prudente (comme l'homicide involon-

taire coupable résultant d'une négligence criminelle ou les infractions de négligence pénale). Cela dit, il n'y aura que de rares cas d'incompatibilité avec l'interdiction de punir les personnes moralement innocentes. En ce qui concerne les activités non réglementées, le gros bon sens suffit normalement pour qu'une personne qui s'interroge sur le risque de danger inhérent à une activité puisse apprécier ce risque et agir en conséquence, que l'acte en question consiste à lancer une bouteille (comme dans l'affaire *R. c. DeSousa*) ou à prendre part à une bagarre dans un débit de boissons. Pour bon nombre d'activités, comme la conduite d'un véhicule automobile, nécessitant l'obtention d'un permis, on doit posséder des connaissances et une expérience minimales avant de se voir accorder l'autorisation de s'y livrer (voir l'arrêt *R. c. Hundal*). Dans le cas où une personne entreprend une activité pour laquelle elle n'a pas suffisamment de connaissances, d'expérience ou d'adresse physique, elle peut à bon droit être jugée fautive, non pas tant en raison de son incapacité à bien exécuter l'acte, mais à cause de sa décision de le tenter sans avoir pris en compte ses déficiences personnelles. Du point de vue juridique, on s'attend que quiconque se lance dans une activité dangereuse pose des questions ou demande de l'aide avant de s'engager trop avant. Aussi, même le défendeur le plus inexpérimenté peut à juste titre être jugé moralement coupable du fait d'avoir entrepris un projet dangereux sans s'être donné la peine de bien se renseigner. Le droit criminel prescrit une unique norme minimale que doivent observer tous ceux qui se livrent à l'activité en question, pourvu qu'ils jouissent de la capacité requise pour se rendre compte du danger, cette norme devant être évaluée en tenant compte de toutes les circonstances de l'affaire, y compris les événements imprévus et les renseignements erronés auxquels le destinataire a raisonnablement ajouté foi. En l'absence d'une norme minimale constante, l'obligation juridique se trouverait être minée et la sanction pénale banalisée.

69. En règle générale, les déficiences mentales qui n'entraînent pas l'incapacité ne suffisent pas à écarter la responsabilité criminelle pour négligence criminelle. Pourquoi une personne omet-elle de tenir compte du risque inhérent à l'activité qu'elle entreprend? Les explications sont légion. Il y en a tout un éventail, à

partir de la simple distraction jusqu'à des particularités comme l'âge, le degré d'instruction et la culture. Permettre une appréciation à ce point subjective reviendrait à admettre un critère [TRADUC-TION] « correspondant exactement au jugement de chacun, lequel jugement serait aussi variable que la longueur du pied de chacun; la ligne de démarcation serait en conséquence tellement floue qu'il n'existerait en fait absolument aucune règle, vu l'infinie variété de degrés de jugement que possèdent les êtres humains » : *Vaughan c. Menlove* (1837), 3 Bing. (N.C.) 468, 132 E.R. 490, à la p. 475; voir A. M. Linden, *La responsabilité civile délictuelle*, (4e éd. 1988) à la p. 142. Pour peu qu'on ait la capacité d'apprécier le risque, ni le manque d'instruction ni les prédispositions psychologiques ne peuvent servir d'excuse pour une conduite criminelle, quoique ces facteurs puissent s'avérer importants au stade de la détermination de la peine.

70. Cela ne veut toutefois pas dire que la question de la cul-pabilité se tranche dans un vide factuel. Quoique l'obligation légale incombant à l'accusé ne soit pas particularisée par ses caractéris-tiques personnelles autres que l'incapacité, elle se particularise dans les faits par la nature de l'activité et les circonstances entou-rant l'omission de l'accusé de faire preuve de la diligence requise. Comme le fait remarquer le juge McIntyre dans l'arrêt *R. c. Tutton*, [1989] 1 R.C.S. 1392, la réponse à la question de savoir si l'accusé a fait preuve de diligence raisonnable doit se fonder sur l'examen de toutes les circonstances de l'affaire. Il faut se demander ce qu'au-rait fait une personne raisonnablement prudente dans les mêmes circonstances. Ainsi, un soudeur qui cause une explosion en allu-mant son chalumeau peut se voir excuser si, d'après les renseigne-ments qu'il a demandés et auxquels il pouvait raisonnablement ajouter foi, il n'y avait pas de gaz explosif à l'endroit en question. La nécessité de prendre en considération toutes les circonstances en appliquant le critère objectif à des infractions de négligence pénale a été confirmée dans l'arrêt *R. c. Hundal*, précité.

71. La question peut être envisagée de la manière suivante. La norme juridique de diligence reste toujours la même : ce qu'aurait

fait une personne raisonnable dans les mêmes circonstances. La norme effectivement appliquée peut toutefois varier en fonction de l'activité dont il s'agit et des circonstances de l'espèce. C'est là une distinction que nous aide à saisir le droit en matière de négligence civile. Les auteurs de *Salmond and Heuston on the Law of Torts* (20ᵉ éd. 1992), aux pp. 227 et 228, expliquent en effet que la norme de diligence [TRADUCTION] diffère d'une affaire à l'autre, car une personne raisonnable ne manie pas un parapluie avec la même prudence anxieuse qu'elle apporte au maniement d'une arme à feu chargée. [*Beckett* c. *Newalls Insulation Co. Ltd.*, [1953] 1 W.L.R. 8, à la p. 17] [. . .] <u>Mais cela n'équivaut aucunement à la reconnaissance de différentes normes de diligence juridiques</u>; le critère de négligence est le même dans tous les cas. Ainsi, les candidats au permis de conduire doivent respecter la même norme objective et impersonnelle que tout autre conducteur. [*Nettleship* c. *Weston*, [1971] 2 Q.B. 691] Il en va de même d'un conducteur qui est vieux ou infirme, par opposition à totalement inconscient. [*Roberts* c. *Ramsbottom*, [1980] 1 W.L.R. 823] [Je souligne.]

Ce même raisonnement s'applique en matière pénale.

72. On peut donc constater que certaines activités appellent une plus grande prudence que d'autres. Dans le contexte de l'art. 216 du *Code criminel*, par exemple, il a été statué que les personnes qui administrent un traitement médical sont assujetties à la norme spéciale qui convient à cette activité (*R.* c. *Rogers*, [1968] 4 C.C.C. 278 (C.A.C.-B.); *R.* c. *Sullivan* (1986), 31 C.C.C. (3d) 62 (C.S.C.-B.). Cette norme est depuis longtemps reconnue en common law, celle-ci ne faisant aucune distinction fondée sur l'auteur de l'acte, mais distinguant seulement en fonction de l'activité : [TRADUCTION] « L'administration d'un traitement médical n'est pas un crime; c'en est un toutefois de l'administrer témérairement et imprudemment au point de causer la mort. À cet égard il n'y a aucune différence entre le médecin le plus compétent et le plus grand charlatan » (*R.* c. *Crick* (1859), 1 F. & F. 519, 175 E.R. 835). La norme découle des circonstances dans lesquelles s'exerce l'activité. Elle ne varie pas selon l'expérience ou les aptitudes de l'accusé en cause.

73. Il y a deux façons dont une personne peut ne pas satisfaire à une norme de diligence qui est sévère dans son application. Premièrement, elle peut entreprendre une activité qui nécessite une prudence particulière alors même qu'elle n'est pas compétente pour exercer cette prudence. En l'absence d'excuses spéciales comme la nécessité, cela peut constituer une négligence coupable. C'est le genre de violation de la norme que pourrait commettre une personne qui, sans avoir reçu la formation voulue, pratiquerait une intervention chirurgicale au cerveau. Deuxièmement, une personne compétente pourrait par négligence omettre d'exercer la prudence spéciale qu'appelle l'activité en question. Un chirurgien spécialisé dans le domaine, qui pratiquerait d'une manière grossièrement négligente une intervention chirurgicale au cerveau, violerait peut-être la norme de cette seconde façon. La norme est la même dans les deux cas, quoiqu'il puisse y avoir une différence quant à la façon de la transgresser.

74. De même que l'adoption d'une norme de diligence uniforme qui fait abstraction des caractéristiques personnelles de l'accusé autres que l'incapacité exclut toute baisse de la norme en raison de l'inexpérience et de défauts de caractère, de même, son adoption interdit que cette norme soit rendue plus sévère en raison d'une expérience ou d'une formation spéciales. Puisque le droit criminel se préoccupe de la fixation de normes minimales applicables à la conduite humaine, il ne conviendrait pas de soumettre un accusé à une norme plus sévère de diligence du fait qu'il peut être mieux renseigné ou plus compétent qu'une personne d'une prudence raisonnable. Certaines activités pourront dans les faits commander une norme plus sévère que d'autres; pratiquer une intervention chirurgicale au cerveau exige une plus grande prudence que l'application d'un antiseptique. Mais, je le répète, cela découle des circonstances dans lesquelles s'exerce l'activité et ne tient nullement à la compétence de l'auteur de l'acte.

75. Voici, d'après l'analyse qui précède, les questions qu'il faut se poser dans des affaires de négligence pénale. On doit se demander en premier lieu si l'*actus reus* a été prouvé. Il faut pour

cela que la négligence représente dans toutes les circonstances de l'affaire un écart marqué par rapport à la norme de la personne raisonnable. Cet écart peut consister à exercer l'activité d'une manière dangereuse ou bien à s'y livrer alors qu'il est dangereux de le faire dans les circonstances.

76. Se pose ensuite la question de savoir si la *mens rea* a été établie. Comme c'est le cas des crimes comportant une *mens rea* subjective, la *mens rea* requise pour qu'il y ait prévision objective du risque de causer un préjudice s'infère normalement des faits. La norme applicable est celle de la personne raisonnable se trouvant dans la même situation que l'accusé. Si une personne a commis un acte manifestement dangereux, il est raisonnable, en l'absence d'indications du contraire, d'en déduire qu'elle n'a pas réfléchi au risque et à la nécessité de prudence. L'inférence normale peut toutefois être écartée par une preuve qui fait naître un doute raisonnable quant à l'absence de capacité d'apprécier le risque. Ainsi, si l'*actus reus* et la m*ens rea* sont tous deux établis au moyen d'une preuve suffisante à première vue, il faut se demander en outre si l'accusé possédait la capacité requise d'apprécier le risque inhérent à sa conduite. Dans l'hypothèse d'une réponse affirmative à cette dernière question, la faute morale nécessaire est établie et un verdict de culpabilité peut à bon droit être rendu contre l'accusé. Dans l'hypothèse contraire, c'est un verdict d'acquittement qui s'impose.

77. Je crois que la démarche que je propose se fonde sur de solides principes de droit criminel. Correctement suivie, elle permettra que soit déclaré coupable et puni quiconque commet des actes dangereux ou illégaux qui provoquent la mort d'autrui. Elle permettra également au législateur de fixer une norme de diligence minimale à observer par tous ceux qui se livrent à de telles activités. Elle permettra enfin de maintenir le principe de justice fondamentale selon lequel on ne doit pas conclure à la responsabilité criminelle en l'absence de faute morale.

78. Je conclus donc que la norme de diligence juridique pour tous les crimes de négligence est celle de la personne raisonnable. Les facteurs personnels n'ont aucune pertinence, si ce n'est relativement à la question de savoir si l'accusé avait la capacité requise pour apprécier le risque.

C. L'application des règles de droit en l'espèce

79. Le juge du procès a conclu, à bon droit, que M. Creighton avait commis l'acte illégal de trafic de cocaïne. De plus, il l'a jugé coupable de négligence criminelle selon la norme que j'estime être celle qu'il convient d'appliquer, soit la norme de la personne raisonnable. Il ne reste donc qu'à se demander, vu mon interprétation des règles de droit applicables si, compte tenu de toutes les circonstances, une personne raisonnable aurait prévu le risque de lésions corporelles. Je suis convaincue que la réponse à cette question doit être affirmative. Tout au moins, il incombe à une personne qui administre à autrui une drogue dangereuse comme la cocaïne de se renseigner sur le risque précis que comporte l'injection et de ne l'administrer que s'il a des motifs raisonnables de croire à l'absence d'un risque de préjudice. Comme l'a conclu le juge du procès, tel n'a pas été le cas en l'espèce.

80. C'est à bon droit que le verdict de culpabilité a été inscrit et il n'y a pas lieu de le modifier. Pas plus que le Juge en chef, je n'estime nécessaire d'examiner le fondement subsidiaire de l'accusation d'homicide involontaire coupable, à savoir la négligence criminelle.

Je suis d'avis de donner à la question constitutionnelle une réponse négative et de rejeter le pourvoi.

Pourvoi rejeté.

Procureurs de l'appelant : Rosen, Fleming, Toronto.

Procureur de l'intimée : Le procureur général de l'Ontario.

Procureur de l'intervenant : le procureur général du Canada : John C. Tait, Ottawa.

Procureur de l'intervenant : le procureur général du Québec : François Huot, Québec.

Procureur de l'intervenant : le procureur général du Manitoba : Deborah Carlson, Winnipeg.

Procureur de l'intervenant : le procureur général de la Saskatchewan : W. Brent Cotter, Regina.

1- Voir Erratum [1993] 3 R.C.S. iv
2- Voir Erratum [1993] 3 R.C.S. iv

La version officielle de ces décisions se trouve dans le Recueil des arrêts de la Cour suprême du Canada (R.C.S.). Ce site est préparé et diffusé par LexUM en partenariat avec la Cour suprême du Canada.

Sa Majesté La Reine sur la dénonciation de Mark Caswell *Appelante*

et

La Corporation de la ville de Sault Ste-Marie *Intimée*

Cour suprême du Canada

RÉPERTORIÉ : R. *c.* SAULT STE-MARIE (VILLE),
      [1978] 2 R.C.S. 1299.

1977 : 13, 14 octobre / 1978 : 1er mai.

Présents : Le juge en chef Laskin et les juges Martland, Ritchie, Spence, Pigeon, Dickson, Beetz, Estey et Pratte.

EN APPEL DE LA COUR D'APPEL DE L'ONTARIO

Le jugement de la Cour a été rendu par

1. **LE JUGE DICKSON** : — Dans le présent pourvoi, la Cour doit examiner des infractions diversement appelées infractions « statutaires », « réglementaires », « contre le bien-être public », « de responsabilité absolue » ou « de responsabilité stricte ». Ces infractions ne sont pas criminelles au plein sens du terme, mais sont prohibées dans l'intérêt public. (*Sherras* v. *De Rutzen*, [1895] 1 Q.B. 918) Bien qu'appliquées comme lois pénales par le truchement de la procédure criminelle, ces infractions sont essentiellement de nature civile et pourraient fort bien être considérées comme une branche du droit administratif à laquelle les principes traditionnels du droit criminel ne s'appliquent que de façon limitée. Elles se rapportent à des questions quotidiennes, telles les contraventions à la circulation, la vente de nourriture contaminée, les violations de lois sur les boissons alcooliques et autres infractions semblables. Le présent pourvoi a pour objet la pollution.

2. La théorie de la conscience coupable exprimée en termes d'intention ou d'insouciance, mais non de négligence, est à la base

du droit criminel. Dans le cas de crimes véritables, il existe la présomption que nul ne doit être tenu responsable de son acte illicite, s'il est fait sans *mens rea* : (*R. c. Prince*, (1875), L.R. 2 C.C.R. 154; *R. v. Tolson*, (1889), 23 Q.B.D. 168; *R. c. Rees*, [1956] R.C.S. 640; *Beaver* c. *La Reine*, [1957] R.C.S. 531; *R. c. King,* [1962] R.C.S. 746). Blackstone a exposé ce principe il y a plus de deux cents ans en des termes toujours applicables : [TRADUCTION] « ... pour qu'il y ait crime contre les lois humaines, il faut d'abord la volonté de nuire et, ensuite, qu'un acte illégal en résulte ....,» 4 Comm. 21. J'aimerais souligner dès l'abord que rien dans l'analyse qui suit ne vise à amoindrir ni à éroder ce principe fondamental.

3. Le pourvoi soulève une question préliminaire, savoir si l'accusation est formulée de telle façon qu'elle impute plus d'une infraction sous un même chef et, dans l'affirmative, si les par. 732(1) et 755(4) du *Code criminel* interdisent à l'accusée, la ville de Sault Sainte-Marie, d'invoquer la défense d'accusation multiple pour la première fois en appel. Il convient de traiter d'abord cette question préliminaire et d'examiner ensuite le concept de responsabilité dans les infractions contre le bien-être public.

4. La ville de Sault Sainte-Marie est accusée d'avoir, entre le 13 mars 1972 et le 11 septembre 1972, déchargé ou fait décharger, ou permis que soient déchargées ou déposées dans le ruisseau Cannon et la rivière Root ou sur leurs rives, ou le long de leurs berges, des matières qui peuvent altérer la qualité de l'eau des deux cours d'eau. L'accusation a été portée en vertu du par. 32(1)* de *The Ontario Water Resources Commission Act,* R.S.O. 1970, chap. 332, qui dispose notamment qu'est coupable d'une infraction et passible, sur déclaration sommaire de culpabilité, d'une amende d'au plus $5,000 pour la première condamnation et d'une amende d'au plus $10,000 pour chacune des suivantes, ou d'un emprisonnement d'au plus un an, ou de l'amende et de l'emprisonnement, toute municipalité ou personne qui décharge, dépose ou fait décharger ou de déposer dans un cours d'eau ou sur une de ses rives, ou en tout endroit, des matières de quelque nature que ce soit qui risquent d'altérer la qualité de l'eau.

* Le paragraphe 32(1) se lit comme suit :

[TRADUCTION] 32. (1) Est coupable d'une infraction et passible, sur déclaration sommaire de culpabilité, d'une amende d'au plus $5,000 pour la première condamnation et d'une amende d'au plus $10,000 pour chacune des suivantes, ou d'un emprisonnement d'au plus un an, ou de l'amende et de l'emprisonnement, toute municipalité ou personne qui décharge, dépose ou fait décharger ou déposer ou permet de décharger ou de déposer dans un puits, un lac, une rivière, un étang, une source, un ruisseau, un réservoir ou autre étendue d'eau ou cours d'eau ou sur une de leurs rives, ou en tout endroit, des matières de quelque nature que ce soit qui risquent d'en altérer la qualité de l'eau.

5. Bien qu'il ne s'agisse que de faits ordinaires, les procédures jusqu'ici ont été examinées avec la plus grande attention par cinq tribunaux. La ville a été acquittée par la Cour provinciale (Division criminelle) mais déclarée coupable à la suite d'un procès *de novo* sur appel du ministère public. Un nouvel appel interjeté par la ville devant la Cour divisionnaire a été accueilli et la déclaration de culpabilité annulée. La Cour d'appel de l'Ontario a ordonné un nouveau procès. Vu l'importance des questions de droit, cette Cour a autorisé le ministère public à se pourvoir et la ville à faire un contre-appel.

I. Les faits

6. Pour rappeler brièvement les faits, le 18 novembre 1970, la ville a signé avec Cherokee Disposal and Construction Co. Ltd., un contrat pour l'élimination de tous les déchets de la ville. Aux termes du contrat, Cherokee avait l'obligation de fournir un emplacement ainsi que la main-d'oeuvre et le matériel nécessaires. L'emplacement choisi était en bordure du ruisseau Cannon qui se jette dans la rivière Root. Cherokee a adopté la méthode de décharge contrôlée dite « de remblayage systématique et continu », consis-

tant à répandre les déchets, à les tasser en couches qui sont recouvertes quotidiennement de sable et de gravier.

7. Avant 1970, il y avait à cet endroit plusieurs sources d'eau potable qui coulaient dans le ruisseau Cannon. Cherokee a recouvert et enfoui ces sources avec des matériaux, pour y déposer ensuite les ordures et les déchets. Avec le temps, ces derniers ont formé une butte descendant en pente raide vers le cours d'eau, s'arrêtant à environ vingt pieds de celui-ci. D'où la pollution. Cherokee a été déclarée coupable de violation du par. 32(1) de *The Ontario Water Resources Commission Act*, en vertu duquel l'accusation a été portée contre la ville. La question se pose maintenant de savoir si la ville est également coupable d'une infraction en vertu de ce paragraphe.

8. En rejetant l'accusation en première instance, le juge a conclu que la ville n'était nullement impliquée dans les opérations d'élimination des déchets, que Cherokee était un entrepreneur indépendant dont les employés n'étaient pas ceux de la ville. Sur appel *de novo*, le juge Vannini a conclu qu'il s'agissait d'une infraction de responsabilité stricte et a prononcé une déclaration de culpabilité. La Cour divisionnaire en infirmant le jugement a conclu qu'il s'agissait d'une accusation multiple. A titre subsidiaire, la Cour divisionnaire a également jugé que, pour ce qui est de l'accusation de faire décharger des matières nuisibles ou de permettre pareille opération, la *mens rea* est nécessaire. La Cour d'appel a jugé que la condamnation ne pouvait pas être annulée pour multiplicité parce que cela n'avait pas été soulevé en première instance. Toutefois, la Cour d'appel a convenu que l'accusation exigeait la preuve de la *mens rea*. La majorité de la Cour (les juges Brooke et Howland) a jugé la preuve insuffisante pour établir la *mens rea* et a ordonné un nouveau procès. Le juge Lacourcière, dissident, était d'avis qu'on était obligé de déduire des conclusions de fait du juge Vannini que la ville était au courant du risque de pollution des eaux du ruisseau Cannon et de la rivière Root et avait négligé d'exercer les pouvoirs de contrôle qu'elle possède effectivement.

9. Le grand éventail des avis judiciaires énoncés jusqu'ici sur les questions en litige, reflète l'incertitude existant dans ce domaine du droit.

[...]

II. La question de la *mens rea*

10. La distinction entre l'infraction criminelle réelle et l'infraction contre le bien-être public est de première importance. Dans le cas d'une infraction criminelle, le ministère public doit établir un élément moral, savoir, que l'accusé qui a commis l'acte prohibé l'a fait intentionnellement ou sans se soucier des conséquences, en étant conscient des faits constituant l'infraction ou en refusant volontairement de les envisager. L'élément moral exigé pour qu'il y ait condamnation exclut la simple négligence. Dans le contexte d'une poursuite criminelle, est innocente aux yeux de la loi la personne qui néglige de demander les renseignements dont s'enquerrait quelqu'un de raisonnable et de prudent ou qui ne connaît pas des faits qu'elle devrait connaître.

11. Par contre la « responsabilité absolue » entraîne condamnation sur la simple preuve que le défendeur a commis l'acte prohibé qui constitue l'*actus reus* de l'infraction. Aucun élément moral n'est nécessaire. On ne peut plaider que l'accusé n'a commis aucune faute. Il peut être moralement innocent sous tous rapports et malgré cela être traité de criminel et puni comme tel.

12. Les infractions contre le bien-être public mettent manifestement en jeu des valeurs contradictoires. Il est essentiel que la société maintienne, par un contrôle efficace, un haut niveau d'hygiène et de sécurité publiques. Il faut sérieusement prendre en considération les victimes potentielles de ceux qui exercent des activités comportant un danger latent. En revanche, on répugne généralement à punir celui qui est moralement innocent.

13. Les infractions contre le bien-être public sont nées en Angleterre au milieu du 19ᵉ siècle *(R.* v. *Woodrow,* (1846), 15 M. & W. 404, et *R.* v. *Stephens*, (1866), L.R. 1 Q.B. 702) comme moyens de se débarrasser de la *mens rea* en matière de contraventions de simple police. Le concept était une création judiciaire fondée sur des raisons de commodité. Il est maintenant fermement ancré dans les jurisprudences anglo-américaine et canadienne et son importance s'est accrue avec la complexité grandissante de la société moderne.

14. On avance divers arguments pour justifier la responsabilité absolue en matière d'infractions contre le bien-être public. Deux d'entre eux prédominent. Premièrement, on allègue que la protection des intérêts sociaux exige que les personnes qui poursuivent certaines activités respectent des normes élevées de diligence et de prudence, et qu'elles seront probablement incitées à les respecter si elles savent que l'ignorance ou l'erreur ne les excuseront pas. On dit que la suppression de toute échappatoire est une incitation à prendre plus de mesures préventives, en vue d'éviter les erreurs et les accidents. Le deuxième argument est fondé sur l'efficacité administrative. Si l'on prend en considération la difficulté de prouver la culpabilité morale et le nombre d'affaires mineures qui viennent quotidiennement devant les tribunaux, la preuve de la faute est, en termes de temps et d'argent, un fardeau trop lourd à imposer à la poursuite. Presque tous les contrevenants échapperaient à la condamnation si l'on exigeait à chaque fois la preuve de l'intention. Ceci, en plus du travail énorme qu'entraîne la preuve de la *mens rea* dans chaque affaire, encombrerait les rôles des tribunaux et gênerait l'application de la législation réglementaire qui resterait virtuellement sans effet. En résumé, la responsabilité absolue, nous dit-on, est le moyen le plus efficace d'assurer le respect de la législation réglementaire mineure et les buts sociaux à atteindre sont d'une importance telle qu'ils l'emportent sur la conséquence fâcheuse de punir ceux qui sont moralement innocents. Comme justification additionnelle, on insiste sur le fait que les peines imposées sont habituellement légères et qu'être trouvé coupable d'une infraction contre le bien-être public

n'entraîne pas la flétrissure attachée à un verdict de culpabilité pour une infraction criminelle.

15. On avance des arguments plus convaincants contre la responsabilité absolue. Le plus sérieux est qu'elle viole les principes fondamentaux de la responsabilité pénale; de plus, elle repose sur des présomptions qui n'ont pas été établies de façon empirique, et ne peuvent pas l'être. Rien ne prouve que la responsabilité absolue incite à une plus grande prudence. Si une personne prend déjà toutes les précautions raisonnables, prendra-t-elle d'autres mesures, sachant que de toute façon, elle ne pourra pas les faire valoir en cas d'infraction? Sa condamnation aura-t-elle sur elle ou sur d'autres un effet dissuasif si elle a fait preuve de prudence et de compétence? L'injustice d'une condamnation les conduira-t-elle, elle et les autres, au cynisme et à l'irrespect de la loi? Voilà quelques questions que l'on pose. L'argument selon lequel il n'y a pas de flétrissure ne résiste pas à l'analyse, car l'accusé aura perdu du temps, encouru des frais judiciaires, il aura été soumis à la procédure criminelle au cours d'un procès et aura subi l'opprobre d'une condamnation, même si l'on en minimise la portée. Il ne suffit pas de dire que l'intérêt public est en jeu et que, par conséquent, la responsabilité peut être retenue même en l'absence de faute. Dans les crimes graves, l'intérêt public est en cause et la *mens rea* doit être prouvée. L'argument administratif est faible. La preuve de la diligence raisonnable est admissible quand on prononce la sentence; on peut donc tout aussi bien l'alléguer en preuve quand on examine la culpabilité. On peut, de plus, souligner que l'art. 198 de *The Highway Traffic Act* de l'Alberta, R.S.A. 1970, chap. 169, dispose que lorsqu'une infraction est imputée à une personne en vertu de cette loi et que le juge qui instruit l'affaire est d'avis que l'infraction a) est purement accidentelle et ne résulte pas de la négligence, et b) que la diligence ou des précautions raisonnables n'auraient pas permis de l'éviter, il peut rejeter la poursuite. Voir également le par. 230(2) de *The Highway Traffic Act* du Manitoba, R.S.M. 1970, chap. H60, dont les effets sont similaires. Dans ces cas au moins, le législateur a indiqué que l'efficacité administrative n'exclut pas la recherche de la faute. Il faut également noter qu'historiquement les peines pour infraction à des lois réglemen-

tant la conduite de l'individu dans l'intérêt de l'hygiène et de la sécurité étaient minimes, de \$20 à \$25; aujourd'hui, les peines peuvent atteindre des milliers de dollars et comportent la possibilité d'un emprisonnement en cas de récidive. La présente affaire l'illustre bien.

16. Les infractions contre le bien-être public impliquent que la protection des intérêts publics et sociaux passe avant celle des intérêts individuels. Voir Sayre, *Public Welfare Offences* (1933), 33 Colum. L. Rev. 55; Hall, *Principles of Criminal Law*, (1947), chap. 13; Perkins, *The Civil Offence* (1952), 100 U. of Pa. L. Rev. 832; Jobson, *Far From Clear*, 18 Crim. L. Q. 294. On a malheureusement eu tendance dans de nombreuses affaires à ne voir qu'un choix entre deux solutions rigides : (i) la *mens rea* proprement dite ou (ii) la responsabilité absolue. En matière d'infractions contre le bien-être public (catégorie dans laquelle tombe la pollution) où la *mens rea* n'est pas exigée, on a souvent imposé la responsabilité absolue. La doctrine anglaise a uniformément maintenu cette dichotomie : voir Hals. (4ᵉ éd.), vol. II *Criminal Law, Evidence and Procedure,* par. 18. On a cependant essayé en Australie, dans plusieurs tribunaux canadiens et même en Angleterre, de trouver une solution intermédiaire, compatible avec le but des infractions contre le bien-être public, sans toutefois punir la personne qui est absolument irréprochable. Selon un courant jurisprudentiel en plein essor, lorsque l'infraction n'exige pas la *mens rea* proprement dite, le défendeur a néanmoins une bonne défense s'il prouve l'absence de négligence.

17. M. Glanville Williams a écrit : [TRADUCTION] « Entre la *mens rea* et la responsabilité absolue, il existe une position intermédiaire qui n'a pas encore été convenablement utilisée, et c'est la responsabilité pour négligence, » (*Criminal Law* (2ᵉ éd.) : The General part, p. 262). Morris et Howard, dans *Studies in Criminal Law*, (1964), p. 200, suggèrent que la responsabilité absolue pourrait être avantageusement remplacée par une théorie de la responsabilité pour négligence renforcée par un renversement de la charge de la preuve. Le défendeur serait autorisé à se disculper en prou-

vant d'une façon positive qu'il n'a pas été négligent. Le professeur Howard (*Strict Responsibility in the High Court of Australia*, 76 L.Q.R. 547) fait observer que la loi anglaise sur la responsabilité stricte dans les infractions mineures se distingue uniquement par son caractère irrationnel. Il a ensuite appuyé la position adoptée par la Haute Cour australienne dans les termes suivants, à la p. 548 :

> [TRADUCTION] Depuis près de soixante ans que la Haute Cour existe, elle a uniformément adhéré au principe qu'il ne devrait pas y avoir de responsabilité pénale sans faute, si minime l'infraction soit-elle. Elle l'a fait en utilisant la solution intermédiaire mentionnée par M. Williams, la responsabilité pour négligence.
>
> [...]

18. Nous sommes, par conséquent, devant une situation où plusieurs tribunaux de ce pays, à tous les niveaux, jugeant d'infractions contre le bien-être public, préconisent (i) de *ne pas* exiger que le ministère public prouve la *mens rea*, (ii) de rejeter l'idée que la responsabilité suit inexorablement la simple preuve de l'*actus reus*, ce qui exclut toute défense possible. Les tribunaux suivent l'exemple donné par l'Australie il y a déjà longtemps et que plusieurs cours anglaises ont récemment essayé d'adopter.

19. On suggérera que l'introduction d'une défense fondée sur la diligence raisonnable et le renversement de la charge de la preuve devraient être mis en vigueur par une loi. En réponse, il faut rappeler que le concept de responsabilité absolue et la catégorie juridique des infractions contre le bien-être public sont tous deux des créations du pouvoir judiciaire et non du législateur. Ce sont également des juges, au Canada aussi bien qu'en Australie et en Nouvelle-Zélande, qui jusqu'ici, dans les diverses décisions que j'ai citées, ont élaboré cette défense. La présente cause fournit l'occasion de consolider et de clarifier cette thèse.

20. À mon avis, l'approche correcte serait de relever le ministère public de la charge de prouver la *mens rea*, compte tenu de l'arrêt *Pierce Fisheries* et de l'impossibilité virtuelle dans la plupart des cas d'infractions réglementaires de prouver l'intention coupable. Normalement, seul l'accusé sait ce qu'il a fait pour empêcher l'infraction et l'on peut à bon droit s'attendre à ce qu'il rapporte la preuve de la diligence raisonnable. Ceci est particulièrement vrai quand on allègue, par exemple, que la pollution a été causée par les activités d'une compagnie importante et complexe. De même, il n'y a aucun mal à rejeter la responsabilité absolue et à admettre la défense de diligence raisonnable.

21. Selon cette thèse, il n'incombe pas à la poursuite de prouver la négligence. Par contre, il est loisible au défendeur de prouver qu'il a pris toutes les précautions nécessaires. Cela incombe au défendeur, car généralement lui seul aura les moyens de preuve. Ceci ne semble pas injuste, vu que l'alternative est la responsabilité absolue qui refuse à l'accusé toute défense. Alors que la poursuite doit prouver au-delà de tout doute raisonnable que le défendeur a commis l'acte prohibé, le défendeur doit seulement établir, selon la prépondérance des probabilités, la défense de diligence raisonnable.

22. Je conclus, pour les motifs que j'ai indiqués, qu'il y a des raisons impératives pour reconnaître trois catégories d'infractions plutôt que les deux catégories traditionnelles :

1. Les infractions dans lesquelles la *mens rea*, qui consiste en l'existence réelle d'un état d'esprit, comme l'intention, la connaissance, l'insouciance, doit être prouvée par la poursuite soit qu'on puisse conclure à son existence vu la nature de l'acte commis, soit par preuve spécifique.

2. Les infractions dans lesquelles il n'est pas nécessaire que la poursuite prouve l'existence de la *mens rea*; l'accomplissement de l'acte comporte une présomption d'infraction, laissant à l'accusé la possibilité d'écarter sa responsabilité en prouvant qu'il a pris toutes les précautions nécessaires. Ceci comporte l'examen de ce qu'une personne raisonnable aurait fait dans les

circonstances. La défense sera recevable si l'accusé croyait pour des motifs raisonnables à un état de faits inexistant qui, s'il avait existé, aurait rendu l'acte ou l'omission innocent, ou si l'accusé a pris toutes les précautions raisonnables pour éviter l'événement en question. Ces infractions peuvent être à juste titre appelées des infractions de responsabilité stricte. C'est ainsi que le juge Estey les a appelées dans l'affaire *Hickey*.

3. Les infractions de responsabilité absolue où il n'est pas loisible à l'accusé de se disculper en démontrant qu'il n'a commis aucune faute.

23. Les infractions criminelles dans le vrai sens du mot tombent dans la première catégorie. Les infractions contre le bien-être public appartiennent généralement à la deuxième catégorie. Elles ne sont pas assujetties à la présomption de *mens rea* proprement dite. Une infraction de ce genre tombera dans la première catégorie dans le seul cas où l'on trouve des termes tels que « volontairement », « avec l'intention de », « sciemment » ou « intentionnellement » dans la disposition créant l'infraction. En revanche, le principe selon lequel une peine ne doit pas être infligée à ceux qui n'ont commis aucune faute est applicable. Les infractions de responsabilité absolue seront celles pour lesquelles le législateur indique clairement que la culpabilité suit la simple preuve de l'accomplissement de l'acte prohibé. L'économie générale de la réglementation adoptée par le législateur, l'objet de la législation, la gravité de la peine et la précision des termes utilisés sont essentiels pour déterminer si l'infraction tombe dans la troisième catégorie.

The Ontario Water Resources Commission Act, par. 32(1)

24. Pour en revenir à l'objet du par. 32(1) – la prévention de la pollution des lacs, des rivières et des cours d'eau – il est évident que c'est une question d'intérêt public considérable. La pollution a toujours été illégale et constitue, en soi, une nuisance. *Groat* c.

La ville d'Edmonton, [1928] R.C.S. 522. Un propriétaire riverain a un droit inhérent à ce qu'un cours d'eau [TRADUCTION] « vienne à lui dans son état naturel, en débit, quantité et qualité » : *Chasemore* v. *Richards*, (1859), 7 H.L.C. 349, à la p. 382. Les cours d'eau naturels qui autrefois fournissaient une eau « pure et saine », potable et propice à la natation, ne valent guère mieux qu'un cloaque quand les propriétaires d'usines et les municipalités riveraines y déchargent des déchets de tous genres. La pollution est indubitablement une infraction contre le bien-être public prohibée dans l'intérêt de l'hygiène publique. En conséquence, il n'y a pas de présomption de *mens rea* proprement dite.

25. Il y a toutefois une autre raison pour laquelle cette infraction n'est pas assujettie à la présomption de mens rea. La présomption s'applique uniquement aux infractions qui sont « proprement criminelles » comme le dit le juge Ritchie dans l'arrêt *La Reine* c. *Pierce Fisheries* (précité), à la p. 13. *The Ontario Water Resources Commission Act* est une loi provinciale. Si c'est une législation provinciale valide (et personne n'a suggéré le contraire), elle ne peut pas créer une infraction qui soit proprement criminelle.

26. Le présent litige porte sur l'interprétation de deux termes embarrassants qu'on trouve fréquemment dans les lois relatives au bien-être public : « faire » (au sens de « faire faire ») et « permettre ». Ces deux termes posent un problème parce qu'aucun des deux ne dénote clairement la *mens rea* complète ou la responsabilité absolue. On dit qu'une personne ne peut pas être considérée comme ayant permis quelque chose si elle ne sait pas ce qu'elle a permis. C'est trop simplifier les choses. Il y a des précédents contradictoires qui indiquent que les tribunaux sont gênés par la dichotomie traditionnelle. Selon certaines décisions, le verbe « permettre » n'exige pas la *mens rea* : voir *Millar* v. *The Queen*, [1954] 1 D.L.R. 148; *R.* v. *Royal Canadian Legion*, [1971] 3 O.R. 552; *R.* v. *Teperman and Sons*, [1968] 4 C.C.C. 67; *R.* v. *Jack Crewe Ltd.*, (1975), 23 C.C.C. (2d) 237; *Browning* v. *J. H. Watson Ltd.*, [1953] 1 W.L.R. 1172; *Lyons* v. *May*, [1948] 2 All E.R. 1062; [page 1328] *Korten* v. *West Sussex* C.C., (1903), 72 L.J.K.B. 514. D'autres décisions

maintiennent l'opinion contraire : *James & Son Ltd.* v. *Smee*, [1955] 1 Q.B. 78; *Somerset* v. *Hart*, (1884), 12 Q.B.C. 360; *Grays Haulage Co. Ltd.* v. *Arnold*, [1966] 1 All E.R. 896; *Smith & Hogan, Criminal Law* (3e éd.) à la p. 87; Edwards, *Mens Rea and Statutory Offences* (1955), aux pp. 98-119. Il en va de même pour le verbe « faire ». Selon certains, il n'exige pas la *mens rea* : *R.* v. *Peconi*, (1907), 1 C.C.C. (2d) 213; *Alphacell Limited* v. *Woodward*, [1972] A.C. 824; *Sopp* v. *Long,* [1969] 1 All E.R. 855; *Laird* v. *Dobell*, [1906] 1 K.B. 131; *Korten* v. *West Sussex C.C.*, (précité); *Shave* v. *Rosner*, [1954] 2 W.L.R. 1057. D'autres disent que « faire » exige la *mens rea :* voir *Lovelace* v. *D.P.P.*, [1954] 3 All E.R. 481; *Ross Hillman Ltd.* v. *Bond*, précité; Smith and Hogan, *Criminal Law* (3e éd.) aux pp. 89 et 90.

27. La Cour divisionnaire de l'Ontario s'est appuyée sur ces dernières décisions pour conclure que le par. 32(1) créait une infraction exigeant la *mens rea.*

28. Toutefois ces décisions contradictoires démontrent qu'en eux-mêmes, les verbes « faire » et « permettre » conviennent mieux à une infraction de responsabilité stricte qu'à une infraction exigeant la *mens rea* ou à une infraction de responsabilité absolue. Vu que le par. 32(1) crée une infraction contre le bien-être public, sans indiquer clairement que la responsabilité est absolue et sans utiliser des mots comme « sciemment » ou « volontairement » qui exigent expressément la *mens rea*, l'application du critère que j'ai énoncé ci-dessus place indubitablement l'infraction dans la catégorie des infractions de responsabilité stricte.

29. La preuve de l'acte prohibé entraîne une présomption d'infraction, mais l'accusé peut écarter sa responsabilité en faisant la preuve de sa diligence raisonnable. Mon opinion est renforcée par l'arrêt récent *R.* v. *Servico Limited* (précité) par lequel la Division d'appel de la Cour suprême de l'Alberta a jugé qu'une infraction consistant à « permettre » à une personne âgée de moins de 18 ans de travailler pendant des heures interdites était une infraction de responsabilité stricte au sens que j'ai donné à cette expres-

sion. Je rappellerai également que les décisions de nombreuses cours d'instance inférieure qui ont examiné le par. 32(1) ont rejeté la responsabilité absolue comme fondement de l'infraction consistant à faire faire ou à permettre la pollution, et ont également rejeté la *mens rea* proprement dite comme élément de l'infraction.

Le présent litige

30. Comme je suis d'avis qu'un nouveau procès est nécessaire, il serait inapproprié d'analyser à ce stade les faits de l'espèce. Toutefois, il peut être utile d'examiner d'une façon générale les principes applicables pour déterminer si une personne ou une municipalité a commis l'*actus reus* consistant à décharger, à faire décharger ou à permettre de décharger des polluants aux termes du par. 32(1), particulièrement en ce qui concerne la pollution provenant de l'élimination des déchets. A mon avis, l'acte prohibé serait imputable aux personnes qui enlèvent et éliminent les déchets et qui sont en mesure d'exercer un contrôle continu de cette activité et de prévenir la pollution, mais qui ne le font pas. Dans cette infraction, le verbe « décharger » vise des actes directs de pollution; le verbe « faire » vise la participation active du défendeur à quelque chose qu'il est en mesure de contrôler et qui cause la pollution. Le verbe « permettre » vise le défaut d'intervention du défendeur ou, en d'autres termes, son défaut d'empêcher un événement qu'il aurait dû prévoir. Les liens étroits entre les significations de ces verbes soulignent bien que le par. 32(1) traite d'une seule infraction générique.

31. Lorsque le défendeur est une municipalité, il ne lui est d'aucun secours en droit de n'avoir pas l'obligation d'enlever les ordures. En effet, l'al. 354(1)(76) de *The Municipal Act*, R.S.O. 1970, chap. 284 dispose simplement que la municipalité « peut » le faire. Il est fréquent en droit qu'une personne n'ait aucune obligation d'agir, mais soit assujettie à certaines obligations si elle agit. L'obligation en l'espèce est imposée par le par. 32(1) de *The Ontario Water Resources Commission Act*. La situation à cet égard n'est

pas différente de celle des particuliers ou des compagnies, qui n'ont aucune obligation d'éliminer les déchets, mais qui engagent leur responsabilité en vertu du par. 32(1) s'ils le font et, de ce fait, déchargent, font décharger ou permettent de décharger des polluants.

     32. Par ailleurs, la responsabilité ne découle pas seulement des termes d'un contrat en vertu duquel un défendeur organise l'élimination des ordures. Le critère est un critère de fait, fondé sur une évaluation de la situation du défendeur relativement à l'activité qu'il entreprend et qui cause la pollution. S'il est en mesure de contrôler l'activité là où la pollution se produit, il en est responsable. Qu'il « décharge », « fasse » décharger ou « permette » que soient déchargés des polluants, la pollution sera une question de degré, dépendant de la question de savoir s'il est actif là où la pollution se produit ou si, passivement, il a simplement omis de prévenir la pollution. Dans certains cas, le contrat peut expressément accorder au défendeur le pouvoir et l'autorité de contrôler l'activité. Dans un tel cas, l'évaluation des faits est simple. A première vue, le défendeur sera responsable quand il aurait pu prévenir l'infraction en intervenant en vertu de ses droits contractuels, mais ne l'a pas fait. En l'absence d'une telle disposition expresse dans le contrat, d'autres facteurs auront une plus grande importance. Dans chaque cas, la question dépendra d'une évaluation de toutes les circonstances de l'espèce. La question de savoir si on a retenu les services d'un « entrepreneur indépendant » et non ceux d'un « employé » ne sera pas décisive. On ne pourrait probablement pas dire qu'un propriétaire qui paye une taxe d'enlèvement des déchets par une entreprise qui dessert une zone donnée, a fait faire ou permis la pollution si l'entrepreneur jette les déchets dans la rivière. Sa situation serait la même que celle d'un habitant de Sault Sainte-Marie qu'on ne pourrait pas accuser d'avoir fait faire ou permis la pollution. Une compagnie importante qui engagerait un petit entrepreneur local indépendant sans expérience pour qu'il élimine les polluants industriels dans les environs, serait probablement dans une situation tout à fait différente.

33. Il faut reconnaître, toutefois, qu'une municipalité est dans une situation un peu différente en raison du pouvoir législatif qu'elle possède et que les autres n'ont pas. C'est important pour trancher la question de savoir si la défenderesse était en mesure de contrôler l'activité entreprise qui a causé la pollution. Une municipalité ne peut pas écarter sa responsabilité en confiant le travail à un tiers. Elle est en mesure de contrôler ceux dont elle s'assure les services pour exécuter les opérations d'élimination des déchcts et de surveiller leurs activités, par contrat ou par règlements municipaux. Si elle ne le fait pas, c'est à ses risques et périls.

34. J'ajouterai un commentaire sur la défense fondée sur la diligence raisonnable dans ce contcxte. Puisqu'on cherche à déterminer ici si la défenderesse est coupable d'une infraction, le principe *respondeat superior* ne s'applique pas. La diligence raisonnable qu'il faut établir est celle de l'accusée elle-même. Lorsqu'un employeur est poursuivi pour un acte commis par un employé dans le cours de son travail, il faut déterminer si l'acte incriminé a été accompli sans l'autorisation ni l'approbation de l'accusé, ce qui exclut toute participation intentionnelle de ce dernier, et si l'accusé a fait preuve de diligence raisonnable, savoir s'il a pris toutes les précautions pour prévenir l'infraction et fait tout le nécessaire pour le bon fonctionnement des mesures préventives. Une compagnie pourra invoquer ce moyen en défense si cette diligence raisonnable a été exercée par ceux qui en sont l'âme dirigeante et dont les actes sont en droit les actes de la compagnie elle-même. Cette question est particulièrement bien traitée dans le contexte d'une défense de diligence raisonnable prévue par la loi, dans l'arrêt *Tesco Supermarkets* v. *Nattras*, [1972] A.C. 153.

35. La majorité de la Cour d'appel de l'Ontario a ordonné un nouveau procès, car elle était d'avis que les conclusions du juge de première instance ne suffisaient pas pour établir que la ville avait effectivement connaissance de l'infraction. Jc suis aussi d'avis qu'il devrait y avoir un nouveau procès, mais pour d'autres motifs. La ville n'a pas fourni de preuve relative à la défense de diligence raisonnable et le juge de première instance n'a pas examiné la

possibilité d'un recours à une telle défense. Dans ces conditions, il ne serait pas équitable que cette Cour décide, en se fondant sur des conclusions de fait visant d'autres buts, si la ville a commis une faute.

36. Je suis d'avis de rejeter le pourvoi et d'ordonner un nouveau procès. Je suis d'avis de rejeter le contre-appel. Il n'y aura pas d'adjudication de dépens.

The Wholesale Travel Group Inc.   *Appelante*

c.

Sa Majesté la Reine   *Intimée*

et

**Le procureur général de l'Ontario,
le procureur général du Québec,
le procureur général du Nouveau-Brunswick,
le procureur général du Manitoba,
le procureur général de la Saskatchewan,
le procureur général de l'Alberta,
Ellis-Don Limited et
Rocco Morra**   *Intervenants*

et entre

Sa Majesté la Reine   *Appelante*

c.

The Wholesale Travel Group Inc.   *Intimée*

et

**Le procureur général de l'Ontario,
le procureur général du Québec,
le procureur général du Nouveau-Brunswick,
le procureur général du Manitoba,
le procureur général de la Saskatchewan,
le procureur général de l'Alberta,
Ellis-Don Limited et
Rocco Morra**   *Intervenants*

RÉPERTORIÉ : R. *c.* WHOLESALE TRAVEL GROUP INC.,
         [1991] 3 R.C.S. 154.

Nᵒˢ du greffe : 21779, 21786.

1991 : 18 février; 1991 : 24 octobre.

Présents : Le juge en chef Lamer et les juges La Forest,
         L'Heureux-Dubé, Sopinka, Gonthier, Cory, McLachlin,
         Stevenson and Iacobucci.

EN APPEL DE LA COUR D'APPEL DE L'ONTARIO

I. Les faits

1. **LE JUGE EN CHEF LAMER** : — Wholesale Travel Group Inc. (une agence de voyages) et M. Colin Chedore ont été conjointement l'objet de cinq chefs d'accusation de publicité fausse ou trompeuse, infraction prévue à l'al. 36(1)*a*) de la *Loi sur la concurrence*. Le ministère public a choisi la procédure sommaire et les accusés ont plaidé non coupables. La publicité en question parlait de vacances au [TRADUCTION] « prix de gros ». Apparemment, le ministère public entendait soutenir au procès que l'expression « aux prix de gros » désigne les prix auxquels Wholesale Travel achetait ses forfaits et que la publicité était par conséquent fausse ou trompeuse. Cet argument n'a jamais été avancé parce qu'au début du procès, les accusés ont présenté une requête, en application du par. 52(1) de la *Loi constitutionnelle de 1982*, visant à obtenir un jugement déclaratoire selon lequel les par. 36(1) et 37.3(2) de la *Loi sur la concurrence* étaient incompatibles avec l'art. 7 et l'al. 11*d*) de la *Charte* et, par conséquent, inopérants.

2. Le juge du procès a fait droit à la requête des accusés et décidé que les par. 36(1) et 37.3(2) étaient incompatibles avec l'art. 7 et l'al. 11*d*) et ne pouvaient pas être tenus pour valides sous le régime de l'article premier de la *Charte*. Par conséquent, il a rejeté les accusations portées contre les deux accusés. En appel devant la Cour suprême de l'Ontario, le juge Montgomery a conclu que les dispositions attaquées ne violaient pas la *Charte* et il a renvoyé l'affaire devant la Cour provinciale afin qu'elle soit entendue par un autre juge. L'accusée Wholesale Travel a porté cette décision en appel devant la Cour d'appel de l'Ontario. L'accusé Colin Chedore n'a pas interjeté appel de cette décision et n'est donc pas partie au présent pourvoi.

3. La Cour d'appel de l'Ontario (le juge Zuber dissident en partie) a confirmé le renvoi de l'affaire devant la Cour provinciale pour la tenue d'un procès mais a fait droit à l'appel en partie. En fait, les juges Tarnopolsky et Lacourcière (la majorité) ont décidé

que les al. *c*) et *d*) pouvaient être retranchés du par. 37.3(2) de la *Loi sur la concurrence* et ils les ont déclarés inopérants conformément au par. 52(1) de la *Loi constitutionnelle de 1982.* La majorité a en outre conclu que les mots « elle prouve que » du par. 37.3(2) pouvaient être retranchés et elle a déclaré qu'ils étaient inopérants.

4. Wholesale Travel et le ministère public ont tous deux interjeté appel de l'arrêt de la Cour d'appel de l'Ontario. Des questions constitutionnelles ont été formulées le 26 juillet 1990. Certaines provinces sont intervenues dans ces affaires : l'Alberta, la Saskatchewan, le Manitoba, l'Ontario, le Québec et le Nouveau-Brunswick. Deux autres parties intéressées ont été autorisées à intervenir dans ces pourvois : Ellis-Don Limited et Rocco Morra.

[...]

II. Analyse

[...]

L'article 7

5. Dans le *Renvoi : Motor Vehicle Act de la C.-B.*, précité, notre Cour a décidé que la conjugaison de la responsabilité absolue et de l'emprisonnement violait l'art. 7 de la *Charte* et sera rarement justifiée en vertu de l'article premier. C'est que l'infraction de responsabilité absolue risque d'entraîner la déclaration de culpabilité d'une personne qui n'a réellement rien fait de mal (c'est-à-dire qu'elle n'a pas accompli d'acte intentionnel ou par négligence). Dans *R. c. Vaillancourt*, précité, j'ai dit que dans tous les cas où l'État recourt à une mesure privative de liberté, comme l'emprisonnement, pour assurer le respect de la loi, même s'il ne s'agit que d'une simple infraction à une réglementation provinciale,

la justice fondamentale exige que la présence d'un état d'esprit minimal (ou d'une faute) chez l'accusé constitue un élément essentiel de l'infraction. Dans le *Renvoi : Motor Vehicle Act de la C.-B.*, on établit indirectement que, même dans le cas d'une infraction à une réglementation provinciale, la négligence au moins est requise, en ce sens que l'accusé qui risque d'être condamné à l'emprisonnement s'il est déclaré coupable doit toujours pouvoir invoquer au moins un moyen de défense fondé sur la diligence raisonnable. Si, de l'élément présumé qu'elle était dans l'arrêt *R. c. Ville de Sault Ste-Marie*, [1978] 2 R.C.S. 1299, la *mens rea* est devenue un élément requis par la Constitution, c'est qu'en raison des principes de justice fondamentale, la peine infligée et les stigmates qui se rattachent à cette peine ou à la déclaration de culpabilité commandent un degré de faute qui reflète la nature particulière du crime en question. Dans l'arrêt *Vaillancourt*, notre Cour a décidé qu'en ce qui a trait à certains crimes, la nature spéciale des stigmates qui se rattachent à une déclaration de culpabilité ou la sévérité de la peine commandent une *mens rea* <u>subjective</u>. J'ai dit, à la p. 654 :

> Il est ainsi évident qu'il doit exister quelque élément moral spécial concernant la mort pour qu'un homicide coupable puisse être considéré comme un meurtre. <u>Cet élément moral spécial engendre la réprobation morale qui justifie les stigmates et la sentence liés à une</u> déclaration de culpabilité de meurtre. [Je souligne.]

Ainsi, la question qu'il faut trancher <u>en l'espèce</u> au regard de l'art. 7 est de savoir si l'infraction de publicité fausse ou trompeuse écarte l'un des « éléments » (c'est-à-dire le degré de faute) requis sur le plan constitutionnel par l'art. 7 de la *Charte*.

6. Étant donné que l'infraction de publicité fausse ou trompeuse est assortie d'une peine d'emprisonnement maximale de cinq ans, il ressort à l'évidence de la jurisprudence de notre Cour qu'elle ne doit pas être une infraction de responsabilité absolue et qu'elle commande à tout le moins une faute de négligence, c'est-à-dire que l'accusé doit <u>au moins</u> pouvoir invoquer un moyen de défense de diligence raisonnable pour que la disposition soit con-

forme aux exigences de l'art. 7 de la *Charte*. Par conséquent, il sera nécessaire d'examiner les éléments du par. 37.3(2) (les al. *a*) à *d*)) afin de déterminer s'ils prévoient en fait une défense de diligence raisonnable.

7. Avant d'étudier cette question, cependant, il est nécessaire d'examiner un autre argument avancé par l'appelante, Wholesale Travel. Son avocat a affirmé que l'infraction de publicité fausse ou trompeuse est l'une de ces infractions, dont notre Cour a parlé dans l'arrêt *Vaillancourt*, pour lesquelles l'art. 7 commande, sur le plan constitutionnel, une *mens rea* subjective, vu la sévérité de la peine ou la nature spéciale des stigmates qui se rattachent à une déclaration de culpabilité.

8. L'avocat de Wholesale Travel a soutenu que les stigmates liés à une déclaration de culpabilité, dans le cas de l'infraction de publicité fausse ou trompeuse, ressemblent à ceux qui sont associés à la malhonnêteté et qui se rattachent à une déclaration de culpabilité dans le cas d'un vol. Étant donné que les stigmates qui se rattachent au vol ont été explicitement rangés, dans l'arrêt *Vaillancourt*, parmi ceux qui peuvent bien commander une *mens rea* subjective, il a affirmé que l'infraction de publicité fausse ou trompeuse exige aussi qu'une *mens rea* subjective soit un élément de l'infraction afin que les principes de justice fondamentale soient respectés. À mon avis, si une déclaration de culpabilité à l'égard de la publicité fausse ou trompeuse entraîne certains stigmates, en ce sens qu'il ne s'agit pas d'une conduite moralement neutre, on ne saurait cependant affirmer que les stigmates liés à cette infraction sont analogues à ceux de la malhonnêteté, qui se rattachent à une déclaration de culpabilité à l'égard d'un vol. Dans le cas de la publicité fausse ou trompeuse, la déclaration de culpabilité repose sur divers faits, dont un bon nombre ne participent pas de la malhonnêteté, mais plutôt de l'insouciance, et la déclaration de culpabilité à cet égard ne donne pas à l'accusé l'étiquette de la malhonnêteté. Selon moi, on ne peut pas en dire autant de la déclaration de culpabilité à l'égard d'un vol.

9. Par conséquent, il y a de toute évidence <u>certaines</u> infractions pour lesquelles les stigmates particuliers liés à la déclaration de culpabilité sont de telle nature qu'il faut une *mens rea* subjective pour établir la réprobation morale qui justifie les stigmates et la peine, mais l'infraction de publicité fausse ou trompeuse <u>ne peut pas</u> être classée dans cette catégorie. Je remarque que la question générale de la norme de faute appropriée a été étudiée récemment, à propos des infractions provinciales, par la Commission de réforme du droit de l'Ontario dans son *Report on the Basis of Liability for Provincial Offences* (1990). La Commission a estimé que [TRADUCTION] « la simple insouciance ne doit pas entraîner de peine d'emprisonnement » (à la p. 46) et elle a recommandé que, dans les cas où une déclaration de culpabilité à l'égard d'une infraction provinciale risque d'entraîner l'emprisonnement, la norme de faute doit <u>dépasser</u> la négligence ordinaire et doit consister soit dans la conscience (*mens rea* subjective) soit dans un [TRADUCTION] « écart marqué et important par rapport à la norme de diligence applicable à une personne raisonnablement prudente dans les circonstances » (à la p. 46). La Commission de réforme du droit du Canada avait présenté une proposition semblable dans son document de travail 2, intitulé *La notion de blâme – La responsabilité stricte* (1974), disant que, dans le domaine des infractions à la réglementation, la défense de diligence raisonnable serait permise, la charge de prouver celle-ci incombant au prévenu, et « l'emprisonnement [. . .] devrait [. . .] être exclu dans la plupart des cas encore que, dans les cas appropriés, les infractions réglementaires commises d'une façon délibérée ou insouciante pourraient constituer des infractions prévues par le Code criminel et mériter l'emprisonnement » (à la p. 43). Il ne faut pas oublier qu'en formulant ces recommandations, les commissions de réforme du droit conseillaient leur gouvernement respectif sur des questions de principe. Par contre, la question soulevée devant notre Cour ne se rapporte pas à la politique la plus appropriée que devrait adopter le gouvernement, mais plutôt à l'exigence en matière de faute qui est requise sur le plan constitutionnel lorsque l'accusé risque l'emprisonnement. La conscience peut bien représenter la norme minimale de faute dans les cas d'emprisonnement ou pour toute infraction prévue au *Code criminel* – question sur laquelle je m'abstiens de me prononcer –, mais il ne s'ensuit pas que cette norme de faute soit

consacrée par la *Charte*. Comme je l'ai dit dans l'arrêt *R. c. Lippé*, [1991] 2 R.C.S. 114, à la p. 142, « la Constitution ne garantit pas toujours la situation « idéale » ». Comme notre Cour l'a déclaré dans l'arrêt *Vaillancourt*, précité, les principes de justice fondamentale commandent que la négligence soit le degré de faute minimal quand l'accusé risque d'être condamné à l'emprisonnement, sauf quant à certaines infractions, comme le meurtre. Pour les raisons qui précèdent, je suis d'avis que l'art. 7 de la *Charte* n'exige pas le degré de faute plus élevé envisagé par la Commission de réforme du droit de l'Ontario dans le cas de l'infraction de publicité fausse ou trompeuse. La question de savoir si une norme de faute plus sévère que ce minimum requis par la Constitution devrait être retenue dans les cas où l'accusé risque l'emprisonnement ou une déclaration de culpabilité à l'égard d'une infraction prévue au *Code criminel* est une question d'ordre public qu'il appartient au Parlement de trancher et, en se prononçant sur cette question, les tribunaux dérogeraient au principe énoncé par notre Cour dans le *Renvoi : Motor Vehicle Act de la C.-B.*, précité, aux pp. 498 et 499, c'est-à-dire que nous devons éviter de nous « prononcer sur le bien-fondé ou la sagesse des lois ». Il n'appartient pas à notre Cour de « conjecturer rétrospectivement » sur les décisions de principe prises par les représentants élus du peuple.

10. Par conséquent, l'art. 7 de la *Charte* n'exige pas qu'une *mens rea* subjective soit un élément de l'infraction et les dispositions en question ne sont pas incompatibles avec l'art. 7 du fait qu'elles n'exigent pas l'intention ou la connaissance de la part de l'accusé. Je vais maintenant aborder la question posée précédemment : savoir, les al. *a)* à *d)* du par. 37.3(2) permettent-ils à l'accusé de faire valoir la défense de diligence raisonnable?

11. Les alinéas *a)* à *d)* du par. 37.3(2) énoncent le seul moyen de défense, prévu par la Loi, opposable à l'accusation de publicité fausse ou trompeuse, une fois qu'il a été établi que la publicité est objectivement fausse ou trompeuse (c'est-à-dire une fois l'*actus reus* prouvé). On peut de toute évidence conclure de l'insertion du mot « et » après l'al. 37.3(2)*c)* que, pour obtenir l'acquit-

tement, l'accusé doit établir les quatre éléments du par. 37.3(2). Le ministère public a indiqué que, dans certaines circonstances, il suffisait de remplir les conditions des al. *a*) et *b*) (en se fondant sur des opinions incidentes émises par la Cour d'appel de l'Ontario dans l'arrêt *R*. v. *Consumers Distributing Co*., précité, mais j'estime, avec égards, qu'il s'agit là d'une mauvaise interprétation de la disposition.

12. Ainsi, la question qu'il faut se poser est celle-ci : se peut-il qu'un accusé, incapable d'établir les quatre éléments du par. 37.3(2), ait tout de même fait preuve de diligence raisonnable (c'est-à-dire qu'il n'a pas été négligent)? Si l'on répond à cette question par l'affirmative, cela signifie que le moyen de défense énoncé au par. 37.3(2) ne répond pas à l'élément relatif à la négligence requis sur le plan constitutionnel.

13. Le ministère public a admis que le moyen de défense prévu au par. 37.3(2) est [TRADUCTION] « plus restreint » que la défense de diligence raisonnable reconnue par la common law, mais soutient néanmoins que le moyen de défense prévu par la Loi n'est pas inconstitutionnel malgré son caractère limité. Quoique les al. *a*) et *b*) du par. 37.3(2) fassent mention expressément d'une « erreur » et de la diligence manifestée pour prévenir cette « erreur », ils correspondent dans une large mesure, à mon sens, à la défense habituelle de diligence raisonnable. Autrement dit, les al. *a*) et *b*) ont pour effet de permettre à l'accusé de faire valoir un moyen de défense s'il a pris des précautions raisonnables pour prévenir la publicité fausse ou trompeuse et s'il a fait preuve de diligence pour s'assurer que la publicité ne serait ni fausse ni trompeuse. Toutefois, l'élément supplémentaire concernant la « rétractation sans délai », qui est ajouté aux al. *c*) et *d*), signifie que la défense prévue par la Loi est beaucoup plus restreinte que la défense de diligence raisonnable reconnue par la common law.

14. L'accusé qui ne s'est pas rendu compte, et ne pouvait normalement se rendre compte, que les indications en question étaient fausses ou trompeuses avant qu'il ne fût trop tard pour se

conformer aux al. *c*) et *d*) ou qui, pour une raison quelconque, a été incapable de se conformer aux al. *c*) et *d*), mais avait néanmoins pris des précautions raisonnables et avait fait preuve de diligence pour prévenir la publicité fausse ou trompeuse, ne remplirait pas les conditions du moyen de défense prévu par la Loi et serait déclaré coupable de publicité fausse ou trompeuse. Je souscris à l'avis des juges majoritaires de la Cour d'appel de l'Ontario selon lequel les al. *c*) et *d*) du par. 37.3(2) pourraient avoir pour effet de priver l'accusé de la défense de diligence raisonnable et obligeraient donc à déclarer coupable l'accusé qui n'a pas été négligent. Les alinéas *c*) et *d*) érigent l'omission de présenter une publicité corrective (élément de l'infraction de publicité fausse ou trompeuse) en une « infraction » de responsabilité absolue. Par conséquent, l'exigence constitutionnelle en matière de faute est absente des dispositions relatives à la publicité fausse ou trompeuse.

15. Compte tenu de l'analyse qui précède, je souscris à l'opinion majoritaire de la Cour d'appel selon laquelle ce sont les al. *c*) et *d*) seulement qui transgressent l'art. 7 de la *Charte*. Ainsi, à moins que la restriction apportée à l'art. 7 ne soit justifiée en vertu de l'article premier de la *Charte*, ces deux alinéas doivent être déclarés inopérants, conformément au par. 52(1) de la *Loi constitutionnelle de 1982*.

16. Le ministère public, ainsi qu'un certain nombre d'intervenants, ont affirmé que ce résultat ne doit pas nécessairement s'ensuivre si l'infraction en cause est une « infraction réglementaire » par opposition à une infraction pénale et que l'exigence constitutionnelle en matière de faute, prévue dans le *Renvoi : Motor Vehicle Act de la C.-B.* et l'arrêt *Vaillancourt*, ne doit pas nécessairement s'appliquer dans le contexte réglementaire. On a fait grand cas en l'espèce du fait que l'objet de la *Loi sur la concurrence* est la réglementation économique. À mon avis, la question n'est pas de savoir si cette infraction (ou la Loi en général) doit être qualifiée de « pénale » ou de « réglementaire ». Dans le *Renvoi : Motor Vehicle Act de la C.-B.* et l'arrêt *Vaillancourt*, l'analyse

portait avant tout sur le recours à l'emprisonnement pour faire respecter l'interdiction de certains actes ou activités. La personne privée de sa liberté par l'emprisonnement n'est pas privée de moins de liberté parce qu'elle a été punie en raison de la perpétration d'une infraction réglementaire et non d'un crime. L'emprisonnement, c'est l'emprisonnement, peu importe la raison. À mon sens, c'est le fait que l'État a infligé une peine privative de liberté, en l'occurrence l'emprisonnement, pour faire respecter la loi qui est décisif du point de vue des principes de justice fondamentale. Je ne saurais accepter que ces principes doivent être interprétés différemment du simple fait que l'infraction peut être qualifiée de « réglementaire ». En fait, je reconnais que cette infraction peut être rangée parmi les infractions « réglementaires », mais il reste que la qualification perd dans une large mesure sa pertinence si l'on tient compte du fait que l'accusé est passible d'un emprisonnement maximal de cinq ans s'il est déclaré coupable.

17. Certes, le contexte réglementaire peut bien influencer l'analyse fondée sur la *Charte* dans certains cas (voir l'opinion du juge La Forest dans l'arrêt *Thomson Newspapers Ltd.* c. *Canada (Directeur des enquêtes et recherches, Commission sur les pratiques restrictives du commerce)*, [1990] 1 R.C.S. 425), mais je suis d'avis que la jurisprudence de notre Cour indique que la négligence est le degré minimum de faute qui est conforme à l'art. 7 de la *Charte* dans tous les cas où une déclaration de culpabilité peut entraîner l'emprisonnement.

18. Compte tenu de ce qui précède, je vais maintenant décider si les al. *c*) et *d*) du par. 37.3(2) peuvent être tenus pour une limite raisonnable au sens de l'article premier de la *Charte*.

L'article premier

19. Dans l'arrêt *Oakes*, précité, notre Cour a indiqué les étapes à suivre lorsque l'État cherche à justifier, en vertu de l'article premier, la limite imposée à un droit ou une liberté; elles sont

résumées dans l'arrêt *R. c. Chaulk*, [1990] 3 R.C.S. 1303, aux pp. 1335 et 1336 :

> 1. L'objectif que vise la disposition attaquée doit être suffisamment important pour justifier la suppression d'un droit ou d'une liberté garantis par la Constitution; il doit se rapporter à des préoccupations urgentes et réelles dans une société libre et démocratique, pour qu'on puisse le qualifier de suffisamment important;
>
> 2. En présumant qu'a été établi le caractère suffisamment important d'un objectif, les moyens choisis pour atteindre cet objectif doivent satisfaire au critère de la proportionnalité, en ce sens qu'ils doivent :
>
> (a) avoir un « lien rationnel » avec l'objectif et ne doivent être ni arbitraires, ni inéquitables, ni fondés sur des considérations irrationnelles;
>
> (b) porter « le moins possible » atteinte au droit ou à la liberté en question; et
>
> (c) être de telle nature que leurs effets sur la restriction des droits et libertés sont proportionnels à l'objectif.

L'objectif

20. Le ministère public soutient que l'objectif de la Loi est de favoriser la concurrence vigoureuse et loyale. Certes, c'est peut-être bien l'objectif global de la *Loi sur la concurrence*, mais à mon sens, l'objectif du moyen de défense modifié de la diligence raisonnable qu'énoncent les al. *c*) et *d*) est considérablement plus étroit que celui qu'a formulé le ministère public.

21. Le ministère public a affirmé que les exigences touchant la « publicité corrective » sont nécessaires pour éviter que les consommateurs ne subissent un préjudice indu et pour empêcher les annonceurs de tirer des bénéfices injustifiés d'indications

fausses ou trompeuses. Le ministère public souligne que, si l'infraction de publicité fausse ou trompeuse peut être consommée dès que des indications sont données, les <u>effets</u> préjudiciables de cette publicité peuvent persister tant que des mesures correctives n'ont pas été prises. Autrement dit, le moyen de défense modifié de la diligence raisonnable a pour double objectif de protéger les consommateurs contre les <u>effets</u> de la publicité fausse ou trompeuse et d'empêcher les annonceurs de tirer profit d'une telle publicité. En outre, dans la mesure où le moyen de défense modifié de la diligence raisonnable érige l'un des éléments de l'infraction de publicité fausse ou trompeuse en infraction de responsabilité absolue, il en facilite la preuve et allège par le fait même la « charge » du ministère public.

22. Le ministère public a présenté peu d'éléments de preuve au procès pour étayer directement son argument selon lequel ces objectifs sont « urgents et réels », mais je suis disposé à accepter que l'objectif d'empêcher les annonceurs qui donnent des indications fausses ou trompeuses de tirer profit de cette publicité et celui de protéger les consommateurs contre ses effets préjudiciables sont suffisamment importants pour justifier la suppression d'un droit ou d'une liberté garantis par la Constitution. Il reste cependant à voir si les moyens choisis par le Parlement pour réaliser cet objectif respectent le « critère de la proportionnalité » énoncé dans l'arrêt *Oakes*, précité.

23. Étant donné que, pour être acquitté en raison de sa diligence raisonnable, l'accusé doit faire la preuve des quatre éléments du par. 37.3(2), les al. *c*) et *d*) n'entrent en jeu que s'il a déjà été établi que l'accusé a fait preuve de diligence afin de prévenir la publicité fausse ou trompeuse (c'est-à-dire en conformité avec les al. *a*) et *b*)). Si l'on tient compte de cela, le moyen choisi par le Parlement pour réaliser les objectifs énoncés ci-dessus peut être ainsi formulé : déclarer coupables ceux qui seraient par ailleurs acquittés en vertu des al. *a*) ou *b*), mais qui n'ont pas fait de publicité corrective « sans délai » après la publication des indications, <u>peu importe qu'ils aient su ou qu'ils eussent dû s'apercevoir qu'une</u>

correction était nécessaire parce que la publicité était, de fait, fausse ou trompeuse. Autrement dit, le moyen choisi par le Parlement pour réaliser le double objectif a été le suivant : ériger l'élément de l'infraction consistant dans « l'omission de faire une publicité corrective » en une infraction de responsabilité absolue, facilitant ainsi la preuve de l'infraction.

Voilà donc le moyen qui doit être justifié selon le critère de la proportionnalité énoncé dans l'arrêt *Oakes*, précité.

Le critère de la proportionnalité

1. Le lien rationnel

24. À cette étape de l'analyse commandée par l'arrêt *Oakes*, il faut se demander s'il y a un lien rationnel entre les objectifs exposés ci-dessus relativement au premier volet du critère et le moyen choisi pour les réaliser.

25. Obliger l'accusé à faire une « rétractation sans délai » des indications en cause, afin de se prévaloir de la seule défense opposable à l'accusation de publicité fausse ou trompeuse, encouragera sûrement les annonceurs à faire une « publicité corrective » dès qu'ils s'apercevront que la publicité pose peut-être un problème. Cette obligation diminuera en outre les effets préjudiciables sur les consommateurs et réduira les avantages que les annonceurs tireraient de la publicité fausse ou trompeuse. Bien entendu, ce moyen n'encouragera pas à faire une publicité corrective ceux qui ignorent l'existence du problème. La personne qui ne pense pas qu'une publicité est fausse ou trompeuse ou qui n'a pas connaissance d'une erreur n'envisagera pas la défense ni la prise de mesures correctives. Par conséquent, le moyen utilisé est une façon rationnelle de réaliser ces objectifs dans le cas de certains accusés, mais non pas en ce qui concerne les autres.

26. De toute évidence, cependant, ce moyen facilitera la preuve de l'infraction de publicité fausse ou trompeuse. Si l'on suppose que l'objectif du Parlement, lorsqu'il a adopté les al. *c*) et *d*), a été en partie de faciliter la déclaration de culpabilité à l'égard de la publicité fausse ou trompeuse, les moyens choisis avaient un lien rationnel avec cet objectif.

27. On a indiqué en outre que la décision d'ériger l'omission de faire une publicité corrective en une infraction de responsabilité absolue encouragera de façon générale <u>tous</u> les annonceurs à être prudents en ce qui a trait à leur publicité <u>future</u>. À mon avis, cet argument ne tient pas compte du fait que les personnes accusées en vertu des al. *c*) et *d*) sont des personnes qui <u>ont fait preuve de diligence raisonnable afin de prévenir la publicité fausse ou trompeuse</u>. Si ces personnes n'avaient pas fait preuve de diligence raisonnable afin de prévenir la fausse publicité, elles auraient été visées par les al. *a*) et *b*). Je ne vois pas comment le fait de priver ces personnes, qui <u>ont</u> été prudentes, du moyen de défense prévu par la Loi encouragera les autres annonceurs à être prudents. Les autres annonceurs se rendront simplement compte que, peu importe qu'ils prennent des mesures pour prévenir la publicité fausse ou trompeuse, ils seront déclarés coupables de l'infraction si les indications sont, en fait, fausses ou trompeuses et s'ils n'ont pas fait « sans délai » une publicité corrective – peu importe qu'ils aient su ou qu'ils eussent dû s'apercevoir que la publicité était fausse ou trompeuse.

28. Compte tenu de tout ce qui précède, il y a, à mon sens, un lien rationnel entre les objectifs et le moyen choisi pour les réaliser, et les al. *c*) et *d*) respectent donc la première partie du critère de la proportionnalité énoncé dans l'arrêt *Oakes*.

2. *L'atteinte minimale*

29. La question qu'il faut se poser, selon cette partie du critère de la proportionnalité, est de savoir si la règle de droit contestée

(en l'espèce, le moyen de défense modifié de la diligence raisonnable qu'énoncent les al. *c*) et *d*) du par. 37.3(2)), porte le moins possible atteinte aux droits garantis par la *Charte* en vue de réaliser les objectifs « urgents et réels ». Autrement dit, si les moyens choisis ont peut-être bien un lien rationnel avec les objectifs, ils peuvent néanmoins porter atteinte inutilement aux droits garantis par la Constitution, compte tenu des autres moyens possibles.

30. Dans l'arrêt *R. c. Chaulk*, précité, j'ai dit que le législateur n'avait pas besoin de choisir le moyen le moins envahissant entre tous pour parvenir à son objectif, mais que le moyen choisi doit cependant entrer dans une gamme de moyens de nature à porter aussi peu que possible atteinte aux droits garantis par la *Charte*. À mon avis, le moyen de défense modifié de la diligence raisonnable qu'énoncent les al. *c*) et *d*) ne rentre pas dans une gamme acceptable du point de vue constitutionnel.

31. Pour réaliser les objectifs qui précèdent, il n'est pas nécessaire de déclarer coupables de publicité fausse ou trompeuse les personnes qui n'ont pas fait de publicité corrective parce qu'elles ne se sont pas aperçues (et ne pouvaient pas normalement s'apercevoir) que l'annonce était fausse ou trompeuse. Si le législateur voulait encourager la publicité corrective pour réaliser les objectifs qui précèdent, il aurait pu :

(a) soit créer une infraction distincte « d'omission de corriger la publicité fausse ou trompeuse » aux termes de laquelle l'accusé qui s'aperçoit ou aurait dû s'apercevoir qu'une annonce est fausse ou trompeuse est tenu de faire preuve de diligence raisonnable en prenant les mesures correctives prévues aux al. c) et d) pour se prévaloir du moyen de défense prévu par la Loi à l'égard de cette infraction;

(b) soit maintenir « l'omission de corriger la publicité fausse ou trompeuse » à titre d'élément du moyen de défense existant prévu par la Loi, mais formuler les al. *c*) et *d*) de manière que l'obligation de faire une publicité corrective naisse quand l'accusé s'aperçoit que la publicité est fausse ou trompeuse (ou lorsque le tribunal conclut que l'accusé aurait dû s'en apercevoir).

32. À mon avis, l'un ou l'autre de ces moyens permettrait, sans que des innocents soient déclarés coupables, de réaliser, d'une part, l'objectif d'encourager les annonceurs à faire une publicité corrective et, d'autre part, le double objectif de protéger les consommateurs contre les effets de la publicité fausse et d'empêcher les annonceurs de tirer profit d'indications fausses ou trompeuses. Étant donné que le législateur pouvait de toute évidence retenir ces deux solutions de rechange, on peut conclure que les alinéas existants portent inutilement atteinte à des droits garantis par la Constitution.

33. Si le recours à la responsabilité absolue relativement à l'infraction de publicité fausse facilite peut-être de façon plus efficace les déclarations de culpabilité que les moyens que je viens de proposer, on peut toutefois réfuter simplement cet argument en affirmant que le législateur aurait pu conserver la responsabilité absolue, tout en portant beaucoup moins atteinte aux droits garantis par la *Charte*, s'il n'avait pas conjugué cette responsabilité absolue avec la possibilité d'emprisonnement. En ce sens, supprimer la possibilité de l'emprisonnement et laisser les al. *c*) et *d*) intacts représentaient d'autres moyens moins attentatoires que le législateur aurait pu choisir.

34. Bien qu'il ne soit pas nécessaire, étant donné la conclusion tirée ci-dessus, d'examiner la troisième partie du critère de la proportionnalité, j'aimerais souligner que la suppression d'une exigence constitutionnelle en matière de faute est, à mon sens, une restriction très grave des droits d'un accusé prévus à l'art. 7 et qu'un objectif devrait être très « urgent et réel » pour que les effets préjudiciables de la restriction de ces droits soient proportionnels à l'objectif.

35. En résumé, je suis d'avis que le moyen de défense modifié de la diligence raisonnable qu'énoncent les al. *c*) et *d*) limite les droits de l'accusé garantis par l'art. 7 de la *Charte* et ne peut pas être tenu pour une restriction raisonnable au sens de l'article premier. Par conséquent, les al. 37.3(2)c) et d) de la *Loi sur la concurrence* doivent être déclarés inopérants en vertu du par. 52(1) de la *Loi constitutionnelle de 1982*.

Table de la jurisprudence

Les chiffres renvoient aux numéros de paragraphes.

Table de la législation

Les chiffres renvoient aux numéros de paragraphes.

Bibliographie

Monographies et documents

ARISTOTE, *Éthique de Nicomaque*, Paris, GF-Flammarion, 1965.

BLACKSTONE, W., *Commentaries on the Laws of England*, vol. I, New York & London, Garland Publishing, 1978.

BLACKSTONE, W., *Commentaries on the Laws of England*, vol. IV, New York & London, Garland Publishing, 1978.

BRUN, H. et G. TREMBLAY, *Droit constitutionnel*, 3e éd., Cowansville, Éditions Yvon Blais, 1997.

CHEVRETTE, F. et H. MARX, *Droit constitutionnel*, Montréal, P.U.M., 1982.

COKE, E., *The Third Part of the Institutes of the Laws of England*, New York & London, Garland Publishing, 1979.

COMMISSION DE RÉFORME DU DROIT DU CANADA, *Études sur la responsabilité stricte*, Ottawa, Information Canada, 1974.

COMMISSION DE RÉFORME DU DROIT DU CANADA, *L'omission, la négligence et la mise en danger*, (1985), document de travail n° 46.

CÔTÉ-HARPER, G., P. RAINVILLE et J. TURGEON, *Traité de droit pénal canadien*, 4e éd., Cowansville, Éditions Yvon Blais, 1998.

D'AQUIN, T., *Somme contre les Gentils*, Livre III, «La Providence», coll. «GF», Paris, Flammarion, 1999.

D'AQUIN, T., *Somme théologique*, t. 1, Paris, Éditions du Cerf, 1999.

D'AQUIN, T., *Somme théologique*, t. 2, Paris, Éditions du Cerf, 1997.

D'AQUIN, T., *Somme théologique*, t. 3, Paris, Éditions du Cerf, 1999.

D'AQUIN, T., *Somme théologique – L'âme humaine*, Paris, Desclée, 1949.

DANA, A.-C., *Essai sur la notion d'infraction pénale*, Paris, L.G.D.J., 1982.

DOWNER, L.J., *Leges Henrici Primi*, Oxford, Clarendon Press, 1972.

EWASCHUK, E.G., *Criminal Pleadings & Practice in Canada*, 2e éd., vol. 2, Aurora, Canada Law Book, 1987.

FORTIN, J. et L. VIAU, *Traité de droit pénal général*, Montréal, Éditions Thémis, 1982.

FOUCAULT, M., *Histoire de la folie à l'âge classique*, Paris, Gallimard, 1972.

FOUCAULT, M., *Les mots et les choses – Une archéologie des sciences humaines*, Paris, Gallimard, 1966.

FOUCAULT, M., *Surveiller et punir : Naissance de la prison*, Paris, Gallimard, 1975.

GAGNÉ, J. et P. RAINVILLE, *Les infractions contre la propriété : le vol, la fraude et certains crimes connexes*, Cowansville, Éditions Yvon Blais, 1996.

GRONDIN, R., *Les infractions contre la personne et les biens*, 5e éd., Montréal, Wilson & Lafleur, 2003.

HALE, M., *Historia Placitorum Coronae, The History of the Pleas of the Crown*, vol. 1, Philadelphia, H.P. & R.H. Small, 1847.

HALL, J., *General Principles of Criminal Law*, Indianapolis, Bobbs-Merrill, 1947.

HAWKINS, W., *A Treatise of the Pleas of the Crown*, vol. 1, New York & London, Garland Publishing, 1978.

HÉBERT, J.-C., *Droit pénal des affaires*, Cowansville, Éditions Yvon Blais, 2002.

HUGO, V., *Les contemplations*, Paris, Gallimard, 1965.

METZ, R., « La responsabilité pénale dans le monde canonique médiéval », dans LÉAUTÉ, J. (dir.), *La responsabilité pénale – Travaux du colloque de philosophie pénale*, 12-21 janvier 1959, Paris, 1961.

MINISTÈRE DE LA JUSTICE DU CANADA, *Proposition de modification du Code criminel (principes généraux)*, 28 juin 1993.

MUYART DE VOUGLANS, *Les lois criminelles de France dans leur ordre naturel*, Paris, Merigot, Crapart et Benoît Morin, 1780.

ORTOLAN, J., *Éléments de droit pénal, pénalité, juridictions, procédure*, 5e éd., Paris, Librairie Plon, 1886.

PARENT, H., *Discours sur les origines et les fondements de la responsabilité morale en droit pénal*, Montréal, Éditions Thémis, 2001.

PARENT, H., *Responsabilité pénale et troubles mentaux – Histoire de la folie en droit pénal français, anglais et canadien*, Cowansville, Éditions Yvon Blais, 1999.

PARENT, H., *Traité de droit criminel*, t. 1, 2e éd., « L'imputabilité », Montréal, Éditions Thémis, 2005.

PICKARD, T., GOLDMAN, P. et R.M. MOHR, *Dimensions of Criminal Law*, 3e éd. (Rosemary CAIRNS-WAY), Toronto, Emond Montgomery Publications, 2002.

SALEILLES, R., *L'individualisation de la peine*, 3e éd., Paris, Librairie Félix Alcan, 1927.

STUART, D., *Canadian Criminal Law, A Treatise*, 2ᵉ éd., Toronto, Carswell, 1987.

STUART, D., *Canadian Criminal Law*, 4ᵉ éd., Toronto, Carswell, 2001.

TIMSIT, G., *Les noms de la loi*, Paris, P.U.F., 1991.

WILLIAMS, G., *Criminal Law – The General Part*, 2ᵉ éd., London, Stevens, 1961.

WILLIAMS, G., *Textbook of Criminal Law*, 2ᵉ éd., London, Stevens & Sons, 1983.

WILLIAMS, G., *The Mental Element in Crime*, Jerusalem, The Hebrew University, 1965.

Articles de revue ou chapitres de livres

BOISVERT, A.-M., « La négligence criminelle, la négligence pénale et l'imprudence en matière réglementaire : quelles différences ? », (1997) 5 *Can. Crim. Law Rev.* 247.

KADISH, S.H., « The Decline of Innocence », (1968) *Camb. L. J.* 273.

KEEDY, E.R., « Ignorance and Mistake in the Criminal Law », 22 *Harv. L. Rev.* 75.

LAPOINTE, P., « Les infractions criminelles », dans Collection de droit 2005-20006, École du Barreau du Québec, vol. 12, *Droit pénal : Infractions, moyens de défense et peine*, Cowansville, Éditions Yvon Blais, 2005.

SAYRE, F.B., « Mens rea », (1931-32) 45 *Harv. L. Rev.* 974.

SAYRE, F.B., « Public Welfare Offenses », (1933) 33 *Columbia L. Rev.* 55.

Index analytique

Les chiffres renvoient aux numéros de paragraphes.

IMPRIMERIES
TRANSCONTINENTAL

Imprimé au Canada

MIXTE
Papier issu de
sources responsables
FSC® C011825